LAURENTINO GOMES

ESCRAVIDÃO

VOLUME III
Da Independência do Brasil à Lei Áurea

GLOBOLIVROS

Copyright © 2022 by Editora Globo S.A. para a presente edição
Copyright © 2022 by Laurentino Gomes

Todos os direitos reservados. Nenhuma parte desta edição pode ser utilizada ou reproduzida — em qualquer meio ou forma, seja mecânico ou eletrônico, fotocópia, gravação etc. — nem apropriada ou estocada em sistema de banco de dados sem a expressa autorização da editora.

Texto fixado conforme as regras do Acordo Ortográfico da Língua Portuguesa (Decreto Legislativo nº 54, de 1995).

Editora responsável: Amanda Orlando
Assistente editorial: Isis Batista
Revisão técnica e leitura crítica: Irene Vida Gala
Checagem: Simone Costa
Indexação: Wendy Campos
Revisão: Marcela Ramos, Laize Oliveira e Bruna Brezolini
Diagramação e gráficos: Equatorium Design
Capa: Alexandre Ferreira
Ilustração de capa: Rogério Maroja

1ª edição, 2022 — 2ª reimpressão, 2022

CIP-BRASIL. CATALOGAÇÃO NA PUBLICAÇÃO
SINDICATO NACIONAL DOS EDITORES DE LIVROS, RJ

G615e
v. 3

Gomes, Laurentino, 1956 -
    Escravidão : da independência do Brasil à Lei Áurea / Laurentino Gomes. - 1. ed. - Rio de Janeiro : Globo Livros, 2022.
    592 p. ; 23 cm. (Escravidão ; 3)

Inclui bibliografia e índice
ISBN 978-65-5987-052-3

1. Escravidão - Brasil - História. I. Título. II. Série.

22-77710
CDD: 326.09181
CDU: 326(091)(81)

Meri Gleice Rodrigues de Souza - Bibliotecária - CRB-7/6439

Direitos exclusivos de edição em língua portuguesa para o Brasil adquiridos por Editora Globo S.A.
Rua Marquês de Pombal, 25 — 20230-240 — Rio de Janeiro — RJ
www.globolivros.com.br

Para todos aqueles que morreram,
os que sobreviveram
e os que ainda hoje resistem.

Para Alberto da Costa e Silva e
Irene Vida Gala,
meus companheiros nesta jornada.

*"Se os brancos pararem de comprar,
os negros vão parar de vender."*

OSAI, rei africano
no delta do Rio Níger, em 1841

*"Enquanto houver quem
compre escravos
há de haver quem os venda."*

ADRIÃO ACÁCIO DA SILVEIRA PINTO,
governador de Angola, em 1849

SUMÁRIO

Linha do tempo 11
Introdução 19
1   FOLGUEDOS DA LIBERTAÇÃO 39
2   O COMENDADOR 61
3   OS ESQUECIDOS 81
4   PARA INGLÊS VER 99
5   HIPOCRISIA 123
6   HONORÁVEIS BENEMÉRITOS 135
7   BARÕES E FIDALGOS 151
8   O IMPÉRIO ESCRAVISTA 173
9   VENDE-SE, COMPRA-SE, ALUGA-SE 191
10 O VALONGO 209
11 A TESTEMUNHA 227
12 O AMIGO DO REI 237
13 NÃ AGOTIMÉ 255
14 ANGOLA, FRENTE E VERSO 269
15 MEDO, MORTE E REPRESSÃO 283
16 MANUAL DO CATIVEIRO 299
17 NA MIRA DOS CANHÕES 313

18	NO LIMBO	331
19	APOGEU E QUEDA	347
20	OS ABOLICIONISTAS	367
21	O PRECURSOR	385
22	A CONVERSÃO	401
23	TERRA DA LUZ	419
24	REAÇÃO	433
25	ALIANÇA ESCRAVOCRATA	445
26	MARÉ BRANCA	463
27	PÂNICO	479
28	ISABEL	491
29	O DIA SEGUINTE	515

Agradecimentos 535
Bibliografia. 541
Notas. 553
Índice onomástico 585

LINHA DO TEMPO

A luta pela Abolição e outros acontecimentos que marcaram o Brasil e o mundo da época da Independência até o fim do século XIX.

1815   No Congresso de Viena, as potências europeias prometem acabar com o tráfico de africanos escravizados, ainda que sem data definida.

Em tratado com a Inglaterra, Portugal aceita proibir o tráfico negreiro ao norte da Linha do Equador.

Dom João promove o Brasil a Reino Unido com Portugal e Algarves.

Tropas britânicas comandadas pelo duque de Wellington derrotam Napoleão na Batalha de Waterloo.

1816   Independência da Argentina.

1817   Revolução republicana em Pernambuco é sufocada por tropas de dom João.

1818   Proibição do tráfico de escravos na França.

A American Colonization Society busca terras na atual Libéria para devolver à África ex-escravos norte-americanos.

1820   Revolução Liberal do Porto exige a volta de dom João VI a Lisboa.

Convocação das Cortes Constituintes em Portugal.

1821   O inglês Michael Faraday inventa o motor elétrico.

Depois de treze anos no Rio de Janeiro, dom João retorna a Portugal.

Dom Pedro é nomeado príncipe regente do Brasil.

Napoleão Bonaparte morre na Ilha de Santa Helena.

Proibição do tráfico de escravos no México.

1822   No "Dia do Fico", dom Pedro decide permanecer no Brasil, desafiando ordens das Cortes portuguesas.

Começa a Guerra da Independência na Bahia.

Em 7 de setembro, nas margens do riacho Ipiranga, dom Pedro proclama a Independência do Brasil.

Em 1º de dezembro, Pedro I é coroado imperador do Brasil.

1823   No dia 2 de julho, tropas portuguesas são expulsas da Bahia.

José Bonifácio de Andrada e Silva propõe à Assembleia Constituinte fim gradual da escravidão no Brasil.

Dom Pedro dissolve a Assembleia Constituinte.

A escravidão é proibida no Chile.

1824   Dom Pedro outorga a primeira constituição brasileira.

A Confederação do Equador, em Pernambuco, é derrotada por tropas do Império.

1825   Inaugurado na Inglaterra o primeiro trem de passageiros.

A Inglaterra reconhece a independência do Brasil em troca da promessa do fim do tráfico negreiro.

1826   Abolição da Escravidão na Bolívia.

1827   A província Cisplatina se torna independente do Brasil, com o nome de Uruguai.

1828   Morre em Viena o compositor Franz Schubert.

1830   Em Paris, o rei absolutista Carlo X é substituído pelo liberal Luís Felipe.

O escritor francês Stendhal publica *O vermelho e o negro*.

1831   O imperador Pedro I abdica do trono.

O parlamento brasileiro proíbe o tráfico de africanos escravizados, uma "lei para inglês ver", que jamais seria cumprida.

1832   Morre o escritor alemão Johann Wolfgang von Goethe, autor de *Fausto*.

O francês Louis Braille cria um método de escrita e leitura para cegos.

1833   Fim da escravidão nos domínios britânicos.

1834   Fundação da Sociedade Francesa para a Abolição da Escravidão.

1835   O império é abalado por uma série de revoltas, como a dos Malês, liderada por escravos muçulmanos, na Bahia; a Cabanagem, no Pará; e a Farroupilha, no Rio Grande do Sul.

Queda do império Oió, rival do reino do Daomé no Golfo do Benim, ambos fornecedores de escravos para a América.

1836   Abolição da escravidão nos territórios de domínio português.

1837   Revolta da Sabinada, na Bahia.

1838   Revolta da Balaiada, no Maranhão.

1839   O papa Gregório XVI condena o tráfico negreiro.

O parlamento britânico aprova o *Lord Palmerston's Bill*, que autoriza a marinha a apresar navios negreiros.

1840   Aos catorze anos, Pedro II assume o trono brasileiro.

1842   Abolição da escravidão no Uruguai.

1845   Pelo *Slave Trade Suppression Act* (também chamado de *Lord Aberdeen's Act*), a Inglaterra decide apreender navios negreiros mesmo em águas territoriais brasileiras.

1846   Abolição da escravidão na Tunísia.

1848   Abolição da escravidão na Suécia, na Dinamarca e em todos os domínios franceses.

1849   Fundação de Libreville (atual Gabão), para acolher escravos libertos da França.

1850   Lei Eusébio de Queirós põe fim ao tráfico negreiro no Brasil.

Fundação da Sociedade Libertadora Dois de Julho, na Bahia.

Fundação, no Rio de Janeiro, da Sociedade Contra o Tráfico de Africanos e Promoção da Colonização e da Civilização dos Índios.

1851   Proibição da escravidão na Colômbia.

1852   A escritora norte-americana Harriet Elizabeth Beecher-Stowe publica *A cabana do Pai Tomás*.
Inauguração da primeira linha de telégrafo no Brasil.

1853   Fim da escravidão na Argentina.

1854   Abolição da escravidão na Venezuela e no Peru.

1856   Última chegada documentada de africanos escravizados ao Brasil.

1857   O Império Otomano proíbe o tráfico de escravos.

1861   O tzar Alexandre II decreta o fim da servidão na Rússia.

1863   Abolição da escravidão em todos os territórios holandeses.
Em meio à Questão Christie, o Brasil rompe temporariamente relações diplomáticas com a Inglaterra.

1864   Início da Guerra do Paraguai.

1865   Fim da Guerra da Secessão, em que 750 mil pessoas morreram para que a escravidão fosse abolida nos Estados Unidos.
O presidente Lincoln, dos Estados Unidos, é assassinado.

1867   Pela primeira vez, e de forma cautelosa, dom Pedro II defende na *Fala do Trono* a emancipação do "elemento servil".
Última chegada documentada de navio negreiro a Cuba.

1869   Tropas da Tríplice Aliança ocupam Assunção, capital do Paraguai.
Comandante das tropas brasileiras, o Conde D'Eu proíbe a escravidão em território paraguaio.
Manifesto Liberal defende a emancipação gradual dos escravos e alerta: "Ou a reforma ou a Revolução".
O poeta Castro Alves publica *O navio negreiro*.

1870   Fim da Guerra do Paraguai.
Estreia em Milão a ópera *O guarani*, do brasileiro Carlos Gomes.
Júlio Verne publica *Vinte mil léguas submarinas*.
Unificação da Itália.
Publicado no Rio de Janeiro o *Manifesto Republicano*.

LINHA DO TEMPO

1871   Em Salvador, a Sociedade Libertadora Sete de Setembro lança o jornal *O Abolicionista*.

Lei do Ventre Livre liberta filhos de escravos nascidos a partir dessa data no Brasil.

1872   Inaugurada a Ponte do Brooklyn, em Nova York.

Censo revela que o Brasil tem 8.419.672 habitantes livres e 1.510.806 escravos.

1873   Na Convenção de Itu, fazendeiros paulistas lançam manifesto em favor da república e passam ao largo do problema da escravidão.

Abolição da escravidão em Porto Rico.

1874   Americanos começam a usar arame farpado em suas fazendas.

Inaugurada em Paris a primeira exibição de pintores impressionistas.

1876   Alexander Graham Bell inventa o telefone.

1877   Seca no Ceará mata 200 mil pessoas, um quarto da população da província.

1879   Thomas Edison patenteia a lâmpada elétrica.

Nasce o alemão Albert Einstein, futuro pai da Teoria da Relatividade.

Joaquim Nabuco é eleito deputado por Pernambuco.

1880   Fundada no Rio de Janeiro a Sociedade Brasileira Contra a Escravidão.

Invenção do papel higiênico em rolo, na Inglaterra.

1881   Machado de Assis publica *Memórias póstumas de Brás Cubas*.

O tzar Alexandre II é morto por radicais russos.

James Garfield, presidente dos Estados Unidos, é assassinado.

1882   Fundação do Centro Abolicionista de São Paulo.

Morre Charles Darwin, autor da Teoria da Origem e da Evolução das Espécies.

Inaugurada nos Estados Unidos a primeira usina hidroelétrica.

O alemão Robert Koch descobre a bactéria causadora da tuberculose.

Morre em São Paulo o ex-escravo e advogado abolicionista Luiz Gama.

1883 Morre Karl Marx, autor do *Manifesto Comunista* de 1848.
O trem *Oriente Express* faz a ligação entre Paris e Constantinopla.
Joaquim Nabuco publica em Londres *O abolicionismo*.
Fundação, no Rio de Janeiro, da Confederação Abolicionista.

1884 O americano Lewis Waterman inventa a caneta-tinteiro.
Construído em Chicago o primeiro edifício arranha-céu.
A escravidão é abolida no Ceará e no Amazonas.
O americano Hiram Maxim inventa a metralhadora.

1885 A Lei dos Sexagenários liberta os escravos com mais de sessenta anos no Brasil.
Morre em Paris o escritor Victor Hugo, autor de *Os miseráveis*.
Potências europeias reunidas em Berlim dividem a África entre si.
O alemão Karl Benz inventa o motor à combustão interna.

1886 Inaugurada em Nova York a Estátua da Liberdade.
O farmacêutico John Pemberton inventa a Coca-Cola.
Josephine Cochrane, dona de casa americana, inventa a máquina de lavar louça.
Abolição da escravidão em Cuba.
Lei extingue a pena de açoites no Brasil.

1887 Inundação no rio Amarelo mata 900 mil chineses.
Chegam a São Paulo 34.710 imigrantes europeus, a maioria italianos.
Fuga em massa de escravos no interior de São Paulo é reprimida por tropas na Serra de Cubatão.
O Exército pede à Princesa Isabel que seus soldados e oficiais sejam dispensados de capturar escravos fugitivos.

1888 O americano George Eastman inventa a câmera fotográfica Kodak.
Cinco prostitutas são mortas em Londres por Jack, o Estripador.
A Princesa Isabel assina a Lei Áurea, pondo fim à escravidão no Brasil.

1889 Nascem o austríaco Adolf Hitler, futuro chanceler alemão, e o inglês Charles Chaplin, futuro astro do cinema.

Inauguração da Torre Eiffel, em Paris.

Golpe liderado pelo marechal Deodoro da Fonseca derruba a monarquia e inaugura a república no Brasil.

O abolicionista André Rebouças segue para o exílio junto com a família imperial.

1890 Rui Barbosa, ministro da Fazenda, manda queimar os arquivos da escravidão brasileira.

INTRODUÇÃO

"Como se poderá chegar à abolição sem revolução?"

AURELIANO CÂNDIDO TAVARES BASTOS,
jornalista, escritor e político alagoano, em 1863

A CENA MAIS CONHECIDA do nascimento do Brasil como nação independente é grandiosa e iluminada. Com 4,15 metros de altura por 7,60 de largura, a tela *Independência ou morte,* também chamada *O grito do Ipiranga,* do pintor Pedro Américo, paraibano da cidade de Areia, é uma representação heroica de um país imperial e de ascendência europeia. Nela, o príncipe dom Pedro, herdeiro da Coroa de Portugal, aparece no alto de uma colina, às margens do riacho do Ipiranga, em São Paulo, e cavalga um belo animal cor de canela, que o padre mineiro Belchior Pinheiro de Oliveira, testemunha do episódio, descreveria como "uma bela besta baia". À sua frente, os soldados da guarda de honra, que mais tarde seriam conhecidos como "Dragões da Independência", também montados em cavalos fogosos, fazem um semicírculo diante do príncipe. São todos, sem exceção, homens, brancos e estão impecavelmente vestidos à moda dos grandes exércitos europeus da época. Atualmente em exibição no Museu Paulista do Ipiranga, é este o retrato oficial e ufanista do exato momento em que o futuro imperador ergue a espada para anunciar, no final da tarde de 7 de setembro de 1822, o rompimento de todos os laços que até então prendiam os brasileiros aos colonizadores portugueses.

Existe, contudo, outro quadro relacionado ao Brasil no ano de sua independência, a respeito do qual poucas pessoas já ouviram falar. É uma diminuta aquarela, de 23,6 centímetros de altura por 26,3 de largura, que hoje faz parte do acervo da Biblioteca Nacional da Austrália. Seu autor, o viajante e pintor inglês Augustus Earle, visitou o Brasil diversas vezes no início do século XIX e morou na Oceania, o que explica sua obra ter ido parar no outro lado do mundo. Ali aparece um pedaço da realidade brasileira que ficou oculto na imponente pintura de Pedro Américo: a escravidão. A cena registrada por Earle ocorre em data incerta do ano de 1822 no interior do Calabouço, prisão situada no antigo Morro do Castelo do Rio de Janeiro. Um escravo nu, de mãos atadas a um poste de madeira, está sendo açoitado por outro homem também negro. O sangue escorre em profusão de seu corpo esquálido. Os dedos retesados dos pés indicam a intensidade da dor que sofre a cada golpe.[1]

O ambiente retratado na pequena aquarela é assustadoramente lúgubre. Ao mesmo tempo, tem o aspecto de algo rotineiro, ao qual as pessoas estariam perfeitamente habituadas. Enquanto o carrasco desfere as chibatadas sobre as costas do escravo, um grupo observa tudo com ar de indiferença. Do lado esquerdo, um homem branco, em pé e de braços cruzados, envergando uma cartola e botas de couro até os joelhos — provavelmente o dono do cativo — confere o andamento do suplício com visível enfado. Atrás dele, outro homem negro, com as mãos atadas às costas e contido por um guarda armado, traz nos olhos o pavor do que o espera. É o próximo da fila a ser açoitado. Um terceiro, mais ao fundo, é conduzido de volta para a cela com as costas lanhadas pelo chicote. O carrasco traz uma cruz pendurada no pescoço e uma fita escarlate amarrada à cintura. Tem os pés descalços, indício de que também ele é um escravo. Outro açoitador, igualmente negro e descalço, está sentado no canto direito. Tem o semblante exausto e de seu pulso pende um chicote já ensanguentado, a sugerir que a sessão de tortura é executada em regime de revezamento. No centro da tela, uma figura cobre o rosto com uma das mãos enquanto a outra é espalmada em direção ao pelourinho, como se tentasse não ver o que ali se passava.

Criada no final do século XVIII pelo vice-rei dom Luís de Vasconcelos e Souza, a prisão do Calabouço tinha o aspecto de uma caverna escura e abafada, como se fosse um buraco mais apto para receber animais selvagens do que gente. Com 61 palmos de comprimento por 21 de altura e 37 de largura,[2] sem iluminação nem ventilação, tresandava a fezes e urina. Uma pessoa que ali permanecesse por muito tempo no calor do alto verão carioca, poderia morrer sufocada. Apesar disso, chegava a acomodar mais de cem escravos de uma só vez, todos na fila de espera, para serem flagelados pelo Estado brasileiro. Por ser um lugar muito insalubre, documentos da época registram reiteradas recomendações de seu fechamento por parte da fiscalização, providência que jamais foi tomada porque açoitar escravos era uma das especialidades do sistema escravista nacional.

Pelas leis imperiais, os senhores eram autorizados a aplicar somente "castigos moderados" em seus escravos, sem supervisão direta das autoridades. O artigo 179 da Constituição de 1824, a primeira do Brasil independente, proibia que cidadãos particulares executassem, por conta própria, "os açoites, a tortura, a marca de ferro quente, e todas as mais penas cruéis", interdição que seria reforçada pelo código criminal de 1830 e a lei número 4, de 1835. Queimar, ferir, afogar ou matar eram atribuições exclusivas do sistema policial e judiciário.[3] Essas regras, obviamente, nunca eram cumpridas ao pé da letra. Nas fazendas e regiões distantes, onde, segundo uma expressão do abolicionista pernambucano Joaquim Nabuco, o braço da lei não era suficientemente longo para proteger os cativos, havia relatos de espancamentos bárbaros, de quinhentas ou mais chibatadas, sem que senhores e capatazes dessem satisfações a ninguém. Nos centros urbanos, porém, especialmente nas imediações da corte do Rio de Janeiro, "correções" mais severas ficavam em geral delegadas aos agentes do Estado, que se responsabilizavam pela tarefa de punir os escravos em troca do pagamento de taxas e honorários por parte de seus donos. Era essa a função do Calabouço.

O açoitamento de negros era um dos cinco serviços de disciplina que o governo brasileiro oferecia aos senhores escravocratas. Os outros eram a prisão com trabalhos forçados, punição também chamada de galés; a prisão simples, sem trabalho forçado; o degredo para Angola, Moçambique, São Tomé e Príncipe ou alguma província distante do próprio Brasil; e, por fim, a pena de morte, a mais drástica de todas, quase sempre por enforcamento. Os castigos de açoite eram aplicados sem julgamento ou qualquer outra formalidade legal, bastando apenas que o senhor fizesse o requerimento e pagasse uma pequena tarifa, no valor equivalente a 160 réis por cem chicotadas. Segundo as anotações da Intendência Geral de Polícia da Corte, em um único dia, 2 de janeiro de 1826, as autoridades receberam 4.640 réis como pagamento de 2.900 chibatadas em dezesseis escravos, incluindo quatro mulheres. Naquele mês inteiro, foram aplicados 31.650 açoites sobre as costas de 170 escravos, pelas quais seus donos pagaram 50.640 réis. Ao longo de todo o ano de 1826, o total subiu para 330.400 chibatadas, que custaram aos senhores 528.640 réis.

INTRODUÇÃO

Os registros são frios, como se fizessem parte de um livro básico de contabilidade. Limitam-se a relacionar o nome do senhor, do escravo, a quantidade de açoites e a taxa paga pela punição:

- Cosme Damião de Caro pagou 320 réis para que sua escrava Maria recebesse 200 chibatadas.
- O padre católico Antônio Teixeira pagou igual quantia pelo açoite do escravo Francisco.
- Jorge de Estrela desembolsou um valor pouco maior, 480 réis, para que Evaristo recebesse 300 vergastadas.

Segundo o historiador Carlos Eugênio Líbano Soares,[4] os escravos do Rio de Janeiro eram recolhidos ao Calabouço para serem açoitados a pedido dos senhores, mas também de forma aleatória, por decisão das autoridades policiais e pelos motivos mais banais e insignificantes, como andar na rua "fora de horas", comportar-se como "suspeito", demonstrar "atitude estranha" ou simplesmente estar parado numa esquina. Um grande número dos detidos era acusado de praticar "capoeiragem", forma de luta herdada da África que daria origem à capoeira moderna, constantemente reprimida pelas autoridades. Nas amostragens analisadas por Líbano Soares na primeira metade do século XIX, mais da metade (53,2%) dos "capoeiras" recolhidos ao Calabouço foi submetida à pena máxima, de trezentos açoites. Além do castigo físico severo, eram também condenados a trabalhos forçados em obras públicas, como a construção da Estrada da Tijuca, iniciada durante a época da corte de dom João VI no Rio de Janeiro.

O ritual de açoitamento no Calabouço começava por volta das nove horas da manhã. O escravo a ser punido era amarrado a um poste e despido de modo que as nádegas ficassem expostas aos golpes do chicote. Os açoitadores eram homens negros e, em geral, também escravizados. Os demais sentenciados aguardavam em fila a vez de igualmente serem amarrados ao poste e despidos. Terminada a sessão matinal, todos retornavam às masmorras, onde os ferimentos eram lavados com uma mistura de sal e vinagre com pimenta, para prevenir eventuais infecções. O pintor francês Jean Baptiste Debret registrou da seguinte maneira essa rotina de espancamentos:

> *Todos os dias, entre nove e dez horas da manhã, podem-se ver filas de negros a serem punidos; eles vão presos pelo braço, de dois em dois, e conduzidos sob escolta da polícia até o local designado para o castigo. (...) Aí o carrasco recebe o direito de pataca por cem chibatadas aplicadas. De regresso à prisão, a vítima é submetida a uma segunda prova, não menos dolorosa: a lavagem das chagas com vinagre e pimenta, operação sanitária destinada a evitar infecção do ferimento. Se o negro é muito nervoso, é preciso sangrá-lo imediatamente, precaução que se toma sempre em relação às negras.*[5]

Outra testemunha, o diplomata britânico James Henderson, autor de um livro sobre a história do Brasil que viveu no Rio de Janeiro na época da Independência, assim descreveu uma das sessões diárias de açoitamento. A vítima era um negro fugitivo recém-capturado:

> *Depois que seu nome foi chamado várias vezes, ele apareceu na porta da masmorra, onde os negros ficavam confinados de forma promíscua. Uma corda foi colocada em volta de seu pescoço, e o conduziram até um grande poste situado no pátio vizinho, ao redor do qual seus braços e pernas foram atados, enquanto a corda imobilizava seu corpo de maneira semelhante, e outra, amarrada firmemente em torno de suas ancas*

INTRODUÇÃO

tornava o movimento de qualquer membro impossível. O [carrasco] negro começou então a trabalhar de forma metódica. A cada golpe, que parecia arrancar uma parte da carne, ele (o açoitador) emitia um peculiar assobio. As tiras [do chicote] eram aplicadas sempre no mesmo lugar. O negro suportou as cem chibatadas que recebeu com a mais determinada resolução. Ao sentir o primeiro e o segundo golpe, gritou "Jesu". Depois, encostou a cabeça no poste, sem soltar mais uma sílaba, sem pedir misericórdia. Mas o sofrimento era fortemente visível na agitação trêmula de toda a compleição. No terceiro dia, ele recebeu a segunda centena de chibatadas e a marca do fugitivo: uma pesada corrente de ferro atada à perna e um colar de ferro ao redor do pescoço, com uma ponta em forma de tridente que ficava acima da sua cabeça.[6]

***

Na tarde em que o príncipe dom Pedro e sua guarda de honra chegaram às margens do Ipiranga naquele célebre dia 7 de setembro de 1822, o Brasil era majoritariamente negro e africano, o maior território escravista da América naquele início de século XIX, cuja rotina era pautada pelo chicote e pela violência contra os cativos. O novo país independente nascia empanturrado de escravidão. E assim permaneceria até quase o final do século XIX. Homens e mulheres escravizados perfaziam mais de um terço do total da população, estimada em 4,7 milhões de habitantes. Outro terço era composto por negros forros e mestiços de origem africana — uma população pobre, carente de tudo, dominada pela minoria branca e que sequer seria contada entre os cidadãos, ou seja, brasileiros aptos a votar, serem votados e decidir o futuro do novo país. Os indígenas, a esta altura já dizimados por guerras, doenças e invasão de seus territórios, sequer apareciam nas estatísticas. O Rio de Janeiro, capital do novo Império, era a maior cidade africana da América, com cerca de 10% do total de escravos.

A escravidão era, na definição de José Bonifácio de Andrada e Silva, o Patriarca da Independência, um cancro que contaminava e roía as entranhas da sociedade brasileira. Disseminado por todo o território brasileiro, o escravismo perpassava todas as atividades e todas as classes sociais. Ricos e pobres, fazendeiros, comerciantes e profissionais urbanos, instituições públicas e empresas privadas, ordens religiosas, bispos e padres, brancos, negros e mestiços — todos, indistintamente, eram donos de escravos ou almejavam sê-lo. Comprar e vender gente era o maior negócio do Brasil. A Independência, o nascimento e a construção do Estado nacional brasileiro, a organização de suas leis e instituições, tudo foi feito sob o espectro sombrio da escravidão.

O historiador Tâmis Parron demonstrou que o tráfico de gente e a exploração da mão de obra cativa não eram meros detalhes na história imperial brasileira do século XIX — eram, em vez disso, o próprio fundamento do regime e do Brasil como estado-nação.[7] Parron chamou isso de "a política da escravidão no Império do Brasil". Segundo ele, havia uma linha de ação política planejada, organizada, determinada e defendida no parlamento e em todas as instâncias da monarquia brasileira com o objetivo de auferir o maior resultado possível do regime escravista. Era sustentada por "uma rede de alianças políticas e sociais que, costurada em favor da estabilidade institucional da escravidão, contava com o emprego dos órgãos máximos do Estado nacional brasileiro em benefício dos interesses senhoriais". Foi o contrabando de escravos, declarado ilegal a partir de 1831 por lei nunca cumprida, que, segundo as palavras de Parron, "forjou a base material com que o estado brasileiro cobriu as despesas públicas".

INTRODUÇÃO

Isso explica também por que o Brasil foi o país que mais resistiu a acabar com o regime escravista no continente americano. E por que o imperador Pedro II, um homem declaradamente simpático à ideia abolicionista, depois de assumir o trono, demorou quase três décadas para só em 1867 declarar de forma tímida e repleta de condicionantes ter chegado o tempo do Brasil se preocupar com "a emancipação do elemento servil". Em resumo, sem escravidão não haveria Brasil imperial no século XIX.

Nos anúncios de jornais, os escravos brasileiros eram comprados, vendidos, leiloados, alugados, hipotecados, emprestados, doados, transmitidos em herança e até mesmo trocados um pelo outro, em um sistema de escambo que não envolvia transação monetária. "Troca-se uma negra muito boa lavadeira e vendedeira de rua por uma que engome e costure", propagava o *Diário de Pernambuco* de 4 de maio de 1835. Eram ainda vendidos e arrematados junto com as terras de uma fazenda, uma casa e sua mobília, rebanhos de animais e outros bens. Em 1860, vendia-se no Recife um sítio com duas casas, sendo que em uma delas funcionava uma padaria, incluindo "um preto padeiro para a mesma padaria". Tudo "barato", segundo reforçava o anúncio, levando-se em conta que o dono do sítio tinha pressa em se livrar da propriedade e seu escravo padeiro porque "precisava fazer uma viagem para fora da província".[8]

Pessoas escravizadas eram até mesmo oferecidas como prêmio de rifas e loterias. Em 1825, o imperador Pedro I autorizou a Santa Casa de Misericórdia de Ouro Preto a arrematar diversos bens em uma loteria destinada a arrecadar fundos para a instituição. Entre os prêmios oferecidos estavam cinco crianças: Francisco, preto mina, dezoito anos de idade, e Libania Rebola, de dezesseis anos, ambos avaliados em 300 mil réis; Lizauro, de seis anos (100 mil réis); Lizandro, de quatro anos (60 mil réis); e Francisco, de apenas um ano (40 mil réis). Seriam todos arrematados junto com uma escrivaninha inglesa (28.800 réis); doze cadeiras de jacarandá (24 mil réis); uma carroça com reforço metálico (40 mil réis); e um sofá de couro (7.200 réis). Lourenço Benguela, negro escravizado de 32 anos, seria vendido por 200 mil réis junto com uma sela de cavalo em prata fina (60 mil réis), uma mesa (26 mil réis), uma espingarda (8 mil réis) e duas bacias de cobre (6 mil réis).[9]

O escravismo brasileiro passou por três fases distintas ao longo do século XIX. A primeira foi a do tráfico ilegal, entre a Independência e a assinatura da Lei Eusébio de Queirós, em 1850. Entre 1831, ano em que o tráfico foi declarado legalmente proibido, e 1835, entraram clandestinamente no Brasil cerca de 83 mil africanos escravizados. Era só o começo de uma atividade criminosa que se expandiria de forma assustadora nos anos seguintes. Entre 1836 e 1840, foram transplantados mais 255 mil escravos, o triplo do período anterior. Outros 400 mil chegariam até 1850, ano da Lei Eusébio de Queirós que, pela segunda e definitiva vez, proibiu o tráfico. No total, cerca de 740 mil pessoas contrabandeadas no curto intervalo de duas décadas, sob o olhar cúmplice da polícia e das mais altas autoridades do Império. Entre os anos de 1841 e 1850, nada menos do que 88% dos africanos embarcados em navios negreiros para a América tiveram como destino o Brasil.[10]

O segundo fenômeno foi o deslocamento da população escrava, das regiões Norte e Nordeste para o Sudeste brasileiro, pelo chamado tráfico interprovincial. Nas duas décadas seguintes à Lei Eusébio de Queirós, cerca de 800 mil negros cativos seriam transferidos internamente, para as áreas onde se concentrava a produção de café, principal item da pauta de exportações brasileiras no século XIX. Em 1818, Minas Gerais, Rio de Janeiro e São Paulo concentravam apenas 35% da população cativa. Esse número, alimentado pelo tráfico clandestino da África e, depois, pelo tráfico interprovincial, subiria para 58% em 1872 e para 65% em 1887. Nas províncias do Nordeste, em contrapartida, a participação cairia de 54% para 23%. A principal mudança era registrada em São Paulo, onde a população escravizada cresceu oito vezes, de quase insignificantes 21 mil em 1823 para 169 mil em 1872.[11]

    O último e, dos três, o mais importante acontecimento do escravismo brasileiro nesse período foi a campanha para Abolição da Escravatura, iniciada por volta de 1870, ano do fim da Guerra do Paraguai. A luta abolicionista é a principal marca da história da escravidão no século XIX em todo o hemisfério ocidental, mas o Brasil, como sempre, nela entrou com o atraso de algumas décadas. Em 1815, reunidos no Congresso de Viena, que redesenhou as fronteiras geográficas e políticas ao fim das guerras napoleônicas, as principais potências europeias representadas por Grã-Bretanha, França, Espanha, Suécia, Áustria, Prússia, Rússia e Portugal assinaram um documento no qual se declarava que o tráfico de africanos escravizados era "repugnante a todos os princípios da humanidade e moralidade universal", recomendando também que todos os países nele envolvidos o abolissem assim que possível. Apesar da ênfase nas palavras, nenhum prazo foi definido para que isso de fato acontecesse.

    No mesmo ano, Grã-Bretanha e Portugal celebraram um acordo pelo qual os portugueses se comprometiam a acabar com o tráfico acima da Linha do Equador. Em troca, a Inglaterra lhes perdoava a dívida referente a um empréstimo de 600 mil libras esterlinas contraído anos antes. Navios suspeitos de embarcar escravos em portos como Lagos, Porto Novo, Ajudá e Bissau — todos acima da linha demarcada — seriam julgados perante duas comissões mistas, compostas por juízes de ambos os países, que passariam a funcionar em Serra Leoa, na costa da África, e no Rio de Janeiro. Portugueses e britânicos também concordavam que seus respectivos navios fossem interceptados e revistados em alto-mar, sempre que houvesse suspeita de tráfico — medida, obviamente, de exclusivo interesse dos britânicos, levando-se em conta que seria inconcebível imaginar portugueses tomando qualquer atitude contra navios negreiros, atividade na qual eles eram campeões absolutos desde meados do século xv. Esse tratado seria referendado pelo Império brasileiro após a Independência em 1822, porém jamais respeitado por portugueses ou brasileiros.

 México, Chile, Bolívia, França e Inglaterra aboliram o cativeiro em seus domínios entre 1818 e 1840. Nas décadas seguintes, seria a vez de países como Argentina, Colômbia, Dinamarca, Equador, Peru, Suécia, Tunísia, Uruguai e Venezuela. Por volta de 1855, restavam apenas três grandes territórios escravistas no continente: Brasil, Cuba e Estados Unidos. A abolição nos domínios norte-americanos veio em 1865, ao final de uma guerra civil na qual morreram cerca de 750 mil pessoas. No ano seguinte, foi a vez de Cuba. No Brasil, a marcha foi bem mais lenta, devido à resistência obstinada da aristocracia escravista, sustentáculo do poder imperial. Em 1871 foi proclamada a Lei do Ventre Livre, que concedia liberdade aos recém-nascidos e criava fundos para a compra de alforrias de adultos. Uma segunda lei, de 1885, declarava livres todos os sexagenários com idades acima de 60 anos. Por fim, foi assinada a própria Lei Áurea, de 13 de maio de 1888, que decretou o fim da escravidão legal no país.

 O café produziu uma drástica alteração no eixo econômico do país. Nos duzentos primeiros anos da colonização, a riqueza brasileira se concentrara na região Nordeste, no chamado ciclo do açúcar. Depois migrara para Minas Gerais na corrida do ouro e dos diamantes que marcou a primeira metade do século xviii. Por essa época, Francisco de Melo Palheta, sargento-mor do Pará, contrabandeou de um viveiro de Caiena as primeiras sementes e mudas de café, planta originária das terras altas da Etiópia e até então cultivada em segredo na Guiana Francesa. Depois de aclimatadas em Belém, as mudas logo chegariam ao Vale do Paraíba, entre o Rio de Janeiro e São Paulo. Começava ali a febre do "ouro verde", sustentada pela fome insaciável dos fazendeiros por mão de obra escravizada. O produto, que na época da Independência representava apenas 18% do total da pauta de exportações, em 1889 já alcançava 68%, ou seja, quase dois terços do total. O número de sacas exportadas saltou de 129 mil em 1820 para 5,5 milhões em 1889.[12]

Três principais argumentos a respeito da escravidão foram exaustivamente debatidos no Brasil ao longo do século XIX.[13] Todos eles assentavam-se na antiga ideologia escravista que durante os três séculos anteriores servira de alicerce para o cativeiro africano. O primeiro afirmava que, no fundo, a escravidão era benéfica para os negros, ao retirá-los da ignorância e da barbárie do continente africano para incorporá-los à supostamente humanista e avançada civilização católica portuguesa que se instalava nos trópicos. Dizia-se também que o negro seria incapaz de sobreviver em liberdade, cabendo aos senhores brancos educá-los, orientá-los e tutelá-los de todas as maneiras possíveis — incluindo, obviamente, o uso do chicote e outros meios de punição e contenção, quando necessários à disciplina e ao bom funcionamento do sistema. Por fim, sustentava-se que a escravidão, embora condenável do ponto de vista humanitário, era "um mal necessário". Dependente da economia agroexportadora, de mão de obra intensiva, a economia brasileira jamais poderia sobreviver sem o cativeiro africano. A abolição da escravidão levaria, portanto, à ruína nacional.

Esses argumentos estavam de tal forma entranhados no pensamento brasileiro que, em 1863, o advogado, jornalista e político alagoano Aureliano Cândido Tavares Bastos se perguntava: "Como se poderá chegar à abolição sem revolução? Eis o problema mais enredado da nossa sociedade".[14]

Para responder a essa pergunta hoje, com a distância de muitas décadas, é preciso observar mudanças estruturais ocorridas naquele período não apenas no Brasil, mas no mundo todo. Como observou a historiadora Emilia Viotti da Costa, na segunda metade do século XIX, a escravidão se tornara um sistema de trabalho inoperante, alvo de ataques de diversos grupos sociais, dentro e fora do Brasil. A proibição do tráfico negreiro, em 1850, acelerou o que Viotti da Costa chamou de "processo de ladinização e desafricanização da população escrava". "Ladino" ou "crioulo" era a denominação que se dava aos escravos nascidos no Brasil ou já bem adaptados e integrados à sociedade brasileira, diferentemente dos recém-chegados, que eram chamados de "pretos novos" ou "pretos boçais". Na primeira metade do século XIX, a escravidão brasileira era principalmente africana. Nas regiões produtoras de café do Rio de Janeiro, São Paulo e Minas Gerais cerca de 80% de todos os cativos adultos (acima de quinze anos) provinham da África. Era também uma população majoritariamente masculina. Na região de Campinas, em 1829, havia três homens para cada mulher, a maioria deles africana de nascimento. Em 1872, às vésperas da Abolição, já havia um equilíbrio maior entre os sexos e a imensa maioria era crioula, ou seja, nascida no Brasil.[15]

O processo de "ladinização" — ou seja, de abrasileiramento — favoreceu a sociabilidade e a assimilação da população escrava, não apenas em relação aos brancos, mas também entre os próprios negros ao diminuir tensões e rivalidades que havia entre povos de diferentes etnias na África. Também favoreceu a organização de movimentos de resistência, fugas e rebeliões entre os cativos, fenômeno que se acelerou às vésperas da Lei Áurea. Rebeliões e fugas sempre ocorreram, desde as primeiras décadas do Brasil colonial. A diferença é que, no passado, a resistência negra enfrentava a reprovação geral dos brancos, caso do Quilombo de Palmares, descrito em detalhes no primeiro volume desta trilogia. No século XIX, a fuga e a rebelião adquiriram contextos novos. Pela primeira vez, os escravos encontravam apoio na Justiça e a simpatia de amplos setores da população. Desse modo, o regime escravista passou a ser visto cada vez mais como uma instituição a ser condenada, ilegítima e a serviço de grupos minoritários. Antes caçados por capitães-do-mato, mortos, mutilados, chicoteados e reprimidos de todas as formas, passaram a encontrar incentivo e simpatia entre os brancos. O movimento abolicionista "forneceu-lhes uma ideologia e deu apoio às suas ações insurrecionais", nas palavras de Viotti da Costa. Criava, portanto, condições para que os escravos e os negros em geral se manifestassem e fossem ouvidos.

A mudança no perfil da população escravizada e a campanha abolicionista coincidem com a chegada de centenas de milhares de imigrantes europeus, parte de um projeto nacional de branqueamento da população durante o Segundo Reinado e os primeiros anos da República. A ação abolicionista e a mudança dos ventos ideológicos dentro e fora do Brasil levaram à aceleração e à radicalização do processo a partir de 1870, ano do fim da Guerra do Paraguai. Os fazendeiros passaram a se organizar em clubes e centros de lavoura. Formaram clubes secretos e milícias particulares, dispostos, se fosse o caso, a defender pelas armas os seus interesses e propriedades. Em muitas localidades, líderes abolicionistas foram perseguidos, e juízes e advogados, expulsos. Fazendeiros e seus jagunços atacaram jornalistas e intelectuais que ousaram se pronunciar a favor da causa dos escravos. Jornais foram invadidos e fechados. Ao mesmo tempo, o pânico diante da possibilidade de não ter mão de obra suficiente para as colheitas que se aproximavam fez com que muitos fazendeiros passassem a oferecer alforrias e outras contrapartidas em troca da prestação de serviços por um determinado número de anos. As novas oportunidades de alforria levaram ao aumento substancial da população negra livre no país. Em 1872, ano do primeiro censo populacional de abrangência nacional, os 1.510.806 escravos representavam 15% da população, taxa que cairia para 5% às vésperas da Lei Áurea de 1888.

No curto espaço de algumas décadas, essas mudanças solaparam as bases ideológicas que haviam sustentado o sistema escravista por mais de três séculos. A partir daí, a escravidão teria os seus dias contados.[16]

A Abolição não provocou a catástrofe social antes apregoada pelos defensores da ordem escravista. Muitos fazendeiros enfrentaram dificuldades, alguns perderam patrimônio e status social, pela incapacidade de se adaptar à nova situação. Ainda assim, o Brasil não foi à ruína. Passados os primeiros momentos de incerteza, a prosperidade das lavouras, especialmente do café, retomou o vigor de antes, agora assegurada pelo trabalho livre dos imigrantes estrangeiros. Ao mesmo tempo, a Abolição não correspondeu às expectativas dos abolicionistas. Não representou uma ruptura fundamental com o passado. Mantiveram-se intactas as estruturas arcaicas de produção da economia agroexportadora, caracterizada pela concentração da propriedade da terra e pelo monopólio do poder por parte dos fazendeiros. Ex-escravos e seus descendentes foram abandonados. A "segunda Abolição", defendida por muitos abolicionistas, jamais aconteceu. O Brasil nunca se tornou uma "democracia rural", mediante uma reforma agrária, como preconizava André Rebouças. Jamais educou, deu moradias, renda e empregos decentes, como propunha Joaquim Nabuco. Nunca promoveu os negros e mestiços brasileiros à condição de cidadãos plenos, com os mesmos direitos e deveres assegurados aos demais brasileiros, como desejavam Luiz Gama e José do Patrocínio. A população afrodescendente brasileira foi negligenciada, marginalizada,

INTRODUÇÃO

explorada sob formas mal disfarçadas de trabalho forçado e mal remunerado. E assim permanece até hoje. "A Abolição libertou os brancos do fardo da escravidão, abandonando os ex-escravos à própria sorte", resumiu Emilia Viotti da Costa.[17]

Este livro procura explicar alguns dos enigmas e desafios que cercaram todas essas mudanças ao longo do século XIX. Como uma instituição que, ao longo de milhares de anos, fora aceita e praticada em todas as grandes sociedades humanas entrou em colapso no espaço de apenas algumas décadas? Como um parlamento no qual se fazia representar a elite da aristocracia escravista brasileira foi levado a tomar uma decisão tão drástica quanto acabar com o cativeiro? Por que o Brasil conseguiu acabar com a escravidão sem recorrer às armas, ao contrário do que ocorreu nos Estados Unidos? Obviamente, seria pretensioso e ilusório de minha parte responder de forma conclusiva a qualquer dessas perguntas, sobre as quais tantos historiadores por muito tempo têm se debruçado sem chegar a conclusões definitivas. Meu objetivo — como procurei fazer no curso de toda esta trilogia — é apenas chamar a atenção dos leitores para essas questões e, na medida do possível, trazer à luz os debates que as cercaram naquela época.

*＊＊

A construção desta trilogia envolveu muitos estudos, pesquisas e reflexões de minha parte. Inevitavelmente, resultou também em muitas transformações no meu entendimento pessoal sobre a "questão do negro" no Brasil (para usar uma expressão do médico e escritor maranhense Nina Rodrigues, já citado no primeiro volume desta obra). Durante algum tempo, resisti a aceitar, por exemplo, que o negro brasileiro tivesse enfrentado — ou ainda enfrentasse — um processo de genocídio. Para mim, ainda lá no começo desta jornada, a palavra me parecia excessivamente forte, eco de acontecimentos terríveis na história, como o holocausto judeu sob o regime nazista da Alemanha ou o extermínio de grupos inteiros de seres humanos na União Soviética de Josef Stálin. Hoje, ao chegar ao final desta jornada, já não tenho mais dúvida: os negros brasileiros, tanto quanto os indígenas, foram e continuam vítimas de um processo sistemático de genocídio, na forma definida por Abdias Nascimento nas páginas iniciais do livro *O genocídio do negro brasileiro*, que li em reedição de 2016.[18]

Na introdução dessa obra, Nascimento recorreu a duas definições de genocídio. A primeira, do *Webster's Third New International Dictionary of the English Language*:

> *O uso de medidas deliberadas e sistemáticas (como morte, injúria corporal e mental, impossíveis condições de vida, prevenção de nascimento), calculadas para o extermínio de um grupo racial, político ou cultural ou para destruir a língua, a religião ou a cultura de um grupo.*

A segunda é do *Dicionário escolar do professor*, organizado por Francisco da Silveira Bueno, em edição do Ministério da Educação e Cultura, de 1963, que define "genocídio" da seguinte forma:

> *Recusa do direito de existência a grupos humanos inteiros, pela exterminação de seus indivíduos, desintegração de suas instituições políticas, sociais, culturais, linguísticas e de seus sentimentos nacionais e religiosos.*

Em resumo, genocídio nem sempre se resume ao extermínio físico de um determinado grupamento humano. Envolve também aspectos mais sutis de sua identidade, como a memória, a cultura, a língua, as crenças religiosas, a possibilidade de sobreviver e prosperar, de realizar os seus talentos e vocações, de ascender a postos de liderança, a empregos e posições de reconhecimento social. São coisas que o Brasil tem sistematicamente recusado à sua população afrodescendente. Por isso, hoje tendo a concordar com Abdias Nascimento e Florestan Fernandes sobre um processo de genocídio negro em andamento no passado, no presente e, se nada for feito, também no futuro do Brasil.

"Da escravidão, no início do período colonial, até os dias que correm, as populações negras e mulatas têm sofrido um genocídio institucionalizado, sistemático, embora silencioso", escreveu Florestan Fernandes no prefácio do livro de Abdias Nascimento, depois de apontar que a palavra pode, sim, ter significado "terrível e chocante", mas apenas para "a hipocrisia conservadora", ainda presa à mitológica noção de um Brasil marcado por uma escravidão branca, senhorial, benévola, origem da suposta "democracia racial" até muito recentemente aceita por grande parte da população. No que diz respeito à escravidão (e aqui sigo ainda o raciocínio de Florestan Fernandes), o genocídio está amplamente documentado e explicado pelos melhores e mais insuspeitos historiadores. A Abolição, por si mesma, não pôs fim, mas agravou o genocídio. Formalmente liberto, o negro foi condenado à periferia da sociedade, como se não pertencesse à ordem legal, o que o expôs a um extermínio moral e cultural, que teve sequelas econômicas e demográficas.

O racismo brasileiro é algo profundo e inquietante, de natureza estrutural, cultural, ao ponto de envolver projetos de "branqueamento" da população ao longo do século XIX e estudos e tratados de "eugenia" ainda tão recentes quanto a primeira metade do século XX, nos quais negros eram apontados como inferiores tanto na anatomia quanto em suas faculdades mentais. E podem ser observados ainda hoje em comportamentos inaceitáveis de preconceito e intolerância, profundos e graves ao ponto de inviabilizar no futuro a própria existência do Brasil como um país decente, justo, ético e digno dos nossos sonhos.

Estudar, refletir e aceitar essa realidade é um bom começo para as transformações em nossa jornada rumo a uma sociedade democrática e plural — "ou ela é democrática para todas as raças e lhes confere igualdade econômica, social e cultural, ou não existe uma sociedade plurirracial e democrática", como acentuou Florestan Fernandes no livro de Abdias Nascimento.

Espero que esta obra, que agora encerro no mesmo ano das comemorações do Bicentenário da Independência do Brasil, seja uma contribuição, ainda que modesta e incompleta, nesta caminhada.

LAURENTINO GOMES
Viana do Castelo, Portugal, abril de 2022

1. FOLGUEDOS DA LIBERTAÇÃO

"Todos respiravam felicidade, tudo era delírio."

MACHADO DE ASSIS,
sobre o Treze de Maio de 1888

O PROJETO ERA SINGELO, brevíssimo, de apenas duas linhas, um dos mais curtos já votados no parlamento brasileiro. Sua disposição principal, no artigo primeiro, continha só doze palavras. Em seguida vinha uma determinação complementar e usual nos dispositivos legais, com mais cinco vocábulos. Nada além disso. Assim era o texto da lei nº 3.353, de 13 de maio de 1888, mais conhecida como Lei Áurea, talvez a mais importante de toda a história do Brasil:[1]

> *Art. 1º É declarada extinta desde a data desta Lei a escravidão no Brasil.*
> *Art. 2º Revogam-se as disposições em contrário.*

Apesar de sua aparente simplicidade, nunca um projeto de lei mobilizou tanto a atenção dos brasileiros. Nunca tantos interesses se viram contrariados. Nunca os destinos nacionais estiveram tão em jogo. Nunca haveria uma ruptura tão drástica na realidade do país. A votação não foi tranquila nem teve aprovação unânime ou fácil. Entre a apresentação da proposta, no dia 3 de maio, e a votação final, no dia 13, os debates foram acirrados. Concentrada nas galerias e nas imediações do parlamento, a multidão ansiosa acompanhava as notícias. "A Câmara permaneceu cercada, como em estado de sítio", relatou o advogado e historiador Antônio Evaristo de Moraes, testemunha dos acontecimentos. "Tudo quanto lá dentro se fazia irradiava cá fora."[2] Os jornais reproduziam discursos e decisões em manchetes garrafais, retransmitidas às regiões distantes pelo telégrafo e pelo telefone, novidades tecnológicas ainda recentes no país.

Dois brasis com visões diametralmente opostas em relação ao futuro se confrontaram naqueles memoráveis e tensos dez dias de maio. De um lado, havia os que sonhavam com uma nação livre do cativeiro, em que nenhum homem ou mulher jamais voltasse a ser vendido em leilões em praça pública, tratado como mercadoria qualquer, em que a lei do chicote deixasse de mediar as relações entre um grupo de brasileiros e outro, em que ninguém fosse discriminado devido à cor da pele ou à origem étnica. De outro, uma aristocracia rural predatória e escravista, que nos quatro séculos anteriores construíra seu poder e sua fortuna pelo uso da violência e da exploração indigna do trabalho alheio, sem nenhum reconhecimento ou contrapartida.

Em 1888, restavam ainda cerca de 750 mil homens e mulheres escravizados no Império brasileiro. Eram os remanescentes de uma história brutal. Nos três séculos anteriores, o Brasil tinha sido o maior território escravista do hemisfério ocidental. E o mais avesso a qualquer proposta de mudança. Viciado em escravidão desde o início da colonização portuguesa, resistira a todas as pressões e a todos os esforços feitos até então para se tornar uma nação livre. Fora o último país da América a acabar com o tráfico de africanos escravizados, pela Lei Eusébio de Queirós de 1850. Naquele momento, já quase no alvorecer do século xx, era também o último a discutir a abolição.

Os primeiros africanos escravizados chegaram ao Brasil por volta de 1538 para saciar a fome de mão de obra das lavouras e engenhos de açúcar que já então se multiplicavam pelas regiões litorâneas. Nos 350 anos seguintes, o total alcançaria 4,9 milhões, cerca de 46% dos 10,7 milhões desembarcados em cerca de 37 mil viagens de navios negreiros para todo o continente americano no mesmo período.[3] Antes de negra e africana, porém, a escravidão brasileira havia sido indígena. Os mais antigos registros de compra e venda de pessoas cativas datavam de 1511, apenas uma década após a chegada da esquadra de Pedro Álvares Cabral à Bahia. Naquele ano, a nau *Bretoa*, de propriedade do florentino Bartolomeu Marchionni, financiador das grandes navegações portuguesas, e do cristão novo Fernando de Noronha, que hoje dá nome ao famoso arquipélago na costa pernambucana, partiu de Salvador levando uma carga de peles de onças-pintadas, papagaios, toras de pau-brasil e um grupo de 35 índios que seriam leiloados em Lisboa. Submetidos desde aquela época à escravidão e expostos às inúmeras doenças trazidas pelos europeus, contra as quais não tinham imunidade, os indígenas acabaram vítimas de um massacre de proporções bíblicas. De uma população estimada entre três milhões e cinco milhões em 1500, estavam reduzidos a menos de meio milhão por volta de 1888.[4]

A escravidão sustentou todos os ciclos econômicos responsáveis pela riqueza da colônia portuguesa nos trópicos, da exploração do pau-brasil às lavouras de café, passando pelo açúcar, pelo ouro, pelo diamante, pelo tabaco e pelo algodão, entre outras atividades. Ser dono de terras e de pessoas escravizadas era o principal indicador de prestígio e riqueza no Brasil. "Os escravos são as mãos e os pés do senhor do engenho", afirmava o padre jesuíta André João Antonil, ao descrever o Brasil em 1711.[5] Era esse o grupo que tinha acesso às posições de mando, governava, recebia títulos de nobreza, fazia as leis e usufruía de seus benefícios.

Por isso havia tanta expectativa e tanta ansiedade ao redor daquele brevíssimo projeto de lei em maio de 1888. O Brasil fora construído com sangue e suor de homens e mulheres escravizados. Conseguiria sobreviver e progredir sem eles? Poderia o Brasil mergulhar no caos testemunhado nas décadas anteriores em outras regiões do continente? Como nos Estados Unidos, em que a abolição só foi possível ao fim de uma violentíssima guerra civil na qual cerca de 750 mil pessoas haviam morrido? Os senhores escravocratas, que até então dependiam da mão de obra cativa, aceitariam passivamente as mudanças? E se os próprios escravos decidissem reagir à opressão e pegar em armas em busca da liberdade? Notícias ainda recentes chegadas do interior do país davam conta de fugas em massa nas fazendas, enquanto os proprietários armavam milícias com o objetivo de caçar os fugitivos e reprimir manifestações abolicionistas. Como seria possível fazer a abolição sem que o país mergulhasse num banho de sangue?

Além dessas preocupações relacionadas à escravidão, o Brasil enfrentava outras graves incertezas de natureza política naquela 20ª Legislatura da Assembleia, como se denominava então o Congresso Nacional. Cansado, doente e precocemente envelhecido aos 62 anos, o imperador Pedro II estava na Europa, em tratamento de saúde. Sua filha mais velha, a princesa Isabel, ocupava a regência do Império pela terceira vez, com a missão de orientar as decisões do ministério, inspirar e organizar os debates no parlamento. Era, porém, uma mulher sem carisma e imatura, com enormes dificuldades no diálogo com os partidos e forças políticas, o que lançava sérias dúvidas a respeito da viabilidade de um terceiro reinado, na hipótese da morte do soberano. Nas ruas, na imprensa e nos salões sociais a agitação republicana era crescente. Um grupo cada vez maior e mais ruidoso defendia que a única saída possível estava na mudança do regime. A complicar o cenário, havia, ainda, um enorme descontentamento nos quartéis a respeito do tratamento dado às Forças Armadas pelas autoridades imperiais. O cheiro de golpe era perceptível no ar.

Como era tradição na monarquia brasileira, coube à princesa abrir o ano parlamentar de 1888, no dia 3 de maio, com a Fala do Trono, pronunciamento em que o governo imperial fazia um balanço da situação nacional e delineava suas prioridades para aquele momento. Diante dos deputados e senadores, Isabel anunciou que dentre os desafios a serem enfrentados naquele ano estava "a extinção do elemento servil" — para bom entendedor, o fim da escravidão. Conclamou os parlamentares a apagar do direito pátrio o que, segundo suas palavras, seria uma "exceção", contrária ao espírito cristão e liberal das instituições do país. Reagia desse modo à pressão do movimento abolicionista que, nos anos anteriores, mobilizara milhares de pessoas em todo o país, até se converter na primeira grande campanha popular de rua na história do Brasil. Havia, contudo, na fala da princesa, palavras e expressões dúbias, que de algum modo drenavam da mensagem a força e o senso de urgência que a conjuntura parecia exigir.

A proposta poderia ser resumida nestas poucas linhas da Fala do Trono:

A extinção do elemento servil, pelo influxo do sentimento nacional e das liberalidades particulares, em honra do Brasil, adiantou-se pacificamente de tal modo que é hoje aspiração aclamada por todas as classes, com admiráveis exemplos de abnegação da parte dos proprietários. Quando o próprio interesse privado vem espontaneamente colaborar para que o Brasil se desfaça da infeliz herança, que as necessidades da lavoura haviam mantido, confio que não hesitareis em apagar do direito pátrio a única exceção que nele figura em antagonismo com o espírito cristão e liberal das nossas instituições. Mediante providências que acautelem a ordem nas transformações do trabalho, apressem pela imigração o povoamento do país, facilitem as comunicações, utilizem as terras devolutas, desenvolvam o crédito agrícola e aviventem a indústria nacional, pode-se asseverar que a produção sempre crescente tomará forte impulso e nos habilitará a chegar mais rapidamente aos nossos auspiciosos destinos. [6]

Uma análise mais cuidadosa deste trecho do discurso ajuda a explicar o quanto era precário o equilíbrio do trono brasileiro entre os interesses dos fazendeiros e a maré abolicionista. Em momento algum a princesa usou duas palavras cruciais: "escravidão" e "abolição". Em vez disso, refugiou-se em algo mais suave e genérico: "a extinção do elemento servil". O tom era de elogio aos fazendeiros, alicerces da monarquia desde a independência em 1822. A julgar pelas palavras de Isabel, a abolição não seria uma conquista dos abolicionistas e dos próprios escravos que, nos anos anteriores, passaram a se rebelar e promover fugas em massa. Era, na verdade, resultado de "admiráveis exemplos de abnegação da parte dos proprietários", em especial os barões do café, nata da aristocracia escravista que até então o Império recompensava com títulos de nobreza e outros privilégios. Isabel apressava-se ainda em justificar a "escravidão", mantida por tanto tempo em razão das "necessidades da lavoura". Assumia por fim que a abolição era uma aspiração nacional, um desejo generalizado no Brasil. Não era. Os fazendeiros e senhores de escravos resistiram até onde foi possível à mudança.

Em vez de abnegados abolicionistas subitamente convertidos a uma causa humanitária que contrariava seus interesses, como sugeria o pronunciamento da princesa, os fazendeiros exigiam que o Estado brasileiro os indenizasse pelo fim da escravatura. Alegavam que os cativos representavam um valioso patrimônio, no qual tinham investido muito dinheiro, tempo e sacrifícios pessoais, que não lhes poderiam ser retirados sem a devida compensação. Abolir a escravidão, diziam, seria atropelar o direito à propriedade, desde sempre garantido nas leis portuguesas e brasileiras. Por isso, reivindicavam uma indenização equivalente a cerca de 20 milhões de libras esterlinas, dez vezes o valor que o imperador Pedro I havia se comprometido a pagar a Portugal, em 1826, em troca do reconhecimento da Independência do Brasil. Por coincidência, era a mesma quantia que o governo britânico pagara aos fazendeiros cinquenta anos antes como compensação pela libertação de cerca de 750 mil cativos em seus domínios.[7]

Apesar do desconforto dos fazendeiros, a tramitação do projeto da Lei Áurea, sem a indenização reivindicada por eles, foi surpreendentemente rápida no parlamento. A proposta chegou à Câmara na terça-feira, 8 de maio, pelas mãos do ministro da Agricultura, deputado Rodrigo Augusto da Silva, presbiteriano e maçom, filho de um grande fazendeiro paulista, o Barão de Tietê, e genro do senador Eusébio de Queirós, responsável pela lei que aboliu o tráfico em 1850. No mesmo dia, foi discutida e aprovada, sem qualquer alteração, por uma comissão composta pelo deputado abolicionista pernambucano Joaquim Nabuco, líder do Partido Liberal. "Há neste momento uma manhã mais clara em torno dos berços, uma tarde mais serena em torno dos túmulos, uma atmosfera mais pura no interior do lar", discursou Nabuco. "Os navios levarão amanhã por todos os mares a bandeira lavada de uma grande nódoa que a manchava".

Uma pequena e insignificante modificação na proposta viria só no dia seguinte, 9 de maio, data da segunda discussão do projeto. O deputado Araújo Góes Júnior inseriu "desde a data desta lei" após a frase "é declarada extinta", sugestão logo aceita por todos. Na quinta-feira, 10 de maio, terceiro e último dia de tramitação na Câmara, o presidente da casa, desembargador Henrique Pereira de Lucena, de Pernambuco, cedeu aos apelos dos abolicionistas e franqueou a entrada do público nas galerias, para contrariedade do deputado Andrade Figueira, representante dos fazendeiros escravistas, que classificou o local como um "circo de cavalinhos". Colocada em votação, a proposta recebeu os votos favoráveis de 83 deputados. Nove foram contra. Outros 33 preferiram ficar em casa, alegando variados problemas para não se expor perante seus eleitores naquele momento decisivo.

A lista dos nove votos contrários na Câmara fornecia um retrato preciso do Brasil que resistira até a última hora aos ventos abolicionistas. Francisco de Caldas Lins, Barão de Araçagi, representava a província de Pernambuco, a mais antiga região escravista do Brasil, cujos engenhos de açúcar tinham sido os precursores no uso de mão de obra cativa ainda no longínquo século XVI. Todos os demais — Bulhões de Carvalho, Carlos Frederico Castrioto, Pedro Luís Soares de Sousa, Alberto Bezamat, Alfredo Chaves, Lacerda Werneck, Domingos de Andrade Figueira e Antônio Cândido da Cunha Leitão — eram da província do Rio de Janeiro, porta-vozes da chamada "lavoura arcaica" do Vale do Paraíba, onde se situavam as já decadentes e exauridas fazendas de café. O último da lista, o advogado Cunha Leitão, ex-presidente da província de Sergipe, morreria jovem, aos 42 anos, no dia 11 de maio, apenas 24 horas depois de entrar para a história como um dos últimos e mais renitentes escravocratas brasileiros.

No mesmo dia 11, após passar pelo crivo dos deputados, o projeto foi remetido ao Senado, sob a presidência do mineiro

Antônio Cândido da Cruz Machado, Visconde de Serro Frio. A câmara alta do parlamento era o templo da elite escravocrata brasileira. Nomeados em caráter vitalício pelo imperador em uma lista tríplice dos candidatos mais votados em cada província, os senadores eram, em sua maioria, barões do café, senhores de engenho, fazendeiros e outros homens de prestígio, aos quais a monarquia prestava favores em troca de apoio político. Durante o primeiro e o segundo reinados, 40% dos senadores receberam títulos de nobreza. Entre os presidentes do Senado, a proporção de nobres era ainda maior, 80% do total.

No ano da Lei Áurea, cinco senadores exerciam mandato já havia quatro décadas. O Visconde de Queirós, mais antigo de todos, fora nomeado em 1848. "O apoio desses homens era decisivo para obter-se um empréstimo bancário, um posto na burocracia, uma pensão no governo, a aprovação de uma empresa ou companhia por ações, ou para o êxito numa carreira política", observou a historiadora Emilia Viotti da Costa. "A sociedade brasileira estava permeada de alto a baixo pela prática e pela ética da patronagem."[8] Ou seja, pela política do toma lá dá cá. As eleições para o Senado (como, de regra, para qualquer cargo eletivo no país) eram de fachada, feitas com urnas e cédulas de papel e pautadas pela fraude e pela perseguição aos opositores. Em geral, o partido que estivesse no poder na época do sufrágio, saía vencedor.

O pensamento dessa gente poderia ser resumido no pronunciamento contrário à Lei Áurea feito no Senado pelo baiano João Maurício Wanderley, Barão de Cotegipe, no dia 12 de maio, véspera da Abolição. Segundo ele, os escravos eram itens do patrimônio dos fazendeiros tanto quanto os animais e os objetos inanimados. Dizia que o fim do cativeiro representaria um confisco de bens, abriria caminho para uma reforma agrária, mediante a redistribuição das terras, e seria o primeiro passo para a república no Brasil:

> *A propriedade sobre o escravo, como sobre os objetos inanimados, é uma criação do direito civil. Enfim, senhores, decreta-se que neste país não há propriedade, que tudo pode ser destruído por meio de uma lei, sem atenção nem a direitos adquiridos, nem a inconvenientes futuros. [...] Daqui a pouco se pedirá a divisão das terras, do que há exemplos em diversas nações, seja de graça ou por preço mínimo, e o Estado poderá decretar a expropriação sem indenização. [...] Há de haver uma perturbação enorme no país. [...] A crise será medonha. [...] Por ora, tudo é festa, tudo é alegria, tudo são flores, o prazer é unânime, universal, por esse grande ato de extinção da escravidão. Estão, porém, persuadidos de que o negócio fica aí? Não, senhores. Este ato cria muitos descontentes, as instituições perdem apoio com a irritação de uns e a indiferença de outros. Secas as flores, dissipadas as nuvens, [...] vereis surgir mais de uma questão grave. [...] Vê pouco quem não percebe o golpe republicano. Eis aqui, senhores, o que nos espera. Preparem-se para esses novos combates.* [9]

Vaticínio semelhante sobre o futuro da monarquia foi lançado por outro baluarte dos interesses escravistas, o senador e conselheiro Paulino de Souza, do Partido Conservador. Fluminense de Itaboraí, filho do Visconde do Uruguai, um dos grandes expoentes do Segundo Reinado, Paulino de Souza acusava o imperador Pedro II e a princesa Isabel de se deixarem seduzir por uma ideia populista, a de libertar os escravos, e que o preço a pagar seria perder a Coroa:

> *A história e a experiência política atestam que todas as vezes que a realeza, por amor da população, por motivos de sentimentalismo, ou por cálculo político, acorda-se, ainda que em pensamento, com qualquer propaganda popular, [...] pode-se*

contar que está fatalmente derrocada, e com ela sacrificada a classe ou as classes interessadas na sua manutenção.

Coube ao baiano Manuel Pinto de Sousa Dantas, do Partido Liberal, abolicionista e ex-ministro do Império, responder às ameaças, dizendo que, ao contrário, valeria a pena acabar com a escravidão no Brasil, mesmo que o preço a ser pago pelo imperador e pela princesa fosse eventualmente o fim da monarquia:

Mais vale cingir uma coroa por algumas horas, contanto que se tenha a imensa fortuna de colaborar para com uma lei como esta, que vai tirar da escravidão a tantas criaturas humanas, do que possuir essa mesma coroa por longos e dilatados anos, com a condição de conservar e sustentar a maldita instituição do cativeiro.

Os discursos de Cotegipe e Paulino de Souza se revelariam parcialmente proféticos. No ano seguinte, o próprio Império brasileiro sucumbiria, abrindo caminho para a Proclamação da República, apoiada por muitos fazendeiros que se sentiriam traídos pela assinatura da Lei Áurea. A tão temida reforma agrária, porém, jamais aconteceria. O Brasil permaneceria como um santuário do latifúndio até os dias atuais. A Abolição viria sem distribuição de terras, como desejavam muitos dos abolicionistas do século XIX. Essa era e continuaria a ser uma questão de honra para a classe proprietária.

A votação final no Senado, na manhã do dia 13, um domingo, repetiu a proporção observada na Câmara. Foram quarenta e seis votos favoráveis, seis contrários e oito ausentes, sem contar mais uma dezena de assentos vagos pela morte recente de seus ocupantes — entre esses, o Barão de Leopoldina, José Rezende Monteiro, falecido no dia 10 de maio, enquanto as discussões se processavam na Câmara. A aprovação era dada como tão certa que, no mesmo dia 13, antes de saber o resultado final, os jornais já traziam manchetes comemorando a nova lei e convocando seus leitores a irem às ruas à espera de uma sanção pela princesa Isabel.

O ato da princesa sacramentou-se com uma pena de ouro e pedras preciosas que lhe foi presenteada em uma subscrição pública promovida por Luiz Pedro Drago, professor de matemática do Colégio Pedro II, com o apoio de alguns jornais do Rio de Janeiro. Hoje em exibição no Museu Imperial de Petrópolis, o pequeno objeto de treze gramas exibe no dorso 48 pequenos brilhantes.[10] Na base da nervura principal, se engasta uma esmeralda circundada também de brilhantes, formando o nó de um laço ornamentado pela coroa imperial e pelo brasão de armas da casa de Orleans. No corpo da pena, vê-se ainda um dragão todo cravejado de diamantes e pedras vermelhas, emblema da casa de Bragança, e a seguinte inscrição: "À D. Isabel, a redentora, o povo agradecido". Do lado oposto aparecem o número e a data da lei.

As doações para a compra da pena de ouro, no valor de 500 réis por pessoa, haviam sido enviadas à sede do jornal *O País*, que se encarregara de contabilizar e publicar nas edições que acompanharam a votação da Lei Áurea a soma apurada diariamente. Dentre os primeiros doadores, ainda no dia 10 de maio, estavam o abolicionista José do Patrocínio, o jornalista Ernesto Senna, o escritor Coelho Neto e o jovem poeta Osório Duque-Estrada, autor da letra do atual Hino Nacional Brasileiro. As listas foram crescendo nos dias seguintes e incluíam gente de todas as idades e estratos sociais, homens e mulheres, docentes do Ginásio Fluminense, empregados do Asilo dos Meninos Desvalidos, foguistas do encouraçado *Javary*, pessoal do Imperial Observatório, operários do Arsenal da Marinha e da oficina de ferreiro do Arsenal de Guerra da Corte, chefes e empregados do escritório da Societê Anonyme du Gaz, carpinteiros da Diretoria das Obras Civis, empregados da fábrica de instrumentos de música Rabeca de Ouro, moradores dos subúrbios de Cascadura, Penha, Irajá, e mesmo de lugares mais afastados como Barra do Piraí e Macuco. Uma das contribuições vinha do Quilombo do Leblon, refúgio de escravos que contava com o apoio dos abolicionistas.

De Juiz de Fora, Minas Gerais, chegou um inventário com 96 assinaturas e doações. Da vizinha Santana do Pirapetinga, um homem chamado Simplício Luiz da Cunha enviou uma carta com uma nota de 500 réis em homenagem à "excelsa Princesa Imperial", da qual ele se assinava como "criado e venerador". Os estudantes e professores da Escola Militar da Praia Vermelha, no Rio de Janeiro, na época um ninho da agitação republicana, contribuíram com 47$500 (47 mil e 500 réis) — o que não deixa de ser curioso, um grupo de republicanos homenageando uma princesa real. O texto que acompanhou a doação dizia: "Uma eloquente e singela prova de fraternização que dá a Escola Militar à raça oprimida, cuja redenção vai decretar a augusta princesa imperial".

Os envelopes dos doadores chegavam às vezes acompanhados de relatos, pensamentos e interpretações sobre a abolição nas regiões mais distantes do Brasil. Um exemplo foi o bilhete enviado juntamente com o dinheiro por três contribuintes não identificados de Porto Novo do Cunha, na divisa de Minas Gerais com o Rio de Janeiro. Segundo eles, nessa região era crime ser abolicionista. Quem se manifestasse a favor do fim do cativeiro, mesmo às vésperas da assinatura da Lei Áurea, era ameaçado de prisão e maus-tratos pelo delegado de polícia. Por essa razão, enviavam a doação de forma anônima, para não correr o risco de serem perseguidos caso seus nomes fossem publicados pelo jornal.

Até o dia 11 de maio, a redação do jornal já havia recebido 831 mil e 400 réis. No dia 12, o total mais do que dobrou com a chegada de outros 859 mil e 400 réis. O balanço final, publicado no dia 13, apurou aproximadamente 3 mil assinaturas que arrecadaram 2 contos, 174 mil e 300 réis, equivalente ao preço de dois escravos nas décadas que antecederam a Abolição.

A partir dali um ambiente de festa e celebrações nunca visto antes tomaria as ruas e praças do Rio de Janeiro, com repercussão em todas as capitais e principais cidades do país. Anos mais tarde, o escritor Machado de Assis assim descreveria aquele Treze de Maio:

> *Houve sol, e grande sol, naquele domingo de 1888, em que o Senado votou a lei, que a regente sancionou, e todos saímos à rua. Sim, também eu saí à rua, eu o mais encolhido dos caramujos, também eu entrei no préstito, em carruagem aberta, se me fazem favor, hóspede de um gordo amigo ausente; todos respiravam felicidade, tudo era delírio. Verdadeiramente, foi o único dia de delírio público que me lembro ter visto.*[11]

Coube à imprensa organizar os grandes festejos programados para a semana seguinte.[12] Começariam no dia 17 de maio, quinta-feira, com uma missa campal pela manhã. À noite, coretos iluminados iriam promover bailes populares com espetáculos de fogos de artifício em diversos pontos da cidade, emoldurados com imagens da princesa, do imperador e de lideranças abolicionistas como André Rebouças, José do Patrocínio e Joaquim Nabuco. Na sexta, dia 18, os eventos seriam em locais fechados, com entrada gratuita. Haveria corridas de cavalos no Derby Club, regatas na Baía de Guanabara e espetáculos nos teatros Lucinda, Recreio Dramático e Santana. No sábado, dia 19, estava marcado o "préstito" (cortejo) dos colégios da Corte que percorreria as ruas da cidade. Na noite do mesmo dia estava marcado um grande baile popular no Largo do Paço. Por fim, no domingo, dia 20, seria a vez do desfile da imprensa. A festança se encerraria com mais fogos de artifício. Poesias seriam distribuídas todos os dias na Rua do Ouvidor por iniciativa das redações dos jornais. Ao divulgar a programação, os organizadores pediram a colaboração dos moradores das ruas por onde haveria eventos e desfiles para que enfeitassem as fachadas de suas casas.

A missa campal em São Cristóvão, no dia 17, se realizou debaixo de chuva. Ainda assim, foi acompanhada por milhares de pessoas. A *Gazeta de Notícias* calculou o público em 30 mil. *O País*, seu concorrente, em 15 mil. Junto ao altar erguiam-se três tribunas de honra, cercadas pelos estandartes das associações e irmandades religiosas, como a Ordem Terceira de São Francisco, de Nossa Senhora do Rosário e de Nossa Senhora do Carmo. Na primeira, do lado esquerdo, estavam a princesa Isabel e seu marido, o conde D'Eu. Na segunda, à direita, políticos e outras autoridades, incluindo o conselheiro João Alfredo, o senador Thomaz Coelho e o deputado Rodrigo Silva, todos membros do gabinete de ministros que comandara o projeto da Abolição. A terceira tribuna tinha sido reservada aos organizadores da festa, os representantes da imprensa.

A imprensa abolicionista foi um fenômeno importante no Brasil do Segundo Reinado. Jornalistas e outros intelectuais com acesso às páginas da imprensa foram decisivos nos debates que levaram até aquele momento de grande transformação e ruptura na história brasileira. Ainda assim, a presença de seus representantes na tribuna de honra da missa campal continha uma certa ironia e expunha algo de mea-culpa em relação ao passado. Ao longo de todo o século XIX, antes se tornar abolicionista, grande parte da imprensa havia se beneficiado da escravidão ou sido condescendente com o regime escravista, aceitando publicidade de compra, venda, aluguel e fuga de escravos nos quais se definiam preços e locais da negociação e as recompensas para as suas capturas. O *Jornal do Commercio* publicou anúncios (pagos, obviamente) de fugas de escravos até dias antes da Abolição. O último deles apareceu na edição de 23 de abril, duas semanas antes da chegada da Lei Áurea ao parlamento. O texto dizia:

ESCRAVA FUGIDA

Lourença fugiu ontem da Rua do Senado, número 19, onde se achava alugada, com os seguintes sinais: de cor pardo-escura, idade 20 anos, baixa e gorda, bons dentes. Quem der notícias certas na Rua da Misericórdia, número 128, ou a seu senhor João Antunes C. Benjamin no Rio Bonito, será bem gratificado, e incorrerá nas penas da lei quem acoitá-la, e terá de pagar 1$ [mil réis] diários.[13]

O destino de Lourença é desconhecido. Não se sabe se, em sua fuga, conseguiu escapar ou se foi recapturada ou entregue ao dono antes que a lei brasileira acabasse oficialmente com seu cativeiro. Em maio de 1888, no lugar dos antigos avisos de fuga e leilão de escravos, os jornais traziam anúncios de venda e aluguéis de vestidos, sapatos e adereços diversos para as festas da Abolição. Uma das ofertas vinha assinada pela loja A Faceira, Soares & Irmão:

FESTA DA ABOLIÇÃO: VESTIDOS PRETOS

Para assistir aos festejos promovidos pela imprensa fluminense, acham-se à venda na Rua Gonçalves Dias nº15A. São feitos pelos últimos figurinos chegados de Paris e próprios para estas festas. Vestidos de seda, ditos de merino, ditos de lã, ditos de cretonne, etc. São vendidos por preços sem com-

petidor, por isso pedimos às Exmas. senhoras visitarem o nosso estabelecimento antes de fazerem suas compras.

Em outro anúncio, na última página do jornal *Imprensa Fluminense*, em edição comemorativa do Treze de Maio, o revendedor de marca norte-americana de máquinas de costuras, situado à rua dos Ourives, 53, oferecia descontos até o final do mês em seus produtos:

EXTINÇÃO DA ESCRAVIDÃO NO BRASIL

A The Singer Manufacturing Company, de Nova York, única fabricante das verdadeiras máquinas Singer, em comemoração do glorioso 13 de maio de 1888, dará um desconto de 13% sobre todas as máquinas de costura que lhe forem compradas a varejo até o fim deste mês.

Igualmente irônica era a posição da Igreja, ao promover o mais concorrido e mais aristocrático de todos os eventos associados à aprovação da Lei Áurea. Havia sido ela um dos pilares do sistema escravista no Brasil e em todos os demais domínios europeus na América. Durante quatro séculos, bispos, padres, colégios e conventos tinham explorado mão de obra cativa em suas fazendas, minas de ouro e diamantes e outras atividades. Só em 1869 os beneditinos do Rio de Janeiro deram a liberdade aos escravos com mais de cinquenta anos de idade. Os demais seriam alforriados dois anos mais tarde, em 1871, por ocasião da aprovação da Lei do Ventre Livre. No mesmo ano, ficaram livres os escravos dos carmelitas e da Província Franciscana da Imaculada Conceição. O papa Leão XIII somente deu uma palavra clara, inequívoca, em favor da abolição em uma audiência a Joaquim Nabuco em fevereiro de 1888, três meses antes da Lei Áurea. Em

14 de janeiro daquele mesmo ano, em carta dirigida à princesa Isabel, o pontífice sugerira a libertação de escravos como uma espécie de presente pela passagem do jubileu de ouro de sua ordenação sacerdotal. Essas eram as intenções e declarações do papa em privado. Faltava, porém, a elaboração de um documento oficial em que a igreja condenasse publicamente a escravidão. Isso veio com a encíclica *In plurimis*, que, anunciada pelo Vaticano no dia 5 de maio, chegou ao Brasil dias depois da assinatura da Lei Áurea.[14] Carola de sacristia, a própria princesa Isabel só faria uma declaração pública e inequívoca em favor da abolição no início de fevereiro de 1888, um mês após receber a sugestão do papa.[15]

Naquele momento, porém, tudo era festa, tudo era alegria, tudo era celebração. Ninguém parecia interessado em se lembrar das dores e sofrimentos do passado, menos ainda apontar o dedo para seus muitos cúmplices e culpados. "Era como se o Brasil tivesse sido descoberto outra vez", relataria mais tarde o escritor negro Lima Barreto, neto de escravos, que naquele Treze de Maio era ainda uma criança de sete anos e compareceu às festas levado pelo pai. "Julgava que podíamos fazer tudo que quiséssemos; que dali em diante não havia mais limitação aos propósitos da nossa fantasia."[16] No jornal *Diário de Notícias*, um dos redatores, Pedro Rabelo, chegou mesmo a propor que o Treze de Maio substituísse o Sete de Setembro como principal festa do calendário cívico nacional. Segundo ele, essa, sim, seria a verdadeira data da independência para todos os brasileiros. A *Gazeta da Tarde* dedicou toda a primeira página à reprodução do texto da lei. A *Revista Ilustrada* anunciava que a Abolição fora feita "derramando lágrimas de júbilo sobre a raça redimida e levantando um altar ao esquecimento!". Em nome desse projeto nacional de esquecimento, anunciava que a partir daquele momento a palavra "escravo" já não teria mais significado na língua portuguesa e que, finalmente, o Brasil poderia encarar de frente, em condições de igualdade, as outras nações que muito antes tinham abolido a escravidão. O jornal *Cidade do Rio*, por sua vez, descreveu os desfiles como uma "marcha triunfal da liberdade": "Tudo participava do regozijo pátrio, — o soldado, a defesa do corpo, o padre, a defesa da alma, — o homem que segue para o passado e a criança que olha para o futuro".

A *Gazeta de Notícias* resumia todos esses sentimentos da seguinte forma: "A festa é assim grandiosa, porque celebra a pátria o direito divino de dizer com ufania às nações coirmãs: quebrei as algemas da escravidão! Sou livre! Sou completamente livre!".

Como se uma onda atravessasse o Atlântico no sentido inverso ao dos navios negreiros, a notícia rapidamente chegou também à África, o berço da escravidão negra no Brasil. Na atual Nigéria, o jornal *Lagos Observer* fazia no dia 20 de outubro uma minuciosa descrição das festas realizadas pela pequena comunidade brasileira ali existente, composta por cerca de três mil descendentes de antigos escravos e traficantes de escravos:[17]

> *Diversos arcos bem decorados, com dois magníficos pavilhões, foram erigidos em Campos Square em Campbell Street, perto da igreja católica romana, no bairro chamado propriamente de brasileiro. Uma missa solene foi dita na sexta-feira, dia 28 de setembro, à qual assistiram todos os imigrantes brasileiros, tendo à frente o senhor Antonio Miguel d'Assunção, o seu presidente.*

Ainda segundo esse jornal, entre 27 de setembro e 5 de outubro, houve "uma série de manifestações, incluindo um grande baile no Glover Memorial Hall, fogos de artifício, uma representação dramática na Escola Católica, um desfile carnavalesco através da cidade, uma recepção municipal e um baile à fantasia no Glover Hall".

Há notícias também de comemorações envolvendo fazendeiros e seus ex-escravos no interior do Brasil. Algumas com desdobramentos bastante previsíveis. Na fazenda Conceição, município de Cantagalo, província do Rio de Janeiro, o coronel Augusto de Sousa Araújo libertou todos os seus cativos dias antes da Lei Áurea. Nas festas que se seguiram, os escravos decidiram coroar o fazendeiro como se fosse um rei africano. Também fizeram o enterro simbólico da palmatória e do chicote, instrumentos até então usados para puni-los. No dia seguinte, no entanto, para surpresa do coronel, os escravos se reuniram para comunicar que só permaneceriam na fazenda caso Sousa Araújo expulsasse dali o administrador, apontado por eles como um homem cruel. Como o fazendeiro se recusou a aceitar a condição, os ex-cativos abandonaram a propriedade.[18] Caso mais dramático foi o do ex-escravo Martinho, que, segundo relatos dos jornais, no dia 14 de maio, foi repreendido por um feitor por estar fazendo baderna no divertimento dos companheiros que "festejavam o decreto que aboliu a escravidão". Indignado com a repreensão, Martinho tirou a faca que estava na cintura do feitor e o matou. Em seguida, foi preso em flagrante.

Na crônica "Bons Dias!", publicada no jornal *Imprensa Fluminense*, Machado de Assis denunciava que o clima era de festa em todo o país, com uma exceção, na distante província do Maranhão, uma das últimas fronteiras do tráfico negreiro:

> *Menos no Bacabal, província do Maranhão, onde alguns homens declararam que a lei não valia nada e, pegando no azorrague, castigaram os seus escravos cujo crime nessa ocasião era unicamente haver sido votada uma lei, de que*

eles sabiam nada; e a própria autoridade se ligou com esses homens rebeldes.

Na Fazenda Pocinhos, na estação do Ipiranga da Estrada de Ferro Pedro II, os escravos da localidade, homens, mulheres e crianças, foram reunidos para receber o anúncio da libertação. Ao saberem das boas novas, "romperam todos em entusiásticas saudações". Segundo reportagem do jornal *O País*:

> *Tornaram-se verdadeiros loucos: uns ajoelhavam-se, levantando mãos súplices aos céus; outros riam, muitos choravam, beijavam a terra que regaram por tanto tempo com o suor do trabalho forçado, todos erguendo vivas a São Benedito, à Princesa Imperial e ao ministério João Alfredo.*

No entanto, tamanha devoção e alegria não foram suficientes para tirar esses novos trabalhadores livres das obrigações da fazenda. Ainda de acordo com a nota do jornal, cerca de quatro horas da tarde, enquanto comemoravam, o tempo mudou de forma repentina, com previsão de "borrasca" (ventania acompanhada de chuva). O fazendeiro tinha esparramado pelo terreirão, para secar ao sol, uma grande quantidade de café, calculada em 6 contos de réis. Uma chuva botaria tudo a perder. Na mesma hora, os ex-escravos voltaram à labuta. Recolheram todo o café e guardaram no depósito. Depois, exaustos, voltaram aos "folguedos da libertação".[19]

***

Prostrado na cama da sede de uma fazenda decadente de café do Vale do Paraíba, um homem idoso e enfermo acompanhou com espanto todos esses acontecimentos. Sua história, iniciada 66 anos antes nas margens do riacho Ipiranga, em São Paulo, era o símbolo de um Brasil aristocrático e escravocrata que tivera seu apogeu e murchara ao longo daquele revolucionário século XIX. É o que se verá no próximo capítulo.

2. O COMENDADOR

"O Brasil é o café, e o café é o negro!"

Gaspar Silveira Martins,
senador pelo Rio Grande do Sul

Parte da história imperial brasileira, da Independência até a Abolição e a República, poderia ser resumida em um só personagem. Joaquim José de Sousa Breves era um jovem de dezoito anos quando o Brasil se tornou independente de Portugal. No dia 7 de setembro de 1822, integrava a comitiva do príncipe dom Pedro que, partindo de Santos, no litoral paulista, subia a Serra do Mar rumo à cidade de São Paulo. No final daquela tarde, seria uma das testemunhas do Grito do Ipiranga. Nas décadas seguintes, se dedicaria ao cultivo do café, a nova e fabulosa riqueza que se espraiava pelo Vale do Paraíba. Plantou mais de 5 milhões de mudas. Na metade do século, já era o maior produtor brasileiro. Suas propriedades — mais de noventa, segundo o inventário pós-morte — cobriam uma área tão extensa que, caminhando entre suas fazendas, era possível ir do oceano, no litoral do Rio de Janeiro, até as serras de Minas Gerais, sem pisar em terra alheia. Por volta de 1880, despachava anualmente para os portos da capital do Império cerca de 300 mil arrobas (4.500 toneladas) — quase 2% do total da safra nacional.[1]

Conhecido como o "Rei do Café", Sousa Breves foi também o maior senhor de escravos do Brasil em todos os tempos. Suas senzalas chegaram a concentrar 6 mil homens, mulheres e crianças em regime de cativeiro. Dono de navios negreiros, envolveu-se no tráfico ilegal de africanos, desembarcados clandestinamente em praias e portos do litoral fluminense sob o olhar cúmplice das autoridades locais. A prática, no seu caso, se tornou tão escancarada e rotineira que acabou por gerar constrangimentos diplomáticos para o Império brasileiro. Em 1830, foi agraciado por dom Pedro I, de quem se tornara amigo na jornada do Ipiranga, com a Ordem da Rosa. Em 1847, recebeu de Pedro II a comenda da Ordem de Cristo. Desde então, passou a ser chamado de comendador Breves.

Em resumo, Sousa Breves caberia por inteiro na moldura de um retrato da aristocracia rural escravocrata brasileira no século XIX. Fazendeiros, senhores de engenho, pecuaristas e produtores de café, donos de latifúndio que se estendiam pelas profundezas do Brasil, foram o alicerce da monarquia brasileira. Eram eles que davam o apoio político, financeiro e militar necessário para a sustentação do trono. Em troca, recebiam do imperador posições de influência no governo, benefícios e privilégios nos negócios públicos e, especialmente, títulos de nobreza. E todos, sem exceção, dependiam do trabalho escravo. O que também explica porque o Brasil foi o maior importador de africanos cativos na primeira metade daquele século, o último a acabar com o tráfico de gente e o último a abolir a escravidão. Quando isso finalmente aconteceu, o Império brasileiro desabou, cedendo lugar à República — por sinal apoiada pelos mesmos fazendeiros que antes davam as cartas na política brasileira.

Sousa Breves sintetizou essa trajetória como ninguém, mas não chegou a ver a mudança de regime. Morreu em 30 de setembro de 1889, seis semanas antes da Proclamação da República, desgostoso com o fim da escravidão e com os rumos do próprio Império, os dois pilares da brasilidade que ajudara a sustentar ao longo daquele século. Feita a Abolição, suas fazendas entraram em ruína. Centenas de escravos abandonaram as senzalas e partiram em busca de oportunidades de trabalho em outros locais. A produção de café desabou. Vítima de má gestão e disputas entre os herdeiros, todo o patrimônio acabou liquidado e arrematado por credores nas primeiras décadas do século XX. Nesse meio-tempo, um de seus filhos participou do golpe que derrubou a monarquia, em 15 de novembro de 1889, ajudou como deputado na elaboração da primeira constituição republicana, de 1891, e fez oposição à ditadura do marechal Floriano Peixoto[2] — um símbolo poderoso das mudanças e readaptações que ocorriam no seio da aristocracia agrária brasileira ao longo daquele século.

No Brasil imperial, a elite cafeeira escravista mandava em tudo. Os fazendeiros se associavam em entidades como a Sociedade para a Promoção da Civilização e Indústria de Vassouras, criada em 1832, e a loja maçônica Estrela do Oriente, de rito escocês, formada em 1852. Participavam de irmandades religiosas das paróquias locais, como a Ordem Terceira de São Francisco e a do Santíssimo Sacramento. Responsabilizavam-se pela manutenção dos cemitérios e pela Santa Casa de Misericórdia. Executavam as leis segundo seus próprios interesses e detinham o mando da política local, revezando-se na liderança dos dois grandes partidos políticos do Império, o Liberal e o Conservador. As eleições eram, em geral, de fachada, pautadas pela fraude e pela perseguição aos adversários. Frequentemente roubadas, as urnas reapareciam mais tarde recheadas de votos que davam vitória confortável ao mandante regional e, às vezes por descuido, somavam mais do que o total de eleitores registrados. Como o voto não era secreto, os fazendeiros vigiavam a escolha dos seus protegidos e usavam a polícia para impedir que eleitores da oposição votassem. Nos anos que antecederam à Abolição, seus interesses convergiram na fundação de clubes da lavoura, que tinham por objetivo combater a campanha abolicionista e promover o "branqueamento" da população brasileira pela importação de imigrantes europeus.

Até por volta de 1830, o Vale do Paraíba era ainda uma região erma, pouco habitada, cruzada por trilhas e caminhos precários que levavam do Rio de Janeiro a São Paulo ou aos antigos centros produtores de ouro em Minas Gerais. Entre seus primeiros ocupantes estavam famílias que haviam enriquecido durante o ciclo da mineração no século XVIII. Uma vez esgotados os garimpos e jazidas, recuaram para as regiões férteis e montanhosas da mata Atlântica e passaram a abrir fazendas ao longo das encostas do rio Paraíba. Os Monteiro de Barros vinham da cidade mineira de Congonhas do Campo, já então famosa pelas esculturas em pedra-sabão dos doze profetas de Aleijadinho. Também eram de origem mineira os Teixeira Leite, os Furquim Werneck, os Leite Ribeiro, os Soares de Sousa, os Ferreira Leal, os Vieira de Carvalho, os Toledo Piza e os Barbosa de Castro. Na segunda metade do século XIX, todas essas famílias, algumas nascidas de origem humilde durante a corrida do ouro, figurariam com destaque no panteão na nobreza rural brasileira, ostentando títulos de barões, viscondes, comendadores e coronéis da Guarda Nacional.[3]

    Sousa Breves descendia de uma estirpe diferente. Seu avô, Antônio de Sousa Breves, nascido em 1720, era português natural da ilha de São Jorge, no arquipélago dos Açores. Em 1750, já casado, emigrou para o Brasil e tornou-se um próspero comerciante no Rio de Janeiro, onde era conhecido como o "Velho Cachoeira". Em 1784, obteve da Coroa portuguesa a concessão de uma sesmaria na região de São João Marcos, no Vale do Paraíba fluminense. A doação de terras públicas envolvia um cuidadoso jogo de toma lá dá cá entre a monarquia e os senhores escravocratas. A Coroa entregava sesmarias aos portugueses e seus descendentes enriquecidos durante a corrida do ouro, mas esperava deles lealdade, serviços, zelo na ocupação do território e, sempre que possível, pagamento de tributos.

Em geral, uma típica sesmaria tinha uma légua quadrada, equivalente a 44 quilômetros quadrados[4] — área pouco superior à do Parque Nacional da Tijuca, que abriga a maior floresta urbana do mundo, no Rio de Janeiro. Quaisquer minérios encontrados nas terras ocupadas pertenceriam à Coroa, assim como as madeiras nobres, usadas na construção dos mastros dos navios de sua majestade. O sucesso dos novos fazendeiros dependia essencialmente do trabalho cativo. Por essa razão, um dos critérios para a concessão de terras era a posse de escravos. Quanto maior o plantel de cativos, maiores seriam também as chances de alguém se tornar um grande latifundiário. No requerimento de sua sesmaria, o avô do comendador Breves alegou que possuía "bastante escravos", mas não tinha "terras próprias para com eles cultivar e plantar mantimentos"[5] — indicação de que o Velho Cachoeira, desde que chegara ao Brasil, não exercia uma atividade comercial qualquer. "Comerciante" era o nome que se dava na época aos traficantes de africanos escravizados. Portanto, sua fortuna viria provavelmente da compra e venda de pessoas escravizadas.

O império da família Breves no Vale do Paraíba começou a se desenhar pelas mãos do primogênito do Velho Cachoeira, José de Sousa Breves, também nascido nos Açores e pai do futuro Rei do Café. Quando chegou ao Brasil, na companhia dos pais, era ainda uma criança de dois anos. Em 1787 seu nome já aparecia em requerimento à rainha D. Maria I, solicitando a confirmação da carta que lhe concedia mais uma sesmaria entre as freguesias de Campo Alegre e São João Marcos, onde faria fortuna produzindo arroz e outros cereais para a corte no Rio de Janeiro. Logo entrou na política, exercendo os cargos de sargento-mor, vereador e juiz da vila de São João Marcos. No início do século XIX, sua influência e seu poder já se estendiam por toda a região. Joaquim José de Sousa Breves, o comendador Breves, nasceu em 1804, na fazenda Manga Larga, uma das propriedades do pai, situada no município de Piraí.

Foi na fazenda de um vizinho do patriarca da família Sousa Breves que o príncipe regente dom Pedro se hospedou na noite de 15 de agosto de 1822, a caminho do riacho do Ipiranga. A viagem do futuro imperador Pedro I rumo a São Paulo começara no dia anterior, no Rio de Janeiro. O objetivo era apaziguar os ânimos na província, dividida entre dois grupos políticos, um ligado à família do ministro José Bonifácio, e o outro, ao coronel Francisco Inácio, comandante da Força Pública e aliado de João Carlos Oeynhausen, presidente da Junta Provisória Local. Ao partir do palácio da Quinta da Boa Vista, ainda sem guarda de honra, dom Pedro encabeçava uma diminuta comitiva, de apenas seis pessoas, incluindo ele próprio.[6] O grupo iria aumentando nos dias seguintes, enquanto o príncipe marchava a cavalo entre as fazendas e vilarejos do Vale do Paraíba. Ao chegar às margens do Ipiranga, em 7 de setembro, estaria acompanhado por quatro dezenas de pessoas, incluindo a comitiva inicial, encorpada pelo coronel Manuel Marcondes de Oliveira Melo, o padre Belchior Pinheiro de Oliveira e mais 31 jovens fazendeiros e sertanejos, seus seguranças que mais tarde seriam chamados de "Dragões da Independência".

Na primeira noite de sua jornada até o Ipiranga, dom Pedro dormiu na Real Fazenda de Santa Cruz, hoje situada no bairro carioca de Santa Cruz. No dia seguinte, 15 de agosto, uma quinta-feira, já tendo atravessado a serra de Itaguaí, hospedou-se na sede de um engenho de açúcar, a fazenda de Santo Antônio da Olaria, localizada na margem esquerda do rio Araras, que, na época, era propriedade do capitão Hilário Gomes Nogueira. Dali saiu levando em sua companhia dois filhos do fazendeiro, Luiz e Cassiano Ramos Nogueira. Mais adiante, no caminho de Passa Três (distrito de Rio Claro), juntar-se-ia à comitiva o terceiro guarda de honra: o jovem Joaquim José de Sousa Breves, futuro comendador Breves, que mais tarde, já na condição de Rei do Café, compraria a fazenda do capitão Hilário Nogueira.[7] A escala seguinte foi Areias, onde trocou os animais. Em Lorena, quinto pouso desde a partida, lavrou um decreto dissolvendo o governo provisório paulista. No sexto dia estava em Guaratinguetá e no sétimo, em Pindamonhangaba. Depois passou por Taubaté, Jacareí, Mogi das Cruzes, Penha e, finalmente, São Paulo, de onde desceria a Santos para, na volta, proclamar a Independência. Das testemunhas que presenciaram esse fato histórico, Sousa Breves foi o último a falecer.

No ano da Independência, a produção de café era ainda um item secundário na pauta de exportações do Brasil. Há notícias de 8.500 arrobas, cerca de 125 toneladas, produzidas no Rio de Janeiro em 1796. Em 1818, três anos antes do retorno da corte de dom João VI a Portugal, o total chegaria a 5 mil toneladas. Em 1821, ano da instalação das Cortes Constituintes em Lisboa, já era de 7 mil toneladas, ainda assim um terço da produção de Cuba e Porto Rico e muito aquém do recorde alcançado pela colônia francesa de São Domingos, de 42 mil toneladas, em 1791, antes do início da revolução negra que daria origem ao atual

Haiti. A partir daí, no entanto, o "ouro verde", como era chamado pelos fazendeiros, iniciaria seu impressionante crescimento em solo nacional. Em 1831, as exportações de café superaram as de açúcar pela primeira vez desde o século XVI. A esta altura, o Brasil já respondia por mais da metade da produção mundial, com o dobro das lavouras de Cuba e Porto Rico somadas.

Em paralelo ao crescimento da produção de café, chegavam as levas cada vez mais numerosas de africanos escravizados. Eram eles os responsáveis pelo plantio e o cultivo das lavouras, a colheita, o preparo e o transporte dos grãos que faziam a fortuna brasileira. A fome dos fazendeiros por mão de obra cativa era insaciável. A realidade nacional nessa época podia ser resumida numa frase atribuída ao senador gaúcho Gaspar Silveira Martins: "O Brasil é o café, e o café é o negro!".

Entre 1836 e 1854 o número de escravos mais do que triplicou nas regiões cafeeiras do Vale do Paraíba. Em alguns municípios, chegou a crescer dez vezes. Em Bananal, maior produtor de café da província de São Paulo em meados do século, saltou de 1.679 para 7.621. Em Areias, de 2.830 para 6.730. Em Pindamonhangaba, de apenas 524 em 1836 para 5.628 em 1854. No oeste paulista, os escravos correspondiam a mais da metade da população. Em Campinas, eram 8.190, que correspondiam a quase 58% dos 14.201 moradores. Na província do Rio de Janeiro, a concentração de mão de obra cativa era enorme. Em Piraí, os 19.099 escravos representavam em 1850 nada menos do que 75% da população. Em Valença, 70% (23.468 em 1857). Na década de 1870, os municípios cafeeiros de São Paulo, Rio de Janeiro e Minas Gerais somavam aproximadamente 320 mil trabalhadores escravizados, cerca de um quarto do total da população brasileira cativa, de 1,5 milhão de pessoas, apurada pelo primeiro censo de abrangência nacional, de 1872. Em média, o valor do plantel de escravos representava mais de metade do valor total das fazendas e seus cafezais.⁸

Nas primeiras fazendas surgidas ao redor de Vassouras, no Vale do Paraíba, ainda na década de 1820, a produção média por escravo era de quatrocentos quilos de café por ano. As maiores propriedades tinham entre 400 mil e 500 mil pés de café plantados e uma força de trabalho de trezentos a quatrocentos. Estima-se que um escravo adulto pudesse responder sozinho pelo cultivo de 3.500 pés.⁹ O esgotamento das terras no Vale do Paraíba fez com que a fronteira agrícola migrasse paulatinamente para o Oeste Paulista e para a Zona da Mata de Minas Gerais, onde o solo era mais fértil. Ao mesmo tempo, novas técnicas foram incorporadas ao cultivo, aumentando a produtividade média anual para 2 mil quilos por trabalhador. Em 1854, São Paulo tinha mais de 2 mil fazendas de café, na qual trabalhavam cerca de 55 mil escravos, com plantel médio de 27 trabalhadores cativos por propriedade. Nas regiões produtoras mais antigas e tradicionais do Vale do Paraíba, chamadas de "lavouras arcaicas" porque não haviam adotado as novas tecnologias de produção, o número se manteria alto, de 43 trabalhadores por fazenda, até 1880.

Segundo a historiadora Maria Sylvia de Carvalho Franco,¹⁰ o comendador Breves conseguiu se diferenciar e enriquecer muito mais do que todos os seus vizinhos fazendeiros no Vale do Paraíba por ser capaz de explorar ao máximo as possibilidades de ganho que sua época lhe deixou abertas, incluindo a exploração do trabalho escravo com eficiência nunca vista. Em linguagem atual, se poderia dizer que foi um empresário de negócios "verticalizado", que dependia de poucos intermediários ou fornecedores terceiros, aumentando assim suas margens de lucro. Dominava o negócio de ponta a ponta, da importação clandestina de africanos ilegais à exportação de café.

A primeira e mais importante frente de negócios de Sousa Breves envolvia a compra e o transporte de africanos escravizados, cuja importação se tornara ilegal por lei a partir de 1831. Como era dono de uma frota de navios negreiros, era capaz de burlar a vigilância das autoridades na travessia do Atlântico e desembarcar suas cargas clandestinas em uma fazenda de sua propriedade situada na restinga da Marambaia, no litoral sul do Rio de Janeiro, onde funcionava um movimentado entreposto de desembarque, engorda e distribuição de escravos. Também inovou o sistema de exploração de mão de obra cativa. Nas fazendas tradicionais, havia um plantel fixo de escravos, que lá permanecia a vida toda. Era intensamente utilizado na época do plantio e da colheita, mas ficava relativamente ocioso durante a entressafra, obrigando os fazendeiros a sustentar os cativos nos meses em que não entravam receitas. Sousa Breves, em vez disso, usava contingentes ambulantes de trabalhadores cativos, que se deslocavam de uma fazenda para outra, conforme as necessidades de trabalho. Desse modo, necessitava de menos escravos fixos do que os concorrentes vizinhos.

Sousa Breves também inovou nos transportes da safra de café, abrindo com recursos próprios e dinheiro subsidiado pelo Estado a estrada imperial entre São João e o porto de Mangaratiba. Antes, tudo era levado no lombo de tropas de mulas por trilhas e caminhos precários que serpenteavam por entre as florestas, vales e ladeiras das encostas da serra do Mar. Cerca de um terço da força de trabalho era empregado nessa tarefa exaustiva e perigosa. Em 1855, um dos vizinhos de Sousa Breves, o fazendeiro Francisco Peixoto de Lacerda Werneck, barão de Paty do Alferes, tinha uma tropa de 105 bestas de carga empregadas no transporte das 30 mil arrobas (450 toneladas) de café que saíam de suas fazendas no Vale do Paraíba rumo ao porto do Rio de Janeiro. Em média, as tropas levavam entre três e quatro dias para cobrir a distância de cerca de 120 quilômetros. "Na parte da estrada que não está calçada, muito medo passa-se, nas bestas atoladas até os peitos, e caem às dúzias, os miseráveis tropeiros cobrem-se de lama [...] e deteriora-se o café, ficando muitas vezes, de uma tropa quatro ou cinco bestas afogadas nesse mar de lama", descrevia o barão em carta ao presidente da província em 1854.[11] A estrada do comendador Breves, por onde transitavam carros de boi com as sacas de café, reduziu significativamente os riscos e o custo de movimentação do produto até os portos no litoral. "Um carro puxado por alguns bois transporta a carga que, dificilmente, seria carregada por cinquenta ou sessenta escravos", observou o viajante Augusto Emílio Zaluar ao percorrer a região entre 1860 e 1861.[12]

Na ponta final do negócio, Sousa Breves mantinha sua própria casa comissária no Rio de Janeiro, encarregada de exportar a safra, obter crédito bancário, resolver problemas legais e burocráticos, importar e fornecer mercadorias diversas para suas fazendas. Desse modo, conseguia eliminar mais um elo importante e caro da cadeia produtiva. Em geral, os demais fazendeiros dependiam de procuradores e representantes profissionais, que cobravam exorbitantes comissões (e por isso eram chamados de comissários) nas negociações de compra e venda do café destinado à exportação e também no fornecimento de máquinas e suprimentos que chegavam de Portugal e outros países.

Eficiente e inovador nos negócios, o comendador Breves tinha palacetes no Rio de Janeiro e casarões luxuosos nas suas fazendas. Circulava com naturalidade pelos salões da corte e era convidado frequente do imperador Pedro II para almoços e jantares no palácio de São Cristóvão. A sede da fazenda da Marambaia, no litoral fluminense, contava com um teatro, onde se apresentou João Caetano, o maior ator brasileiro da época. O solar, hoje propriedade do Ministério da Marinha, tinha 58 metros de fachada e era ladeado pelas senzalas e coqueirais e pomares com grande variedade de árvores frutíferas e plantas exóticas. Apesar disso, era um homem rústico na aparência. O Conde D'Ursel, diplomata belga que o visitou na fazenda da Grama em 1873, contou que, ao fim de um dia de trabalho em suas propriedades, Sousa Breves apareceu na hora do jantar "vestido como um roceiro", indumentária que, no entendimento do viajante, destoava da posição de poder e riqueza ostentada pelos fidalgos brasileiros:

> *Ao terminar o jantar apareceu o fazendeiro — o todo-poderoso coronel Joaquim José de Sousa Breves. Era um homem de 73 anos que não parecia contar com mais de cinquenta; homem de seis pés de altura [cerca de 1,83m]. Apesar do aspecto um tanto bravio, tinha ares de grande fidalgo. Quando entrou na sala, vestido como um roceiro, metido em botas que lhe iam até o alto das coxas, levantaram-se todos. Os filhos e os netos vieram beijar-lhe a mão, e os escravos curvaram-se para lhe pedir a benção.*[13]

Outro viajante, o diplomata francês Maurice Ternaux-Compans, levou de Sousa Breves a seguinte impressão após visitar uma de suas propriedades, a Fazenda da Grama, em 1876:

> *Depois de três horas em lombo de besta, chegamos à sede da fazenda. E isto sem termos saído das terras dos nossos hospedeiros. O chefe da família, coronel Joaquim José de Sousa Breves, não sabe uma só palavra de francês. Como meu português ainda não seja suficientemente compreensível, chamou suas filhas e netas que vieram acompanhadas da senhora Breves, personalidade superior que a natureza fez crescer grande fidalga. Considerável séquito trazia a fazendeira: uma professora alemã, e uma série de primas pobres,*

> *legítimas e naturais, e outras pessoas seguidas ainda de um batalhão de negrinhos e negrinhas. Como as moças da família falassem corretamente o francês, pusemo-nos imediatamente a tagarelar como velhos conhecidos.*[14]

O Comendador Breves era casado com uma sobrinha, Maria Isabel de Moraes Breves, filha de sua irmã, Cecília Pimenta de Almeida Frazão de Sousa Breves, por sua vez casada com o barão de Piraí, José Gonçalves de Moraes, de quem herdou terras e escravos. Portanto, era tio de sua mulher, irmão de sua sogra, cunhado de seu sogro e tio de seus cunhados. O casal teve oito filhos. Parte substancial de sua fortuna vinha dessas alianças familiares, políticas e de conveniência seladas dentro da própria aristocracia cafeeira. Participou ativamente da política, e dividia o poder local com seu irmão José de Sousa Breves, fazendeiro, também comendador, dono de inúmeras propriedades e cerca de 4 mil escravos. Era um arranjo político típico do Segundo Reinado, no qual membros de uma mesma família eram filiados e se elegiam por diferentes partidos. Joaquim era do Partido Liberal. Foi um dos chefes da Revolução Liberal de 1842, em que fazendeiros do Vale do Paraíba se levantaram contra o governo imperial por suas tentativas de evitar a sonegação de impostos que incidiam sobre o café e adotar medidas de combate ao tráfico de escravos.[15] Seu irmão José, do Partido Conservador, ficou em trincheiras opostas. Na aparência, portanto, eram adversários. Na prática, ditavam os rumos da política local sempre em busca de acumular riquezas e privilégios para si próprios e seus parentes.

Joaquim foi vereador e juiz de paz no município de São João Marcos entre 1848 e 1877, ocupando a presidência da Câmara por oito anos consecutivos. José também foi vereador e juiz de paz do vizinho município de Piraí ao longo de trinta anos, entre 1838 e 1868, sendo presidente da Câmara em sete deles. O poder político dos irmãos foi tamanho que ambos ocuparam três diferentes cargos políticos ao mesmo tempo. Além de vereadores e juízes de paz, foram deputados provinciais (José, cinco vezes; Joaquim, três). Entre outras funções, tinham a responsabilidade de organizar as mesas eleitorais de seus respectivos distritos, controlando dessa forma a lista de eleitores para garantir que seus partidários saíssem vitoriosos.[16]

Dono de uma milícia particular composta por centenas de homens armados, Joaquim José de Sousa Breves era famoso pelos atos de truculência que protagonizou na defesa de seus interesses, incluindo a perseguição de escravos fugitivos e o desmantelamento de quilombos. Numa determinada ocasião, em 1861, foi acusado de ocupar a cidade de São João Marcos com quatrocentos jagunços para assegurar a eleição de um correligionário.[17] Também usou capangas para esconder em suas fazendas o capitão Pedro Ivo Veloso da Silveira, seu correligionário do Partido Liberal e líder derrotado da Revolução Praieira de 1848-49 em Pernambuco, que tinha fugido da prisão no Rio de Janeiro.

Um terceiro caso de desmando envolveu seu círculo familiar mais próximo. Uma de suas filhas, Rita Maria de Sousa Breves, casada com o conde, arquiteto e diplomata italiano Alessandro Fè d'Ostiani, morreu em 1866, em meio a acessos de loucura, na casa grande da Fazenda da Grama, a sede do império agrário do comendador localizada no distrito de Passa Três. A filha do casal, Paulina, ficou aos cuidados dos avós, que se recusaram a entregar a neta ao marido viúvo. O conde italiano apelou ao governo imperial, que lhe deu ganho de causa e enviou uma força de cinquenta homens à fazenda com o objetivo de reaver a menina. Foi inútil. Com ajuda de seus escravos e jagunços, Sousa Breves botou a polícia para correr. Só muitos anos mais tarde, já adulta, Paulina conseguiria se reencontrar com o pai na Europa, onde se casou com um nobre francês, o conde de Montholon-Sémonville, filho do general que anotou as memórias do imperador Napoleão Bonaparte na Ilha de Santa Helena.[18]

A truculência com que o comendador exercia o poder local se refletia também na maneira escandalosa com que, em parceria com o irmão, praticou o tráfico ilegal e clandestino de africanos escravizados. Um caso em particular teve repercussões internacionais e gerou constrangimentos diplomáticos para o Império brasileiro. Em dezembro de 1852, o brigue Camargo, navio de bandeira norte-americana, desembarcou clandestinamente 540 homens e mulheres escravizados na fazenda Santa Rita do Bracuí, em Angra dos Reis, de propriedade de José de Sousa Breves. Vinham todos de Quelimane e da Ilha de Moçambique, no oceano Índico. Segundo pesquisas do historiador Thiago Campos Pessoa Lourenço, o envolvimento dos irmãos Breves com o tráfico de escravos era antigo. A primeira prova é de 1830, oito anos após a épica jornada do Ipiranga. No documento que lhe concedeu a Ordem da Rosa, Joaquim José de Sousa Breves é identificado, sem nenhum pudor, como comerciante de escravos. Alguns anos mais tarde, já depois da primeira proibição do tráfico negreiro pela lei de 1831, o presidente da Câmara de Mangaratiba enviava um ofício ao governo imperial alertando para o "ilícito, imoral e desumano tráfico da escravatura" na região e o desembarque recente de um grupo de africanos transportado pelo patacho (navio) *União Feliz*, tendo "ingerência nessa embarcação Joaquim José de Sousa Breves". Ainda segundo o relato, o comendador usara seus capangas ("mais de cem homens armados") para reaver à força a embarcação apreendida pelas autoridades locais. Outro navio de sua propriedade, o bergantim *Leão*, embarcou 855 escravos na costa da África em 1837, sendo que um terço deles morreu na travessia.[19]

Apesar dessas práticas antigas e bem documentadas, que pareciam fazer parte da rotina do comendador, as notícias sobre o desembarque do Bracuí em 1852 causaram alvoroço na corte do Rio de Janeiro. Fazia dois anos que, sob a pressão dos canhões da Marinha Britânica, o governo imperial sancionara a Lei Eusébio de Queirós, pela qual o Brasil se comprometia a acabar definitivamente com o tráfico. Buscas em fazendas da região confirmaram a presença de inúmeros africanos boçais, ou seja, recém-chegados ao Brasil, ainda sem domínio dos rudimentos da língua portuguesa. As investigações apontaram que a carga pertencia a um consórcio de fazendeiros do Vale do Paraíba liderado pelos irmãos Breves. Entre eles estava ninguém menos que o chefe de polícia, Manuel de Aguiar Vallim, fazendeiro no município de Bananal. Também estavam envolvidos no contrabando outras figuras proeminentes, como o major Antônio José Nogueira e o comendador Luciano José de Almeida. Todos foram processados, mas logo absolvidos por falta de provas de envolvimento direto no caso. O funcionário encarregado de apurar o caso teve enormes dificuldades de encontrar uma só testemunha que estivesse disposta a depor contra pessoas tão poderosas. Intimidado, o promotor público local desistiu de recorrer da sentença aos tribunais superiores. O responsável pelo inquérito logo pediu demissão e o caso ficou por isso mesmo.

O escândalo do Bracuí era um caso típico de um Brasil em que os coronéis, fazendeiros e chefes políticos interpretavam e executavam a lei segundo as conveniências de seus interesses. As famílias dos fazendeiros se encastelavam no poder local, formando verdadeiras oligarquias que mandavam e desmandavam. Em Taubaté, em 1856, a família Moura tinha nada menos do que sete dos postos mais importantes na administração do município, incluindo um deputado da assembleia provincial (Honorato de Moura), o delegado de polícia (Francisco de Moura), o subdelegado (João Bonifácio de Moura) e os responsáveis pela construção de duas estradas regionais (Antônio Bonifácio de Moura e Joaquim Francisco de Moura). Quando enviados para apurar eventuais denúncias relacionadas ao tráfico ilegal de escravos, servidores do governo central ou provincial se viam bloqueados e cerceados por todos os lados. Em São Luiz do Paraitinga, um funcionário encarregado de averiguar denúncias da presença de escravos boçais recém-chegados da África teve de enfrentar a ira de duas das principais autoridades locais, o delegado e o juiz de Direito. Eram ambos da mesma família, envolvida nas denúncias, os Gouveia da Silva. Outro membro do clã, José Bonifácio de Gouveia e Silva, era deputado provincial. O caso, mais uma vez, não deu em nada.[20]

Em consequência do rumoroso processo do Bracuí, no entanto, nenhum dos irmãos Breves jamais obteve do imperador Pedro II o título de barão. Em meados do século XIX, quando o Império brasileiro ainda vivia sob forte pressão internacional para acabar com o comércio de gente escravizada, seria constrangedor para o soberano dar o título de barão a dois notórios traficantes ilegais. Por essa razão, ao contrário de seus vizinhos fazendeiros, Joaquim e José tiveram de se contentar com uma comenda, honraria relativamente menor no panteão da nobreza brasileira.[21]

Joaquim de Sousa Breves foi um escravista renitente, que apostou nos lucros do cativeiro até o último momento. Ao contrário de outros cafeicultores, jamais se empenhou em promover a substituição da mão de obra cativa por imigrantes europeus. Lutou com todas as forças contra o projeto de abolição e há notícias de que ainda estava a comprar escravos nas semanas que antecederam a Lei Áurea de 1888. Toda a sua riqueza estava fundamentada em terras e escravos, e esse era também o seu ponto mais vulnerável. Nos dias que se seguiram à Abolição, ex-cativos abandonaram em massa as senzalas de suas fazendas para tentar a sorte em outros lugares. De 250 mil arrobas de café, em 1887, Breves passou a produzir cerca de 30 mil, em 1889, ano de sua morte. Endividados, a viúva e os filhos hipotecaram vários bens, incluindo fazendas, que acabaram executados por falta de pagamento. Outros herdeiros venderam o que restou.

As famílias Moraes (sobrenome da mulher do comendador, Maria Isabel) e Sousa Breves têm hoje numerosa descendência espalhada por todo o Brasil. De suas antigas fazendas e solares no Vale do Paraíba, sobraram apenas ruínas. São João Marcos, a velha capital do império cafeeiro, foi parcialmente submersa pelas águas de uma represa para geração de energia elétrica. Antes, mandaram dinamitar a igreja matriz. A Igreja da Grama, onde se localizavam as criptas com os restos mortais de Joaquim Breves, foi saqueada. Levaram o sino, o assoalho e a escada do púlpito. Os arquivos pessoais do comendador foram destruídos em um incêndio, o que dificulta ainda hoje o trabalho dos historiadores. Tomada pela vegetação, parte dos barracões usados no desembarque de escravos ainda é visível nas imediações de Mangaratiba. Por falta de interessados em mantê-la em funcionamento, a Fazenda do Pinheiro, onde o comendador José Breves, irmão do Rei do Café, mantinha uma orquestra só de músicos negros para entreter seus convidados, foi entregue à União, que, previsivelmente, abandou-a por completo.

Dos antigos tempos de glória e prosperidade, resta no Museu Nacional de Belas Artes, no Rio de Janeiro, um belíssimo quadro a óleo de autoria do pintor alemão Gustav Karl Ludwig Richter. É o registro de um conto de fadas do Brasil escravista. Nele, Ana Clara Breves de Moraes Costa, sobrinha do Rei do Café, está sentada sobre uma pequena coluna de pedra esculpida em linhas clássicas. Os cabelos escuros trançados avançam até a linha da cintura. Traz no pescoço um colar de pérolas e enverga um belíssimo vestido rendado cor de palha, cujas franjas se prolongam até o chão. Tem a mão sobre a cabeça de seu cão de caça, provavelmente um landseer, raça de origem germânica.[22] Na época em que Richter pintou a obra, Ana Clara era conhecida como Nicota no círculo íntimo familiar e como a condessa de Haritoff nos salões da nobreza por ter se casado com o conde Maurício Haritoff, da casa imperial da Rússia czarista. Falava francês fluente e brilhava nas recepções que dava em Paris e na corte do Rio de Janeiro. Pela elegância e sofisticação, o casal encantou o grão-duque Alexandre em sua passagem pelo Brasil.

Quando se casaram, em 1867, o conde Haritoff, recém-chegado ao Brasil, tinha 25 anos, e Ana Clara, 17. Jamais tiveram filhos. A condessa faleceu jovem, em 1894, aos 44 anos. Rumores da época diziam que morreu de desgosto, obrigada a conviver com o romance do marido com uma mucama, a ex-escrava Regina Angelorum de Sousa, nascida em 1867, quatro anos antes da Lei do Ventre Livre. Após dez anos de viuvez, o conde Haritoff casou-se com Regina, em 1906. Na época, tinham dois filhos, Boris e Alexis.[23] Já empobrecidos pela decadência do café, mudaram-se para o Rio de Janeiro, onde Maurício obteve um emprego de tradutor no Ministério da Agricultura. O conde faleceu em uma casa modesta da rua General Severiano, no bairro de Botafogo, em 1917. Um terceiro filho do casal, Iwann Haritoff, morreu no dia 25 de junho de 2004, na Santa Casa de Barra do Piraí. Tinha 92 anos. Sem dinheiro, amigos ou parentes próximos, foi enterrado em uma cova rasa do cemitério local.[24]

3. OS ESQUECIDOS

> *"Os escravos são sempre inimigos naturais de seus senhores."*
>
> José Antônio Miranda, em panfleto que circulava no Rio de Janeiro em 1821

O QUE FAZER COM os negros do Brasil?

Essa era uma questão premente para a elite ilustrada brasileira na época da Independência. Políticos, juristas, militares, religiosos, jornalistas e outros letrados que compunham a exígua ilha educada e pensante no oceano de pobres e analfabetos que era o Brasil da época,[1] estavam todos preocupados com os números. Africanos e seus descendentes eram a maioria da população, o que, no entender dos dirigentes, comprometia o futuro do novo país. Que Brasil seria esse, independente de Portugal, porém dominado pela escravidão e a negritude africana? Todos concordavam que, definitivamente, não seria nada igual ao modelo branco, caucasiano, de cultura europeia, que caracterizava a antiga metrópole lusitana. Teria de ser algo diferente. Mas quão diferente? Alguns achavam que, para se viabilizar como nação independente, o Brasil teria de, forçosamente, depender da mão de obra escravizada ainda por algum tempo. Porém, idealmente, o novo país deveria ser branco. Em termos crus e objetivos, discutia-se como seria possível à elite imperial se livrar da gigantesca África já incrustada na identidade brasileira, de modo a assegurar que o futuro fosse branco e europeu.

Em 1822, o Brasil tinha a maior concentração de pessoas escravizadas de todo o continente americano. Representavam um terço da população, chegando a 70% ou mais nas antigas regiões mineradoras e produtoras de açúcar. Se incluídos nessa conta também os mestiços e negros forros, que compunham outro terço do total de habitantes, os brancos ficavam reduzidos a ínfima minoria. Dezenas de milhares de cativos desembarcavam nos portos brasileiros todos os anos. Custavam relativamente pouco. Todo mundo tinha escravos. Muito mais do que o necessário. Tratados como mercadoria qualquer, homens e mulheres escravizados eram comprados, vendidos, leiloados, emprestados, hipotecados, deixados como herança, marcados a ferro quente, retalhados, quebrados, perfurados, chicoteados, atados a troncos e ferros, presos com argolas e correntes.

A escravidão era parte da paisagem e da rotina do Brasil, banalizada e vista com naturalidade desde a chegada dos portugueses, mais de três séculos antes. Havia, porém, um legado com o qual as autoridades não sabiam exatamente como lidar. Qual o tamanho e o protagonismo da África brasileira com a qual os brancos descendentes dos colonizadores portugueses estariam dispostos a conviver? Ainda em 1817, cinco anos antes do Grito do Ipiranga, o baiano Domingos Alves Moniz Barreto recomendava ao rei dom João VI que a abolição do tráfico negreiro e da própria escravidão se fizesse com muita cautela para evitar que "os vícios" da raça africana contaminassem todo o resto da sociedade brasileira.

Era preciso antecipar providências e dar tempo para que o Estado estabelecesse uma coação policial sobre os escravos que se libertassem, de modo que eles pudessem trabalhar "segundo sua vocação", mas jamais "sem destino útil e honesto".[2] Ou seja, os negros libertos só seriam tolerados na sociedade brasileira se continuassem a cumprir o papel que deles se esperava: o de produzir as riquezas que asseguravam o bem-estar e os privilégios da classe dominante.

Anos mais tarde, o jornalista Evaristo da Veiga, dono do jornal *Aurora Fluminense* e autor da letra do Hino da Independência, fundador da Sociedade Defensora da Liberdade e Independência Nacional, propunha o fim do tráfico negreiro, não propriamente como ato humanitário em relação aos africanos escravizados, mas porque, no seu entender, havia um desequilíbrio de raças no Brasil, que poderia comprometer o futuro do país. Assim, era preciso estancar de imediato a infusão de sangue africano na população brasileira: "Nosso país está inundado sem qualquer medida por uma raça rude e estúpida, cujos números já existentes deveriam nos alarmar".[3]

José Bonifácio de Andrada e Silva, o Patriarca da Independência, defendia ideias semelhantes. A escravidão, segundo escrevia em 1823 em sua proposta à Assembleia Constituinte, era um elemento desagregador da sociedade, um mal a ser erradicado o mais depressa possível, mas não exatamente em benefício dos negros escravizados. O objetivo era purgar a sociedade branca dos males advindos do regime escravista. "Que educação podem ter as famílias que se servem desses infelizes sem honra e sem religião?", perguntava. "Os pretos inoculam nos brancos sua imoralidade e seus vícios". Por esse motivo, defendia o fim do tráfico africano no prazo de quatro a cinco anos. Como consequência, os escravos já existentes no Brasil seriam mais bem tratados por seus donos. Os senhores promoveriam casamentos entre os cativos, e a população negra cresceria naturalmente, de modo a satisfazer as necessidades de mão de obra da lavoura. Os alforriados, para ganhar a vida, teriam direito a cultivar pequenas porções de terra. Só depois desse processo gradual de assimilação da África brasileira seria possível pensar em abolição. Sem muita pressa e com todas as cautelas necessárias.

No entender do Patriarca, seria, portanto, impossível ao novo Brasil independente ter leis e instituições estáveis, enquanto os negros não fossem educados para se tornarem "dignos da liberdade", ou seja, à altura dos altos anseios da elite branca iluminada do século XIX:

> *Como poderá haver uma constituição liberal e duradoura em um país continuamente habitado por uma multidão imensa de escravos brutais e inimigos. [...] Nós tiranizamos os escravos e os reduzimos a brutos animais, e eles nos inoculam toda a sua imoralidade e todos os seus vícios. [...] Eu não desejo ver abolida de repente a escravidão; tal acontecimento traria consigo grandes males. Para emancipar escravos sem prejuízo da sociedade, cumpre fazê-los primeiramente dignos da liberdade.*[4]

Como já se viu nos volumes anteriores desta trilogia, o dilema era antigo, ainda da época do período colonial. A escravidão, dizia-se, era um mal necessário, uma vez que não haveria braços suficientes para garantir a produção das fazendas e minas de ouro e diamantes brasileiras. "Sem Angola não há negros; e, sem negros, não há Pernambuco", alertava o padre Antônio Vieira já em 1648. "Sem negros nada se pode cultivar aqui", concordava na mesma época — mais exatamente em 1640 —, um adversário ferrenho dos portugueses, o holandês Van der Dussen, conselheiro em Pernambuco da WIC, a West India Company, ou

Companhia das Índias Ocidentais.

Quase dois séculos depois dessas declarações, o Brasil caminhava a passos largos rumo à Independência, mas as perguntas antigas permaneciam sem resposta. "Que faremos, pois, nós desta maioridade de população heterogênea, incompatível com os brancos, antes inimiga declarada?", questionava-se, em 1821, João Severiano Maciel da Costa, Marquês de Queluz, mineiro nascido em Mariana, que fora governador da Guiana Francesa entre 1809 e 1819.[5] Maciel da Costa se preocupava com a "multiplicação indefinida de uma população heterogênea, inimiga da classe livre", temia que os escravos, contagiados pelas ideias libertárias que sopravam da Europa e dos Estados Unidos, acabassem por massacrar os brancos, como ocorrera na colônia francesa de São Domingos, atual Haiti, no final do século XVIII. Lembrava a natureza bárbara dos africanos, gente que, segundo ele, vivia "sem moral, sem leis, em contínua guerra, [...] vegetam quase sem elevação sensível acima dos irracionais". Concluía que as relações entre brancos e negros no Brasil seriam sempre de inimizade e distância, uma vez que no país não haveria "classe do povo", mas somente "uma enorme massa de negros escravos e libertos que fazem ordinariamente causa comum entre si".

Os argumentos tinham em comum a ideia da inferioridade racial dos africanos. O negro era caracterizado como um ramo à parte da espécie humana. Alguns pensadores chegavam a sugerir que, nos corpos negros, o sangue, a bílis, os fluídos da medula e do cérebro seriam mais escuros do que nos brancos, o que comprometeria o seu bom desempenho. O crânio seria menor do que o do europeu caucasiano, tornando-os mais predispostos à preguiça, à instabilidade emocional e a certos vícios. O negro africano estaria, assim, predestinado à escravidão pela apatia e pela capacidade cerebral pouco desenvolvida. Diante da inferioridade racial resultante da escravidão, sustentavam esses teóricos do cativeiro, era preciso oxigenar a sociedade brasileira com outros povos brancos, preferencialmente europeus e católicos, praticantes da religião oficial do Império do Brasil.

Aureliano Cândido de Tavares Bastos, alagoano, formado em Direito em São Paulo em 1859, eleito deputado pela sua província natal, sustentava em uma série de artigos de jornal na época que entre o branco e o negro havia um "abismo que separa o homem do bruto". Bastava, segundo ele, observar o atraso relativo das províncias com maior população negra, caso da Bahia, quando comparadas com regiões de população majoritariamente branca, caso do Rio Grande do Sul. Acreditava que, se o país tivesse mais brancos do que negros, a riqueza nacional seria triplicada, visto que, no seu entender, os primeiros eram três vezes mais produtivos. "Para mim, o imigrante europeu devia e deve ser o alvo de nossas ambições, como o africano o objeto de nossas antipatias", afirmava.[6]

Em todos esses tratados transparece, portanto, o medo que os dirigentes brancos tinham da "africanização" do Brasil. Em um país já analfabeto, pobre e atrasado, a continuada importação de africanos escravizados era vista como uma ameaça à supremacia branca e à própria segurança nacional. Seria preciso branquear a população o mais rapidamente possível. Mas como?

Em 1837, o piauiense Frederico Leopoldo Cezar Burlamaqui, doutor em ciências matemáticas e naturais pela Escola Militar, defendia uma solução radical: era preciso devolver todos os negros à África, como já haviam tentado ingleses e americanos ao criar as colônias e atuais países africanos de Serra Leoa e Libéria. Burlamaqui estava persuadido da "nenhuma utilidade dos escravos, e dos inconvenientes que causam ao país e aos particulares essa multidão de infelizes, que só servem para desmoralizar nossos costumes e atrasar todas as nossas coisas". Segundo ele, os escravos eram "inimigos domésticos [...], cujo único fito deve ser a destruição e o extermínio de seus opressores".

Assim sendo, levantava a seguinte questão:

> *Convirá que fique no país uma tão grande população de libertos, de raça absolutamente diversa da que a dominou? Não haverá grandes perigos a temer no futuro, se as antigas tiranias forem recordadas, se os libertos preferirem a gente da sua raça a qualquer outra, como é natural? Poderá prosperar e mesmo existir uma nação composta de raças estranhas e que de nenhuma sorte podem ter ligação?*[7]

Diante da natural constatação de que seria impossível devolver à África a maioria da população brasileira, era preciso encontrar soluções alternativas, que acomodassem a realidade da herança africana na formação do Brasil, dando-lhe, no entanto, um lugar inferior e diferenciado em relação aos brancos. José Bonifácio de Andrada e Silva, embora considerasse o africano de baixo nível mental, devido à "vida selvática", propunha que, uma vez abolida a escravidão, os ex-cativos fossem educados e incorporados à sociedade produtiva na forma de "colonos livres" com acesso a terras por meio de uma reforma agrária que redistribuísse os latifúndios até então existentes.

Outro ensaísta, José Eloy Pessoa, nascido na Bahia, bacharel em matemática e filosofia pela Universidade de Coimbra, brigadeiro do Exército, defendia a criação de colônias separadas, habitadas respectivamente por indígenas, brancos descendentes de europeus e negros vindos da África. Na prática, propunha um regime de segregação étnica e racial, como os sistemas que mais tarde seriam adotados no Sul dos Estados Unidos e na África do Sul. Os colonos seriam utilizados nas grandes propriedades, mediante pagamento de salários, mas viveriam em espaços distintos, afastados do resto da sociedade brasileira. Proprietários que se interessassem pelo sistema e usassem pelo menos cem colonos, em lugar de escravos, seriam condecorados pelo governo imperial e receberiam linhas de crédito especiais. No entender de Pessoa da Silva, a escravidão constituía todos os males do Brasil, nenhum bem poderia resultar dela e era urgente acabar com o tráfico negreiro:

> *Esta população escrava, longe de ser considerada como um bem, é certamente um grande mal. Estranha aos interesses públicos, sempre em guerra doméstica com a população livre, e não poucas vezes apresentando no moral o quadro físico dos vulcões em erupção contra as massas que reprimem sua natureza tendência; gente que quando é preciso defender honra, fazenda e vida é o inimigo mais temível existindo domiciliada com as famílias livres.*[8]

Além da tão temida "africanização" do Brasil independente, havia outro medo mais concreto e imediato no imaginário das elites brasileiras: o de que as ideias de liberdade, tão discutidas em panfletos e páginas de jornais, nas lojas maçônicas, nos salões da nobreza, nos cafés e saraus da corte, pudessem chegar aos ouvidos da população negra e resultar em rebeliões incontroláveis. O pavor de uma guerra étnica tirava o sono das famílias brancas. Em 1820, dois anos antes da Independência do Brasil, Francisco Cailhé de Geine — um coronel francês aventureiro, jogador profissional e morador no Rio de Janeiro — apresentou ao intendente geral de polícia da corte, Paulo Fernandes Viana, um memorando de tom premonitório: "Toda revolução que se efetuará no Brasil será a sublevação dos escravos que, quebrando os seus ferros, incendiarão as cidades e as plantações, trucidarão os brancos".[9]

No ano seguinte, circulava na cidade um panfleto com alerta para o risco de que se repetisse no Brasil o banho de sangue ocorrido em 1794 na ilha de São Domingos durante uma rebelião dos negros cativos. "Os escravos são sempre inimigos naturais de seus senhores", dizia seu autor, José Antônio Miranda. "São contidos pela força e pela violência". E acrescentava:

> *Em toda parte onde os brancos são muito menos que os escravos e onde há muitas castas de homens, uma desmembração ou qualquer outro choque de partidos pode estar ligada com a sentença de morte e um batismo geral de sangue para os brancos, como aconteceu em São Domingos e poderá acontecer em toda parte em que os escravos forem superiores em força e números aos homens livres.*[10]

Um pouco mais tarde, em abril de 1823, Maria Bárbara Garcez Pinto, dona de escravos no Recôncavo Baiano, escrevia ao marido, que se encontrava em Portugal, dizendo-se escandalizada com as notícias de que os negros da região tinham encaminhado petições às cortes de Lisboa reivindicando a liberdade:

> *A crioulada de Cachoeira fez requerimentos para serem livres. Em outras palavras, os escravos negros nascidos no Brasil ousavam pedir, organizadamente, liberdade! [...] Estão tolos, mas a chicote tratam-se...*[11]

Em 1824, o mineiro Felisberto Caldeira Brant Pontes, futuro marquês de Barbacena, defendia em relatório de Londres a importação de europeus, "homens altos e claros" para promover o branqueamento da população brasileira e evitar que "os naturais do país se reduzam a anões cor de cobre". Brant também se preocupava com "a peste revolucionária" que poderia se propagar "em um país de tantos negros e mulatos".[12]

No grande confronto de opiniões e interesses observado

no período, a ameaça de uma rebelião escrava era vista como um perigo mais urgente e assustador do que todas as demais dificuldades. Era esse o inimigo comum, o verdadeiro fantasma que pairava no horizonte do jovem país. E contra ele se uniram os nascidos de aquém e além-mar, monarquistas e republicanos, liberais e absolutistas, federalistas e centralizadores, maçons e católicos, comerciantes e senhores de engenho, civis e militares.

Todos esses grupos, que formavam a até então dispersa e desorganizada elite brasileira, tinham consciência de que o enorme fosso de desigualdade aberto nos três séculos anteriores de exploração da mão de obra escrava poderia se revelar incontrolável se as novas ideias libertárias que chegavam da Europa e dos Estados Unidos animassem os cativos a se rebelar contra seus opressores. O sentimento de medo funcionou como uma amálgama dos grupos antagônicos na época da Independência, segundo a historiadora Maria Odila Leite da Silva Dias. Diante de uma ameaça maior — a da rebelião escrava e o previsível caos resultante de uma guerra civil de natureza étnica — conservadores e liberais convergiram em torno do imperador para preservar os seus interesses.[13] Dessa forma, o Brasil conseguiu romper seus vínculos com Portugal sem alterar a ordem social vigente. "A solução monárquica [...] oferecia a garantia de uma revolução de cima para baixo, dispensando grande mobilização popular", resumiu a historiadora Emília Viotti da Costa.[14]

De todos os problemas brasileiros na Independência, a escravidão foi o mais camuflado e mal resolvido. Serviu também para expor uma estranha contradição no pensamento dos homens mais revolucionários da época. Os documentos, manifestos e discursos falavam em liberdade, direitos para todos, participação popular nas decisões, mas seus autores conviviam naturalmente com a escravidão, como se a defesa dessas ideias não dissessem respeito aos negros. Os revolucionários republicanos de Pernambuco em 1817, embora defendessem os direitos dos homens contra a tirania dos reis, fizeram questão de divulgar um documento no qual tranquilizavam os senhores de engenho e grandes proprietários rurais. Sob o novo regime, explicavam, a escravidão seria mantida:

> *Patriotas pernambucanos! A suspeita tem-se insinuado nos proprietários rurais: eles creem que a benéfica tendência da presente liberal revolução tem por fim a emancipação indistinta dos homens de cor e escravos. O governo [...] está igualmente convencido de que a base de toda a sociedade regular é a inviolabilidade de qualquer espécie de propriedade; deseja uma emancipação que não permita entre eles o cancro da escravidão. Mas deseja-a lenta, regular e legal. Patriotas! Vossas propriedades [...] serão sagradas.*[15]

Por convicção, alguns dos homens mais poderosos da época defendiam o fim do tráfico negreiro e a abolição da escravatura. Por força das circunstâncias, no entanto, foram incapazes de colocar em prática suas ideias. É o caso de ninguém menos do que o imperador Pedro I, autor de um documento surpreendente de 1823 guardado até hoje no Museu Imperial de Petrópolis. Nele, o imperador defende o fim da escravidão no Brasil com palavras que em muito se assemelhavam à proposta que José Bonifácio enviava à Assembleia Constituinte, no mesmo ano. As ideias ali expressadas são claras, lógicas e de uma lucidez, que poderiam ser assinadas por qualquer dos grandes abolicionistas que, meio século mais tarde, dominariam a cena política brasileira.

"Ninguém ignora que o cancro que rói o Brasil é a escravatura, é mister extingui-la", escreveu Pedro I no documento de 1823. Segundo ele, a presença dos escravos distorcia o caráter brasileiro porque nos faz "uns corações cruéis e inconstitucionais e amigos do despotismo". Observava também que "todo senhor de escravo desde pequeno começa a olhar ao seu semelhante com desprezo". Em seguida, afirmava que o Brasil poderia viver sem a escravidão e propunha que o tráfico negreiro fosse proibido como primeiro passo para a total abolição do cativeiro: "Um hábito que faz contrair semelhantes vícios deve ser extinto". Desse modo, "os senhores olharão os escravos como seus semelhantes e assim aprenderão por meio do amor à propriedade a respeitarem os direitos do homem, que o cidadão que não conhece os direitos dos seus concidadãos também não conhece os seus e é desgraçado toda vida".[16]

Se, um ano após a Independência, até o imperador era contra a escravidão, por que ela continuou a existir no Brasil por tanto tempo? A resposta é óbvia. O Brasil estava de tal forma viciado e dependente da mão de obra escrava que, na prática, sua abolição na Independência revelou-se impraticável. Defendida em 1823 por José Bonifácio e o próprio dom Pedro, só viria 65 anos mais tarde, já no finalzinho do século. O tráfico de escravos era um negócio gigantesco, que movimentava centenas de navios e milhares de pessoas dos dois lados do Atlântico. Incluía agentes na costa da África, exportadores, armadores, transportadores, seguradores, importadores, atacadistas que revendiam no Rio de Janeiro para centenas de pequenos traficantes regionais, que, por sua vez, se encarregavam de redistribuir as mercadorias para as cidades, fazendas e minas do interior do país. Os lucros do negócio eram astronômicos. Em 1810, um escravo comprado em Luanda por 70 mil réis, era revendido no Distrito Diamantino, em Minas Gerais, por até 240 mil réis, ou três vezes e meia o preço pago por ele na África. Em 1812, metade dos trinta maiores comerciantes do Rio de Janeiro se constituía de traficantes de escravos.[17]

Diante desse cenário, manter a escravatura e proteger os grandes proprietários contra uma eventual rebelião dos cativos foi uma das moedas de troca que dom Pedro e seu ministro José Bonifácio de Andrada e Silva usaram em 1822 na defesa de seu projeto monárquico constitucional. Bonifácio, um abolicionista convicto, enviou a Pernambuco em julho de 1822 um emissário com a promessa de que, em troca do apoio, o governo imperial protegeria os senhores de engenho de uma eventual rebelião escrava.[18] Para confirmar os temores da "açucarocracia" pernambucana, em fevereiro do ano seguinte, o governador de armas da província, Pedro da Silva Pedroso, liderou uma rebelião de negros e mulatos, na qual prometia represálias contra brancos e "caiados".[19] O trauma da "Pedrosada", como ficou conhecido o movimento, serviu de lição para que as elites locais se identificassem de uma vez por todas com o regime imperial.

***

E os homens e mulheres escravizados, o que achavam disso tudo?

Infelizmente, a história da Independência — como, de resto, toda a história do Brasil — foi majoritariamente escrita por fontes e pessoas brancas. Há poucos registros a respeito do pensamento e das opiniões dos negros nessa época. Desse pouco, porém, é possível chegar à conclusão de que as expectativas eram grandes. O novo ambiente das ideias revolucionárias e a mobilização para as lutas da Independência inocularam nos escravos esperanças de melhorias que não se concretizaram. Tanto quanto os demais brasileiros, a população cativa alimentou o sonho de que, uma vez rompidos os antigos vínculos com Portugal, a vida poderia melhorar. E, no caso dos negros, a melhoria mais imediata e concreta só poderia ser a liberdade. Há, por exemplo, notícias de um movimento entre os negros escravizados de Minas Gerais, de apoio à causa constitucional dos liberais portugueses e brasileiros. Ao tomar conhecimento da Revolução

Liberal do Porto, um homem escravizado de nome Argoim teria distribuído um manifesto dirigido à população negra mineira nos seguintes termos:

> *Em Portugal proclamou-se a Constituição que nos iguala aos brancos. Vede vossa escravidão: já sois livres. No campo da honra derramai a última gota de sangue pela constituição que fizeram nossos irmãos em Portugal!* [20]

Argoim e seus seguidores logo se dariam conta de que a revolução em Portugal era liberal apenas na metrópole e dizia respeito somente aos brancos.

Outro exemplo das expectativas despertadas nos escravos é o grande número de petições que essa parcela da população encaminhou à Assembleia Constituinte de 1823. Numa delas, Inácio Rodrigues e um grupo de escravos pediam que os deputados servissem de mediadores numa longa disputa judicial que travavam com sua proprietária, Águeda Caetana, acusada de tratá-los de forma violenta e desumana. Por isso, reivindicavam a alforria nos tribunais. Os parlamentares se ocuparam do caso durante três sessões. Os adjetivos usados nos seus pronunciamentos revelam a forma pejorativa com que os brancos viam os cativos de então: "miseráveis", "desgraçados", "infelizes", "órfãos", "pródigos", "mentecaptos", "desvalidos". Por fim, os deputados chegaram à conclusão de que não era tarefa deles resolver a disputa e encaminharam o caso ao imperador Pedro I, que, por sua vez, também se negou a interferir no processo alegando respeito ao direito de propriedade.[21]

Essas expectativas eram bem anteriores ao processo de independência. Na Revolta dos Alfaiates, também conhecida como Revolta dos Búzios ou Conjuração Baiana, ocorrida em Salvador em meados de 1798, os revoltosos afixaram manifestos manuscritos nos lugares públicos da cidade exigindo "o fim do detestável jugo metropolitano de Portugal", a abolição da escravatura e igualdade para todos os cidadãos, "especialmente mulatos e negros".[22] Um desses panfletos dizia: "Está pra chegar o tempo feliz da nossa liberdade; o tempo em que seremos irmãos; o tempo em que todos seremos iguais". Os mais radicais pregavam o enforcamento de parte da população branca de Salvador. A repressão do governo português foi duríssima. Quarenta e sete suspeitos foram presos, dos quais nove eram escravos. Três deles — todos mulatos livres — acabaram decapitados e esquartejados. Pedaços de seus corpos foram espetados em estacas pelas ruas da capital, onde ficaram até se decompor totalmente. Dezesseis prisioneiros ganharam a liberdade. Os demais seriam banidos na África. Entre 1807 e 1835, os escravos promoveram mais de duas dezenas de revoltas e conspirações na Bahia, como se verá em capítulo mais adiante neste livro. Numa delas, seiscentos negros saídos das armações, onde trabalhavam no fabrico e conserto de barcos pesqueiros, atacaram Salvador e arredores gritando "Liberdade, vivam os negros e seus reis... e morram os brancos e mulatos".[23]

Na mesma Bahia da Revolta dos Alfaiates, milhares de cativos foram recrutados pelo exército e pela marinha durante a Guerra da Independência. Marinheiros negros escravizados foram fundamentais no bloqueio naval que privou as tropas portuguesas em Salvador do fornecimento de comida produzida no Recôncavo Baiano. Muitos pegaram em armas para defender a causa brasileira esperando que, em troca, teriam a liberdade. Chegada havia pouco da Europa, a inglesa Maria Graham julgava perigoso incorporar escravos recém-chegados da África — os pretos novos — às forças nacionais na luta contra os portugueses. "Eles puseram armas nas mãos dos novos negros enquanto as lembranças da pátria, do navio negreiro e do mercado de escravos ainda lhes estão frescas na memória", anotou ela.[24]

Terminada a guerra, tudo continuou como antes. Os escravos ficaram, assim, na condição de órfãos da Independência, tanto quanto os índios, negros forros (recém-libertos), mestiços, analfabetos e pobres em geral que compunham a vasta maioria dos brasileiros e cujas condições de vida permaneceram inalteradas. A elite rural e escravocrata estava preocupada com a preservação de seus interesses e privilégios, o que incluía a manutenção do tráfico negreiro e da escravidão. Seu fim deveria ser adiado tanto quanto possível.

Na Bahia de 1822, segundo o historiador Luís Henrique Dias Tavares, para a maioria dos proprietários de escravos, terras, canaviais, engenhos, currais de gado e sobrados, era indiferente que o Brasil fosse monárquico absolutista ou constitucional, se separasse ou permanecesse vinculado a Portugal, com uma única condição: a garantia de que a escravidão permaneceria intocada. "Valeria para essa camada social baiana o que fosse mais seguro para que não ocorresse a quebra do tráfico negreiro e do sistema de trabalho escravo", escreveu Dias Tavares. "As proclamações das vilas do Recôncavo [...], em junho de 1822, viam no reconhecimento da autoridade do príncipe regente dom Pedro o melhor e mais seguro caminho para a independência sem a quebra da ordem. Ou seja, sem afetar o tráfico de escravos e a escravidão."[25]

A primeira Constituição brasileira, outorgada pelo imperador Pedro I em 1824, era, ela própria, a comprovação do quanto os escravos viram suas aspirações à liberdade frustradas na época da Independência. Embora nascida de um gesto autoritário, era um conjunto de leis surpreendentemente liberal — ao menos na aparência. Alguns de seus artigos copiavam quase que literalmente a *Declaração dos direitos do homem e do cidadão*, proclamada nas ruas de Paris após a Revolução Francesa de 1789. Dizia que todos os cidadãos brasileiros nasciam iguais em direitos, que incluíam a liberdade. Infelizmente, eram privilégios que valiam apenas para os brancos e a parcela da população já alforriada. Os escravos, não incluídos na categoria de cidadãos brasileiros, nem sequer eram mencionados na nova Carta Constitucional.[26]

As expectativas fracassadas em 1822 se materializariam em inúmeras rebeliões nos anos seguintes por todo o Brasil e contribuiriam para aumentar as dificuldades da Regência, o período de transição entre a abdicação de dom Pedro I, em 1831, e a maioridade de seu filho, Pedro II, em 1840. Movimentos como a Guerra dos Cabanos, em Pernambuco (1832), a Balaiada, no Maranhão e no Piauí (1838), a Cabanagem, no Pará (1831), e a Revolta dos Malês, na Bahia (1835), tinham caráter difuso, com reivindicações às vezes difíceis de entender, mas nasceram sempre das camadas mais humildes da população — os órfãos da Independência, esquecidos e deixados à margem do processo de criação do Brasil como nação autônoma.

4. PARA INGLÊS VER

> *"O comércio de escravos cessou!"*
>
> Pedro I, imperador do Brasil,
> na Fala do Trono de 1830, promessa que
> só se cumpriria meio século mais tarde

O QUE FAZER COM OS negros do Brasil?

A pergunta, já apresentada na abertura do capítulo anterior, poderia incomodar e desafiar parte da elite ilustrada brasileira na época da Independência, mas de modo algum os fazendeiros, pecuaristas, senhores de engenho, mineradores, tropeiros e comerciantes que dependiam da escravidão. O Brasil nunca importou tantos africanos escravizados, e em tão pouco tempo, quanto na primeira metade do século XIX. O tráfico negreiro no Atlântico seria interrompido em 1850, pela Lei Eusébio de Queirós, mas o comércio de seres humanos entre as províncias brasileiras, por terra e por navegação costeira, continuaria firme e volumoso até as vésperas da Lei Áurea de 1888. Se a escravidão comprometia ou não o futuro do país, como temiam alguns letrados, isso não era problema dos senhores escravocratas, desde que suas necessidades de mão de obra fossem satisfeitas pelos traficantes de forma ágil, em quantidades e preços aceitáveis.

O trabalho em regime de cativeiro estava de tal forma enraizado no Brasil que até a metade do século, o governo imperial resistiu a todas as pressões exercidas pela Grã-Bretanha, a maior potência econômica e militar da época e cuja opinião pública exigia a imediata abolição do tráfico negreiro. Inúmeros tratados internacionais foram assinados e jamais cumpridos. Uma lei chegou a ser formalmente aprovada no parlamento brasileiro, em 1831, acabando com a importação de cativos. O imperador Pedro I empenhou sua palavra na promessa de que a nova regra seria cumprida. "O comércio de escravos cessou!", anunciou solenemente na Fala do Trono de 3 de maio de 1830, enquanto se discutia o projeto de lei.

Era tudo um jogo de faz de conta.

O tráfico no Atlântico continuou a prosperar e nas duas décadas seguintes alcançaria números astronômicos, já reproduzidos na introdução deste livro. A proibição de 1831 passaria para a história com o apelido jocoso de "lei para inglês ver". Ao sancioná-la, o governo imperial não tinha, de fato, a intenção de que fosse cumprida. O objetivo era apenas conter as críticas internacionais e acalmar os ânimos no front diplomático. Enquanto isso, navios negreiros abarrotados continuaram a desembarcar homens e mulheres escravizados ao longo do litoral brasileiro sob o olhar cúmplice das autoridades.

Como se viu no volume anterior desta trilogia, a Grã-Bretanha havia se convertido em um baluarte do abolicionismo no final do século XVIII. O movimento ganhou fôlego em meados da década de 1780. Em menos de três décadas, levaria à proibição do tráfico negreiro na Inglaterra e nos Estados Unidos. Em mais duas décadas e meia resultaria na abolição da própria escravatura nos domínios britânicos, em agosto de 1833. A partir de então, a Inglaterra passaria a forçar os demais países a fazer o mesmo. Nenhum país resistiria tanto a essas pressões quanto o Brasil.

Em 1810, já refugiado com sua corte no Rio de Janeiro, o então príncipe regente dom João assinou com o governo britânico um tratado comercial que incluía uma cláusula sobre o tema. "Uma abolição gradual do tráfico de escravos é prometida por parte do regente de Portugal e os limites do mesmo tráfico, ao longo da costa da África, serão determinados", rezava o documento.[1] Nada aconteceu. Em janeiro de 1815, Portugal assinou um segundo tratado, ratificado por "Carta de Lei" em novembro de 1817, pelo qual se comprometia a coibir o tráfico ao norte da Linha do Equador. Pelo documento, cada navio português envolvido no tráfico na área geográfica ainda permitida (abaixo da Linha do Equador) deveria levar um "passaporte", escrito em português e em inglês, indicando, entre outras informações, o número de escravos que estava autorizado a transportar, bem como os portos de origem e de destino.

O tratado também autorizava oficiais britânicos a abordar navios mercantes suspeitos de tráfico ilegal de escravos. Embarcações flagradas com africanos cativos seriam apreendidas e encaminhadas a tribunais especiais, um estabelecido no Rio de Janeiro e outro em território britânico na África Ocidental. Chamados de "comissões mistas", eram compostos por dois juízes de cada país, com autoridade para julgar e decidir os casos o mais rapidamente possível. Navios condenados por tráfico ilegal seriam vendidos publicamente. Os africanos encontrados a bordo receberiam certificados de emancipação e seriam empregados como "criados ou trabalhadores livres".

E, uma vez mais, tudo ficou no papel.

Nas negociações para o reconhecimento da Independência do Brasil, a abolição do tráfico tornou-se questão de honra para o governo britânico. "Que o governo brasileiro nos comunique sua renúncia [ao tráfico negreiro] e o senhor Andrada pode estar seguro de que essa só e única condição decidirá a vontade deste país e facilitará enormemente o estabelecimento da amizade e de cordiais relações entre a Grã-Bretanha e o Brasil", afirmou o ministro George Canning em comunicado ao cônsul Henry Chamberlain no Rio de Janeiro, referindo-se a José Bonifácio de Andrada e Silva, então homem forte do imperador Pedro I. "O melhor caminho para lograr [o reconhecimento do novo império] é a declaração por parte do Brasil de que renuncia ao comércio de escravos."

Como resultado dessas conversas, dom Pedro I assinou em 1826 um tratado com a Grã-Bretanha, no qual o Brasil assumia, além de uma dívida de 2 milhões de libras esterlinas feita originalmente por Portugal, o compromisso de honrar os acordos celebrados anteriormente pelo governo português com os ingleses em relação ao tráfico. Prometia também extinguir por completo o tráfico no prazo de três anos após a ratificação do documento pelos dois países. No dia 7 de novembro de 1831, o tratado finalmente foi convertido em lei, sancionada pelo ministro da Justiça e futuro regente padre Diogo Antônio Feijó. A partir daquele momento, todos os escravos que desembarcassem em território brasileiro, vindos de fora do Império, seriam considerados livres.

A lei de 1831 previa rigorosas punições para todos os responsáveis por desembarques clandestinos, como o capitão do navio, o oficial imediato, o mestre, o proprietário atual e o anterior da embarcação (caso participasse ou tivesse conhecimento da operação), os financiadores e os responsáveis pela preparação da viagem, e todas aquelas pessoas que, de forma consciente, comprassem escravos ilegais. As penas incluíam prisões por um período entre três e nove anos, multa de 200 mil réis por cativo apreendido, além de eventuais punições corporais, como açoites. Por fim, os responsáveis pelo navio teriam de arcar com a devolução dos escravos aos portos africanos de origem. Informantes que denunciassem a chegada ou o desembarque de cargas clandestinas receberiam uma recompensa de 30 mil réis por escravo.

Como nas ocasiões anteriores, não passou da promessa.

As novas lavouras de café no Vale do Paraíba precisavam de braços — e o tráfico negreiro, ainda que ilegal, era visto pelos fazendeiros como a única solução naquele momento. Entre 1831 e 1840 entrariam clandestinamente no Brasil cerca de 340 mil negros africanos.[2] Mais 400 mil chegariam nos dez anos seguintes. Como já citado na introdução deste livro, entre os anos de 1841 e 1850, nada menos do que 88% dos africanos embarcados em navios negreiros para a América tiveram como destino o Brasil. A oferta de "pretos novos", como eram chamados os recém-chegados, foi tão grande que houve uma queda temporária dos preços.[3] "O interesse dos agricultores foi mais poderoso do que o respeito aos convênios internacionais", observou o historiador pernambucano Manuel de Oliveira Lima.[4]

Durante o debate para a ratificação do tratado de 1826, o deputado Raimundo José da Cunha Matos, representante de Goiás, resumiu as preocupações dos fazendeiros escravistas que dominavam o parlamento. Segundo ele, o tratado era "um insulto à honra, aos interesses, à dignidade, à Independência e à soberania da nação brasileira" pelas seguintes razões:

> *Ataca a lei fundamental do Império; prejudica enormemente o comércio nacional; arruína a agricultura, vital para a existência das pessoas; aniquila a navegação; desfere um golpe cruel nas receitas do Estado; além de ser prematuro e extemporâneo.*[5]

Cunha Matos concluía sua justificativa com um argumento surpreendente. Segundo ele, os cristãos que compravam escravos estavam na verdade livrando-os da morte ou de algum destino nas selvas africanas mais cruel do que a escravidão. Entre os "horrores" desse "destino mais cruel" estariam o canibalismo, a idolatria e a homossexualidade, entre outros "horrores".

Uma única voz se levantou em defesa do tratado: o paraense Romualdo Antônio de Seixas, arcebispo da Bahia. Enquanto todos os demais parlamentares se revezavam na tribuna para defender a escravidão, dom Romualdo argumentou que a imediata suspensão do infame comércio com a África era o melhor caminho para a construção de um Brasil mais livre e civilizado. Pagaria caro por isso. Por contrariar os interesses da aristocracia rural, dom Romualdo não foi reeleito na legislatura seguinte, de 1830. Tampouco retornou ao parlamento seu protegido no Pará, o deputado José Tomás Nabuco de Araújo, que teve de se consolar com o cargo de presidente da província da Paraíba. Um dos netos de Nabuco de Araújo, o pernambucano Joaquim Nabuco, nascido em 1849, seria um dos grandes abolicionistas brasileiros.

Nos cinco anos anteriores à lei que proibiria, embora apenas formalmente, o tráfico negreiro para o Brasil, os preços de escravos mais do que triplicaram devido à corrida para garantir os estoques de mão de obra cativa enquanto houvesse tempo. Em 1825, o preço médio de um africano recém-chegado girava em torno de 200 mil a 250 mil réis, o equivalente a 210 e 260 dólares norte-americanos da época. Em 1830, já chegava a 700 mil e 800 mil réis para "escravos comuns ou inferiores" e a até um conto de réis (ou 1 milhão de réis) para os cativos "selecionados", as chamadas peças-da-Índia, a mercadoria mais valorizada no comércio de gente — homens jovens, fortes e saudáveis, em plena capacidade produtiva. Apesar do aumento nesses preços, os plantadores de café também tiveram seu poder de compra elevado devido às boas safras e ao aumento da demanda no mercado internacional do produto. Isso fez com que o número de escravos desembarcados no Rio de Janeiro quase dobrasse, de 25 mil em 1825 para 44.205 em 1829.

No Rio de Janeiro, o recém-lançado *Jornal do Commercio* publicava em suas edições iniciais dois anúncios contraditórios e irônicos. O primeiro, de 2 de outubro de 1827 (um dia após a estreia do jornal), noticiava a ratificação do tratado de 1826 que proibia definitivamente o tráfico de escravos. O segundo, dias mais tarde, comunicava a chegada de cinco navios da África carregando um total de 1.403 cativos para serem imediatamente leiloados. O reverendo irlandês Robert Walsh, capelão da embaixada britânica no Rio de Janeiro, que nessa época viajou para Minas Gerais, registrou ter encontrado pelo caminho inúmeras caravanas de escravos recém-chegados, "serpenteando pela mata", conduzidas pelo "mercador de escravos, distinguido por seu grande chapéu de feltro e poncho, vindo por último em uma mula, com um longo chicote na mão". Era, segundo ele, motivo de pena "ver grupos dessas pobres criaturas curvados à noite nos ranchos ao ar livre, encharcados pela chuva fria".

Em 1829, já a caminho de volta para Londres, Walsh testemunhou a abordagem do negreiro português *Veloz*, flagrado com uma carga ilegal de africanos escravizados. O navio tinha partido da África havia dezessete dias. Nesse período, de pouco mais de duas semanas, 55 negros haviam morrido e sido atirados ao mar. Surpreendido por um cruzador britânico no meio do Atlântico, o capitão ainda tentou fugir. A caçada se prolongou por trinta horas. Depois de receber alguns tiros de canhão no casco da embarcação, o comandante finalmente se rendeu. Ao subir a bordo, Walsh surpreendeu-se com o que viu. Os 336 homens e 226 mulheres, num total de 562 pessoas, viajavam todos imobilizados por correntes e colares de ferro e trancafiados sob escotilhas gradeadas abaixo do convés. A área de confinamento, segundo descreveu, era "tão baixa que eles se sentavam entre as pernas uns dos outros, tão amontoados que não havia possibilidade de se deitarem ou mudarem de posição, durante o dia ou à noite". Ao partir da costa africana, tinham sido todos marcados a ferro quente, "como ovelhas, com as marcas dos diferentes proprietários imprimidas em seus peitos e braços". Em um dos compartimentos, com altura entre 70 e 90 centímetros e área de 5 metros por 6,5 metros (32,5 metros quadrados), "estavam apinhadas as mulheres adultas e meninas". Em outro, de 12 metros por 6,5 metros (78 metros quadrados), viajavam os homens e os meninos. Em seguida, Walsh descreveu a saída dos escravos para o convés, a parte superior do navio:

> *Algumas crianças, alguns adultos, alguns velhos e velhas, todos em estado de completa nudez, rastejando para experimentar o luxo de um pouco de ar e água frescos. Pareciam um enxame de abelhas saindo pela abertura de uma colmeia, enchendo todos o convés até a asfixia, de proa e popa. [...] Olhando-se para o lugar em que haviam estado amontados, encontravam-se algumas crianças junto à borda do navio; estavam deitadas em estado de torpor. [...] As pequenas criaturas pareciam indiferentes tanto à vida quanto à morte, e quando eram carregadas para o convés muitas não conseguiam ficar em pé.*[6]

Passado o frenesi inicial, desencadeado pela ameaça de interrupção do tráfico, a atividade dos negreiros no Atlântico diminuiu de forma abrupta. Quem observasse os mapas de chegada de navios no Brasil nos dois anos seguintes à aprovação da lei de 1831 teria a impressão de que, de fato, o tráfico negreiro terminara. Era só aparência. O mercado estava abarrotado de escravos porque, antecipando-se à proibição, traficantes e compradores tinham inflacionado as compras nos anos que antecederam a nova legislação. Na província do Rio de Janeiro, o número de desembarques tinha quase que dobrado: de, em média, sessenta navios e 25 mil escravos por ano no período entre 1822-1827, para 110 navios e 45 mil escravos nos dois anos seguintes. Na Bahia, 43 embarcações despejaram 17 mil cativos em 1829, enquanto a média anterior não passava de quinze navios e 4 mil desembarcados. No total, estima-se que 175 mil entraram no Brasil num período de apenas três anos. Como consequência, os preços também haviam despencado, de 70 libras esterlinas, em média, por um escravo jovem em 1830, para apenas 35 libras em julho de 1831.[7]

Esses números, e a aparente determinação inicial brasileira de interromper o tráfico, chegaram a suscitar a admiração das autoridades britânicas. Em maio de 1832, o cônsul britânico no Rio de Janeiro, William Pennell, comemorava a notícia de que o governo mandara apreender uma carga de quarenta escravos desembarcados ilegalmente na cidade — segundo ele, "prova do sentimento que agora existe na classe superior dos brasileiros contra o abominável tráfico".

Infelizmente, era tudo, mais uma vez, apenas "para inglês ver".

Em menos de dois anos, o tráfico ressurgiria com ímpeto nunca visto e ganharia fôlego extra nas duas décadas seguintes. "O vergonhoso e infame tráfico de negros continua em todos os lados", reconhecia o então ministro da Justiça, padre Diogo Antônio Feijó. Segundo ele, as próprias autoridades estavam "interessadas no crime". O presidente da província do Rio de Janeiro, Joaquim José Rodrigues Torres, escrevia ao ministro da Justiça, Aureliano de Sousa e Oliveira Coutinho, no mesmo tom. Dizia-se "reduzido à posição de mero espectador de crimes que não posso controlar nem punir", uma vez que, nas suas palavras, era "impossível resistir à torrente que cada dia nos arrasta mais para perto da beira do abismo".

No litoral brasileiro, as operações clandestinas eram bem organizadas. As pessoas nelas envolvidas, incluindo por vezes juízes e delegados de polícia, eram avisadas com antecedência do local de desembarque, em geral realizado em praias e pontos desérticos, longe da curiosidade pública. Quando o navio negreiro se aproximava do local, um vigia postado no alto de uma colina dava o alerta com um sinal de bandeira. Entre os documentos de um navio negreiro apreendido em 1837 na foz do rio Benim, na África, de propriedade de um consórcio de vinte traficantes de Pernambuco, havia uma série de instruções aos tripulantes a respeito da viagem. Incluíam um sistema de sinais que deveriam ser empregados tanto na costa da África como nas praias pernambucanas para onde ia o carregamento de escravos.[8]

Em Pernambuco e na Bahia mandavam-se jangadas e canoas ao encontro das embarcações ainda em alto-mar, de maneira a avisá-las de algum risco de apreensão, caso houvesse uma improvável fiscalização de última hora no local previamente combinado. Nesse caso, os capitães eram orientados a seguir para outro ponto da costa. Lá chegando, uma flotilha de pequenos barcos se encarregava de remover a carga humana dos porões e transportá-la para terra o mais rapidamente possível. Os navios eram então lavados, pintados e limpos, de modo a apagar de seus porões e compartimentos qualquer sinal da travessia da África para o Brasil. Por fim, zarpavam para o Rio de Janeiro ou para o porto mais importante da região, onde atracavam sem carga alguma, apenas com o lastro necessário para a navegação. Se, nesse meio-tempo, as autoridades recebessem alguma denúncia, todo esforço seria feito para encobrir os rastros do crime praticado.[9]

No início do tráfico ilegal, por volta de 1832 e 1833, essas operações em geral eram mais discretas. Com o passar do tempo, porém, foram se tornando rotineiras e feitas à luz do dia, sem preocupação em escondê-las e disfarçá-las. Em julho de 1838, por exemplo, sabia-se no Rio de Janeiro que 5 mil escravos recém-chegados da África estavam estocados em diferentes depósitos na cidade à espera de serem vendidos e transportados para o interior. Um desses armazéns estava situado na Ponta do Caju, a curta distância da residência do imperador Pedro II, então um adolescente com doze anos de idade. A movimentação de escravos ilegais se tornou cena comum nas ruas. Em 1839, o diplomata britânico William Ouseley descrevia da seguinte maneira o desembarque de um grupo de africanos clandestinos em uma praia situada no coração do Rio de Janeiro:

> *Outro dia, uma grande partida [de escravos] foi levada à praia dos Mineiros em plena luz do dia [...], escoltada por vários homens brancos e por negros armados com grandes porretes e facas compridas; e assim passando sob a observação próxima de guardas nacionais e permanentes em uniforme, que olhavam com total indiferença.*

O jogo de gato e rato entre traficantes brasileiros e a poderosa Marinha britânica se perpetuou por várias décadas. Desde 1819, na tentativa de garantir a execução dos tratados que proibiam ou limitavam o comércio de escravos acima da Linha do Equador, navios britânicos passaram a patrulhar a costa da África, em busca de embarcações negreiras clandestinas. Até por volta de 1840, porém, os negreiros capturados e os escravos libertados pelas comissões mistas em ação nos dois lados do Atlântico constituíam uma parcela mínima dos números envolvidos no tráfico clandestino. Estima-se que, entre dezembro de

1835 e abril de 1939, enquanto os barcos-patrulhas conseguiam capturar onze embarcações ao largo da costa brasileira, navios negreiros tenham conseguido fugir à vigilância e fazer pelo menos trezentas viagens bem-sucedidas para Congo, Angola e Moçambique, de onde trouxeram cerca de 125 mil africanos escravizados para o Brasil. O número de apreensões aumentou consideravelmente na década seguinte, causando grandes prejuízos aos negreiros.[10]

Durante a primeira metade do século, todo o esforço dos traficantes e de seus aliados nos governos brasileiro e português esteve concentrado em burlar o enorme aparato militar e judicial estabelecido pelos ingleses. Para iludir a vigilância, alguns capitães negreiros tentavam disfarçar o objetivo de suas viagens dando informações falsas sobre a carga e a rota a ser percorrida. Em 1843, o navio *Confidência* saiu do Rio de Janeiro com o propósito declarado de levar tropas ao Rio Grande do Sul. Ao se aproximar do litoral gaúcho, no entanto, mudou subitamente o curso e rumou para a África. Ao ser capturado por um cruzador da Marinha britânica, levava a bordo 101 grilhões para as mãos e 300 para os pés — evidência óbvia de que se tratava de um barco negreiro.[11] Outro estratagema era o uso de bandeiras de outros países, com os quais a Inglaterra não tinha tratados de busca e apreensão, caso dos Estados Unidos e nações vizinhas ao Brasil. A identificação preferida era a bandeira portuguesa, que ainda permitia o tráfico ao sul da Linha do Equador.

No Rio de Janeiro era difícil encontrar os verdadeiros nomes dos proprietários de navios utilizados no tráfico ilegal porque os funcionários da alfândega, mediante suborno, aceitavam emitir certidões com identidades falsas fornecidas por representantes dos negreiros. Para enganar a Marinha britânica, traficantes flagrados em delito mudavam os registros dos navios com muita rapidez, para continuar navegando sob diferentes nomes, bandeiras e proprietários. Apreendido em 1838, o navio *Picon* teve três diferentes nomes em seis anos. Depois de julgado e condenado em Serra Leoa, foi arrematado em leilão e levado para a Inglaterra. De lá saiu com o nome *Isabelle Ann*, com bandeira e papéis britânicos, rumo a Salvador, na Bahia. Ali foi revendido e retornou ao tráfico com o nome de *Esperança*, denominação sob a qual desembarcou 380 escravos na Bahia em 1844.[12]

João Cardozo dos Santos, dono do brigue *Henriquetta*, um navio negreiro, foi um caso exemplar das trapaças usadas no tráfico ilegal e clandestino de escravos.[13] O *Henriquetta* fez seis viagens à África entre fevereiro de 1825 e junho de 1827, período em que o tráfico estava proibido ao norte da Linha do Equador pelos termos do acordo firmado em 1815 entre portugueses e britânicos, mais tarde referendado pelos brasileiros. No total, transportou 3.040 escravos para a Bahia. Todos foram embarcados em portos situados ao norte da Linha do Equador, embora a matrícula do navio registrasse como destino Malembo e Cabinda, ambas situadas ao sul da linha proibida. O lucro das seis viagens é estimado em 80 mil libras esterlinas. A apólice contratada com a seguradora no Rio de Janeiro incluía um prêmio pelo "risco de captura pelos cruzadores britânicos". Em 1825, um navio da Marinha britânica, o *H.M.S. Maidstone* avistou o *Henriquetta* em Lagos, atual Nigéria, a cerca de seis graus de latitude norte. O negreiro teve tempo de desembarcar toda a carga em terra e, assim, fugir da apreensão. Foi finalmente capturado pelos britânicos em setembro de 1827, com 569 escravos a bordo. Seguindo as disposições do tratado, o navio foi apreendido e vendido em leilão público; o que não significou o fim de suas atividades escravistas.

Apenas três meses após sua condenação, João Cardozo dos Santos entrava no Rio de Janeiro com um navio do mesmo nome trazendo no porão uma carga de 401 escravizados. Em dezembro de 1828, aparecia novamente no mesmo porto com quinhentos africanos. O ativo Cardozo dos Santos tinha outros navios. Um deles, o *Terceira Rosalia*, comandado pelo próprio dono, chegou à Bahia em março de 1829 trazendo 275 escravizados provenientes de Cabinda. Em novembro do mesmo ano, atracava também em Salvador a escuna *Umbelina*, com 376 africanos. No início de 1830, Cardozo, também no comando do *Umbelina*, foi detido na Baía do Benim, acima da Linha do Equador, por F.A. Collier, capitão do *H.M.S. Sybille*. Pego em flagrante, Cardozo confessou que fazia tráfico ilegal. Durante a viagem para Serra Leoa, para julgamento perante a comissão mista, 194 dos 377 escravos morreram no mar. Outros 20 pereceram após a chegada ao porto de Freetown. Misteriosamente, em meados de 1830, mesmo depois de condenado, João Cardozo dos Santos chegou ao Rio de Janeiro na mesma escuna *Umbelina*, que havia sido confiscada e leiloada, com uma carga de 45 africanos cativos.

Como isso seria possível? Segundo o historiador norte-americano Robert Edgar Conrad, autoridades brasileiras e portuguesas, nos dois lados do Atlântico, facilitavam a recompra dos navios confiscados, pelos seus antigos donos e permitiam que viajassem em liberdade, como se nada tivesse acontecido. Agentes portuários na Bahia ajudavam os traficantes fornecendo registros e licenças fraudulentas, que incluíam nomes fictícios ou diferentes para a mesma embarcação, confundindo assim os capitães britânicos que patrulhavam a costa da África. "As autoridades brasileiras de todos os níveis estavam comprometidas com o princípio de que o tráfico escravista africano, legal ou não, era benéfico e precisava ser encorajado", observou Conrad.

No início de 1826, por exemplo, a escuna *Carolina* foi licenciada para o transporte de trezentos "escravos domésticos" entre a Guiné-Bissau e as ilhas de Cabo Verde, na própria costa da África. A licença, portanto, não permitia a travessia do oceano Atlântico, muito menos a venda dos escravos no Brasil. Misteriosamente, o navio e sua carga foram parar no Maranhão. O capitão alegou que tinha sido forçado a atravessar o Atlântico "por condições meteorológicas" desfavoráveis. Estava, portanto, a cerca de 3 mil quilômetros do seu destino inicial. Os 133 africanos a bordo foram desembarcados e arrendados a "pessoas particulares de integridade reconhecida". Quem eram essas pessoas de "integridade reconhecida"? Fazendeiros e plantadores de arroz, o próprio juiz encarregado de sua distribuição, seu irmão, designado como guardião e protetor dos africanos, e ninguém menos que o presidente da província que, prestes a se aposentar, requereu uma autorização para levar seu lote de "libertos" para o Rio de Janeiro como "servos domésticos". A história do sumiço dos africanos e sua transformação em escravos de fato no Brasil só veio à tona porque um dos cativos, que fizera parte da tripulação do *Carolina*, conseguiu fugir e denunciar o caso para o cônsul britânico Robert Hesketh, que, por sua vez, registrou tudo em relatório enviado a Londres. A escuna foi leiloada e recomprada pelos donos originais. Teria prosseguido suas atividades negreiras no Pará.

Juízes, oficiais navais, funcionários portuários e agentes policiais se encarregavam de acobertar a ação dos traficantes, mediante boas propinas. Haveria até mesmo uma tabela de subornos conhecida por todos no Rio de Janeiro. A liberação ilegal de cada navio preparado para o tráfico renderia às autoridades portuárias 800 mil réis de suborno, valor equivalente ao preço de três a quatro jovens escravizados. O secretário-chefe da embaixada de Portugal receberia um pouco mais que isso, um conto de réis para facilitar a partida de navios com a bandeira portuguesa rumo à África. Um juiz de paz, sob cuja responsabilidade estava liberar rapidamente a carga clandestina, cobraria entre 800 mil réis a um conto de réis. Seu escrevente ganhava metade desse valor, 400 mil réis, pela preparação de todos os papéis.

Mediante generosas recompensas pagas pelos traficantes, oficiais de alta patente das forças armadas concordavam em transformar instalações do Exército e da Marinha em abrigos temporários para cativos clandestinos. Assim teria feito em 1836 um certo coronel Vasques, comandante da Fortaleza de São João na entrada da Baía de Guanabara. Em sociedade com outro oficial de igual patente, identificado nos documentos apenas como coronel Tota, que controlava um depósito de escravos na baía de Botafogo, Vasques teria desembarcado 12.570 africanos no Brasil entre 1838 e 1839, sem qualquer interferência das autoridades. O tenente Diogo Donny chegou a ser preso em flagrante por um navio da marinha quando transportava um escravo clandestino. O caso foi rapidamente abafado pelas autoridades imperiais. Em meados da década de 1840, os traficantes transformaram a fortaleza de Santa Cruz, igualmente situada na entrada da Baía de Guanabara, em um entreposto receptor de "pretos novos", situação que, segundo o historiador Robert Edgar Conrad, parecia envolver o próprio ministro da Guerra no esquema. Em um caso ainda mais clamoroso, quando o Uruguai aboliu a escravidão, em 1842, uma corveta da marinha brasileira ajudou alguns donos de charqueadas trazendo de volta para Santa Catarina um grupo de 188 escravos que até então trabalhavam em fazendas de propriedade de brasileiros no território uruguaio.

Havia claros indícios de envolvimento das mais altas autoridades do Império no tráfico ilegal. Por volta de 1838, um grupo de trinta africanos desembarcados clandestinamente em uma praia situada perto do Rio de Janeiro ostentavam marcas de ferro quente com as insígnias do então regente do Império Pedro de Araújo Lima, mais tarde agraciado com os títulos de visconde e marquês de Olinda. Em 1842, um jornal abolicionista dos Estados Unidos noticiava que o então ministro da Justiça brasileiro, Paulino José Soares de Souza, Visconde do Uruguai, havia deixado seus deveres oficiais por algum tempo para conduzir pessoalmente cinquenta pretos novos, recém-importados da África, até sua fazenda no interior da província. O senador Nicolau Vergueiro, regente e ministro do Império entre 1831 e 1832, que hoje dá nome a uma das avenidas mais movimentadas da cidade de São Paulo, era dono de uma empresa, a Vergueiro e Companhia, diretamente envolvida no tráfico ilegal de escravos. Um documento de 1844 dizia que "o notório negociante de escravos Vergueiro obteve recentemente do presidente de São Paulo [...] licença para que os vapores da agência Vergueiro passem pelo forte de Santos sem serem visitados pela autoridade local". No mesmo ano, quatrocentos africanos foram desembarcados em uma praia perto de Santos de um navio chamado *Virginia*, de propriedade da Vergueiro e Companhia.

Entre novembro de 1833 e abril de 1838, quinze casos foram submetidos à comissão mista de juízes brasileiros e britânicos no Rio de Janeiro. Os julgamentos eram lentos, emperrados pela burocracia e pela má vontade das autoridades, que agiam mancomunadas com os traficantes. Em média, uma vez feita a apreensão, eram necessários seis dias para a abertura do processo. Os juízes demoravam mais 37 dias para dar a sentença. Se o navio e o proprietário fossem condenados, demorava-se outros 70 dias para executar a decisão judicial. Por fim, mais 28 dias para que os cativos fossem efetivamente liberados. Nesse ínterim, todos os cativos permaneciam a bordo, sob o calor sufocante do sol tropical, sem condições adequadas de higiene e alimentação. As infestações de doenças eram frequentes. O governo brasileiro não permitia em hipótese alguma que os escravos fossem desembarcados nem fornecia acomodações adequadas em terra para os tripulantes que estavam sendo julgados.

O caso do *Flor de Luanda*, navio negreiro de bandeira portuguesa, flagrado em 1838 nas proximidades do porto de Maricá com 289 clandestinos a bordo, serve de exemplo de como o jogo de empurra-empurra legal e burocrático servia aos interesses da elite escravocrata brasileira. Capturada e escoltada pelo navio britânico H.M.S. *Rover* até o porto do Rio de Janeiro, a embarcação e sua carga entraram em uma espécie de limbo burocrático no qual nenhum órgão ou autoridade queria assumir responsabilidade alguma pela punição de uma óbvia violação da lei que proibira o tráfico em 1831. A comissão mista de juízes brasileiros e britânicos mais uma vez alegou que não tinha competência para julgar o caso porque o navio infrator era de propriedade portuguesa, portanto legalmente autorizado a traficar escravos abaixo da Linha do Equador. Pressionado pelo governo britânico a tomar alguma providência, o ministro dos Negócios Estrangeiros, Antônio Maciel Monteiro, barão de Itamaracá, tirou o corpo fora com a seguinte desculpa:

> *O governo imperial declina de qualquer interferência em assunto de natureza tão duvidosa e não administrativa, sem que os tribunais competentes tenham proferido uma sentença, qualquer que seja ela, e sem que tenha sido provada a ocorrência do desembarque nos portos do império de qualquer dos africanos.*

Diante de tal atitude, o cônsul britânico no Rio de Janeiro, George Gordon, enviou um relatório em termos escandalizados aos seus superiores em Londres:

> *Aqui estava um navio que realmente tinha negros a bordo, ancorado precisamente no porto da capital, tendo sido capturado quando estava prestes a desembarcar estes seres*

miseráveis na costa do Brasil, isto se já não havia desembarcado algum deles. Certamente nenhum suborno, nenhuma tergiversação da lei poderia ter êxito na absolvição de um navio tão flagrantemente criminoso.

Mas foi exatamente isso que aconteceu. Nenhuma punição foi aplicada ao proprietário ou à tripulação do *Flor de Luanda*. Quanto aos africanos escravizados clandestinamente, depois de longos meses de espera, as autoridades permitiram que desembarcassem no Rio de Janeiro. E ali permaneceram em situação legal indeterminada. Oitenta e cinco deles foram entregues aos cuidados da Santa Casa de Misericórdia, onde permaneceram prestando serviços na virtual condição de cativos por muitos anos. Quanto aos demais, não se tem notícias.[14]

As tragédias humanitárias se repetem com frequência assustadora. Em novembro de 1834, o *Río de la Plata* foi capturado pelo cruzador britânico *Raleigh* quando se aproximava do litoral brasileiro. Trazia 523 africanos embarcados em Luanda, capital de Angola. A embarcação ostentava bandeira uruguaia e, segundo a documentação de bordo, tinha licença para importar "colonos pretos" para Montevidéu. As investigações revelaram, porém, que o navio e seu dono eram brasileiros. A carga era composta, obviamente, de escravos destinados ao Brasil. Quando o caso foi, enfim, julgado no tribunal misto do Rio de Janeiro, mais da metade dos cativos tinha morrido. Os demais foram liberados.

Outro caso dramático ocorreu em novembro de 1833. O navio negreiro *Maria da Glória* saiu de Luanda com 430 escravizados a bordo, incluindo duzentas crianças com menos de doze anos. Foi apreendido por um navio britânico quando se aproximava da costa brasileira e levado para o Rio de Janeiro, onde a comissão mista decidiu que não tinha jurisdição sobre o caso, uma vez que a embarcação ostentava bandeira portuguesa. Como resultado, o navio cruzou novamente o Atlântico, dessa vez rumo a Serra Leoa, onde se apresentaria a outra comissão binacional. Meses depois, os juízes deram ganho de causa ao proprietário pelo fato de a embarcação ter sido capturada ao sul da Linha do Equador. Nesse meio-tempo, porém, mais de cem africanos tinham morrido. Dezenas de outros estavam tão doentes e debilitados que tiveram de ficar em Serra Leoa. Os sobreviventes, apenas 150 pessoas (pouco mais de um terço da carga original), foram submetidos a mais uma penosa travessia do Atlântico, a terceira em apenas seis meses. Ao chegar próximo à costa da Bahia, o *Maria da Glória* — "um ossário flutuante", na descrição de documentos britânicos — foi interceptado por um cruzador brasileiro. Os escravos, passados à terra clandestinamente, foram vendidos a fazendeiros da região.[15]

Em 1836, o tráfico clandestino era tão escancarado que os nomes dos navios prontos para embarcar para a África e de seus donos eram publicados abertamente pelos jornais do Rio de Janeiro. Em março de 1837, um navio de bandeira norte-americana, o *Commodore*, teria desembarcado quinhentos escravos na baía de Botafogo, nas imediações do Pão de Açúcar, no Rio de Janeiro, portanto no próprio quintal do governo imperial. Companhias seguradoras se encarregavam de garantir o risco das capturas cobrando um prêmio entre 8% e 10% do valor da carga. Os juízes dos distritos em que ocorriam desembarques ilegais recebiam propinas de cerca de 10% do valor estimado da carga.

Locais de desembarque estendiam-se por todo o litoral brasileiro. Em novembro de 1836, relatório do representante britânico no Rio de Janeiro, Hamilton Hamilton, chegava ao detalhe de descrever o número de escravos clandestinos estocados em diversos pontos da costa brasileira: 3.500 em Campos; 3 mil em Macaé; 2 mil na ilha de São Sebastião, litoral de

São Paulo; outros 3 mil em armazéns espalhados pela cidade do Rio de Janeiro. No ano seguinte, o cônsul britânico no Recife, Edward Watts, afirmava que o desembarque clandestino de escravizados em Pernambuco era "tema de domínio público" e ocorria "durante o dia e diante de testemunhas", devido, segundo ele, à "flagrante venalidade de suas autoridades subalternas, à deplorável falta de todo o senso moral, mesmo nos próprios tribunais de justiça".

Capital de um país escravista por vocação, o Rio de Janeiro era uma cidade abertamente hostil às atividades do tribunal misto criado para julgar os negreiros clandestinos. George Jackson e Frederick Grigg, dois juízes ingleses, com frequência tinham de chamar a Guarda Nacional para escoltá-los nas ruas. Multidões enfurecidas se reuniam diante do tribunal ameaçando jogar pedras contra suas instalações quando os juízes se reuniam. Ameaças eram frequentes também contra tripulantes de navios britânicos que percorriam o litoral brasileiro. Em maio de 1841, doze funcionários do navio britânico *H.M.S. Clio* foram atacados a tiros depois de capturarem um brigue com trezentos escravos a bordo escondido entre as ilhas Piúma, perto da cidade de Campos, litoral norte do Rio de Janeiro. Quatro marinheiros ficaram feridos. Uma semana mais tarde, quando o navio ancorou em Campos para se reabastecer, um oficial e alguns tripulantes foram presos pelas autoridades locais, acusados de pirataria. Trancafiados na cadeia local, enquanto a multidão enfurecida se concentrava no lado de fora, passaram uma semana na prisão até que o governo brasileiro, sob ameaça de um bloqueio naval britânico na região, se dispusesse a libertá-los. Numa visita à Bahia, em 1843, o comandante Hoare, do *H.M.S. Dolphin*, foi prevenido a não desembarcar porque traficantes de escravos locais tinham oferecido 3 mil dólares a quem se dispusesse a esfaqueá-lo no meio da rua. Em janeiro de 1844, o comandante, o mestre e o comissário do *H.M.S. Frolic* foram espancados em Santos, litoral de São Paulo.[16]

Enquanto isso, quem tentasse, por ingenuidade ou imprudência, cumprir a lei, era frequentemente hostilizado, demitido ou até mesmo assassinado. Agostinho Moreira Guerra, juiz de Ilha Grande, no litoral sul do Rio de Janeiro, informou ao presidente da província estar sendo perseguido em consequência das medidas por ele tomadas contra o tráfico ilegal de escravos, atividade na qual, segundo explicou, quase toda a população estava envolvida. Em 1834, passava seus dias confinado dentro de casa, "como numa cidadela sitiada, temendo constantemente ser assassinado, sem ousar mover-se para fora [...] a não ser acompanhado por uma força armada". Durante seu breve exercício de dois anos no cargo, dizia ter testemunhado nada menos do que 22 desembarques clandestinos de africanos escravizados. Impedido de sair de casa sem escolta armada e ameaçado de morte, renunciou à magistratura naquele mesmo ano, "provavelmente para ser substituído por alguém que se adaptasse melhor ao clima comercial dominante", segundo hipótese levantada pelo historiador Robert Edgar Conrad.[17] No ano seguinte, o capitão Francisco da Costa Pereira, comandante do navio brasileiro *Dois de março*, foi afastado de suas funções e transferido para a distante província do Pará depois de capturar três navios que tentavam desembarcar clandestinamente escravos ilegais na mesma Ilha Grande. Um deles, a escuna *Angélica*, trazia uma carga de trezentos africanos. Enquanto o oficial era punido por cumprir seu dever, o *Angélica*, seus tripulantes e toda a sinistra carga eram liberados pelas autoridades locais, sem qualquer represália.

Em 1849, um ano antes da Lei Eusébio de Queirós, que botaria fim ao tráfico, o jornal *Correio Mercantil* resumia da seguinte forma as relações de promiscuidade entre os donos do negócio negreiro e as autoridades imperiais:

> *Não há um departamento fiscal que, por conivência ou medo de se comprometer, cumpra as normas; não há uma autoridade portuária que seja zelosa no cumprimento de seu dever; raros são os magistrados, e felizmente eles ainda existem, que ajam como tais ao decidir questões sobre novos africanos, mesmo no Palácio Imperial.*[18]

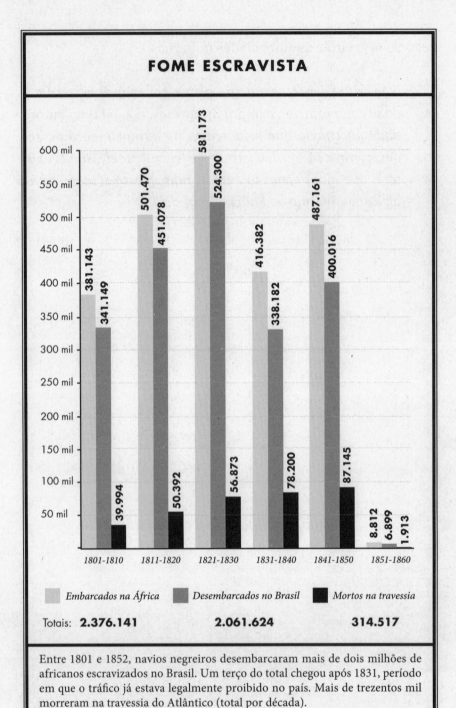

Entre 1801 e 1852, navios negreiros desembarcaram mais de dois milhões de africanos escravizados no Brasil. Um terço do total chegou após 1831, período em que o tráfico já estava legalmente proibido no país. Mais de trezentos mil morreram na travessia do Atlântico (total por década).

Fonte: slavoyages.org, consultado em 04 de outubro de 2020.

5. HIPOCRISIA

Os HORRORES E AS INJUSTIÇAS da escravidão brasileira no século XIX são hoje conhecidos principalmente pelo olhar estrangeiro. Relatos de viagens, diários pessoais, livros, quadros, gravuras e correspondência diplomática, entre outros documentos, são repletos de descrições e revelações que ajudaram a mobilizar a opinião pública, dentro e fora do Brasil, em favor do fim do tráfico negreiro e da própria escravidão. Obras como a dos pintores Jean Baptiste Debret, francês, e Johann Moritz Rugendas, alemão, são hoje fonte preciosa de estudo para os historiadores. Em muitos desses registros, há um genuíno sentimento abolicionista por parte de cidadãos cujos países haviam sido palco de grandes lutas, entre o final do século XVIII e o início do século XIX, pelo fim do comércio de gente no Atlântico. Outros, no entanto, servem apenas de fachada para esconder interesses e práticas escusas. Havia uma boa dose de hipocrisia no comportamento de governos e cidadãos estrangeiros em relação ao sistema escravista brasileiro.

Das fazendas movidas à mão de obra cativa do Maranhão, de Pernambuco e regiões vizinhas, saía no século XIX parte do algodão de fibra longa que alimentava as fábricas de tecidos de Manchester e assegurava a prosperidade da Revolução Industrial na Inglaterra. Outros produtos de consumo de massa na Europa e nos Estados Unidos, como açúcar, tabaco e café, dependiam do sangue e do suor dos brasileiros escravizados. Banqueiros, armadores, seguradores e comerciantes britânicos e norte-americanos, entre outras nacionalidades, financiavam ou eram sócios dos traficantes ilegais de africanos e seus compradores no Brasil. "Milhares de cidadãos britânicos e norte-americanos estiveram envolvidos direta ou indiretamente no complexo sistema do tráfico escravista e no comércio legal que sustentava a economia brasileira baseada no trabalho escravo", escreveu o historiador norte-americano Robert Edgar Conrad.[1]

A história do navio *Esperança* serve de exemplo do envolvimento de múltiplos agentes internacionais no negócio negreiro. Capturado em 1836 na foz do rio Bonny (atual Nigéria), foi construído nos Estados Unidos e comprado em Nova York por um famoso traficante espanhol residente em Cuba, dom Pedro Blanco, que o repassou para uma empresa franco-belga, a Gantois & Martins, sediada em Salvador. Ao chegar ao Brasil, hasteava bandeira francesa. O capitão, Antonio Rochadell, tinha passaporte espanhol, mas nascera na ilha de Saint Michel, no Caribe. A primeira viagem negreira tinha sido para Havana. Na segunda, quando foi apreendido pela marinha britânica, tinha como destino o Brasil. Julgado e condenado pelo tribunal britânico em Serra Leoa, foi arrematado em seguida por um comerciante inglês, Robert Hornell, que por sua vez o revendeu para um traficante de escravos espanhol sediado em Cádiz. Na jornada escravista desse navio estavam, portanto, envolvidas pessoas e empresas de seis diferentes países: Estados Unidos, Espanha, França, Bélgica, Brasil e Inglaterra. Em uma lista de navios saídos de Havana para a África, em 1849, havia quarenta e nove embarcações portuguesas, dezenove norte-americanas, oito espanholas, uma francesa e uma brasileira.

Na primeira metade do século XIX, havia mais de mil comitês abolicionistas em funcionamento na Grã-Bretanha. Eram decisivos na eleição de parlamentares, o que, por sua vez, pressionava o governo a adotar medidas contra a escravidão em países como Brasil, Portugal e Espanha. Na mesma época, porém, inúmeros súditos britânicos apoiavam o tráfico de várias maneiras. Os ingleses foram responsáveis por grande parte dos investimentos estrangeiros no Brasil durante o Segundo Reinado. A maior parcela era destinada à compra de títulos da dívida pública, cujo total em mãos de capitalistas britânicos somava 37 milhões de libras esterlinas em 1880. O segundo item de maior valor estava no setor ferroviário, com 25 milhões de libras esterlinas. O restante era distribuído em atividades tão diversas quanto mineração, serviços de utilidade pública (como distribuição de água e gás), empresas comerciais e financeiras.[2]

Na lista de negócios, um dos destaques era o tráfico de escravos. O diplomata Robert Hesketh, em depoimento ao parlamento em Londres, estimou que pelo menos a metade do capital britânico investido no Brasil nessa época tinha envolvimento direto com o tráfico clandestino. Hesketh sabia muito bem do que falava. Cônsul da Inglaterra no Rio de Janeiro, viveu cerca de quarenta anos no Brasil, entre 1808 e 1847, primeiro na condição de missionário e depois como diplomata. Conheceu as principais regiões escravistas do Brasil e conviveu com parte da elite responsável pelo tráfico de africanos. Morou três anos na Bahia, vinte no Maranhão e dezesseis no Rio de Janeiro.

Outra testemunha, o geógrafo e empresário escocês James Macqueen, responsável pela criação do primeiro serviço marítimo de correios entre a Inglaterra e a costa da África, declarou ao parlamento que alguns dos grandes traficantes de gente no golfo do Benim, como o cubano Pedro Blanco e o brasileiro Francisco Félix de Souza, emitiam faturas de compras de mercadorias usadas no tráfico que eram aceitas e descontadas em todos os grandes centros financeiros europeus e norte-americanos da época, como Londres, Bristol, Liverpool, Nova York, Boston e Baltimore. Eram as principais fontes de crédito que alimentavam o comércio de gente enquanto os navios da marinha britânica perseguiam negreiros clandestinos no Atlântico. Também apontou algumas grandes empresas britânicas diretamente envolvidas com o tráfico, como Charles Horsfall e J. Jackson & Tobin, em Liverpool; e Matthew Forster, em Londres.[3] "Não importa para que lado olhemos, ali encontraremos capital britânico diretamente investido no tráfico escravista", afirmou Richard Allen, líder da organização abolicionista British and Foreign Anti-Slavery Society, em 1840.[4]

Como já se viu no volume anterior desta trilogia, depois da abolição do comércio de escravos pela Inglaterra, em 1807, uma enorme frota de navios negreiros até então empregada no tráfico nos domínios britânicos ficou ociosa. O que fazer com esse valioso patrimônio? Os arquivos da Lloyd's Register of Shipping, instituição inglesa de monitoramento e certificação das atividades navais existente desde 1760, mostram que o Brasil se tornou o principal destino dessas embarcações, onde seriam empregadas principalmente no tráfico negreiro ilegal e clandestino.[5] Originalmente desenhados para navegar nas águas quentes das regiões tropicais, os navios tinham o casco coberto com lâminas de cobre, que os protegia das cracas marinhas e aumentava sua velocidade e durabilidade. Era tudo de que os traficantes brasileiros precisavam. Redirecionada para os portos do hemisfério Sul, a antiga frota britânica continuou a fazer trajeto muito semelhante ao anterior. Na Inglaterra, os navios se abasteciam das mercadorias da Revolução Industrial que serviam de moeda na compra de pessoas escravizadas na África. Em seguida, atravessam o Atlântico com suas cargas humanas rumo aos portos brasileiros. Na etapa seguinte, transportavam de volta para a Europa as matérias-primas produzidas no Brasil que abasteciam as fábricas inglesas, em especial o algodão, além de açúcar, café e tabaco.

Financiados por casas bancárias em Londres, navios saídos dos estaleiros em Liverpool, Bristol e outras cidades marítimas, transportavam armas, munições, tecidos e outros produtos muito valorizados no comércio de gente na África. Da carga faziam parte algemas, cadeados e correntes de ferro usadas para imobilizar os escravos durante a captura, a travessia do Atlântico e a venda no Brasil. As mercadorias eram vendidas a crédito por dezenas de casas comerciais britânicas no Rio de Janeiro para os traficantes negreiros. A marinha britânica, encarregada de reprimir o tráfico por tratados internacionais, raramente inspecionava navios de seu próprio país. Ingleses também eram acionistas de grandes companhias de mineração (três em Cuba e seis no Brasil) que exploravam o trabalho escravizado.

Em Minas Gerais, escravos continuaram a ser empregados em minas de ouro de propriedade dos britânicos até as vésperas da Lei Áurea de 1888. Uma dessas empresas, a companhia de mineração do Morro Velho, publicava nos jornais brasileiros, em 1858, o seguinte anúncio procurando escravos para alugar em Minas Gerais:

ALUGUEL DE ESCRAVOS

"A companhia de mineração do Morro Velho deseja alugar escravos e oferece os seguintes termos:

Para escravos de 1ª classe: 240$000 por ano
Para escravos de 2ª classe: 175$000 por ano

> *Para escravas de 1ª classe: 120$000 por ano*
> *Para escravas de 2ª classe: 90$000 por ano*
>
> *A companhia aceitará somente escravos robustos, e para serem classificados hão de ser examinados pelo médico da companhia."*[6]

Como se vê pelo anúncio, o valor do aluguel nas minas britânicas dependia de fatores como idade, sexo e saúde. Os "de 1ª classe", citados no texto, em geral se situavam na faixa etária entre 20 e 30 anos, em perfeitas condições de saúde, sem defeitos físicos aparentes. Os demais, "de 2ª classe", eram crianças, idosos, doentes ou pessoas com alguma deficiência. Nas condições apresentadas no anúncio, em apenas cinco anos, o proprietário "de 1ª classe" receberia em aluguéis o valor total que havia pago pelo escravo (cerca de um conto de réis, nessa época) e ainda teria um lucro adicional de 20%. Também para a companhia de mineração o trabalho em regime de cativeiro era mais lucrativo do que o de um operário livre. Segundo o viajante inglês Richard Burton, em 1867, um trabalhador livre especializado em perfuração de túneis de mineração receberia em Minas Gerais um salário anual de 450 mil réis, quase o dobro do que a empresa pagaria pelo aluguel de um escravo "de 1ª classe".

Localizada na Vila de Nossa Senhora do Pilar de Congonhas de Sabará, atual município de Nova Lima, a Morro Velho foi a maior e mais lucrativa de todas as empresas mineradoras de capital estrangeiro no Brasil. Era controlada pela Saint John Del Rey Gold Mining Co. que, sozinha, respondeu por 60% do total de cinquenta toneladas de ouro produzidas entre 1860 e 1884 na província de Minas Gerais. Seus lucros tiveram um crescimento contínuo entre 1834 e 1886, período em que chegou a concentrar mais de 2.500 trabalhadores, dos quais 1.690 eram escravos, administrados pelo *Black's Department* (Departamento de Negros). A lucratividade média era calculada em 18%, altíssima para qualquer investimento da época. Entre 1835 e 1885, teria gerado 5.184.492 libras esterlinas de resultados para os britânicos, mais do que o dobro da indenização, de 2 milhões de libras, que o Brasil tivera de pagar aos portugueses (com empréstimo dos ingleses) em troca do reconhecimento da Independência em 1826. Em 1879, a Saint John Del Rey Gold Mining Co. foi condenada a alforriar os 385 cativos ainda remanescentes e pagar-lhes uma indenização por salários nunca pagos anteriormente. Fatos como esse faziam com que a opinião pública brasileira duvidasse da filantropia britânica e davam argumentos aos antiabolicionistas.[7]

Um caso flagrante de participação dos súditos da rainha Vitória no tráfico clandestino de escravos envolveu o brigue *Guyana*, apreendido na costa da África em 1840 por um navio da marinha britânica e levado para julgamento em Serra Leoa. Durante as investigações, descobriu-se que o brigue saíra de Liverpool em outubro do ano anterior, levando a bordo diversas mercadorias de fabricação inglesa e uma carga de cauris, conchas marinhas extraídas nas Ilhas Maldivas, no oceano Índico, e muito valorizadas como moeda na compra de escravos no Golfo do Benim. A documentação incluía também uma apólice de seguros emitida na Inglaterra no valor equivalente a 60 mil dólares. O navio estava fretado para um grande traficante da Bahia, Manoel Francisco Lopes, e se destinava a seus sócios na costa africana, os negreiros Joaquim Pinto de Menezes Campos e Domingos José Martins. Em dezembro de 1839, o *Guyana* fez uma escala de um mês em Salvador, de onde a carga saiu reforçada com um carregamento de pipas de aguardente e rolos de fumo de corda, ambas mercadorias usadas pelo tráfico na costa da África.[8]

Em 15 de setembro de 1845, no auge do tráfico ilegal de africanos escravizados para o Brasil, nada menos do que 21 empresas britânicas com escritórios no Rio de Janeiro passaram um atestado de idoneidade a um dos maiores traficantes do país, o português Manoel Pinto da Fonseca. Entre os signatários estava a Carruthers and Co., empresa cujo nome estaria ligado à biografia de Irineu Evangelista de Sousa, futuro Visconde de Mauá, que nela iniciou a carreira como um humilde balconista até se tornar um dos sócios e um dos homens mais ricos do Brasil. A Carruthers and Co. tinha sido fornecedora de mercadorias embarcadas em Liverpool para o navio negreiro *Agnes*, de fabricação norte-americana e registrado em nome de Manoel Pinto da Fonseca. A declaração dos negociantes britânicos, dirigida ao cônsul no Rio de Janeiro, Robert Hesketh, descrevia Pinto da Fonseca como "um dos comerciantes mais diversificados deste mercado", honesto e respeitado o suficiente para, durante muitos anos gozar de "crédito irrestrito" junto à comunidade britânica no Rio de Janeiro.

Ao serem acusados de participar de uma transação cujo óbvio destino era a compra de cativos na África, os sócios da Carruthers and Co. enviaram uma carta ao cônsul britânico com uma singela explicação:

> *Qualquer pessoa que tenha mínima noção de negócios saberá de imediato que seria impróprio perguntar a outra pessoa, que se proponha a comprar seus produtos, quais seriam suas intenções a respeito do futuro uso desses produtos.*

Em resumo, na explicação da empresa do futuro Visconde de Mauá, negócios eram negócios: se a venda de mercadorias se destinava a comprar e vender pessoas, isso não era assunto que dissesse respeito ao fornecedor. O incidente foi abafado, sem qualquer punição para os envolvidos. Ainda assim, diante das críticas geradas na Inglaterra e no Brasil, o consulado britânico no Rio de Janeiro decidiu criar uma comissão encarregada de fiscalizar o uso das mercadorias inglesas a partir de então. Entre os membros da comissão estava ninguém menos que Irineu Evangelista de Sousa, o sócio da Carruthers and Co.[9]

Os norte-americanos, por sua vez, ajudavam o tráfico fornecendo os navios ligeiros, conhecidos como clíperes, capazes de escapar à perseguição da marinha britânica, e franqueando o uso de sua bandeira nacional pelos traficantes clandestinos. Em 1826, a maioria dos navios usados no tráfico na Bahia era de fabricação norte-americana, segundo relatório do próprio cônsul dos Estados Unidos em Salvador. Essa participação aumentou depois de agosto de 1839, quando o parlamento britânico, em decisão unilateral, aprovou o chamado *Palmerston Bill*, que autorizava a marinha de guerra a capturar e inspecionar navios negreiros que ostentassem a bandeira portuguesa. Os traficantes passaram a utilizar a bandeira dos Estados Unidos, país que nunca permitiu qualquer interferência dos britânicos em suas atividades navais.

Traficantes negreiros se associavam a cidadãos norte-americanos residentes do Brasil, que funcionavam como "laranjas" do tráfico. Em troca de generosas recompensas, as embarcações eram registradas em nome deles e, desse modo, adquiriam imediatamente a proteção da bandeira americana contra eventuais tentativas de abordagem e busca por parte da marinha britânica. Outra forma de burla era registrar, em documentação separada, os navios nos nomes de dois proprietários de duas diferentes nacionalidades. Eram americanos quando navegavam junto à costa da África, onde, com bandeira diferente, correriam o risco de serem detidos e revistados pelos britânicos. Quando voltavam, já próximos dos locais de desembarque, eram brasileiros e poderiam contar com a cumplicidade ou o silêncio das autoridades.[10]

Em carta ao Departamento de Estado, em 1844, o representante norte-americano no Rio de Janeiro, George H. Proffit, explicava:

> *O comércio de escravos é quase inteiramente efetuado sob a bandeira americana e em barcos de construção americana vendidos aqui, afretados a comerciantes de escravos para a costa da África. Na verdade, o tráfico ilícito não poderia ser praticado de forma significativa se não fosse o uso que se faz da bandeira americana.*[11]

Em 1820, o Congresso dos Estados Unidos aprovou uma lei que considerava crime de pirataria a participação direta de cidadãos americanos no tráfico negreiro. Ainda assim, muitos abusos continuaram sem punição. Entre as mais de duzentas pessoas presas pelas autoridades americanas por envolvimento com o tráfico entre 1837 e 1862, a metade nunca foi levada a julgamento. Das restantes, um terço foi julgado e absolvido. Menos de duas dúzias receberam penas que, em geral, se resumiam a curtas temporadas na prisão. Uma das últimas tentativas de introduzir novos africanos escravizados no Brasil, em 1856, portanto seis anos após a aprovação da Lei Eusébio de Queirós, foi feita pela escuna *Mary E. Smith*, de bandeira norte-americana, capturada pelo cruzador brasileiro *Olinda* perto da costa da Bahia. Fabricada em Boston e registrada em Nova Orleans, a escuna pertencia à empresa Figaniere, Reis & Co., que tinha entre os sócios ninguém menos do que o cônsul português em Nova York, C.H.S. Figaniere — logo demitido do cargo em razão do escândalo.[12]

O cônsul e seu irmão, William Figaniere, constavam, em 1847, de uma lista dos principais agentes de transações comerciais envolvendo navios negreiros norte-americanos no Brasil. Em seguida vinham nomes como Jenkins & Co. e Birckhead & Pierce, de Baltimore; além de Bryant & Foster e E. Foster & Co., do Massachusetts. Outra firma americana, a Maxwell Wright & Co., praticava duas atividades comerciais simultâneas: importava café do Brasil para os Estados Unidos e enviava embarcações negreiras para a costa da África em sociedade com o notório traficante Manoel Pinto da Fonseca, já citado neste capítulo. A ousadia chegou a tal ponto que, em 1848, Pinto da Fonseca aliou-se a um conhecido capitão negreiro norte-americano, Joshua M. Clapp, para equipar um de seus navios, o brigue *Flora*, com baterias de canhões capazes de enfrentar os poderosos navios da armada britânica. Não se sabe se alguma vez chegou a entrar em ação.

Outro capitão norte-americano, Charles Nicholson, comprou, em 1845, metade da participação na escuna *Enterprise*, construída no Massachusetts, em sociedade com Pinto da Fonseca. Desse modo, pôde cruzar o Atlântico com bandeira e documentação dos Estados Unidos. Ao chegar à costa africana, vendeu sua participação ao mesmo traficante brasileiro por doze mil dólares.

Coube também aos sócios norte-americanos trazer ao Brasil a mais importante inovação no tráfico ilegal de escravos do século XIX: o navio a vapor. Eram embarcações rápidas e enormes, com capacidade até três vezes superior à dos antigos e lentos navios à vela. Um dos primeiros a singrar as águas do Atlântico entre a África e o Brasil foi o *Cacique*, construído em Baltimore e vendido ao traficante brasileiro Bernardino de Sá, com capacidade para transportar até 1.500 africanos escravizados. Acabou capturado por um cruzador britânico na costa da África em 1845. No final de 1846, o navio a vapor *Cariola*, de fabricação norte-americana, com capacidade para o transporte de mil pessoas, e adquirido pelo traficante brasileiro Thomas da Costa Ramos, zarpou do Rio de Janeiro para a África com uma segunda inovação muito importante: uma máquina de destilar água do mar, poupando assim o espaço destinado aos grandes tonéis de água doce que até então limitavam a capacidade dos negreiros brasileiros.[13]

6. HONORÁVEIS BENEMÉRITOS

O HOMEM DE PEDRA está entronizado sobre uma coluna de fino mármore branco de Carrara em frente ao hospital Santa Izabel, instituição mantida pela Santa Casa de Misericórdia no Largo de Nazaré, em Salvador. Tem a aparência de um pai bondoso e provedor. O olhar projeta-se ao longe, por sobre o casario colonial da capital baiana, como se observasse algo que está além do horizonte, impossível de ser percebido pelos comuns mortais que por ali passam em busca de socorro médico. A testa calva, a boca semicerrada, a barba semelhante à do imperador Pedro II, a longa capa sobre os ombros, como se fosse a de um tribuno romano, as medalhas que pendem da casaca e do colar ao pescoço, o pergaminho suspenso na mão esquerda — tudo indica ser alguém de ascendência nobre, de refinados saber e educação. Aos seus pés, duas crianças vestidas com trajes europeus do século XIX estendem os braços para cima, como se lhe pedissem ajuda e proteção. A mão direita pousa suavemente sobre os ombros de uma delas, uma menina, em sinal de afeto e acolhimento.

As aparências, porém, aqui mais uma vez enganam.

Joaquim Pereira Marinho, o homem de pedra, primeiro conde Pereira Marinho em Portugal, foi um dos maiores traficantes de escravos na história do Brasil. Sua estátua, erguida há mais de um século no centro da maior cidade negra do mundo fora da África, é hoje alvo de acalorada polêmica. Nos porões de seus navios negreiros, milhares de homens, mulheres e crianças cruzaram o Atlântico imobilizados por correntes e colares de ferro. Muitos morreram antes de chegar ao destino. Os demais consumiram suas existências anônimas como mão de obra cativa nas lavouras e cidades brasileiras. No final do século XIX, graças à fortuna acumulada no comércio de gente, Pereira Marinho era um dos homens mais ricos do Brasil. Com o sangue e o suor de negros escravizados, fabricou navios, fundou bancos, inaugurou indústrias, construiu estradas de ferro, manteve redes de comércio, entre muitas outras atividades lucrativas.

Nada disso é mencionado na coluna de mármore que hoje sustenta sua imponente estátua em Salvador. O que ali se celebra é o cidadão benemérito que também ajudou a construir hospitais — caso do Santa Izabel —, doou dinheiro a instituições de caridade e socorreu flagelados da seca no Nordeste. Resta apenas a imagem polida, editada e revisada de um cidadão que deveria ser tomado como exemplo na atualidade. É, portanto, mais um entre inúmeros outros monumentos que em todo o país celebram, como se heróis nacionais fossem, senhores de caráter duvidoso, cruéis, opressores e racistas, cuja história nem sempre esteve de acordo com a versão que se tenta vender atualmente aos brasileiros.

Um traço comum na biografia dos grandes traficantes e senhores de escravos está exemplificado na história de Joaquim Pereira Marinho. Quase todos eles, de forma consciente ou não, se empenharam ao longo da vida em limpar e suavizar a própria imagem envolvendo-se em inúmeras e louváveis iniciativas de interesse social e comunitário. Nos Estados Unidos, na França, na Inglaterra, na Holanda e em outros países há inúmeros exemplos de traficantes convertidos em mecenas. Patrocinaram artistas, apoiaram a construção de museus, organizaram teatros e companhias de dança, financiaram expedições científicas, doaram somas expressivas para igrejas, irmandades religiosas, hospitais, escolas e obras de assistência aos pobres e doentes. O britânico Edward Colston apoiou financeiramente diversas instituições filantrópicas na Inglaterra. Em sinal de reconhecimento, a cidade de Bristol batizou ruas e edifícios públicos com seu nome. Em junho de 2020, uma estátua erguida em sua homenagem foi derrubada durante uma manifestação de protesto contra o racismo. Outro comerciante de gente, o norte-americano John Brown, fundou a Brown University na cidade de Providence, Rhode Island, hoje, curiosamente, um importante centro de estudos da escravidão.

Assim foi também no Brasil. Os traficantes moravam em algumas das casas e mansões mais suntuosas das cidades, frequentavam missas e participavam das irmandades religiosas mais importantes, compareciam às cerimônias oficiais e contavam com a amizade das mais altas autoridades. Recebiam honrarias e condecorações pelos relevantes serviços prestados ao Império brasileiro. Legalmente, pelos termos do acordo de 1826 ratificado por lei brasileira de 1831, eram todos piratas e contrabandistas, passíveis de serem presos e punidos com anos de prisão. Apesar disso, eram tratados como pessoas respeitáveis e admiradas na corte do Rio de Janeiro. "Eles são os nababos do Brasil", afirmava o cirurgião da marinha britânica Thomas Nelson, que serviu no Brasil em 1846. "Formam a classe fascinante dos milionários emergentes." Na mesma época, lorde Howden, embaixador britânico no Rio de Janeiro entre 1847 e 1850, escrevia que, entre todos os homens poderosos, eles eram os mais "tolerados, afagados, favorecidos e lisonjeados".

A lista de comerciantes negreiros apontados como cidadãos exemplares e beneméritos é longa. Elias Antônio Lopes doou, graciosamente, o Palácio da Quinta da Boa Vista, atual Museu Nacional, para que o príncipe dom João e sua família tivessem onde morar durante sua permanência no Rio de Janeiro, entre 1808 e 1821. O português Joaquim Ferreira dos Santos, conde de Ferreira, envolvido no tráfico clandestino para o Brasil, antes de morrer, em 1866, distribuiu quase toda a sua fortuna, avaliada em 1.500 contos de réis (ou seja, o valor aproximado de 1.500 escravos na época), em doações para hospitais, asilos e Santas Casas de Misericórdia no Brasil e em Portugal, além da criação de um fundo que permitiu a construção de 120 escolas primárias em Portugal, todas seguindo um mesmo projeto arquitetônico, que incluía uma casa para o professor.[1] O também português José Bernardino de Sá, comendador da Ordem de Cristo, barão e visconde de Vila Nova do Minho, maior traficante do Brasil em meados do século XIX, foi presidente da diretoria do teatro São Pedro de Alcântara, a mais importante casa de espetáculos da capital do Império, entre 1845 e 1851. Era também dono do jornal *O Mercantil*.[2] Em Recife, outro português, Ângelo Francisco Carneiro Lisboa, apontado pelo cônsul britânico em Pernambuco como "o mais bem-sucedido e notório comerciante de escravos do norte do Brasil", patrocinou a construção do Teatro Santa Isabel e diversas obras de saneamento e urbanização no centro do Recife. Seu retrato aparece hoje em destaque entre os grandes benfeitores do Real Hospital Português.

Caso ainda mais intrigante é o do capitão Francisco Lopes Guimarães, grande comerciante de escravos baiano que, de forma póstuma e involuntária, daria importante contribuição ao movimento abolicionista. A fortuna por ele obtida no tráfico serviria mais tarde para financiar os estudos do grande poeta e abolicionista baiano Castro Alves, famoso pelo poema *O navio negreiro*.³ Quando Francisco morreu, em 1851, a viúva, Maria Ramos Guimarães, assumiu os negócios da família. Um relatório do cônsul britânico em Salvador incluía o nome dela entre as pessoas que insistiam no tráfico clandestino de escravos na Bahia em 1852, dois anos após a aprovação da Lei Eusébio de Queirós. Dez anos mais tarde, em 1862, Maria se casou com o médico Antônio José Alves, o pai do poeta, que nessa época era ainda um menino de catorze anos. A madrasta imediatamente assumiu a responsabilidade de pagar pela formação escolar do enteado — com o dinheiro herdado do primeiro marido traficante. O filho único de Francisco Lopes, por sua vez, se casaria com Elisa, irmã de Castro Alves, estreitando ainda mais, por laços familiares, essa improvável e não planejada relação do tráfico negreiro com o abolicionismo na Bahia.

Joaquim Pereira Marinho, o homem da estátua de mármore em Salvador (obra do escultor italiano Antonio Rola de Simad), nasceu em Portugal, em 1816. Órfão de pai e mãe, foi criado pelo mais velho dos quatro irmãos, vigário da freguesia de Salvador de Vila Cova, distrito de Braga, na região norte de Portugal.⁴ Quando chegou ao Brasil, em 1828, era ainda um adolescente de treze anos incompletos. De início, ganhou a vida de forma modesta, trabalhando como marinheiro e caixeiro de uma empresa de Salvador. Logo, porém, descobriu sua mina de ouro: o tráfico clandestino de escravos.

No início do século XIX, para inúmeros jovens portugueses, o comércio de escravos era o modo mais fácil de alcançar riqueza e poder. Muitos atravessaram o Atlântico sem nada no bolso, em estado de quase penúria, para arriscar a sorte no negócio. Os casos de sucesso são igualmente numerosos. Em relatório ao Departamento de Estado, o embaixador norte-americano Henry Wise, escrevia:

Só há três maneiras de fazer fortuna no Brasil: no comércio de escravos, explorando o trabalho escravo, ou numa casa de comércio de café. Só os comerciantes estrangeiros se dedicam a esta última. [...] Os mercadores de escravos são [...] os homens que estão no poder ou os que emprestam àqueles que estão no poder e os controlam pelo dinheiro. O próprio governo é, de fato, um comerciante de escravos, contra as suas próprias leis e tratados.

Em relatório ao ministro britânico George Canning, em 31 de dezembro de 1823, o cônsul-geral da Inglaterra no Rio de Janeiro, Henry Chamberlain, dizia-se surpreso com a força do tráfico de escravos no Brasil:

Não há dez pessoas em todo o Império que considerem esse comércio como um crime ou o encarem sob outro aspecto que não seja o de ganho e perda. [...] Acostumados a não fazer nada, a ver só os negros trabalharem, os brasileiros em geral estão convencidos de que os escravos são necessários como animais de carga, sem os quais os brancos não poderiam viver.[5]

Na mesma época em que Pereira Marinho chegou a Salvador, um conterrâneo seu também dava seus primeiros passos na atividade. Em pouco mais de uma década, ambos estariam entre os maiores traficantes radicados no Brasil. Nascido em 1804 na região do Porto, Manoel Pinto da Fonseca chegou ao Rio de Janeiro em 1825, três anos antes de Pereira Marinho. No ano seguinte, registrou-se como caixeiro de uma empresa comercial situada na Rua da Quitanda, no centro da cidade. Duas décadas mais tarde, já seria responsável por um terço de todos os desembarques clandestinos de africanos no Brasil. Em 1846, o valor dos homens e mulheres estocados em seus barracões em Angola, à espera das negociações para sua aquisição, era estimado em 140 mil libras esterlinas, dinheiro suficiente para comprar mais de 9 mil escravos na costa da África.[6] Companheiro de jogo do chefe da polícia do Rio de Janeiro e parente do senador, ministro e conselheiro do Império José Carlos Pereira de Almeida Torres, visconde de Macaé, Pinto da Fonseca receberia altas honrarias do governo imperial, incluindo a cobiçada Ordem da Rosa, concedida por dom Pedro II.

Bento da Silva Lisboa, Barão de Cairu, filho de José da Silva Lisboa, visconde de Cairu, e ministro dos Negócios Estrangeiros do Brasil entre 1846 e 1847, citava Pinto da Fonseca numa conversa franca com o diplomata britânico James Hudson, na qual confessava que governo algum seria capaz de enfrentar o poder dos traficantes e acabar com o comércio de escravos:

> *O vício corroeu o próprio cerne da sociedade. Quem é tão requestado, tão festejado nesta cidade quanto Manuel Pinto da Fonseca? [...] Ele é por excelência o grande comerciante de escravos do Rio. E, no entanto, ele e dezenas de comerciantes menores vão à Corte, sentam-se às mesas dos cidadãos mais ricos e respeitáveis, têm cadeiras na Câmara como nossos representantes e têm voz até no Conselho de Estado. [...] Ninguém ganha dinheiro tão facilmente ou gasta tão prodigamente. O que eles tocam transforma-se em ouro. Levam tudo de roldão. Você conhece o horror pessoal que tenho por este maldito tráfico, mas, com homens dessa espécie, [...] que vou fazer, que posso fazer?*

Tanto quanto a de Pinto da Fonseca, a carreira de Joaquim Pereira Marinho na rede do tráfico ilegal foi meteórica. Em 1833, dois anos após a lei brasileira que declarou o tráfico ilegal e apenas cinco depois de chegar ao Brasil, já fazia o percurso Luanda — Lagos — Salvador transportando africanos cativos. Na época, tinha apenas dezessete anos. Em Angola, seus navios eram abastecidos por uma mulher, a portuguesa dona Ana Joaquina dos Santos Silva, rainha do tráfico negreiro no Atlântico e um dos personagens mais surpreendentes da história da escravidão, como se verá em mais detalhes em outro capítulo deste livro. Outro fornecedor importante era o baiano Domingos José Martins, sediado no golfo do Benim. Pereira Marinho chegou a ter treze embarcações no comércio de escravos. Manteve essa atividade até 1850, ano em que um navio de sua propriedade, a escuna *Catota*, desembarcou 450 cativos (ilegais e clandestinos) no litoral do Rio de Janeiro.

Os lucros do tráfico compensavam largamente os riscos de captura pelos navios da armada britânica. Contratada como tutora dos filhos da imperatriz Leopoldina com dom Pedro I, a inglesa Maria Graham, que visitou o Brasil entre 1821 e 1823, contou que um mercador de escravos se daria por satisfeito se apenas um em cada três carregamentos feitos na África chegasse ao seu destino. Segundo ela, oito ou nove viagens bem-sucedidas eram suficientes para que o traficante acumulasse uma grande fortuna.

Em 1843, o capitão de um navio negreiro pagaria entre 30 e 40 mil réis por um escravo na África. Ao chegar ao Brasil, esse mesmo cativo seria arrematado pelos barões do tráfico por, em média, 140 mil réis. Por fim, seria revendido nas regiões cafeeiras do Vale do Paraíba ou sul de Minas Gerais por preços que oscilavam entre 600 e 700 mil réis. Portanto, entre a primeira venda, no continente africano, até a senzala no Brasil, o preço aumentaria em até vinte vezes.[7]

A importação clandestina de africanos se utilizava da mão de obra de milhares de pessoas escravizadas e abarcava uma vasta cadeia de grandes e pequenos agentes nas duas margens do Atlântico. Além dos grandes armadores, proprietários de navios, bancos, seguradoras e fornecedores de mercadorias, havia milhares de pessoas que prestavam serviços de apoio. Pilotos de canoas e pequenas embarcações costeiras se encarregavam do desembarque em pontos remotos da costa brasileira. Seguranças e tropeiros conduziam os cativos até as fazendas no interior. Professores de português eram contratados para ensinar os rudimentos do idioma aos recém-chegados de modo a transformá-los de "pretos novos" em "ladinos", aparentando, assim, já serem veteranos moradores do Império do Brasil. O truque nem sempre funcionava, dada a urgência de distribuir os cativos pelas regiões ermas do Brasil. "Tenho encontrado grupos de escravos de ambos os sexos, variando de vinte a cem indivíduos, que não podiam falar uma só palavra em português, conduzidos a pé rumo ao interior para serem vendidos ou já pertencentes a fazendeiros", registrou em Pernambuco o viajante inglês George Gardner.[8]

Da poderosa engrenagem do crime participavam também comerciantes britânicos e norte-americanos, que forneciam crédito e mercadorias para a compra de cativos na África; e construtores navais responsáveis pelos velozes navios, tão ágeis que frequentemente conseguiam escapar à perseguição das pesadas embarcações de guerra britânicas no Atlântico. Em Benguela, na costa de Angola, os traficantes atuavam com toda a liberdade, como se a atividade não fosse ilegal. Homens, mulheres e crianças cativos eram mantidos em barracões à vista de todos. Em 1846, ainda havia 23 comerciantes de gente atuando na cidade, incluindo duas mulheres — dona Mariana António de Carvalho e dona Joana Mendes. Na década de 1840, nada menos do que 105 mil escravos partiram de Benguela rumo ao Brasil.[9]

A complexidade do negócio negreiro pode ser medida pela descrição de um navio brasileiro apreendido pelas autoridades britânicas em Badagri, na costa da África, ainda no começo do século XIX. Construído nos estaleiros da Preguiça, em Salvador, pelo mestre Jacintho Ribeiro de Carvalho, o brigue *Dezengano* era tripulado não só pelo capitão, mas por um padre capelão, encarregado de batizar e confortar espiritualmente os escravizados embarcados em troca de um pagamento de 350 mil réis por viagem. Depois vinham o piloto (que ganhava 400 mil réis por viagem), segundo piloto (150 mil réis), escrivão de bordo (50 mil réis), contramestre (200 mil réis), segundo tanoeiro (80 mil réis) e marinheiros (entre 30 mil e 50 mil réis, dependendo da experiência e da função exercida). O navio tinha o casco forrado de cobre, que lhe dava maior velocidade de deslocamento e impedia que a madeira se deteriorasse pela ação de cracas e outros vermes marinhos.

O brigue carregava uma quantidade inacreditável de armamentos que lhe davam poder de fogo equivalente a um navio de guerra: seis canhões com cinquenta balas de ferro, dois obuses, dezesseis espingardas, três barris de pólvora, além de grande número de lanças, espadas e facas. Os mantimentos, suficientes para abastecer e alimentar a tripulação e os escravos durante a travessia do oceano, incluíam 14 toneladas de farinha de mandioca e 7 de carne seca; 240 quilos de feijão, 120 de arroz, 60 de milho e 30 de toucinho; uma pipa de vinagre; um barril de azeite, trinta galinhas vivas e uma farmácia completa de medicamentos para a viagem. O carregamento de mercadorias usadas para a compra de cativos na África era composto por tecidos, facas, louças, sapatos, redes para dormir, chapéus, contas de búzios e moedas de pesos espanhóis feitas de ouro. Na época da captura do brigue *Dezengano*, comprava-se um escravo na África por 130 mil réis, mas nem sempre o negócio envolvia transações monetárias. Compradores e vendedores preferiam o escambo, ou seja, a troca de gente por mercadorias. Por trinta rolos de fumo compravam-se dois escravos. Um documento dizia que "dois moleques e duas moleconas" (meninos e meninas adolescentes) podiam ser trocados por setenta medidas de aguardente, um chapéu de sol, três colchas e um candeeiro de latão.[10]

Segundo o historiador baiano Carlos da Silva Jr., os navios registrados em nome de Joaquim Pereira Marinho fizeram de 1839 a 1850 um total de 33 viagens entre o Brasil e a África, transportando 11.584 homens, mulheres e crianças escravizados. Cerca de 10% deles, ou seja, 1.150 pessoas, teriam morrido na travessia. Apenas um desses navios, o iate *Andorinha*, cruzou o Atlântico dez vezes entre 1846 e 1849, período em que teria desembarcado 3.800 negros em praias e portos brasileiros sob encomenda de diversos fazendeiros e comerciantes. Nas contas do historiador e etnógrafo Pierre Verger, essas viagens teriam rendido 47 mil libras esterlinas, quase 24 vezes o valor que Pereira Marinho teria pago pelo navio. De acordo com a historiadora Ana Lucia Araújo, mesmo após a proibição definitiva do tráfico no Brasil, em 1850, Pereira Marinho continuou a transportar escravos ilegais. Em 1858, ele criou a Companhia União Africana, que tinha como objetivo declarado fazer comércio legal de mercadorias com a África. Um dos sócios do novo empreendimento era ninguém menos do que o traficante Domingos José Martins. Esse era só um disfarce para continuar a traficar cativos para a ilha de Cuba, onde a atividade só foi interrompida em 1867.[11]

Joaquim Pereira Marinho era também a prova viva de que Brasil e Portugal continuaram sócios no tráfico de gente escravizada por muito tempo depois da Independência. No Rio de Janeiro e em Salvador, até 1850, os principais traficantes negreiros eram portugueses. Em segundo lugar, vinham os brasileiros. Juntos, respondiam por cerca de 80% de todas as viagens negreiras. Era como se os dois países tivessem se divorciado em todos os aspectos anteriores de seu relacionamento, com exceção do comércio de cativos. Quando se tratava de comprar e vender africanos, as duas nações continuavam bem unidas e cúmplices no crime. Em 1850, segundo um relatório do cônsul britânico Robert Hesketh, de 38 grandes mercadores de escravos em atuação no Rio de Janeiro, dezenove eram portugueses, doze brasileiros, dois franceses e dois norte-americanos. Havia ainda um espanhol, um italiano e um anglo-americano.[12]

Em 1836, sob a pressão crescente da Inglaterra, um governo português de orientação mais liberal até tentou mudar a situação, contudo, não obteve sucesso algum. Um decreto enviado ao parlamento em 10 de dezembro daquele ano, por iniciativa do Marquês de Sá da Bandeira, presidente do Conselho de Ministros, proibia a importação e a exportação de escravos em todos os domínios portugueses. Previa pesadas penas e multas para súditos da Coroa que se envolvessem no tráfico negreiro em qualquer parte do mundo. A nova lei enfrentou resistência implacável das próprias autoridades portuguesas na África e no Brasil. Sua aplicação foi suspensa tanto pelo governador de Moçambique, o marquês de Aracati, como pelo de Angola, Manuel Bernardo Vidal. Ambos alegavam que a suspensão do tráfico arruinaria as economias locais e, de resto, seria impossível de colocar em prática. João Baptista Moreira, cônsul-geral de Portugal no Brasil, que tinha sido comerciante de escravos antes de entrar para o serviço diplomático, foi oficialmente notificado pelo seu governo da vigência da nova lei. Ainda assim, não só decidiu ignorá-la como continuou a fornecer documentos que permitiam aos traficantes brasileiros usar a bandeira portuguesa em seus navios, de modo a burlar a vigilância britânica.[13] Como resultado dessas resistências, o tráfico continuou rumo ao Brasil, sob a proteção da bandeira portuguesa, por mais uma década e meia. "Os navios de Portugal agora singram os oceanos favorecendo os crimes de outras nações", reclamava lorde Palmerston, chefe do governo britânico, perante a Câmara dos Comuns em Londres.

Os portugueses estavam de tal forma ligados ao comércio negreiro no Brasil que, em 1850, após a Lei Eusébio de Queirós, alguns deles foram expulsos do país, caso dos irmãos Antônio e Manuel Pinto da Fonseca. Com essa medida drástica o governo imperial queria demonstrar aos ingleses que, dessa vez, ao contrário do período posterior à lei de 1831, a repressão contra os traficantes ilegais seria dura e para valer. Outros comerciantes retornaram a Portugal por conta própria, todos ricos e bem recebidos por seus patrícios. Um deles, Ângelo Francisco Carneiro Lisboa, citado no início deste capítulo por suas obras de benemerência em Pernambuco, ao chegar a Lisboa receberia o título de visconde de Loures. A lista dos traficantes clandestinos de escravos agraciados com honrarias e títulos de nobreza em Portugal é impressionante. Joaquim Ferreira dos Santos foi sucessivamente barão (1842), visconde (1843) e conde (1850). José Bernardino de Sá foi barão (1850) e visconde de Vila Nova do Minho (1851). Manuel Pinto da Fonseca foi comendador da Ordem de Nossa Senhora da Conceição de Vila Viçosa (1847). A lista continua: Manuel Antônio Martins, barão da Ilha do Sal; Antônio José Leite de Guimarães, barão da Glória; José Joaquim Leite Guimarães, barão de Nova Sintra; Vicente Gonçalves Rio Tinto, barão do Rio Tinto; João Batista Moreira, barão de Moreira.[14]

Concedidos em Portugal pela rainha Maria II, esses títulos em geral eram oficialmente reconhecidos no Brasil pelo irmão dela, o imperador Pedro II. Era esse o caso de Joaquim Pereira Marinho, que trazia da antiga metrópole o título de conde. Seu filho mais velho, Antônio Pereira Marinho, foi barão e visconde de Marinho em Portugal e cavaleiro da Ordem de Cristo. O filho mais novo, Joaquim Elísio Pereira Marinho, seria deputado e ministro da Marinha, diretor do Banco do Brasil, presidente da Associação Comercial da Bahia e ganharia de Pedro II os títulos de barão e visconde de Guaí.[15]

Depois de 1850, ao contrário de muitos de seus conterrâneos, Pereira Marinho decidiu permanecer no Brasil e enriqueceu ainda mais ao redirecionar o capital acumulado no tráfico de escravos para uma ampla gama de negócios. Fundou o Banco da Bahia e foi um dos maiores acionistas do Banco Mercantil. Era dono de muitos imóveis. Comprava e revendia carne de charque do Rio Grande do Sul, parte da dieta básica dos escravos. Em Portugal, comprou a fábrica de cigarros e charutos Boa Vista, que abastecia com tabaco produzido nas lavouras escravistas do Recôncavo Baiano. Construiu e explorou duas estradas de ferro, a de Juazeiro, no Vale do São Francisco, e a do Vale do Jequitinhonha, entre Minas Gerais e Bahia. Investiu no comércio de madeira e na construção de trapiches. Foi presidente e acionista majoritário da Companhia Baiana de Navegação. Emprestava dinheiro a juros extorsivos. Em precária situação financeira, a província de Alagoas tomou-lhe um empréstimo de 150 contos de réis a juros de 8% ao ano, o dobro do que se cobrava no mercado financeiro da época. Impossibilitado de pagar a dívida, e sob pressão de Pereira Marinho, o governo alagoano se viu obrigado a cortar 20% da folha de pagamento em 1886 para honrar pelo menos parte do compromisso.

Quando morreu, em 1887, Pereira Marinho tinha um patrimônio avaliado em 8 mil contos de réis, dez vezes o orçamento de Alagoas. Era proprietário de 227 imóveis na cidade de Salvador. Seu corpo foi velado na igreja da Misericórdia e sepultado em mausoléu do Campo Santo, na presença de mais de 2 mil pessoas. Desde 1847, ano em que obteve a cidadania brasileira, era irmão da Santa Casa de Misericórdia, na época dirigida pelo arcebispo dom Romualdo Seixas. Em 1859, foi um dos organizadores da recepção oferecida ao imperador Pedro II na Bahia. Apontado como o grande benfeitor da capital baiana a partir da década de 1860, financiou a construção do hospital Santa Izabel (onde sua estátua se encontra hoje) e doou dinheiro e alimentos para as vítimas da grande seca do Nordeste, a mais devastadora de todos os tempos, entre 1877 e 1879. Também apoiou financeiramente asilos e orfanatos.

No seu testamento, o traficante de escravos Pereira Marinho declarou ter "a consciência tranquila de passar para a vida eterna sem nunca haver concorrido para o mal de meu semelhante".[16] No epitáfio que publicou sobre ele, o jornal *Diário da Bahia*, simpático aos traficantes, procurava reforçar a impressão: "Não sabemos, nem desejamos saber, que em nada isto nos interessa, se o sr. Conde de Pereira Marinho prejudicou alguém no correr de sua existência".

É a imagem que ficou desde então. Pelo menos até junho de 2020, quando o Coletivo de Entidades Negras (CEN), organização nacional do movimento negro, pediu à Santa Casa de Misericórdia da Bahia que retirasse a estátua de Pereira Marinho da frente do hospital Santa Izabel, em respeito às milhões de vítimas do tráfico de africanos escravizados no Atlântico. "Salvador é a cidade mais negra fora da África, com mais de 82% da sua população autodeclarada preta e parda", argumentava a professora Iraildes Andrade, uma das responsáveis pela petição. "Ou seja, não há elementos que sustentem a manutenção dessa estátua de pé, ainda mais em um momento de intensos questionamentos internacionais sobre o racismo estrutural." A direção da Santa Casa recebeu polidamente o documento, mas desde então nenhuma providência foi tomada.

7. BARÕES E FIDALGOS

> *"Sai daí, cão, que te faço barão!"*
> Dito popular que ironizava a banalização
> dos títulos de nobreza no Brasil escravista

Viajar pelo Vale do Paraíba é penetrar em uma terra imaginária, de sonhos e fantasias. Foi esse o coração do Brasil escravista no século XIX. De suas fazendas de café brotava a riqueza que fazia a prosperidade do Império brasileiro, regada a sangue e suor de pessoas escravizadas. Ali florescia também uma nobreza exótica e tropical, resultante da troca de favores entre a Coroa e os senhores da terra. Traficantes de escravos, fazendeiros, senhores de engenho, pecuaristas, charqueadores e comerciantes davam o apoio político, financeiro e militar necessário para a sustentação do trono. Em troca, recebiam do monarca posições de influência no governo, benefícios e privilégios nos negócios públicos e, especialmente, honrarias e títulos de nobreza.[1]

O aspecto caricato dos fidalgos no Brasil da escravidão aparece neste comentário repleto de ironia do padre Miguel do

Sacramento Lopes Gama, professor de retórica no Seminário de Olinda, no jornal *O Carapuceiro*, publicado no Recife, em 1839:

> *Eu, da aristocracia, só reprovo a fofice, só reprovo que o indivíduo, porque é ou se diz nobre, queira estribar nisto o seu mérito, queira só ele dirigir os negócios da pátria, e trate o resto dos homens com desprezo e sobranceria. E ainda mais [...] quando esse título de nobreza é tão duvidoso como a existência dos habitantes da Lua, e não passa de mera presunção e fofice.*[2]

As glebas de terras ao redor do município de Vassouras, um dos grandes centros de produção de café, tiveram a maior concentração de viscondes, barões, marqueses, comendadores, coronéis e detentores de outras honrarias de toda a história do Império brasileiro. Por volta de 1850, a cidade possuía cinco marcenarias especializadas em fabricação de móveis de madeira de lei, dez oficinas de ferraria, uma indústria de cerâmicas, ateliês de modistas franceses, joalherias, relojoarias, hotéis e hospedarias luxuosas. A praça da matriz tinha um monumental chafariz emoldurado por palmeiras imperiais. Companhias de ópera e canto lírico se apresentavam no teatro local regularmente. Uma delas, da soprano italiana Augusta Candiani, fez lá uma temporada de três meses em 1854.[3]

Ao contrário da Europa, onde os títulos de nobreza eram hereditários, no Brasil as honrarias se extinguiam com a morte dos seus respectivos detentores. Eram, portanto, um estado passageiro, tão precário e perecível quanto a própria experiência monárquica na história brasileira.[4] Usadas como moeda de barganha nas relações do poder, as honrarias eram concedidas em maior número nos momentos de crise, nos quais o trono precisava angariar apoio mais rapidamente. A concessão de títulos se acelerou entre 1878 e 1889, período em que a monarquia, sob pressão do movimento abolicionista e da campanha republicana, começou a correr perigo. Só nessa década foram criados 370 barões, sendo 155, quase a metade do total, entre a publicação da Lei Áurea, em maio de 1888, e o golpe protagonizado por Deodoro da Fonseca em novembro do ano seguinte.

Diante do clima de tensão entre os militares e os civis que precedeu a Proclamação da República, o Visconde de Maracaju, ministro da Guerra, propôs que os títulos fossem usados como arma para seduzir os oficiais nos quartéis. Pelo seu plano, a todos os marechais de campo seriam franqueados, indistintamente, o título de barão. Cada brigadeiro, por sua vez, receberia a Ordem da Rosa. "Não convém generalizar", reagiu o Visconde de Ouro Preto, chefe do gabinete de ministros e ele próprio de nobreza recente, detentor do título desde 13 de junho de 1888, um mês após a Lei Áurea. Ainda assim, nas vésperas do Quinze de Novembro, nada menos que 35 coronéis da Guarda Nacional receberam o título de barão.[5] O último foi entregue a Elias Dias de Novais, cafeicultor e industrial de São Paulo, que recebeu o título de barão de Novais no exato dia da queda do império. "Estamos todos marqueses!", zombou em artigo no jornal *Diário de Notícias* o baiano Rui Barbosa ao criticar a inflação nobiliárquica, segundo ele responsável pela legião de "fidalgos baratos" e pela "profusão de graças repartidas em matulagem entre os que comem e bebem no alguidar oficial; essa nobiliarquia de cabala, fidalguia de baiuca eleitoral".[6]

A Guerra do Paraguai representou outro momento crítico, em que as honrarias monárquicas eram usadas para seduzir os senhores da terra. Um decreto baixado em 6 de novembro de 1866, durante o governo do conselheiro Zacarias de Góis e Vasconcelos, chefe do Partido Liberal fluminense, determinava que os proprietários que tomassem a iniciativa de libertar os seus escravos para lutar na guerra receberiam títulos de nobreza. Era uma situação curiosa: os escravos pegariam em armas e exporiam a vida lutando contra os soldados de Solano López, enquanto seus donos ficariam em casa, sem correr risco algum, e ainda se tornariam barões do Império. Ao tomar conhecimento da notícia, Benjamin Constant, futuro fundador da República brasileira, que se encontrava na frente da batalha, reagiu com ironia: "Que patriotismo! Quanto é moralizador o nosso governo e o nosso país! Que belo futuro nos espera. [...] Três ou quatro escravos bastam para os maiores títulos de nobreza que o Império possa dar".[7]

Cerca de um terço de todos os 871 títulos de nobreza distribuídos pelo Império brasileiro entre 1840 e 1889 foram destinados a fazendeiros, comissários, banqueiros e empresários ligados ao negócio do café. Segundo o historiador José Murilo de Carvalho, os títulos eram uma forma de cooptação dos cafeicultores pela monarquia brasileira. De seu apoio político e financeiro dependiam a estabilidade e a longevidade do Império.[8] A família Werneck deteve sozinha nada menos do que catorze desses títulos.[9] Os Leite Ribeiro tinham oito barões e dois viscondes. Os Avelar, seis barões e três viscondes. O título de barão banalizou-se de tal forma no Segundo Reinado que virou motivo de chacota e deu origem a um dito popular: "Sai daí, cão, que te faço barão!".[10]

As cartas de concessão de honrarias custavam aos seus candidatos fortunas de valor considerável. Para ter o direito de ostentar o título de duque no currículo, era necessário pagar 2 contos e 450 mil réis. O de marquês custava 2 contos e 20 mil réis; conde, visconde e barão com grandeza, 1 conto e 575 mil réis; visconde, um conto e 25 mil réis; e o de barão sem grandeza podia ser arrematado por 750 mil réis. Além disso, havia as despesas adicionais, com documentos e a tramitação, que muitas vezes eram superiores ao preço da própria carta de concessão do título. Pode se ter uma ideia desses valores comparando-os com o salário médio de um trabalhador braçal na época, um vendedor ambulante em São Paulo ganhava entre 280 e 350 réis por dia. Carpinteiros, alfaiates e soldados recebiam em torno de 600 réis diários.[11] O título de barão custava, portanto, o equivalente a quatro ou cinco anos de trabalho desses profissionais.

O historiador norte-americano Stuart B. Schwartz descreveu o Brasil da escravidão como uma sociedade altamente hierarquizada, em que todo mundo aspirava ser nobre e viver sem trabalhar:

> *Nobreza, em certo sentido, era definida pelo que a pessoa não fazia. [...] Trabalhar com as próprias mãos, como faziam os artesãos, vendedores e outras atividades, eram ocupações de gente comum, menor. Aos nobres esperava-se que vivessem sem ter de recorrer nunca ao trabalho manual. Nobres viviam de herança, aluguel, investimento financeiro, emprego no Estado, que lhes sustentassem um estilo de vida aristocrático, com família extensa, muitos servos e dependentes. Agricultores, comerciantes e trabalhadores manuais eram gente inferior. Nobre que fosse nobre nunca trabalhava. No Brasil, o fenômeno era agravado pela escravidão. Branco não trabalhava. Só o negro.*[12]

O escritor sergipano Tobias Barreto se referia à "nobreza feita à mão" que produzia fidalgos de nomes pitorescos como o Barão de Bojuru, título dado ao brigadeiro Inocêncio Veloso Pederneiras; o Barão de Batovi, com o qual foi agraciado o marechal de campo Manuel de Almeida da Gama Lobo d'Eça; ou o Barão de São Sepé, atribuído ao tenente-general Luís José Pereira de

Carvalho.¹³ O alemão Carlos Koseritz divertiu-se ao ver a chegada da nobreza brasileira para a abertura das câmaras em 1883:

> *Uma depois da outra pararam as velhas carruagens diante da entrada e esvaziaram sua carga: uma dama de honra (a baronesa de Suruí) velha e horrenda, mas fortemente decotada, e cinco ou seis familiares da corte, metidos em uniformes verdes outrora brilhantes, bordados a ouro, o tricórnio sob o braço, o espadim à cinta e as pernas finas metidas em calções e meias de seda — assim saltaram eles dos seus carros, fazendo pensar numa festa de carnaval.*¹⁴

Muitos dos belos casarões senhoriais dessa numerosa e efêmera nobreza brasileira ainda podem ser visitados hoje. Um exemplo é a sede da fazenda Resgate, tombada pelo Iphan (Instituto do Patrimônio Histórico e Artístico Nacional) e aberta à visitação no município de Bananal.¹⁵ Até meados do século XVIII, era um modesto sobrado colonial português. Em 1850, no auge da riqueza do café, foi reformada e se converteu em uma das casas senhoriais mais opulentas do Brasil.¹⁶ Seu dono, Manoel de Aguiar Vallim, foi um dos homens mais ricos do Brasil. Ao falecer, em 1878, tinha 351 escravos e uma fortuna correspondente a 1% de todo o papel-moeda circulante no Brasil, composta por inúmeros títulos da dívida pública, debêntures emitidas pelo governo dos Estados Unidos e uma grande quantidade de joias em ouro, prata e diamantes. Na lista de bens apareciam as fazendas *Resgate, Três Barras, Independência* e *Bocaina*, além de diversos outros sítios e imóveis, incluindo um palacete de "dezesseis janelas", casas e o teatro Santa Cecília com seus acessórios, na cidade de Bananal.

Na parte dos fundos do andar térreo do casarão da fazenda Resgate ficavam cubículos habitados por quarenta e nove escravos e serviçais domésticos, incluindo cinco caseiros, treze cozinheiros, cinco pajens, sete costureiros, um alfaiate, duas amas, oito mucamas, um copeiro, um sapateiro, um barbeiro, duas lavadeiras, uma rendeira e um hortelão. A parte da frente, no segundo andar, era reservada para os visitantes e familiares do fazendeiro. Tinha sala de entrada, escritório, três dormitórios para hóspedes e mais seis para os familiares, sala de visitas, às vezes usada também como salão de festas, sala de costura e uma sala de jantar. A mesa de refeições, de 3 metros de comprimento, comportava dezoito cadeiras de madeira clara. As paredes e portas exibiam pinturas de José Maria Villaronga, artista espanhol cujos serviços foram contratados por diversos outros cafeicultores do Vale do Paraíba.

Em agosto de 1877, o solar foi aberto para "um sarau" em homenagem a Manoel de Aguiar, sobrinho de Vallim, que acabara de receber no Rio de Janeiro o título de visconde. A festa começou com uma queima de fogos de artifício. Os convidados eram recebidos pela Banda do Tio Antoniquinho, um conjunto musical formado por cinco escravos de propriedade de Antonio Luis de Almeida, cunhado e genro do anfitrião, regidos por um maestro europeu. Duas décadas antes, em 1859, época em que era dono de 650 escravos, o próprio Vallim requereu ao imperador Pedro II o título de barão do Bananal. Prometia dar, em troco da honraria, um donativo de quinze contos de réis (valor equivalente ao preço de trinta escravos na época) ao Hospício Pedro II, no Rio de Janeiro. O pedido esbarrou em um relatório das autoridades imperiais que, em 1853 — três anos após a Lei Eusébio de Queirós —, apontara a existência de negros recém-chegados da África nas terras de Vallim e outros fazendeiros da região, incluindo o comendador e coronel Joaquim José de Sousa Breves, já citado em um dos capítulos anteriores deste livro. Devido a esse episódio envolvendo o tráfico de escravos, Vallim ficou sem seu título de nobreza. Depois de sua morte, porém, dois de seus filhos seriam agraciados com a honraria.

Em todo o Vale do Paraíba, a propriedade que mais impressionava pela riqueza e pelas dimensões era a casa-grande da fazenda Flores do Paraízo, também até hoje aberta à visitação (mediante agendamento) no atual município de Rio das Flores. O impressionante sobrado estava situado no fim de uma alameda de palmeiras imperiais. Seu proprietário, Domingos Custódio Guimarães, visconde do Rio Preto, construiu fortuna fornecendo carne de charque e escravos para os demais fazendeiros do Vale do Paraíba. Foi agraciado com o título de barão em 1854 e de visconde em 1867. A fazenda tinha um sistema de energia hidráulica alimentado por um aqueduto que descia da serra vizinha. Foi uma das primeiras a ter máquinas de beneficiamento de café, importadas da Inglaterra. Dispunha também de iluminação a gás. Ficou famosa pelas luxuosas recepções promovidas pelo visconde, animadas por uma banda de música e um coro formados por escravos. Domingos Custódio Guimarães morreu em consequência de um ataque cardíaco durante uma dessas festas, um baile com vários convidados importantes da corte, que promoveu em 1868 para comemorar a inauguração do ramal ferroviário entre Paraibuna e Porto das Flores.

O fausto e a riqueza dos fazendeiros escravocratas do Vale do Paraíba eram exibidos também na corte do Rio de Janeiro. Antônio Clemente Pinto, barão de Nova Friburgo, cafeicultor da região de Cantagalo, um dos homens mais ricos do Brasil em meados do século XIX, era dono do mais luxuoso palacete na capital do Império, o atual Palácio do Catete, que serviu de residência para os presidentes da República até a transferência da capital para Brasília, em 1960, e onde Getúlio Vargas se suicidou com um tiro no peito, em 1954. Nascido em Portugal, Clemente chegou ao Brasil em 1821. Trabalhou em uma loja no Rio de Janeiro, enriqueceu com o tráfico de escravos e aplicou toda a fortuna nas lavouras de café. Proprietário de mais de vinte fazendas, chegou a construir uma estrada de ferro para escoar o produto de suas lavouras. Foi pai de dois condes, o de Nova Friburgo, Bernardo Clemente Pinto Sobrinho e o de São Clemente, Antônio Clemente Pinto Filho. Pouco antes da Abolição, os filhos do barão, falecido em 1869, libertaram 1.300 escravos.

O engenheiro e arquiteto Adolfo Morales de los Rios Filho descreveu da seguinte forma o estilo de vida e as mansões da nobreza do café na capital do Império:

> *Constituíam modelos de conforto e opulência, com os seus móveis de jacarandá lavrado, as belas tapeçarias orientais e francesas, as baixelas de ouro e prata, os cristais venezianos, as ricas porcelanas, a fina louça marcada com escudos e monogramas, com aves e folhagens ou com simples filetes de ouro e de azul, os copos e as taças lapidadas, os grandes espelhos emoldurados a ouro, as banheiras de mármore, os quadros de pintores de renome, os soalhos de ripas madeiras, os tetos trabalhados por estucadores trazidos especialmente da Europa, os candelabros e as arandelas. A lavoura do café dava para isso e para que quase todos os titulares mantivessem permanentemente postas outras belas mansões [...] Era nessa corte que todos sonhavam.*[17]

O caso da família Werneck, estudado pelos historiadores Eduardo Silva e Sandra Lauderdale Graham, é um exemplo típico da nova elite do café surgida no Brasil.[18] Fundador da cidade de Valença, o sargento-mor Inácio de Souza Werneck, patriarca da família no Vale do Paraíba, descendia de João Werneck (segundo Eduardo Silva, por vezes grafado também como Berneque, Verneque, Vernek ou Varneque), português que chegara ao Brasil ainda no final do século XVII e se estabelecera em Nossa Senhora do Pilar de Iguaçu, situada na capitania do Rio de Janeiro a caminho de Minas Gerais. Ali começou a fazer fortuna fornecendo alimentos e mercadorias para a legião de aventureiros que subia a serra na febre do ouro. O comércio era um negócio mais estável e previsível do que a mineração. A lista de produtos incluía sal, ferramentas, tecidos, armas e munições, azeite de oliva, queijo, farinha, vidros, chapéus e, obviamente, os escravos necessários na mineração. Uma de suas filhas, Antônia da Ribeira, casou-se com Manuel de Azevedo Mattos, português dos Açores que também enriqueceu com o comércio nas zonas de mineração.

O casal subiu a serra e se estabeleceu na freguesia de Nossa Senhora da Piedade da Borda do Campo, atual Barbacena, na então comarca de Mariana, onde Inácio nasceu em 25 de julho de 1742. Duas décadas depois, retrocedeu para a freguesia de Nossa Senhora da Conceição e São Pedro e São Paulo da Paraíba, um antigo pouso de tropas do Caminho Novo que daria origem à atual cidade Paraíba do Sul. Nessa região, de floresta densa e bem irrigada, passou a produzir açúcar, milho, feijão, cachaça, banana e carne de porco, todos produtos fornecidos para o mercado do Rio de Janeiro, que acabara de arrebatar de Salvador a condição de capital colonial do Brasil. Quando Manuel morreu, em 1788, era detentor de vastas propriedades, divididas entre seus três filhos, e em cujas lavouras já se produzia a grande riqueza responsável pela prosperidade da família no século seguinte, o café.

A trajetória de Inácio como dono de terras e de escravos começou bem cedo. Em fevereiro de 1759, quando tinha dezessete anos e a família ainda estava em Minas Gerais, recebeu sua primeira sesmaria, concedida pelo então governador da capitania, José Antônio Freire de Andrade. Em 1798, já no Vale do Paraíba, requereu ao príncipe regente dom João "algumas terras incultas e devolutas" na freguesia de Paty do Alferes, medindo meia légua de frente e meia de fundos. Fernando José de Portugal e Castro, futuro marquês de Aguiar e vice-rei do Brasil a partir de 1801, apoiou a petição com o argumento de que Inácio tinha "numerosa família e escravos" — condição fundamental para quem pretendesse se tornar fazendeiro na época. A confirmação da doação das terras pela Coroa portuguesa só chegou ao Brasil em 1804, mas, de qualquer forma, àquela altura Inácio já tomara posse de toda a área, que nas décadas seguintes se tornaria o centro do poder rural da família.

Com recursos próprios, Inácio construiu estradas que facilitaram o escoamento de produtos, a circulação de tropas e a instalação de postos de cobrança entre o Vale do Paraíba e a capital. Em 1800, foi incumbido pelo vice-rei dom Fernando José de Portugal e Castro de "domesticar e aldear" os índios coroados que habitavam as matas da região. Um relatório seu de 1816 informava o vice-rei de que toda a área estava, finalmente, livre da "ferocidade" daqueles antigos "selvagens". Assim foram liberadas as terras que depois seriam divididas em sesmarias e doadas aos primeiros colonizadores e futuros barões do café da região. De uma das aldeias indígenas forçadas nasceria a atual cidade de Valença. Em 1813, Inácio, já pai de numerosa prole, decidiu ordenar-se padre, apenas nove anos antes de morrer, em 2 de julho de 1822, aos oitenta anos. Por essa razão, as terras da família em redor de Valença seriam conhecidas como a "sesmaria do padre Werneck".

Francisco Peixoto de Lacerda Werneck, neto e o mais famoso de todos os descendentes do padre Inácio Werneck, assumiria, em 1852, o título de barão de Paty do Alferes. Ao morrer, em 1861, deixaria como herança sete fazendas, que cobriam uma área superior a 100 quilômetros quadrados, e cerca de mil escravos. Destacou-se no combate aos quilombos e às rebeliões que agitaram o Vale do Paraíba ao longo do século XIX, como a revolta de Manuel Congo, em 1838, duramente reprimida pelas tropas da Guarda Nacional então sob o comando do fazendeiro. Em 1842, à frente de oitocentos homens, defendeu a "ordem legal" ao lado das autoridades do Império contra os liberais revoltosos de São Paulo e Minas Gerais. Pelos serviços prestados, acumulou uma notável lista de honrarias: 2º barão de Paty do Alferes, grande do Império, fidalgo cavaleiro da Casa Imperial, comendador da Ordem da Rosa e cavaleiro da Ordem de Cristo. Na Guarda Nacional, foi promovido a capitão de cavalarias de milícias, em 1824; major, em 1830; e coronel, em 1831, chegando a comandante superior da legião de Valença, Vassouras e Paraíba do Sul. Foi deputado provincial entre 1844 e 1845, eleito com 302 votos.

Em 1859, o imperador Pedro II, então um jovem de 33 anos, hospedou-se em sua residência na fazenda Monte Alegre, situada entre as atuais cidades de Vassouras e Paty do Alferes. Na época da visita imperial, a propriedade tinha cerca de duzentos escravos. Ao requerer o título de barão, em 1852, Francisco Peixoto instruiu seu representante no Rio de Janeiro a gastar até dez contos de réis na obtenção da honraria. "Até quinze [contos], se não houver outro remédio", acrescentou, "mas se a coisa vier de graça, melhor." Na época, com esse dinheiro era possível comprar entre dez e quinze escravos jovens no Vale do Paraíba.[19]

Em 1847, o barão escreveu um relatório detalhado ao filho, Luiz Peixoto de Lacerda Werneck, então um jovem doutor em Direito Canônico, de apenas 23 anos, recém-retornado dos estudos na Europa, sobre como administrar uma fazenda escravista no Rio de Janeiro. A obra, intitulada *Memória sobre a fundação e custeio de uma fazenda,* acabaria por se tornar um clássico no estudo da escravidão brasileira do século XIX. Em seu relatório, o barão defendia que a religião deveria ser usada como "um freio" à rebeldia dos cativos:

> *O escravo deve ter domingo e dia santo, ouvir missa se a houver na fazenda, saber a doutrina cristã, confessar-se anualmente; é isto um freio que os sujeita, muito principalmente se o confessor sabe cumprir o seu dever, e os exorta para terem moralidade, bons costumes e obediência cega a seus senhores, e a quem os governa.*

Outro recurso por ele sugerido contra fugas e revoltas era conceder alguns benefícios aos escravos, como o direito de cultivar pequenas plantações e hortas no quintal da senzala, desde que a produção fosse vendida ao proprietário da fazenda, em regime de monopólio:

> *O fazendeiro deve, o mais próximo que for possível, reservar um bocado de terra onde os pretos façam suas roças; plantem o seu café, o seu milho, feijões, bananas, batatas, carás, aipim, canas, etc. Não se deve, porém, consentir que a sua colheita seja vendida a outrem, e sim a seu senhor, que deve fielmente pagar-lhe um preço razoável, isto para evitar extravios e súcias de taberna.*

Em seguida, explicava:

> *Estas suas roças, e o produto que delas tiram faz-lhes adquirir certo amor ao país, distrai-os um pouco da escravidão e os entretém com esse pequeno direito de propriedade. Certamente o fazendeiro vê encher-se a sua alma de certa satisfação quando vê vir o seu escravo de sua roça trazendo o seu cacho de banana, o cará, a cana, etc.*

Sugeria, portanto, que a mistura de violência e paternalismo fossem bem dosada, uma vez que o uso da força apenas não daria o resultado esperado pela elite escravista:

> *O extremo aperreamento desseca-lhes o coração, endurece-os e inclina-os para o mal. O senhor deve ser severo, justiceiro e humano. [...] Nem se diga que o preto é sempre inimigo do senhor; isso só sucede com os dois extremos, ou a demasiada severidade, ou a frouxidão excessiva, porque esta torna-os irascíveis ao menor excesso deste senhor frouxo, e aquela toca-os à desesperação.*[20]

As ponderadas recomendações do Barão de Paty do Alferes sobre o tratamento a ser dispensado aos escravos não o impedia, no entanto, de agir de forma cruel e implacável quando situações concretas ameaçavam os interesses e a segurança dos fazendeiros. Em 20 de março de 1856, um cafeicultor vizinho e amigo seu foi assassinado por dois escravos. "O que aconteceu aqui [...] tem me posto a cabeça louca", escreveu o barão ao seu representante no Rio de Janeiro, Bernardo Ribeiro de Carvalho. "Veja em que vulcão estamos nas mãos destes bárbaros."[21] O medo de que os escravos lhe praticassem "alguma maroteira" o fez descarregar a ira de forma cruel sobre alguns de seus cativos mais rebeldes. No mesmo mês despachou o escravo Sebastião Pedreiro para, segundo explicou em outra carta a Bernardo Ribeiro de Carvalho, "o meter aí na Casa de Correção, mandando castigar severamente com açoites". Segundo explicava o barão, Sebastião tinha sido por muito tempo "um bom escravo e mestre de seu ofício". Nos últimos tempos, no entanto, começara a beber "a ponto de se tornar atrevido". E assim continuava, apesar de já ter sido duramente espancado na própria fazenda. "Há cerca de um mês que lhe faço as costas em uma chaga viva, porém tornou-se pior, e só se o matar, o que não faço." Por isso, pedia que as autoridades imperiais se encarregassem de puni-lo e, em seguida, de colocá-lo à venda. O barão julgava que o escravo, apesar de rebelde, valeria entre um conto e meio a dois contos de réis.

A aristocracia do café mantinha e ampliava o seu poder promovendo casamentos e alianças familiares entre si. Eram essencialmente pactos de conveniência, com o objetivo de evitar que a posse de terras e escravos se dividisse ou se transferisse para outras famílias por herança. Como se viu em um dos capítulos anteriores, Joaquim José de Sousa Breves, o "Rei do Café", era casado com uma sobrinha. Ao analisar os registros de 62 casamentos em 7 gerações de uma mesma família, a dos Avellar, proprietários de grandes fazendas na cidade de Vassouras entre 1780 e 1900, o historiador norte-americano Stanley J. Stein observou que só metade deles envolvia casamentos entre pessoas não aparentadas.[22] Vinte eram entre primos de primeiro grau. Quatro envolviam tios e sobrinhos. Houve dois casos em que homens se casaram com as esposas de seus falecidos irmãos. Desse modo, era comum que uma esposa se dirigisse ao marido como "tio" ou como "primo".

Outro caso exemplar é o da própria família Werneck. Manoel de Azevedo Ramos, irmão de Inácio de Souza Werneck (o fundador da cidade de Valença), casou-se com a prima, Anna Maria Werneck. Seu filho, José de Souza Werneck, se casaria, em 1815, com Francisca, viúva de seu irmão. Ao se casar com Maria Isabel Gomes Ribeiro de Avellar, Francisco Peixoto de Lacerda Werneck, futuro barão de Paty do Alferes, promoveria a união de duas famílias já aparentadas e que juntas passariam a dominar por todo o século XIX o poder e a economia de uma vasta região do Vale do Paraíba. Luiz Peixoto de Lacerda Werneck, filho mais velho do barão, casou-se com Isabel Augusta, filha do capitão Francisco das Chagas Werneck. Já as filhas mais novas do barão, Anna Carolina e Carolina Isabel, se casaram, respectivamente, com Francisco das Chagas Werneck Júnior e José Ignácio de Souza Werneck.

Na corte do Rio de Janeiro, os barões e fidalgos do Vale do Paraíba tinham como porta-voz Paulino Soares de Souza. Grande fazendeiro em Cantagalo, nascido na fazenda Itapacorá, no município de Itaboraí, interior do Rio de Janeiro, era o primeiro filho de um dos luminares do Império, Paulino José Soares de Souza, visconde do Uruguai, e sobrinho de Joaquim José Rodrigues Torres, o visconde de Itaboraí. Estudou no Colégio Pedro II, do Rio de Janeiro, e tornou-se advogado pela Faculdade de Direito de São Paulo. Oito vezes reeleito deputado geral entre 1857 e 1884, foi ministro e conselheiro do Império e seria o último presidente do Senado, sempre pelo Partido Conservador. Foi um dos seis senadores a votar contra a Lei Áurea de 1888. Seguia, desse modo, as pegadas de seu tio, Itaboraí, que votara contra a Lei do Ventre Livre, em 1871.

Paulino Soares de Souza era o perfeito retrato da nobiliarquia do Brasil imperial, assim definido, de forma magistral, pela historiadora Angela Alonso:

> *Paulino operava em dois mundos. Corte e roça. Parlamento e fazenda. A herança política conservadora (do pai e do tio viscondes) e o dote escravista (que recebera do casamento com Maria Amélia). Ponte entre a civilização e o cafezal. [...] Em modos, ações e pensamento, Paulino encarnava o ethos senhorial. Rebento de fina flor. Nada em si rescendia brutalidade ou ganância, desvio ou maldade. Culto e ilibado, amava o latim e a esposa, acreditava em Deus, no Império e na propriedade de escravos.*[23]

Em um dos discursos de Paulino, de 1871, estavam resumidos os três principais argumentos que sustentariam os fazendeiros até a votação da Lei Áurea: a escravidão era uma necessidade ao país, sem ela a lavoura iria à ruína, a desorganização social levaria à desordem, à crise política e, talvez, à guerra civil:

> *Ninguém sustenta aqui a perpetuidade da escravidão. [...] Neste século das luzes para homens que professam a lei do Evangelho, a causa da escravidão está julgada e para sempre! [...] A questão de que tratamos é por sua natureza uma questão toda prática e na qual a solução não pode ser determinada por princípios absolutos. [...] Os pontos que interessam no debate são a apreciação das circunstâncias do país [...]. O dever de todos nós é não deixar irrefletidamente expor o país a uma crise violenta, acautelar antes de tudo e defender os grandes interesses da nossa pátria; [...] sem atentar contra a propriedade, sem perturbar as relações existentes, sem prejudicar os grandes interesses que infelizmente estão ligados e por muito tempo há de firmar nessa instituição.*

Em resumo: que a escravidão era uma violência e uma barbárie, contrária à vocação humana, ninguém discordava. Mas o Brasil precisava dela e, principalmente, os interesses dos fazendeiros tinham de ser preservados, mesmo que ao custo de atropelar as convicções e as ideias do seu tempo. Com ele concordavam muitos brasileiros da época, incluindo gente supostamente ilustrada, como o escritor cearense José de Alencar, um escravista convicto até o último momento. "Um sopro bastará para desencadear a guerra social, [...] lançar o império sobre um vulcão", alertava Alencar.[24]

Na segunda metade do século XIX, a nobiliarquia brasileira do café, até então concentrada no Vale do Paraíba, começou a se espalhar pelo oeste paulista devido ao esgotamento das terras de cultivo tradicional. Até então, as lavouras eram plantadas em declínio, acompanhando a topografia das encostas montanhosas. Nos primeiros anos após a derrubada da floresta, o solo era fértil e extremamente produtivo. A erosão provocada pelas chuvas, no entanto, logo fazia escorrer serra abaixo as camadas superficiais de nutrientes. A terra lavada que ficava para trás era pobre. Os cafezais perdiam o viço, e a produtividade caía drasticamente. Em vez de desenvolver técnicas mais duradouras de tratamento do solo, o fazendeiro preferia abrir outra área de floresta e reiniciar o ciclo anterior. Isso fez com que as terras da região rapidamente se esgotassem. Eram as chamadas "lavouras arcaicas". A atividade se expandiu para o oeste paulista, onde a topografia era mais plana e os solos também mais férteis. Os fazendeiros passaram a plantar em curvas de nível, com fileiras perpendiculares ao declive para frear a velocidade das águas das chuvas, prevenindo dessa forma os estragos provocados pela erosão.

Muitos dos novos barões do oeste paulista eram de origem relativamente modesta.[25] José Estanislau de Oliveira, primeiro barão de Araraquara e visconde de Rio Claro, era filho de um professor português que imigrara para a vila de Campos, norte da capitania do Rio de Janeiro, em 1785, casara-se com a filha de um importante fazendeiro da região e, ao morrer, conseguira acumular uma fortuna no valor de setenta contos de réis em terras e escravos. Inicialmente, José Estanislau, um dos quatro filhos do professor, tentou a carreira militar, mas logo desistiu e, em 1836, adquiriu um lote de terras em Rio Claro, que na época já despontava como um dos novos centros da cafeicultura no oeste paulista. Sem dinheiro para comprar escravos, adiou por alguns anos o plantio e o cultivo de café. Enquanto isso, investiu no comércio de sal e de mulas na região de Campinas. Depois de três anos, tinha juntado dinheiro suficiente para implantar sua lavoura.

Em 1855, José Estanislau já multiplicara o tamanho de suas propriedades, para um total de 3.267 hectares, além de ter reservado outra área ainda maior, de 11.600 hectares, na região que mais tarde seria o município de Analândia. Em 1867, quando recebeu do imperador Pedro II o título de nobreza pelos serviços prestados na Guerra do Paraguai e à frente do Partido Liberal, era um dos maiores latifundiários do interior de São Paulo, responsável, entre outras proezas, pela construção da estrada de ferro Rio Claro — São Carlos do Pinhal. Na sua morte, em 1884, as casas de comércio fecharam as portas por três dias, em sinal de luto. Todos os seus doze filhos — seis homens e seis mulheres — receberam fazendas como herança. Dois deles e dois genros foram feitos barões. Outro genro, chefe político na vizinha cidade de São Carlos, recebeu o título de conde.

Outro português de origem modesta, Nicolau Pereira de Campos Vergueiro, importante fazendeiro de Rio Claro e um dos maiores traficantes de escravos da província, chegara a São Paulo entre 1802 e 1803 sem nenhum outro recurso além do diploma de advogado obtido em Coimbra. Logo se enturmou com a pequena, porém poderosa, elite paulista da época. Nomeado juiz em 1813, comprou fazendas no oeste da província, algumas em sociedade com o brigadeiro Luís Antônio de Souza Queirós, que hoje dá nome a uma importante avenida no centro da cidade de São Paulo. Entusiasta da Independência, acompanhou as sessões das Cortes em Lisboa e, ao retornar ao Brasil, participou da Assembleia Constituinte dissolvida por dom Pedro I em novembro de 1823. Chefe do Partido Liberal, foi senador por dez legislaturas consecutivas e ocupou diversos postos no governo até 1842, incluindo a regência trina após a abdicação de dom Pedro I, em 1831. Foi o primeiro fazendeiro a testar a viabilidade da substituição da mão de obra escrava pelo trabalho de imigrantes europeus em sua fazenda Ibicaba, como se verá em outro capítulo deste livro.

Um caso peculiar de ascensão social a partir de uma origem simples e relativamente pobre foi o de Luciano de Almeida.²⁶ Em 1817, ainda solteiro, com 21 anos, morava sozinho e era dono de doze escravos na cidade de Bananal, no Vale do Paraíba. Quase quatro décadas mais tarde, em 1854, data de seu falecimento, tinha 812 escravos e cinco fazendas — Boa Vista, Cachoeira, Córrego Fundo, Fazendinha e Bocaina — além de inúmeros sítios e propriedades menores. Apesar de rico, não conseguiu ser nomeado para o posto de juiz ordinário, como sonhava. Motivo: era analfabeto. Embora não soubesse ler e escrever, foi muito bem-sucedido nos negócios e conseguiu educar todos os filhos. Um deles, Laurindo José de Almeida, fez estudos avançados no Colégio Marinho, do Rio de Janeiro, cursou quatro anos do curso de Direito em São Paulo ea dacabou se formando em uma universidade da Alemanha. Ao retornar ao Brasil, foi deputado provincial, vereador, chefe do Partido Conservador em Bananal e recebeu do imperador Pedro II o título de visconde de São Laurindo. Nunca exerceu a advocacia. Sua fortuna, como a do pai, vinha das fazendas de café.

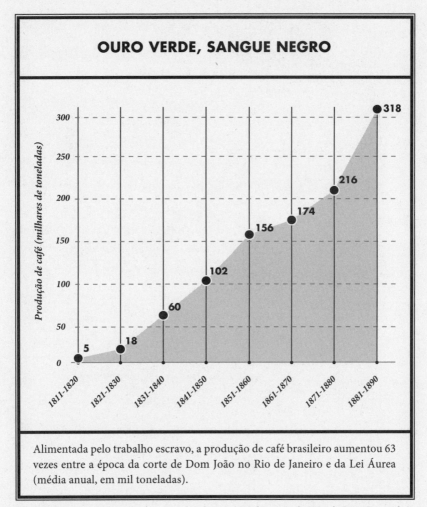

Alimentada pelo trabalho escravo, a produção de café brasileiro aumentou 63 vezes entre a época da corte de Dom João no Rio de Janeiro e da Lei Áurea (média anual, em mil toneladas).

Fontes: Sérgio Silva, *Expansão cafeeira e origens da indústria no Brasil*, p. 49; Emilia Viotti da Costa, *Da senzala à colônia*, pp. 61-67

8. O IMPÉRIO ESCRAVISTA

> *"O imperador levou cinquenta anos a fingir que governava um povo livre."*
>
> Antônio Ferreira Vianna, jornalista e magistrado gaúcho, sobre dom Pedro II

Tanto quanto a paisagem do Vale do Paraíba, com seus belos casarões habitados por viscondes e barões servidos por homens e mulheres escravizados, o Brasil do século XIX era um país de faz de conta. Nas leis, no funcionamento das instituições, na arquitetura, nas artes, nas festas e nos saraus da corte do Rio de Janeiro, aparentava ser uma terra civilizada, rica, elegante e educada. Como se fosse uma extensão da Europa nos trópicos. Aos diplomatas e visitantes estrangeiros, apresentava-se como um império destinado a ser grande, poderoso, desenvolvido, ilustrado — um "gigante adormecido em berço esplêndido", como dizia a própria letra do Hino Nacional. No futuro, seria capaz de assombrar seus congêneres europeus. O imperador Pedro II e a charmosa cidade serrana batizada com seu nome, Petrópolis, eram o símbolo disso tudo. Esse Brasil de sonhos, no entanto, confrontava-se com outro, real e bem diferente, criando uma contradição difícil de sustentar no longo prazo. A realidade nas ruas, lavouras e fazendas das regiões ermas do país era de escravidão, pobreza e analfabetismo.

A contradição entre a aparência e a realidade brasileira começava em suas próprias leis e regulamentos. Como se viu em um dos capítulos anteriores, a Constituição de 1824, copiada quase que literalmente dos códigos legais europeus, em particular do francês pós-revolução de 1789, afirmava que todos os brasileiros seriam iguais perante a lei, sujeitos aos mesmos direitos e deveres. Ao mesmo tempo, permitia a persistência do regime escravista herdado do período colonial e não incluía os negros cativos entre os cidadãos com as mesmas prerrogativas asseguradas aos demais brasileiros. Além de escravo, o Brasil era pobre e analfabeto. "A nação não sabe ler", constatava, desolado, o escritor Machado de Assis ao comentar os resultados do censo de 1872. Apenas 15,7% dos 9.930.478 habitantes sabiam escrever o próprio nome. Entre os negros, livres ou escravos, a taxa de analfabetismo era de 99,9%, ou seja, quase total e absoluta.

Em seu livro clássico, *O abolicionismo*, de 1883, Joaquim Nabuco descrevia de forma trágica o Brasil da escravidão. Com pouco mais de meio século de independência, era já "um país velho", cuja paisagem estava marcada pela "decadência e abandono" e cujo povo cultivava "o mais completo desprezo pelos interesses do futuro, a ambição de tirar o maior lucro imediato com o menor trabalho próprio possível, qualquer que seja o prejuízo das gerações futuras". No entender de Nabuco, a elite responsável pela construção do Brasil até então tinha exercido uma ação egoísta, predatória e irresponsável, sem qualquer preocupação com o futuro:

O IMPÉRIO ESCRAVISTA

Queimou, plantou e abandonou; consumiu os lucros na compra de escravos e no luxo da cidade; não edificou escolas, nem igrejas, não construiu pontes nem melhorou rios, não canalizou a água nem fundou asilos, não fez estradas, não construiu casas, sequer para os seus escravos, não fomentou nenhuma indústria, não deu valor venal à terra, não fez benfeitorias, não granjeou o solo, não empregou máquinas, não concorreu para progresso algum na zona circunvizinha.[1]

O responsável por isso tudo era, na visão de Nabuco, o regime escravista:

Onde quer que se a estude, a escravidão passou sobre o território e os povos que a acolheram como um sopro de destruição.

No entender de Nabuco, nem mesmo o culto e admirado imperador Pedro II poderia ser poupado desse severo julgamento, como frisou nesses dois trechos a seguir — o primeiro de *O abolicionismo*; o segundo de *O erro do imperador*:

Dom Pedro II será julgado pela história como o principal responsável pelo seu longo reinado; [...] ao estadista hão de ser tomadas estreitas contas da existência da escravidão, ilegal e criminosa, depois de um reinado de quase meio século.[2]

A história há de dificilmente conciliar a inteligência esclarecida, a vasta ciência do homem com a indiferença moral do chefe de Estado pela condição dos escravos no seu país. [...] O imperador do Brasil [...] passou 45 anos sem pronunciar sequer do trono uma palavra em que a história pudesse ver uma condenação formal da escravidão pela monarquia, um sacrifício da dinastia pela liberdade, um apelo do monarca ao povo em favor dos escravos.[3]

Em outra importante obra de sua autoria, Um estadista do império, Nabuco reproduzia uma frase atribuída a Antônio Ferreira Vianna, jornalista, magistrado e político gaúcho: "O imperador levou cinquenta anos a fingir que governava um povo livre".[4]

O historiador Jorge Caldeira estimou que, na época da Independência, o valor total representado pelos escravos brasileiros seria de 68,8 milhões de libras esterlinas ou 293 milhões de dólares.[5] A soma era 63,7 vezes a receita orçamentária do governo em 1826 e quase 35 vezes a indenização que o Brasil teve de se comprometer a pagar a Portugal no mesmo ano em troca do reconhecimento como estado soberano. Na Bahia, em 1833, os 48.240 escravos existentes em 603 engenhos de açúcar eram avaliados em 14.472 contos de réis, quase o mesmo valor de todos os demais ativos do patrimônio somados, incluindo as terras e suas lavouras de cana, as casas, o rebanho de gado e cavalos, as florestas, as caldeiras e galpões de produção de açúcar, os sistemas de irrigação e os armazéns, todos avaliados em 17.823 contos de réis.[6]

Ao estudar 57 inventários *post mortem* do município de Paraíba do Sul referentes à década anterior, entre 1855 e 1860, o historiador João Fragoso chegou à conclusão de que os escravos representavam mais da metade do valor das fazendas avaliadas. Enquanto o patrimônio total, medido na moeda mais forte da época, somava 260 mil libras esterlinas, o plantel de cativos sozinho chegava a 137 mil libras esterlinas (quase 53%). Em seguida, entre os itens mais valiosos, vinham as terras, no valor de 43 mil libras esterlinas (16,5%), e os pés de café já em fase de produção, avaliados em 33 mil libras esterlinas (12,7%). Ao longo do século XIX, Paraíba do Sul, em termos proporcionais, teve uma das maiores concentrações de pessoas escravizadas no Brasil. Em 1840, eram 6.366 cativos numa população total de 11.586. Trinta e dois anos depois, em 1872, esses números tinham mais do que dobrado: 14.851 escravos e um total de 30.985 moradores. As fazendas de quatro famílias de viscondes e barões do café — os Ribeiro Avellar, os Werneck, os Alves Barbosa e os Andrade — cobriam mais de um terço da área total do município e eram cultivadas por 1.632 cativos.[7]

A desproporção entre homens e mulheres era enorme, dada a preferência dos fazendeiros por mão de obra mais robusta e masculina. Por volta de 1843, três quartos de todos os africanos escravizados que desembarcavam no Rio de Janeiro eram homens com idades entre dez e vinte anos. Alguns exemplos de navios negreiros capturados pela Marinha britânica por tráfico ilegal ajudam a ilustrar esses números. A carga do brigue *Asseiceira*, detido em 1840, era composta por 253 homens e apenas 79 mulheres. Outro brigue, o *Leal*, transportava 152 homens e 38 mulheres, proporção próxima da carga de *Carolina*, em cujos porões viajavam 157 homens e 45 mulheres.[8]

A escravidão era um fenômeno onipresente e universal na realidade brasileira. Africanos escravizados e seus descendentes podiam ser encontrados de norte a sul do país, em todos os lugares e ocupações possíveis. Tudo dependia do trabalho em regime de cativeiro. O governo imperial brasileiro era, ele próprio, um grande senhor de escravos. No Arsenal de Marinha, no Rio de Janeiro, trabalhavam 170 "escravos da nação" em 1845. Eram africanos que, depois de libertados de navios negreiros clandestinos, ficavam obrigados a trabalhar em obras e repartições públicas. Nos palácios imperiais havia 244 homens e mulheres escravizados em 1831. Na Real Fazenda de Santa Cruz eram 2.235 em 1855.[9]

A posse de escravos era generalizada em todos os setores da economia e classes sociais, não se limitando aos barões do café, senhores de engenho e grandes fazendeiros. Mesmo o brasileiro mais humilde sonhava em comprar um escravo assim que conseguisse acumular a poupança necessária para isso. Pessoas relativamente pobres dependiam do trabalho de um só escravo para sobreviver. Em 1829, na província de São Paulo, por exemplo, apenas 38 senhores tinham mais de cem escravos. O plantel médio era relativamente pequeno. Cerca de 11 mil pessoas tinham a posse de um total de 75 mil escravos. Cada um teria, portanto, cerca de sete cativos, em média. Os donos de um só cativo representavam 25% do total. Com até cinco cativos somavam outros 66%. Os números se repetiam quatro anos mais tarde em Minas Gerais, onde havia vinte mil proprietários com um total de 135 mil escravos. Apenas 29 possuíam cem ou mais cativos. Um terço de todos os domicílios tinham escravos.

O historiador gaúcho Rodrigo Trespach observou que a escravidão estava de tal forma arraigada no Brasil que até os estrangeiros que aqui chegavam logo se tornavam proprietários de escravos, sem qualquer pudor.[10] Alguns anos após a Independência, um censo apontou a existência de mais de quatrocentas pessoas escravizadas cujos donos eram colonos suíços e alemães na cidade de Nova Friburgo, província do Rio de Janeiro. Na mesma época, o naturalista alemão Georg Heinrich von Langsdorff tinha um plantel de sessenta escravos, responsáveis pelo cultivo de 20 mil pés de café na fazenda Mandioca, situada em Inhomirim, no atual município de Magé. Recém-chegado ao Rio Grande do Sul, em 1825, o pastor protestante Carl Leopold Voges, tinha pelo menos doze cativos. O também pastor Friedrich Christian Klingelhöffer comprou quatro negros escravizados no Rio de Janeiro, antes de viajar para a colônia de São Leopoldo, no Rio Grande do Sul. Ainda segundo Trespach, pelo menos 1.558 escravos foram anotados em inventários de famílias alemãs entre 1834 e 1888. Outro historiador gaúcho, Diderô Carlos Lopes, registrou pelo menos nove imigrantes alemães que eram negociantes de escravos na região de Torres na segunda metade do século XIX. Um deles, José Luís Raupp, quando morreu, em 1872, deixou catorze escravos como herança para sua mulher, Catharina Lefhaar.[11]

O barão Wilhelm Ludwig von Eschwege, geólogo, arquiteto e metalurgista alemão, portanto um homem bem-educado, conta que chegou ao Brasil em 1810 imbuído das ideias abolicionistas e até tentou, de diferentes formas, substituir o uso de mão de obra escrava pela de trabalhadores livres. Contratado pelo príncipe regente dom João para a tarefa de reanimar a decadente atividade mineradora e incentivar a nascente indústria metalúrgica brasileira, Eschwege implantou uma fábrica de ferro em Congonhas do Campo, Minas Gerais, onde acreditava ser possível produzir apenas mediante o uso de trabalhadores assalariados. Em suas memórias, registrou o fracasso dessa ideia:

> *No início não foram comprados escravos porque eu, imbuído da mentalidade europeia, acreditava que somente homens livres deveriam ser empregados na fábrica. A consequência de minha atitude foi que os anos se passaram sem que fosse possível treinar um único fundidor ou aprendiz; tão logo aprendiam o trabalho, os operários sumiam. Eu não tinha meios de fazê-los ficar. [...] Finalmente cheguei à conclusão de que era absolutamente necessário comprar escravos [...]. Daí em diante pude operar muito melhor [...]. É virtualmente impossível, no Brasil, fazer uma indústria prosperar quando se tem que depender de homens livres.*[12]

Nas fazendas e vilas do interior, lutava-se pela manutenção do tráfico negreiro e da própria escravidão. Em 26 de julho de 1836, uma petição da Câmara Municipal de Barbacena, Minas Gerais, ao governo imperial argumentava que os negros escravizados eram "mais miseráveis quando, livres, se entregam à crápula e à inércia; porque delas passam à mendicância e desta à rapina, e da rapina a serem devorados pelos vermes e a acabarem a existência na miséria e desemparo".[13] Portanto, segundo o ponto de vista dos vereadores mineiros, a escravidão, além de necessária à manutenção da lavoura, era benéfica para os próprios cativos. O ponto de vista era compartilhado pelas mais altas autoridades do império. Um discurso de Honório Hermeto Carneiro Leão, futuro marquês do Paraná, no Senado, em 3 de julho de 1845, cinco anos após a subida de dom Pedro II ao trono argumentava que a escravidão era o próprio alicerce do Brasil como nação:

> Um dos elementos da existência da sociedade brasileira é a escravatura; este elemento não poderá ser destruído sem destruição e dano da mesma sociedade. [...] Um país tão vasto, tão abundante de terras e tão falto de braços não poderá prosperar de modo algum sem o trabalho forçado.

Seu contemporâneo na elite imperial, o mineiro Bernardo Pereira de Vasconcelos, ministro e conselheiro do Estado, um dos fundadores do Partido Conservador, em discussão no Senado em 27 de abril de 1843, atribuía à escravidão africana um papel fundamental na civilização do Brasil e de todo o continente americano: "Os africanos têm contribuído para o aumento ou têm feito a riqueza da América; a riqueza é sinônimo de civilização no século em que vivemos; logo, a África tem civilizado a América".

No século XIX, o Rio de Janeiro era a maior cidade escravista do hemisfério Ocidental. Em 1849, quatro em dez moradores da capital do Império viviam em regime de cativeiro. Eram 79 mil escravos entre 206 mil moradores, e isso representa a maior concentração urbana de cativos em todo o continente americano. Outros 11 mil eram negros libertos. Nada menos do que 75% dos escravos tinham nascido na África. Na cidade de Campos, região norte da província, a proporção era ainda maior: seis em cada dez habitantes viviam em cativeiro.[14] No censo de 1872, dos 785 mil brasileiros que moravam em cidades com população superior a vinte mil habitantes, 118 mil (15% do total) eram cativos. Grande parte trabalhava no comércio de rua ou em serviços domésticos. Havia 175 mil empregados domésticos; 13 mil trabalhadores em tecelagens e 4 mil em ofícios ligados à construção civil. Eram 41 mil costureiras escravizadas. Salvador, a segunda maior capital brasileira, tinha 108 mil habitantes, sendo 13 mil escravos. No terceiro lugar entre as grandes cidades escravistas brasileiras vinha Recife, com 57 mil habitantes, dos quais 10 mil eram cativos. São Paulo, na época uma cidade ainda relativamente pequena, tinha 3 mil escravos numa população de 28 mil pessoas.[15]

A população cativa urbana, no entanto, diminuiu significativamente ao longo do século, devido à demanda cada vez maior de mão de obra escrava nas fazendas. Apesar do crescimento do café e do açúcar na pauta de exportações brasileiras, durante o século XIX, a maior parte dos cativos não trabalhava nas lavouras e centros de beneficiamento desses dois produtos. Em Minas Gerais, a maior província escravista do Império brasileiro, desenvolveu-se, depois do ciclo da mineração de ouro e diamantes, uma pujante economia agrícola mista, que fornecia uma enorme gama de produtos para o mercado interno, incluindo as fazendas cafeeiras das províncias vizinhas de Rio de Janeiro e São Paulo. Por volta de 1870, havia 382 mil cativos em Minas Gerais, dos quais 279 mil eram registrados como trabalhadores rurais envolvidos na produção de carne, leite, queijos, couros, aves, suínos, grãos, farinha de mandioca, milho e arroz, entre outros alimentos. Minas Gerais também se destacou pela fragmentação da propriedade de escravos. Ao contrário das fazendas de açúcar e café, que concentravam grandes plantéis, nas lavouras mineiras o número médio por proprietário era relativamente pequeno.

Nas fazendas de café, a rotina de trabalho dos escravos começava muito cedo, antes ainda do sol raiar.[16] Os primeiros a se levantar eram os cozinheiros. Acendiam o fogo debaixo dos caldeirões de ferro, onde preparavam café adoçado com açúcar ou melaço e angu (um creme de fubá cozido com sal e algum tempero). Em seguida, o feitor e seus capatazes negros se dirigiam para o terreiro, para a chamada matinal. Os cativos eram acordados com o badalo de um sino de ferro fundido ou o toque de um berrante. Dirigiam-se às bicas situadas perto das senzalas e jogavam água na cabeça, para espantar o sono. O primeiro compromisso era uma reza rápida, geralmente puxada pelo próprio fazendeiro da varanda da casa principal. "Louvado seja nosso Senhor Jesus Cristo", puxava ele. "Para sempre seja louvado", respondiam os escravos. O feitor fazia então a chamada. Quem se atrasasse seria repreendido e, em caso de reincidência, era punido com algumas chibatadas. Depois de tomar o rápido café da manhã, todos se dirigiam para a roça. Caminhavam em fileiras indianas, os homens na frente, as mulheres atrás. Algumas carregavam seus filhos ainda em fase de amamentação amarrados às costas ao estilo africano, em pequenos cestos ou faixas de tecidos.

Se o trecho de cafezal a ser trabalhado ficasse longe da sede, seguia com a comitiva comida suficiente para duas refeições nos próprios caldeirões em que tinha sido preparada, suspensos por varas compridas sobre um carroção puxado por dois bois. Ao chegar ao local de trabalho, os escravos eram divididos por turmas, responsáveis pela capina ou pela colheita de um determinado número de fileiras de pés de cafés. Enquanto trabalhavam, todos respondiam a cantigas puxadas por um "mestre cantor". Eram canções melancólicas, chamadas "quinzumbas", em geral herdadas da África e que misturavam palavras em língua portuguesa com vocábulos de idiomas africanos. Dois capatazes supervisionavam os grupos percorrendo as fileiras de café em zigue-zague com o propósito de dar uma vergastada de couro cru nos trabalhadores mais lentos. "Vamos! Vamos!", gritavam, enquanto estalavam os chicotes no ar.

O almoço era servido por volta das dez da manhã. Em geral, consistia em angu, feijão, farinha, pedaços de toucinho cozido, algumas vezes acrescidos de pimenta e legumes cozidos e servidos em pratos de lata ou cuias de cabaças. Mães aproveitavam o intervalo de meia hora para amamentar os filhos. À uma da tarde havia mais uma pausa, para um café novamente acompanhado de angu. Em dias muito frios ou úmidos, serviam-se ainda pequenas doses de cachaça, em lugar do café. A cachaça era conhecida pelo nome africano de "marafo". Jantava-se, na própria roça, por volta das quatro horas. Para reduzir custos, alguns fazendeiros tinham o hábito de alimentar seus escravos apenas duas vezes por dia, no meio da manhã e no final da tarde.

A labuta prosseguia até o anoitecer, quando todos eram novamente reunidos pelos feitores e capatazes e retornavam à sede da fazenda. Antes de se recolherem às senzalas, eram novamente contados no terreiro central. Alguns eram ainda convocados para jornadas extras, como proteger os sacos de café já estocados no caso de haver ameaça de chuva para a noite. Se as tarefas adicionais se prolongassem noite adentro, às vezes servia-se uma ceia adicional com carne seca, fubá ou farinha de mandioca. Mesmo o domingo, um dia santo no calendário litúrgico católico, era parcialmente dedicado ao trabalho. Escravos recolhiam lenha, roçavam os pastos, abriam ou limpavam valetas de escoamento de água, consertavam açudes e estradas, entre outras tarefas. Muitos aproveitavam também para cultivar pequenos pedaços de roças ou hortas, onde plantavam legumes e verduras para reforçar a dieta da família. "Na fazenda, tudo ou quase tudo é produto do negro; é ele quem constrói casas, faz os tijolos, serra as tábuas, canaliza a água", observou o médico francês Louis Couty, que percorreu o Brasil na segunda metade do século XIX. "As estradas e a maior parte das máquinas no engenho são, junto às terras cultivadas, produtos de seu esforço. Ele também cria gado, porcos e outros animais."

As mucamas eram criadas da casa, encarregadas de cozinhar, lavar, limpar, arrumar as mobílias. Nessas tarefas, tinham pleno acesso aos aposentos privados da família. Era um serviço menos extenuante do que aquele a que eram submetidos os escravos no campo. Em geral, se vestiam melhor do que seus demais companheiros de senzalas e tinham dieta mais farta e variada, por compartilharem das sobras da mesa de seus senhores. Tais privilégios, no entanto, tinham um preço. As mucamas ficavam sob a vigilância direta e constante da senhora. Qualquer deslize poderia resultar em severa punição. Além disso, muitas delas, especialmente as mais jovens, eram alvo de investidas sexuais dos homens da casa.

Na casa grande a dieta básica se compunha de feijão, arroz, legumes, farinha de mandioca reforçada com carne de porco ou de galinha e ovos. Em ocasiões especiais, servia-se também bacalhau, que chegava seco e salgado de Portugal, churrasco de carne bovina e leitoas assadas. Como muitas fazendas cultivavam e se beneficiavam da cana-de-açúcar, havia abundância de doces, rapaduras e compotas. "Todo mundo tem paixão por doces, mesmo os escravos", registrou Couty. Embora amplas e avarandadas, as casas-grandes não chegavam a ser lugares luxuosos. O mobiliário era composto por malas, cobertas com peles de animais, baús de madeira para guardar alimentos e roupas, armários, camas, bancos, mesas e cadeiras lavrados em madeira de lei sem acabamento, em geral retiradas na derrubada da própria floresta que dera lugar aos cafezais. Como não havia banheiros com água corrente, usavam-se urinóis e "bacias para banho", que em geral eram guardados embaixo da cama durante a noite e esvaziados no quintal na manhã seguinte pelos escravos domésticos. Eram itens tão essenciais que, em geral, constavam na lista de bens inventariados após a morte dos proprietários. "Uma tina de banho em estanho, seis urinóis azuis com tampas, sete urinóis brancos sem tampa", descrevia o inventário de Polucena d'Oliveira Serra, dona da fazenda São Fernando, em Vassouras, falecida em 1855. "Uma mesa de cozinha, duas amplas malas cobertas de peles, um par de cestas de vime, um pequeno oratório, um antigo baú para guardar roupas para os negros", relacionava outro documento, esse de Escolástica Cândida Ferreira, dona da fazenda Conceição, na mesma cidade, falecida em 1850.[17]

Na segunda metade do século XIX, esse mobiliário começou a se sofisticar mediante o uso de serviços de chá, café e jantar de porcelanas finas de origem inglesa, pratarias, móveis em estilo francês, vidros e cristais da Boêmia. Gravados com as iniciais dos proprietários, esses itens eram reservados para ocasiões especiais. No dia a dia, usava-se louças brancas, pratos e copos esmaltados, panelas de ferro ou de cobre. A revolução nos transportes ocasionada pela chegada da linha férrea também adicionou algumas novidades no cardápio, como queijos e manteigas, importados de Portugal ou produzidos em Minas Gerais. Na segunda metade do século XIX, nas fazendas mais prósperas adotou-se o consumo de vinhos portugueses e franceses, conhaques e charutos cubanos. O inventário de Quintiliano Gomes Ribeiro de Avellar, falecido em 1889, em Vassouras, registrava "amplo depósito de vinhos e gêneros alimentícios; grande adega de delicados vinhos Bordeaux e Burgundy, champanha Th. Roederer e Veuve Clicquot; caça, carnes e peixe em conserva enlatados pelos famosos embaladores Rodel Phillipe & Canaud, Crosse & Blackwell; queijos, biscoitos, legumes, massas e temperos".

Em algumas fazendas, os senhôres permitiam que os escravos participassem de festas religiosas, como missas, procissões, batizados e casamentos, aos sábados e domingos. Em outras, permitia-se também alguns folguedos, nos quais os cativos dançavam nos terreiros ao som de instrumentos e ritmos africanos. Nem todos reagiam bem a esse tipo de manifestação. Eram frequentes os relatos de viajantes estrangeiros repletos do olhar preconceituoso europeu da época, que via no comportamento dos negros exemplos de lascívia e imoralidade. Charles Ribeyrolles definiu o lundu como "uma dança louca, com provocação dos olhos, dos seios e das ancas". No seu julgamento, as danças escravas eram apenas "volúpias asquerosas, febres libertinas, tudo isso é abjeto e triste; porém os negros apreciam esses bacanais."[18] Muitos fazendeiros reprimiam essas manifestações por considerá-las ameaçadoras à ordem social vigente, incentivar a feitiçaria e possibilitar um ambiente de cumplicidade entre os escravos, perigoso no caso de fugas e rebeliões. Outros, no entanto, acreditavam que os escravos trabalhavam melhor e se tornavam mais cordiais quando podiam se divertir sem qualquer repressão senhorial.

A vida produtiva de um escravo era relativamente curta, de doze a quinze anos, em média. Ao chegar aos trinta anos de idade, os homens já estavam alquebrados, doentes e cansados para o trabalho pesado. Os relatórios médicos traziam uma lista assustadora de doenças, que incluía malária, febre amarela, varíola, tétano, sarampo, bronquite, pneumonia, tuberculose, gastroenterites, sífilis, lepra, inflamação crônica do fígado, escorbuto e úlceras gangrenosas. Na Fazenda da Conceição, em 1835, 26 dentre 134 escravos (19% do total) eram doentes ou sofriam de alguma deficiência física. Num período de apenas dezesseis meses, 16% deles morreram. Situação semelhante era observada na Fazenda do Pau Grande, cujo relatório de 1848 informava que, dos 261 escravos ali existentes, 31% (quase um terço do total) eram considerados "doentes", "muito doentes", portadores de "hérnia", "feridas crônicas" ou "pernas deformadas". Em 1856, 25% dos 64 escravos da Fazenda do Triunfo apresentavam "hérnia", "doença no peito", "cegueira", "intestinos doentes" ou "olhos doentes".

"Muitos escravos morreram vítimas do abandono cruel dos fazendeiros, que desprezavam suas enfermidades, como se fossem fingimentos", observou o padre Caetano da Fonseca em 1863. "Os fazendeiros não se convencem de que um escravo esteja doente até que o pulso esteja acelerado e a testa, febril." A mortalidade infantil era altíssima. Entre 1871 e 1888, foram registrados em Vassouras 9.310 nascimentos de filhos de escravos, enquanto no mesmo período morreram 3.074. O médico Louis Couty estimou que metade das crianças morria antes de completar oito anos. Na falta crônica de médicos, farmacêuticos ou outros profissionais treinados, a assistência à saúde era feita por curandeiros, quimbandeiros e feiticeiros, especializados em tratamentos caseiros que incluíam o uso de ervas medicinais, sangrias, chás, banhos e rituais religiosos.

Apesar disso, a lavoura de café era tão lucrativa que, para os fazendeiros, a escravidão se manteve como bom negócio mesmo quando o movimento abolicionista já se tinha transformado em um fenômeno irreversível no Brasil. Segundo os cálculos do historiador norte-americano Robert Edgar Conrad,[19] baseados em números de Roberto Simonsen e Afonso d'E. Taunay, um escravo jovem, forte e saudável poderia produzir, em média, 25 sacas de café por ano. Levando-se em conta que, entre 1886 e 1887, o preço da saca de café era de 30.770 réis, um cativo comprado na mesma época em São Paulo por 1 conto e 600 mil réis se pagaria em pouco mais de dois anos — portanto, antes que a escravatura fosse abolida, em maio de 1888. Assim sendo, comprar escravos até às vésperas da Lei Áurea era, do ponto de vista do fazendeiro, uma decisão econômica razoável, como observou Conrad.

As senzalas eram lugares imundos, enfumaçados e sem ventilação e com mobiliário reduzido ao mínimo necessário. Os longos barracões ficavam alinhados de modo a formar quadrados inteiramente fechados, circundando uma praça cujo único ornamento era o pelourinho. Francisco Peixoto de Lacerda Werneck, barão de Paty do Alferes, autor de um famoso manual sobre o cativeiro (já citado em um dos capítulos anteriores) dava aos seus vizinhos fazendeiros recomendações detalhadas sobre como construí-los:

> *Deveis fazer [...] as senzalas dos pretos voltadas para o nascente ou o poente, e em uma só linha, se possível, com quartos de 24 palmos [cerca de 5,4 metros] em quadro, e uma varanda, de oito [1,8 metro] de largo em todo o comprimento. Cada quarto destes deve acomodar quatro pretos solteiros e, se forem casados, marido e mulher com os filhos unicamente.*

Carl Hermann Conrad Burmeister, naturalista alemão, que visitou a província do Rio de Janeiro em 1850, descreveu as senzalas da seguinte forma:[20]

> *Em cada fazenda encontramos pavilhões compridos, com andar térreo apenas, separados em cubículos de 8 a 10 pés [2,7 a 3,4 metros] de largura, tendo cada um com sua saída para o pátio. É lá que moram os escravos; os casados juntos num cubículo; os solteiros, dois a três em cada peça; os homens separados das mulheres.*

O reverendo Robert Walsh, que em 1829 visitou uma fazenda de gado com "uma centena de negros" em uma região próxima a Magé, no Rio de Janeiro, descreveu outro tipo de senzala. Em vez de compridos pavilhões, eram constituídas por quarenta e cinquenta cabanas individuais dispostas em círculos ao redor de um terreiro central:

> As choças eram muito toscas, feitas com paus e cobertas com folhas de palmeira, e seu teto era tão baixo que só no centro delas uma pessoa conseguiria manter-se perfeitamente ereta. Um tabique feito de vime trançado dividia as choupanas em dois cômodos [...]; uma porta de taquara trançada vedava a entrada.

Segundo Walsh, num dos cômodos cabia apenas uma cama, armada sobre paus (a tarimba); no outro ardia um fogo, que era mantido aceso o tempo todo, mesmo nos dias mais quentes. Outro naturalista, o suíço Johann Jakob von Tschudi, esteve em Cantagalo, Rio de Janeiro, em 1860 e relatou:

> No páteo em que se encontra a casa-grande existem em geral dois edifícios compridos, de construção primitiva, as chamadas senzalas ou habitações dos negros, onde os homens são alojados separadamente das mulheres. [...] Ao longo dessas construções estão as tarimbas, cerca de três pés [aproximadamente um metro] acima do chão, e no centro um corredor bastante largo e alguns fogões primitivos, nos quais os negros preparam às vezes um ou outro prato. As tarimbas, das quais cada uma mede 2,5 a 3 pés de largura, são separadas uma da outra por uma divisão de madeira de três pés de altura, tendo na frente uma esteira ou coberto para tapar a entrada do lado do corredor.

Ainda segundo Tschudi, as senzalas ficavam abertas até as dez horas da noite. Depois disso, "a um sinal dado por uma campainha, os homens e as mulheres se retiravam, cada qual para sua habitação, e o guarda as trancava à chave, abrindo-as na manhã seguinte". A vigilância contra fugas e saídas não autorizadas era rigorosa. À noite, as senzalas eram trancadas por fora, com correntes e cadeados. Em Vassouras, uma lei municipal determinava: "Qualquer escravo encontrado à noite ou qualquer hora do dia fora dos limites da fazenda de seu senhor, [...] sem permissão por escrito de seu senhor ou membros de sua família, será punido com 25 a 50 chibatadas".

Uma vez por ano, os cativos recebiam peças de algodão para fazer roupas, e a intervalos menos frequentes também lhes davam um cobertor que lhes servia de abrigo no tempo frio. A indumentária dos cativos não incluía sapatos, que eram considerados indicador da condição de homens e mulheres livres. A falta de calçados deixava os pés dos escravos expostos a ferimentos por espinhos e objetos cortantes e à ação de cobras, insetos e parasitas, entre eles o famoso bicho-de-pé, que causava chagas dolorosas na pele. Os fazendeiros usavam calças de linho branco e camisas de algodão. Nas inspeções ao trabalho dos escravos, calçavam "sapatões" — uma bota curta e rústica de couro, muito resistente — e protegiam a cabeça do sol com chapéus de palha de aba larga. Em casa, trocavam as botas por chinelos de pano. Um fazendeiro rico, ao morrer em 1840, deixou doze camisas, doze calças, oito jaquetas sortidas e uma sobrecasaca. Não chegava a ser um guarda-roupas luxuoso, mas era bem melhor do que o dos escravos. Em média, as despesas com o vestuário da escravaria eram bem modestas. Em 1879, os herdeiros de Cândido José de Campos Ferraz, barão de Porto Feliz, gastaram um total de 1.437 réis para vestir seus 81 escravos, enquanto suas próprias roupas custaram três vezes mais, 4.118 réis.

9. VENDE-SE, COMPRA-SE, ALUGA-SE

"Os negros escravos são os únicos que trabalham no Brasil. Pare o tráfico, acabe com a escravidão, e não restará mais atividade produtiva no Brasil."

Victor Jacquemont, naturalista francês,
ao visitar o Rio de Janeiro em 1828

Negros escravizados carregavam tonéis de água e dejetos de esgoto, transportavam pessoas, puxavam carroças, vendiam comida, serviam de médicos e curandeiros nas esquinas e em barbearias precárias nas quais se cortavam o cabelo e a barba dos transeuntes, mas também se receitavam remédios e se aplicavam ventosas e sanguessugas com o objetivo de "purgar" o sangue de impurezas e maus humores causadores de febres, inchaços, dores e outras doenças. Nas casas, cuidavam dos afazeres domésticos e de todas as necessidades de seus senhores. A imensa maioria exercia atividades braçais, como cultivar lavouras, carregar mercadorias, transportar pessoas — afazeres que, na prática, eram equivalentes ao desempenhado por animais, como mulas, bois e cavalos. O próprio trabalho era, portanto, uma forma de desumanização do escravo.

Desumanizadora, tanto quanto o trabalho, era também a linguagem escravista. Em anúncios de compra, venda e aluguel de pessoas nos jornais, mães negras escravizadas que tivessem crianças recém-nascidas eram descritas como mulheres "com cria", em vez de "com filho" — da mesma forma como, nas feiras agropecuárias do interior do Brasil, vacas, éguas, cabras e outros animais eram oferecidos para venda "com cria" ou "sem cria". A lei permitia que crianças fossem separadas de mães e pais e vendidas para donos diferentes. Duas dessas "crias" eram oferecidas para venda no jornal *O Argos*, de Desterro (atual Florianópolis), em 6 de novembro de 1861:

> *Vende-se uma crioulinha de quatro para cinco anos de idade e um crioulinho de dezoito meses; quem os pretender, na casa de Antônio Francisco Faria, Rua do Príncipe, 1, se indicará.*[1]

Outra "cria", a pequena Joana, de apenas cinco anos de idade, fugiu de casa no ano da Independência do Brasil, conforme apregoava o jornal *O Volantim*, do Rio de Janeiro, em 4 de outubro de 1822:

> *Da Rua da Ajuda número 31 fugiu uma crioulinha de idade cinco anos chamada Joana, olhos redondos e vivos, muito falante, perninhas finas e tortas, pouco azevichada (preta e lustrosa), com um vestidinho de chita verde riscada usado. Quem a noticiar receberá de seu senhor, que mora na dita casa, a recompensa.*[2]

Nas propagandas, havia ainda insinuações de que, além de vendidas com ou sem "cria", a mulher poderia ser assediada ou explorada sexualmente pelo eventual comprador.³ Como neste anúncio publicado no *Diário de Pernambuco* de 28 de abril de 1859:

> *Vende-se uma escrava boa cozinheira, engoma bem e ensaboa, com uma cria de três anos, peça muito linda, própria de se fazer um mimo dela; e também se vende só a escrava, no caso que o comprador não queira com a cria.*

Outro anúncio no mesmo jornal, de 30 de janeiro de 1830, fazia referência explícita à beleza e ao porte físico de uma escrava jovem, que, segundo o texto, poderia interessar a "algum homem solteiro que estiver em circunstâncias de precisar de uma ama de casa para todo serviço necessário".

Nas propagandas de leilões de escravos, alguns eram oferecidos em lotes, junto com animais, todos a serem avaliados e arrematados pela melhor oferta. Em 6 de março de 1854, o *Jornal da Bahia* comunicava que, por determinação do juiz José Joaquim Simões, da Terceira Vara Cível de Salvador, seriam colocados à venda os seguintes bens:

> *Francisco nagô, carregador de cadeira e do serviço de roça, sem moléstia, avaliado em 600 mil réis; Davi nagô, do mesmo serviço, sem moléstia, avaliado em 600 mil réis; Bruno nagô, moço do mesmo serviço, sem moléstia, avaliado em 600 mil réis; Júlio Ussá, do serviço da roça, quebrado das virilhas, avaliado em 400 mil réis; um burro com grande defeito no pé esquerdo e magro, avaliado em 20 mil réis; um dito [burro] com defeito no quarto direito e magro, avaliado em 200 mil réis.*⁴

Pessoas que se julgavam enganadas nas transações de comércio de gente também publicavam anúncios nos jornais, reclamando dos prejuízos, como se os escravos fossem mercadorias com defeito:

> Dona Maria Martins de Melo, cidade de Constituição, comprou três moleques por 5.600 mil réis a Aureliano de Souza Monteiro e protesta não pagar 1.800 mil réis porque um deles é completamente disforme de peito e incapaz de todo o serviço. Vai intentar ação criminosa contra o vendedor.[5]

Em Salvador, filas de carregadores subiam e desciam as ladeiras entre a cidade alta e a cidade baixa levando cargas pesadas e gente. Andavam descalços e seminus, vestidos apenas com um calção de algodão cru, constantemente sob a vigilância e a ameaça do chicote manejado por um capataz. No Rio de Janeiro, depois das dez horas da noite, centenas de cativos atravessavam as ruas levando na cabeça enormes barris de excrementos. Durante o percurso, parte do conteúdo desses tonéis, repletos de amônia e ureia, caía sobre a pele e, com o passar do tempo, deixava listras brancas sobre as costas negras. Por isso, esses trabalhadores escravizados eram conhecidos como "tigres". Devido à falta de um sistema de coleta de esgotos, os "tigres" continuaram em atividade no Rio de Janeiro até 1860 e no Recife até 1882.

"Da perspectiva dos senhores de escravos [...], havia apenas um papel apropriado para os cativos: realizar todas as atividades manuais e servir como bestas de carga da cidade", observou a historiadora norte-americana Mary Karasch.[6] "Uma lei não escrita decretava que os senhores jamais carregassem alguma coisa nem caminhassem longas distâncias, em especial as damas da casa, os escravos tinham o fardo e o monopólio de carregar bens e gente."

Apesar disso, havia, sim, entre os negros escravizados, inúmeros especialistas em serviços considerados mais dignos do que o árduo trabalho braçal, como pedreiros, carpinteiros, pintores, joalheiros, marceneiros, alfaiates, sapateiros e ferreiros. Alguns se destacaram como artistas, músicos, compositores, escultores e pintores. E, ainda assim, eram comprados, vendidos, alugados, emprestados e usados da forma que mais convinha aos interesses de seus senhores.

Os jornais circulavam repletos de anúncios em que essas qualidades eram apregoadas aos leitores. Como nestes dois exemplos do *Correio Paulistano* de 1º de novembro de 1856:

> *Vende-se um moleque de idade de dezessete anos, cozinheiro, entende alguma coisa de fazer doces, tem princípio de costura, sadio, bem-feito, o motivo da venda se dirá ao comprador que não desagradará.*

> *Vende-se uma elegante e bonita mucama, recolhida e de casa particular, com dezoito anos de idade mais ou menos, sadia, sabe engomar roupa de homem e senhora, fazer tiotê [espécie de babado ou dobra nas roupas], costurar e cortar por figurino, tudo com perfeição.*

Além de trabalhar, escravos eram úteis aos senhores em inúmeras outras funções:

- Se um senhor precisasse tomar dinheiro emprestado, serviam de garantia e podiam ser hipotecados a bancos e casas de crédito;
- Podiam ser vendidos a fim de pagar dívidas ou levantar capital para outros investimentos;

- Quando a filha do senhor se casava, podiam servir de dote e ir trabalhar para ela em sua nova moradia;
- Em ocasiões especiais, eram dados de presente para amigos ou parentes do dono, ou a instituições de caridade;
- Também ganhavam dinheiro para o senhor, na condição de escravos alugados a terceiros, incluindo para prostituição;
- Escravas tinham, às vezes, de servir como parceiras sexuais de seus senhores na qualidade de amantes ou concubinas — quando não estupradas simplesmente;
- Na morte do senhor, faziam parte do testamento e eram dados como herança;
- Fazendeiros e homens poderosos podiam contar com seus escravos para organizar milícias ou pequenas forças armadas, com as quais se defendiam ou atacavam os inimigos.

Escravos eram também exibidos como símbolos de status social. A importância de uma pessoa era avaliada pela quantidade de escravos que a acompanhava na rua. Quanto maior o número deles e a riqueza dos detalhes das roupas que vestiam, maior era o prestígio de seus donos na sociedade. Nas manhãs de domingos e feriados, ou nos passeios de fins de tarde, os donos faziam-nos desfilar pelas ruas da cidade para exibir sua posição social e riqueza. No Rio de Janeiro, havia até agências especializadas em alugar cativos com esse fim. Até prostitutas de luxo alugavam pessoas cativas para delas se fazerem acompanhar em missas dominicais ou concertos e peças teatrais. Escravo era, portanto, mais do que sinônimo de mão de obra. "Era sinal de abastança", segundo expressão utilizada pela historiadora Emilia Viotti da Costa.[7]

Viajantes estrangeiros que percorreram o Brasil espantavam-se com a quantidade de negros nas ruas. "Os negros escravos são os únicos que trabalham no Brasil", dizia Victor Jacquemont, naturalista francês, ao visitar o Rio de Janeiro em 1828. "Pare o tráfico, acabe com a escravidão, e não restará mais atividade produtiva no Brasil."[8] A mesma impressão teria o médico alemão Robert Avé-Lallemant, que viveu no Brasil entre 1836 e 1859, a respeito de Salvador, em 1859:

> *Se não soubesse que ela [a cidade] fica no Brasil, poder-se-ia tomá-la sem muia imaginação como uma capital africana, residência de poderoso príncipe negro, na qual passa inteiramente despercebida uma população de forasteiros brancos puros. [...] Tudo que corre, grita, trabalha, tudo que transporta e carrega é negro.*[9]

Uma das peculiaridades do escravismo brasileiro foram os escravos de aluguel e de ganho.[10] No caso de aluguel, os cativos eram simplesmente cedidos por seus donos a empresas, instituições, órgãos do governo, ordens religiosas ou mesmo a particulares, como artesãos e lavradores autônomos, em troca do pagamento de uma determinada quantia mensal. Em geral, o locatário se responsabilizava pelas despesas de alimentação e manutenção do escravo alugado. No sistema de ganho, o escravo tinha autonomia para trabalhar por conta própria, sem a supervisão direta de ninguém. No final do dia, tinha a obrigação de entregar ao seu dono uma quantia previamente combinada. Se ganhasse mais do que isso trabalhando horas a mais ou fazendo serviços extras longe dos olhos do dono, poderia ficar com o excedente que, em geral, era usado como poupança para a futura compra da própria alforria. Em termos práticos, era como se o escravo se tornasse locatário de si mesmo, pagando aluguel a seu senhor. Na Bahia chegou a haver uma greve de escravos ganhadores, em 1857, provocada pela tentativa das autoridades de tributar os rendimentos dos cativos. Os prejuízos e a reação negativa das pessoas que dependiam desse trabalho (virtualmente, a cidade toda) fizeram com que o governo municipal abandonasse o projeto no prazo de apenas dez dias.[11]

No Rio de Janeiro, 2.868 pessoas cativas receberam licenças para trabalhar como "escravos de ganho" na rua entre 1851 e 1870. Do total, 2.195 (77%) eram africanos de origem. Havia também escravos de ganho que se dedicavam à mendicância e à prostituição. Também nesse caso, eram obrigados a pagar ao senhor parte dos ganhos que obtivessem nessas atividades. Mulheres da elite se comportavam como autênticas cafetinas. Cobriam suas cativas com joias e roupas provocativas e as despachavam para as ruas carregando autorizações especiais para circular à noite. Na volta, tinham o compromisso de entregar determinada quantia à senhora. Em *O abolicionismo,* Joaquim Nabuco denunciava a crueldade dessas escravocratas, dizendo haver nas cidades brasileiras "verdadeiros lupanares [bordéis] sem que a polícia tenha olhos para essa mácula asquerosa".

Em 1830, a escrava Genoveva pagava à sua dona, em Salvador, duzentos réis por dia, o equivalente ao preço de 1,4 quilos de carne. Manoel José Dias vivia do aluguel de suas três casas e de seus sete escravos, três mulheres e quatro homens, todos dedicados ao "serviço do ganho da rua". Até mesmo freiras enclausuradas auferiam rendas alugando escravos, caso da madre Maria Thereza Marianna e da madre Juliana Teresa, do convento do Desterro, também na capital baiana.[12]

Em 1847, um inventário em Salvador registrava que escravos de ganho pagavam aos seus donos, em média, quatrocentos réis por dia. Ainda segundo esse documento, esses cativos haviam trabalhado 934 dias (cerca de dois anos e meio), acumulando uma renda bruta de 373 mil e 600 réis, o que na época correspondia a cerca de dois terços do preço de um escravo jovem e masculino. Assim sendo, seria razoável supor que, no sistema de aluguel, um senhor escravocrata poderia recuperar o valor total do seu "investimento", ou seja, o preço pago na compra inicial da pessoa cativa, dentro de quatro a cinco anos. "É tristíssima a condição dos que são obrigados a ganhar diariamente uma certa quantia [...] para os seus senhores", escreveram os naturalistas bávaros Karl Friedrich Philipp von Martius e Johann Baptist von Spix, que visitaram Salvador em 1818. "São considerados como capital vivo em ação e, como os seus senhores querem recuperar dentro de certo prazo o capital e juros empregados, não os poupam."[13]

Nos cálculos do historiador norte-americano Zephyr L. Frank, viver do aluguel de escravos no Rio de Janeiro em 1849 era duas vezes mais lucrativo do que investir no arrendamento de imóveis. Em média, um cativo alugado rendia ao seu senhor 15% ao ano sobre o capital investido na sua compra e manutenção, enquanto os proprietários de imóveis arrendados ganhariam apenas 7% no mesmo período. Frank estudou um caso curioso, o de um ex-escravo, Antônio José Dutra, barbeiro nascido na África, que ficou rico adquirindo imóveis, escravos e uma barbearia. Ao morrer, em 1849, Dutra possuía treze escravos, africanos em sua maioria. Com eles, havia formado uma banda de música de aluguel, que prestava serviços avulsos na capital do Império e, desse modo, assegurava ao seu senhor uma renda maior do que ele auferia com imóveis e com a própria barbearia.[14]

Segundo a historiadora Mary Karasch, a maior empregadora de escravos remadores no Rio de Janeiro era a própria família real, que se deixava transportar em galeotas equipadas com dez a vinte remadores cativos. Quando a princesa Leopoldina chegou ao Brasil, em 1817, recém-casada por procuração com o futuro imperador Pedro I, pelo menos cem marinheiros escravizados tripulavam a galeota real.[15]

Além de contratar remadores alugados, a corte imperial também ganhava dinheiro arrendando a particulares escravos de sua propriedade na fazenda Real de Santa Cruz. Situada a cerca de 60 quilômetros do centro do Rio de Janeiro, a antiga fazenda dos jesuítas, confiscada pelo marquês de Pombal em 1759, foi incorporada ao patrimônio da corte brasileira depois da Independência. Ocupava uma área enorme, entre o litoral e os contrafortes da Serra do Mar. Na época dos religiosos, chegou a abrigar mais de 11 mil cabeças de gado, manejados em 22 currais. Durante o Segundo Reinado, a escravaria em Santa Cruz cresceu de 2.128 cativos em 1849 para 2.235 em 1855. Eram carpinteiros, pedreiros, ferreiros, curtidores de couro, oleiros, lavradores, tecelões, parteiras, entre outras atividades. Havia também uma banda de música, que em 1867 era integrada por 34 negros escravizados. Todos esses cativos eram alugados a fazendeiros e moradores da província do Rio de Janeiro, em geral pelo prazo de três a seis meses, a preços que variavam de acordo com a especialidade de cada um. Incluindo os escravos-músicos, que se apresentavam em festas e ocasiões solenes mediante pagamento avulso. Só não podiam ser vendidos, uma vez que, por lei, o imperador detinha o usufruto de seus serviços.[16]

Muito comum era o aluguel de escravos para atividades industriais urbanas.[17] Em 1840, José Vieira Sarmento empregava em sua fábrica de pentes de tartaruga no Rio de Janeiro onze escravos próprios e mais nove alugados. Em 1855, havia 130 cativos trabalhando em fábricas em Niterói, dos quais 45 eram alugados. Em 1855, a maior fábrica têxtil do Brasil, a Companhia da Ponta D'Arêa, tinha 181 escravos alugados entre seus 622 operários. O aluguel de um escravo proporcionava ao seu senhor ou senhora um lucro anual entre 10% e 20% sobre o investimento inicial feito na compra do escravo.

Nos jornais do Rio de Janeiro, eram frequentes os anúncios

em que proprietários, ao oferecer escravos à venda, indicavam o ganho que o futuro dono poderia esperar colocando-os para trabalhar para terceiros. "Vende-se por muita precisão um reforçado preto que ganha 640 réis por dia", dizia um desses anúncios, no *Jornal do Commercio*, em 6 de fevereiro de 1846.[18] Até crianças eram alugadas como pajens ou para pequenos serviços domésticos, ao custo entre 312 e 419 réis por dia. Muitos "escravos de ganho" sequer moravam junto de seus senhores. Vários deles viviam em quartos alugados em habitações precárias no centro da cidade. Em 1868, foram contabilizados 642 cortiços no Rio de Janeiro, com um total de 9.671 quartos, que abrigavam 21.929 pessoas, muitas delas escravizadas.

Entre a infinidade de serviços avulsos prestados por cativos de aluguel em anúncios em jornais, um dos mais requisitados era o de ama de leite, no qual uma mulher escravizada assumia a responsabilidade de amamentar recém-nascidos de outras mães. Neste exemplo, do jornal *O Novo Íris*, de Desterro (Florianópolis), em 1850, era uma necessidade da maior urgência:

> *Na rua do Livramento, número dez, precisa-se e com a maior brevidade, de uma ama de leite; não se olha o preço, sendo limpa e com abundante leite, dando-se preferência a que não tiver cria.*[19]

Neste anúncio, publicado em São Paulo em 1879, nove anos antes da Lei Áurea, apregoavam-se as qualidades de uma escrava oferecida como ama de leite e também explica-se o motivo pelo qual era posta à venda:

> *AMA DE LEITE*
> *Vende-se uma preta, muito moça com cria; sabendo lavar perfeitamente, e bem desembaraçada para o serviço domés-*

tico; é muito sadia, e o motivo da venda é não querer servir mais a seus antigos senhores.[20]

O sociólogo pernambucano Gilberto Freyre, sempre generoso com a elite senhorial escravista em sua obra clássica, *Casa-grande & senzala*, explicava o motivo pelo qual, no seu entender, as mulheres brancas recorriam a escravas amas de leite, em vez de amamentar elas próprias os filhos:

> *O que houve, entre nós, foi impossibilidade física das mães atenderem a esse primeiro dever de maternidade. [...] Casadas, sucediam-se nelas os partos. Um filho atrás do outro. Um doloroso e contínuo esforço de multiplicação.*[21]

Ou seja, entre uma gravidez e outra, não haveria tempo a ser dedicado à amamentação, relegada às escravas. O raciocínio valia, obviamente, somente para a classe senhorial. Jamais para as mulheres escravizadas que, engravidando seguidamente ou não, com tempo disponível ou não, tinham de seguir amamentando seus filhos e o de outras mães. Jean-Baptiste Alban Imbert, doutor em medicina pela faculdade de Montpellier, na França, chegou ao Brasil em 1831 e tornou-se membro da Academia de Medicina do Rio de Janeiro. Foi autor do tratado *Guia médico das mães de família* e recomendava o uso de amas de leite de maneira a evitar que "as mães muito jovens possam no Brasil suportar as fadigas de uma amamentação prolongada sem grave detrimento de sua saúde bem como a dos filhos". Em seguida, enumerava os cuidados que as senhoras escravocratas deveriam ter na escolha da escrava para essa função: "Os peitos deverão ser convenientemente desenvolvidos, nem rijos nem moles, os bicos nem muito pontudos nem encolhidos, acomodados ao lábio do menino".[22]

Uma sessão da Academia de Medicina de 18 de junho de 1846, citada por Gilberto Freyre, discutiu o altíssimo índice de mortalidade infantil no Brasil. A questão das amas de leite, suspeitas de serem focos de transmissão das doenças que matavam as crianças, foi tratada como um assunto de saúde pública, nos seguintes termos:

1. *A que causa se deve atribuir tão grande mortalidade nas crianças nos seus primeiros anos de vida?*
2. *A prática de amamentação por escravas, com pouco escrúpulo escolhidas, poderá ser considerada como uma das principais?*
3. *Quais as moléstias mais frequentes nas crianças?*[23]

Quase quatro décadas mais tarde, em 1882, em um tratado sobre o assunto, o médico Nicolau Cerqueira recomendava que, antes de ser alugada ou contratada, a ama de leite negra tinha de ser "bem estudada", ou seja, examinada de forma meticulosa, uma vez que, na sua opinião, eram elas "um grande fator da mortalidade assustadora que entre nós destrói a infância". Entre os detalhes a serem observados, sugeria, estavam os dentes, as gengivas, o hálito, os olhos, os gânglios linfáticos e os órgãos genitais. Os seios também deveriam ser bem avaliados, dando-se preferência aos que tivessem "tamanho regular, firmes e elásticos, não muito duros". Os mamilos deveriam ser "isentos de qualquer fenda ou ulceração, [...] de dimensões medianas". Por fim, aconselhava que fossem contratadas somente "mulheres de princípios religiosos e morais, com alguma instrução, de caráter meigo e carinhoso".[24]

O aluguel de amas de leite anunciadas nos jornais custava 645 réis por dia, mais ou menos o preço de um quilo de feijão.[25] Um anúncio no *Diário de Pernambuco* de 29 de setembro de 1859 fazia referência a uma escrava "parida há dez meses, com leite, sem cria", ou seja, sem o filho:

> Vende-se na Rua do Sebo, casa defronte ao número 24, nos dias úteis, das 4 às 6 horas da tarde, uma negra crioula, idade 25 anos, parida há dez meses, com leite, sem cria, cozinha, faz doce, engoma, cose.[26]

Como uma mulher negra poderia ser "com leite" e "sem cria"? Há duas possíveis explicações. A primeira é que o bebê morrera logo após o parto. Em algumas regiões do Brasil, a mortalidade infantil entre os escravizados chegava a 80%.[27] A segunda explicação envolve uma prática cruel e desumana entre os donos de escravos: o hábito de sequestrar a criança recém-nascida ou forçar a mãe a doá-la de imediato a uma das muitas instituições de caridade que na época cuidavam de meninos e meninas órfãos, como conventos e santas casas de misericórdia. Tão logo nascia o bebê, era retirado da mãe e entregue aos cuidados de uma dessas instituições, de modo que a escrava podia ser alugada ou vendida como ama de leite. "A ama escrava, quando é alugada, não leva em sua companhia o seu filho; ela é obrigada pelo seu senhor, a fim de dar um aluguel maior, a abandoná-lo", explicava em 1874 o médico Francisco Moura. "Portanto, ela vai contrariada e odeia a família que a aluga, e principalmente a inocente criança a quem vai fazer as vezes de mãe."[28]

Entre os anúncios de jornais mais populares no século XIX estavam os de buscas por escravos fugitivos, nos quais se ofereciam também recompensas para quem os encontrassem. Em 22 de abril de 1888, ou seja, três semanas antes da Lei Áurea, ainda eram publicados no jornal *Correio de Cantagalo*, cidade no interior do Rio de Janeiro, anúncios procurando escravos fugidos. Em janeiro e fevereiro, no mesmo jornal ainda apareciam ofertas de venda de escravos.²⁹ Os textos tinham sempre um padrão, que incluía o nome do fugitivo, aspecto físico, profissão, alguns hábitos e costumes, o endereço a quem se devia dar informações, o valor da recompensa e o alerta de que qualquer pessoa que o ajudasse a se esconder incorreria em multa e nas penas da lei. A eventual proteção ao fugitivo era punida com prisão e multa. Ao descrever a aparência dos escravos, ofereciam um retrato da maneira brutal com que se tratavam os cativos no Brasil, ao descrever detalhes como "um talho no rosto", "um olho vazado", "um pedaço da orelha cortada", "pernas tortas", "dedo grande do pé cortado", "uma grande cicatriz no alto da cabeça", "sinal de queimadura na pele" e — o detalhe mais comum —, marcas de açoites nas costas e em outras partes do corpo. Alguns fugiam atados aos instrumentos de tortura, como "uma argola de ferro na perna direita", "um ferro no pescoço" ou "o cepo a que estava presa".³⁰ Alguns fugitivos citados nas propagandas exibiam as marcas de ferro quente que haviam recebido antes de embarcar no navio negreiro na Costa da África rumo ao Brasil:

> *No dia 1º de abril desapareceu um moleque pequeno, nação Angola, meio boçal [não aculturado, por ser recém-chegado ao Brasil], com marca no peito esquerdo B.; chama-se Antônio, vestido de calças brancas de riscado e camisa de brim.*³¹

Até menos quatro anos antes da Lei Áurea ainda se tinha o hábito de marcar escravos a ferro quente no Brasil, como revela este anúncio publicado no *Diário de S. Paulo*, em 19 de dezembro de 1884:

> *ESCRAVO FUGIDO*
> *Acha-se açoitado nesta cidade o escravo pardo de nome Adão, de 29 anos de idade, pertencente ao fazendeiro abaixo*

assinado. É alto, magro, tem bons dentes e alguns sinais de castigos nas costas, com a marca S.P. nas nádegas. É muito falador e tem por costume gabar muito a província da Bahia, donde é filho. Quem o prender e levar à Casa de Correção será gratificado com a quantia de 200$000.
São Paulo, 17 de dezembro de 1884.
Saturnino Pedroso.[32]

Como se vê, além do monograma do dono ("S.P.", de Saturnino Pedroso), o fugitivo trazia em seu corpo marcas bem visíveis dos castigos que sofrera em cativeiro, muito provavelmente chibatas nas costas.

Neste anúncio do jornal *Monitor Campista*, de 13 de maio de 1842, fica óbvio que, para alguns senhores escravocratas, não bastava fazer uma única marca a ferro quente do dono no corpo do escravo. Era preciso gravá-las pelo menos duas (nos dois ombros, no caso do primeiro fugitivo), ou quatro vezes (nos dois ombros e em ambos os peitos), no caso do segundo:

Fugiram dois escravos a Caetano Dias da Silva, da vila de Itapemerim, os quais estavam na Fazenda do Limão; um chamado Manoel Paulo e tem em ambas as pás ou ombros, pelas costas, a seguinte marca C.D.S., entrelaçadas; o outro de nome Luciano tem a mesma marca nas duas pás e em ambos os peitos. Dá-se 25$000 de alvíssaras a quem os pegar.

Segundo o jornalista, político e historiador Evaristo de Moraes, ao visitar a cidade de Campos (onde se publicava o *Monitor Campista*), em 1847, o imperador Pedro II, então com 21 anos de idade, teria "notado" a crueldade dos anúncios que citavam "marcas em escravos", mas não tomou providência alguma. Na interpretação de Moraes, condescendente e generosa no tocante à biografia do soberano, nessa época "ainda não havia despertado na alma do imperador o horror do cativeiro, com todas as suas lógicas consequências".[33]

Neste outro anúncio, publicado em 26 de maio de 1852 no *Jornal do Commercio*, do Rio de Janeiro, havia, segundo Evaristo de Moraes, a confissão de um crime:

50$000 DE GRATIFICAÇÃO

Fugiu, no dia 13 do corrente pelas 7 horas da manhã, da rua do Senhor dos Passos, número 74, uma negrinha de nome Carolina, nação nagô, de idade de 13 a 14 anos, cor fula, altura regular, cheia de corpo, tem um sinal perto do olho esquerdo, levou uma pequena trouxa de roupa do seu uso. Essa preta nunca saiu à rua; protesta-se com todo o rigor da lei contra quem a tiver açoitado ou seduzido, e se dará gratificação acima a quem a levar à Rua da Ajuda, número 26.[34]

Qual seria o crime? O de tráfico ilegal de africanos escravizados. Na explicação de Evaristo de Moraes, ao identificar a fugitiva como de "nação nagô", seu dono reconhecia publicamente que era de origem africana iorubá (chamada no Brasil de nagô), etnia de povos habitantes no interior da atual República da Nigéria. Como era ainda adolescente, de treze para catorze anos, fora trazida para o Brasil depois da proibição oficial do tráfico negreiro, em 1831. Chegara, portanto, a bordo de um dos milhares de navios clandestinos que atravessaram o Atlântico na época.

10. O VALONGO

No bairro da Gamboa, na cidade do Rio de Janeiro, os ossos falam. Eles contam uma história de dor e sofrimento por muito tempo escondida nas entranhas da terra. Ali nas imediações funcionava, até meados do século xix, o Cais do Valongo, maior entreposto de compra e venda de seres humanos do continente americano. Na época da Independência do Brasil, navios negreiros vindos da costa da África despejavam nessa região, por ano, entre 18 mil e 45 mil homens, mulheres e crianças escravizados.[1] Muitos chegavam desnutridos, doentes, fracos demais para serem exibidos de imediato nos concorridos leilões públicos, onde pessoas de aparência mais saudável eram arrematadas por valores altos. Em vez disso, permaneciam em quarentena, para serem engordados e tratados das doenças, ritual que mais tarde permitiria ao vendedor apresentá-los aos compradores em condições de alcançarem melhores preços. Milhares deles, no entanto, não conseguiam sobreviver à essa experiência tão traumática. Morriam antes de encontrar um novo dono. Os corpos eram, então, atirados em valas comuns, quase à flor da terra. Ainda hoje, seus restos podem ser observados em algumas delas.

A morte era uma realidade concreta e sempre presente para aqueles que cruzavam o Atlântico nos porões dos navios negreiros. Na primeira metade do século XIX, o Brasil bateu todos os recordes em 350 anos de escravidão negra e africana. No espaço de apenas cinco décadas, 2.376.141 homens e mulheres foram arrancados de suas raízes, marcados a ferro quente e despachados à força rumo às cidades e lavouras brasileiras. Nunca tantos escravos chegaram ao país em tão pouco tempo. Ao todo foram 10.923 viagens, quase um terço do total de 36.110 catalogadas para todo o continente americano ao longo de três séculos e meio pelo banco de dados slavevoyages.org. Do total de embarcados, apenas 2.061.624 atingiram o destino. Os demais 314.517 morreram e foram sepultados no mar — em média, dezessete cadáveres eram lançados das amuradas dos navios todos os dias, para serem devorados por tubarões e outros predadores marinhos.[2]

Inúmeras doenças viajavam com os cativos: escorbuto, varíola, sarampo, malária, febre amarela e tifoide, disenteria, hepatite, anemia e oftalmia (uma infecção contagiosa dos olhos que frequentemente levava à cegueira). Em 1841, o navio português *Dois de fevereiro* foi capturado pelo cruzador britânico *Fawn* ao largo da costa brasileira, na altura de Campos, litoral norte do Rio de Janeiro. Os escravos, arrancados da penumbra dos porões e levados para o convés, foram assim descritos no diário de bordo:[3]

> *Os vivos, os moribundos e os mortos amontoados em uma única massa. Alguns desafortunados no mais lamentável estado de varíola, sofrivelmente doentes com oftalmia, alguns completamente cegos, outros, esqueletos vivos, arrastando--se com dificuldade para cima, incapazes de suportarem o peso de seus corpos miseráveis. Mães com crianças pequenas penduradas em seus peitos, impossibilitadas de darem a*

elas uma gota de alimento. [...] Todos estavam completamente nus. Seus membros apresentavam escoriações por terem permanecido deitados sobre o chão de madeira durante tanto tempo. No compartimento inferior, o mau cheiro era insuportável. Parecia impossível que seres humanos pudessem respirar tal atmosfera e sobreviver.

Três dias após a captura, o *Dois de fevereiro* ancorou no Rio de Janeiro, ainda escoltado pela marinha britânica. Encarregado de cuidar dos escravos no navio-hospital *Crescent*, o cirurgião naval Thomas Nelson anotou em seu relatório a aparência dos recém-chegados:

Magros, sombras cambaleantes, as feições contraídas, seus grandes olhos parecendo que iriam saltar das órbitas a qualquer momento, e, pior que tudo, suas barrigas franzidas, formando um perfeito buraco, como se elas tivessem se desenvolvido no sentido das costas.[4]

A morte, portanto, rondava aqueles que faziam a travessia do Atlântico, mas também aqueles que conseguiam completar a jornada. Uma vez desembarcados, muitos não tinham condições de sobreviver mais do que alguns dias em solo brasileiro. Segundo os cálculos do historiador norte-americano Joseph Miller, já mencionados no primeiro volume desta trilogia, cerca de 15% dos "pretos novos" morreriam nos três primeiros anos de vida no Brasil, o que corresponderia a aproximadamente 310 mil pessoas no intervalo de tempo citado acima. No interior, os fazendeiros calculavam que os jovens africanos tinham uma expectativa de vida de pouco mais de sete anos. Apenas.

As pedras nuas do Valongo e os ossos da Gamboa são testemunhas dessa história brutal e dolorosa. Ali jazem, por exemplo, os dez escravos que o traficante Miguel F. Gomes Filho mandou sepultar de uma só vez, na mesma vala, no dia 25 de agosto de 1826. Vinham de Benguela, litoral de Angola, transportados pela bergantim *Luís de Camões*, cujos registros se referem a "muita bexiga", ou seja, casos de varíola, a bordo. Em um único ano, 1828, cerca de 2 mil corpos foram ali sepultados sem identificação. Estima-se que o total chegaria a 20 mil cadáveres até a desativação do cemitério a céu aberto, em 1830.[5]

Esse local assombrado pelas dores da escravidão por muito tempo foi de propósito mantido no esquecimento. Embora a existência do cemitério de escravos fosse conhecida de historiadores e da literatura sobre a cidade do Rio de Janeiro, durante décadas sua exata localização era ignorada nos mapas de ruas e nos guias turísticos. Situada entre os bairros da Gamboa, da Saúde e do Santo Cristo, a antiga rua do Valongo até mudou de nome. Hoje chama-se rua Camerino. Ao final dela, em direção à praça Mauá, uma ladeira denominada Morro do Valongo, sem nenhuma placa, monumento ou explicação, é a única referência geográfica que restou. É como se o Brasil, de alguma forma, tentasse esquecer o velho mercado negreiro e a mancha que ele representaria em nossa história.

Os ossos da Gamboa irromperam do subsolo de forma abrupta pouco tempo atrás. Em 1996, a família Guimarães dos Anjos, moradora da rua Pedro Ernesto, 36, decidiu fazer reformas na sua casa, construída no início do século XVIII. Durante as escavações, apareceram em meio ao entulho centenas de fragmentos de ossadas humanas misturadas a cacos de cerâmica e vidro. Era o começo de uma série de descobertas importantíssimas, enriquecidas depois pelas obras de reurbanização da vizinha Zona Portuária. Até o ano de 2017 os arqueólogos haviam reunido 5.563 fragmentos de ossos. Pertenciam a 28 corpos de jovens do sexo masculino, com idades entre 18 e 25 anos. Todos eles apresentavam sinais de cremação. O motivo é óbvio: no Rio de Janeiro daquela época só os brancos tinham o privilégio de serem sepultados em espaços considerados sagrados, como as igrejas, próximos de Deus e do paraíso celeste, segundo se acreditava. Os escravos eram jogados em terrenos baldios ou valas comuns, nas quais se ateava fogo. Tudo era depois coberto por uma camada de cal, para evitar a propagação de mau cheiro e doenças.

Nas escavações arqueológicas da Gamboa, os pesquisadores encontraram, além dos ossos, 466.035 artefatos identificados como pertencentes à cultura negra e africana. São utensílios domésticos e objetos pessoais, como partes de calçados, botões feitos com ossos, colares, amuletos, anéis e pulseiras em piaçava, jogos de búzios e peças usadas em rituais religiosos. Entre os achados raros, há uma caixinha de joias, esculpida em antimônio, com desenhos de uma caravela e de figuras geométricas na tampa. Em razão de todas essas descobertas, em 2017 o Valongo finalmente foi incluído na lista dos patrimônios mundiais da humanidade pela Unesco, a agência da Organização das Nações Unidas responsável pelo fomento à educação, ciência e cultura. Hoje, é considerado um dos lugares mais emblemáticos do Brasil escravista no século XIX.

Na rua Pedro Ernesto, local dos primeiros achados em 1996, funciona atualmente o Instituto Pretos Novos (IPN), instituição dedicada ao estudo e à preservação da memória da escravidão que sobrevive com grandes dificuldades graças ao apoio de um dedicado grupo de voluntários.[6] Seu acervo inclui uma biblioteca especializada em história negra e africana, e um pequeno museu-memorial. Logo na entrada, os visitantes passam sobre uma placa de vidro no piso sob a qual estão visíveis algumas ossadas nas covas rasas em que originalmente foram lançadas. São os restos de pessoas anônimas, como todas as demais desenterradas na região do Valongo pelos arqueólogos. Pelo menos uma delas, no entanto, já ganhou nome, idade e sexo. Uma pesquisa mais recente apontou que um dos corpos pertencia a uma mulher jovem nascida na África. Foi batizada pelos arqueólogos como Josefina Bakhita em homenagem à primeira santa africana, padroeira dos sequestrados e escravizados, canonizada em 2000 pelo papa João Paulo II. Bakhita, em dialeto núbio do Sudão, significa "bem-aventurada".

O mercado de escravos do Valongo foi criado no final do século XVIII. Até essa época, as operações de compra e venda de pretos novos aconteciam na rua Direita, atual Primeiro de Março, no centro do Rio de Janeiro. Os africanos desembarcavam na antiga Praia do Peixe (atual Praça XV). Muitos eram ali mesmo vendidos ou entregues a compradores que os haviam encomendado com antecedência aos traficantes. Os demais eram encaminhados ao mercado da rua Direita, onde ficavam expostos em meio a caixas e fardos de mercadorias. Os que morriam eram levados para o Cemitério dos Pretos Novos, no Largo de Santa Rita.

Apesar da banalidade do comércio de gente no Brasil colonial, a concentração de milhares de africanos nus, esquálidos e doentes em pleno coração da cidade era motivo de desconforto para os moradores e visitantes. As precárias condições de higiene nos locais dos leilões geravam protestos frequentes. Por essa razão, em 1774, em resposta às reclamações, o vice-rei Luís de Almeida Soares Portugal, marquês de Lavradio, decidiu transferir o mercado negreiro da rua Direita para uma área mais distante do centro, o Valongo, "um subúrbio da cidade, separado de todo o contato", segundo explicaria cinco anos mais tarde, em um documento com instruções para seu sucessor, Luís de Vasconcelos e Souza:

Havia nesta cidade o terrível costume de tão logo os negros desembarcassem no porto vindos da costa africana, entra-

vam pela cidade através das principais vias públicas, e não apenas carregados de inúmeras doenças, mas nus. E porque a essa espécie de gente não são dadas maiores instruções, é como qualquer bruto selvagem: eles faziam tudo o que a natureza sugeria no meio da rua, onde ficavam sentados em algumas tábuas ali colocadas, causando não apenas a pior espécie de mau cheiro nessas ruas e cercanias, mas também oferecendo o espetáculo mais terrível que o olho humano pode testemunhar. Pessoas decentes não se atreviam a ir às janelas; os inexperientes aí conheciam o que não sabiam e não deveriam saber; e tudo isso era permitido sem qualquer restrição, e apenas para render o ganho absurdo para os mercadores de escravos.[7]

Por volta de 1817, já havia 34 grandes estabelecimentos de comércio de escravos em funcionamento no Valongo. Era um dos locais mais movimentados na cidade do Rio de Janeiro. A rotina de desembarque de africanos se desdobrava em três etapas.[8] Na primeira, os recém-chegados deixavam os navios negreiros inteiramente nus, nas mesmas condições em que haviam atravessado o Atlântico, e eram levados à Casa da Alfândega, ainda no centro do Rio de Janeiro, onde se arrecadavam os impostos sobre todos os cativos com mais de três anos. Em seguida, iam para a quarentena sanitária (na ilha de Jesus após 1810), onde ficavam confinados por pelo menos oito dias, de modo a evitar que eventuais doenças fossem transmitidas ao restante da população carioca. Vencido esse prazo, seguiam para as mãos de um mercador de escravos em um dos muitos barracões localizados no Valongo. Após a chegada da corte portuguesa, em 1808, a procissão de escravos nus pelas ruas se tornou obviamente constrangedora para os muitos diplomatas, artistas, comerciantes e viajantes estrangeiros que começaram a frequentar o Rio de Janeiro em número cada vez maior. Por isso, o príncipe regente dom João ordenou que, ao desembarcar, os escravos fossem vestidos para a curta jornada que faziam, amarrados e acorrentados uns aos outros, até os armazéns do Valongo. Dali em diante, poderiam continuar nus, se o vendedor assim o desejasse.

Depois de 1831, quando o tráfico foi declarado ilegal, eliminou-se também a escala para recolhimento de tributos na Casa da Alfândega. A partir daí, como já se viu em um dos capítulos anteriores, os africanos eram desembarcados em lugares ermos da costa brasileira, às escondidas, longe dos olhos das autoridades e, principalmente, dos agentes britânicos responsáveis pela repressão ao tráfico no Atlântico. Ainda assim, o Valongo continuou a funcionar como um mercado informal e clandestino de carne humana escravizada pelo menos por mais duas décadas. O médico e naturalista prussiano F.T.J. Meyen, tripulante do navio *Princesa Louisa*, que passou pelo Rio de Janeiro pouco antes da proibição do tráfico pela Lei Eusébio de Queirós de 1850, assim descreveu o local:

> *Visitamos os depósitos de escravos do Rio e encontramos muitas centenas deles praticamente nus, os cabelos cortados, parecendo objetos medonhos. Estavam sentados em bancos baixos ou amontoados no chão, e sua aparência nos fez estremecer. A maioria daqueles que vimos era de crianças, e quase todos esses meninos e meninas tinham sido marcados com ferro quente no peito e em outras partes do corpo. Devido à sujeira dos navios em que viajaram e à má qualidade de sua dieta (carne salgada, toucinho e feijão), tinham sido atacados por doenças cutâneas, que a princípio apareciam em pequenas manchas e logo se transformavam em feridas extensas e corrosivas. Devido à fome e à miséria, a pele havia perdido sua aparência preta e lustrosa.*

Ao chegar ao Valongo, os escravos eram banhados e untados com óleo de dendê, de modo a parecerem mais saudáveis. Os homens tinham a barba e o cabelo raspados. Os traficantes também cuidavam de lhes dar, nos primeiros dias, rações mais generosas de água e uma alimentação mais reforçada, à base de pirão de farinha de mandioca e angu de fubá temperados com pedaços de carne seca e toucinho. Eram alimentados duas vezes por dia, a primeira por volta das nove horas da manhã, a segunda no meio da tarde. Conforme já descrito no primeiro volume desta trilogia, esses cuidados faziam parte de um meticuloso processo cosmético destinado a transformar seres humanos em mercadorias atraentes na hora de venda. Do sucesso dessa operação dependia grande parte dos lucros do negócio. O segredo era apresentar os pretos novos com a aparência mais saudável possível, de maneira a impressionar os compradores e, assim, obter preços melhores por eles.

Quando o navio se aproximava da costa brasileira, a primeira providência consistia em retirar, com dias de antecedência, as correntes e algemas que os prendiam, de modo que, ao chegar, não houvesse marcas visíveis na pele. A segunda era lavá-los cuidadosamente, com esponja e sabão. Feridas eram tratadas e cobertas com pó cicatrizante. Os homens tinham os cabelos raspados e a barba escanhoada. Eventuais fios grisalhos seriam arrancados ou pintados de preto. Os mais velhos, cuja pele estivesse macilenta ou enrugada, teriam o rosto e o tronco polidos com pedra ou areia fina. Por fim, os marinheiros untavam os corpos africanos com óleo de dendê, de maneira que ficassem brilhantes e parecessem bem hidratados. Só então eram apresentados aos compradores no Valongo. Durante o tempo em que ficavam expostos à venda, os recém-chegados eram submetidos a exames detalhados, por parte dos potenciais compradores.[9] Nos leilões públicos, eram exibidos sobre um tablado, enquanto o pregoeiro descrevia suas supostas qualidades.

Pais, mães, filhos e irmãos eram vendidos separadamente, sem que se respeitassem os vínculos familiares e afetivos. O processo de venda envolvia uma série de humilhação para os escravos que, exaustos pela travessia do oceano e assustados na chegada a uma terra que desconheciam, seriam submetidos a um minucioso exame de seus corpos, incluindo as partes íntimas. Inteiramente nus, eram pesados, medidos, apalpados, cheirados e observados nos mínimos detalhes. Tinham de correr, pular, esticar braços e pernas, respirar fundo e tossir. Os compradores enfiariam os dedos na sua boca, para checar se os dentes estavam em bom estado e se a coloração da língua era adequada.

O diplomata inglês Henry Chamberlain, que viveu no Rio de Janeiro no começo do século XIX, descreveu da seguinte forma a compra de gente no Valongo:

> *Quando uma pessoa quer comprar um escravo, ela visita os diferentes depósitos, indo de uma casa a outra, até encontrar aquele que o agrada. Ao ser chamado, o escravo é apalpado em várias partes do corpo, exatamente como se faz quando se compra um boi no mercado. Ele é obrigado a andar, a correr, a esticar seus braços e pernas bruscamente, a falar, a mostrar a língua e os dentes. Esta é a forma considerada correta para avaliar a idade e julgar o estado de saúde do escravo.*[10]

Os senhores escravocratas tinham uma série de preceitos (e preconceitos) relacionados à aparência física dos africanos que, segundo se dizia, permitiria distinguir o bom do mau escravo. Jean-Baptiste Alban Imbert, doutor em medicina pela faculdade de Montpellier, na França, e membro da Academia de Medicina do Rio de Janeiro, que chegou ao Brasil em 1831, recomendava que os compradores evitassem negros de cabelos demasiadamente crespos, testa pequena ou baixa, olhos encovados e orelhas grandes, todos, segundo ele, indícios de mau caráter. Também desaconselhava a compra de pessoas com nariz muito chato e ventas muito apertadas, sinais de que, segundo dizia, prejudicavam a respiração, comprometendo a capacidade de trabalho do cativo. Pescoço comprido com espáduas elevadas, muito inclinadas para a frente, tornando o peito estreito, eram indícios de que os órgãos situados nas cavidades do tronco estariam doentes. Devia-se ainda recusar negros que tivessem pernas compridas e pés chatos. Segundo Imbert, os candidatos a fazer uma boa compra deveriam preferir africanos que tivessem "pés redondos, barrigas da perna grossas e tornozelos finos, o que as tornava mais firmes; pele lisa, não oleosa, de bela cor preta, isenta de manchas, de cicatrizes e de odor demasiado forte". Por fim, era necessário examinar meticulosamente as partes genitais para verificar se estavam "convenientemente desenvolvidas". Segundo ele, "um negro saudável capaz de suportar o trabalho pesado" deveria ter as seguintes características:

> *Pele preta lisa e sem odor; órgãos genitais nem muito grandes nem muito pequenos; abdome reto e umbigo pequeno; caso contrário, poderá ter hérnias; pulmões largos; não apresentar ínguas sob a pele — sinais de escrofulose e predisposição à tuberculose; músculos bem desenvolvidos; carne firme e apresentação nas feições e atitudes, animação e vivacidade; se tais condições forem encontradas, o amo terá um escravo com saúde, força e inteligência garantidas.*[11]

No esforço de converter africanos em mercadoria atraente, os negociantes contratavam professores de português, que lhes ensinavam rudimentos do idioma, o que os tornava mais valiosos na hora da compra. Também recebiam aulas de catecismo, de modo que, ao chegar à senzala ou ao local de trabalho, tivessem noções mínimas da doutrina católica. Escravos vacinados contra a varíola alcançavam preços superiores aos demais. Nos séculos anteriores, diferentes regiões do Brasil haviam sido varridas por epidemias associadas à chegada recente de navios negreiros, o que fez com que as autoridades impusessem a obrigatoriedade da vacinação enquanto o tráfico foi permitido.

Prática antiga, herdada dos primeiros tempos da colônia portuguesa, os leilões de pessoas só foram legalmente proibidos no Brasil por decreto de 15 de setembro de 1869, faltando menos de duas décadas para a Lei Áurea. No mesmo decreto se proibiu a separação de marido, mulher e filhos em idade inferior a quinze anos. A rigor, os leilões continuaram a existir, mas, a partir daí, as negociações tinham de ocorrer de forma mais discreta, longe dos olhos do público, mediante propostas por escrito que deveriam ser submetidas aos juízes pelos arrematantes.

Uma vez fechada a compra, os escravos eram marcados a ferro quente, com os nomes de seus novos donos. O tenente alemão Julius Mansfeldt, que visitou o Rio de Janeiro em 1826, descreveu essa prática em detalhes. Primeiro o marcador lambuzava a área da pele com gordura animal. Em seguida, aplicava sobre ela um pedaço de papel mergulhado em óleo. Por fim, uma haste de estanho aquecida sobre um braseiro, recortada com as iniciais do senhor de escravos, era pressionada sobre esse retalho de papel. Isso fazia com que a carne se inchasse, na forma de um vergão ou cicatriz definitiva e, ao mesmo tempo, impedia que a pele fosse arrancada pelo contato direto com o metal em brasa.[12] Alguns escravos, ao chegar ao seu destino final de trabalho, exibiam até cinco diferentes marcas de ferro quente, nas quais estavam registradas as iniciais do primeiro e do segundo comprador na África, do traficante responsável pela viagem até o Brasil, o selo do comprador após o desembarque e, por fim, uma pequena cruz indicando que havia sido batizado em algum ponto da viagem negreira.

Nem todos os escravos eram arrematados em leilão. Os africanos homens, de boa aparência, jovens, fortes e saudáveis, definidos como "peças de boa qualidade" eram chamados de "primeira escolha", oferecidos a compradores mais abastados, clientes fiéis e de longa data dos vendedores. Muitos já chegavam da África reservados ou vendidos com antecedência, em contratos de encomendas diretas firmados entre compradores e traficantes. As mulheres, as crianças e os mais velhos, mais frágeis ou com algum defeito físico, acabavam sendo vendidos em um mercado secundário, a preços mais em conta e, em geral, comprados por pessoas de menor poder aquisitivo. Havia também comerciantes que arrematavam escravos doentes ou desnutridos na esperança de que se recuperassem e pudessem, mais tarde, serem revendidos a preços melhores. "Todos podiam ter acesso à mercadoria humana", escreveu o historiador Júlio César Medeiros da Silva Pereira. "Os mais ricos compravam os sãos, os mais pobres compravam os moribundos, mas mesmo estes não perdiam dinheiro, pois, após curar os escravos de suas enfermidades, vendiam-nos novamente por um preço satisfatório."[13]

Por fim, havia uma espécie de vendedor ambulante de escravos, que percorria as ruas do Rio de Janeiro oferecendo-os de casa em casa, como faziam os vendedores de leite, comida pronta, capim, água e outras mercadorias. Acorrentados e descalços, esses grupos de escravos perambulavam pelas ruas até que o vendedor encontrasse alguém interessado na compra. Outros eram conduzidos a praças ou feiras livres de bairros mais distantes e ficavam expostos, à espera da melhor oferta ao lado de frutas, verduras e animais.

O mesmo sistema de vendas a varejo funcionava no interior do Brasil.[14] Tropeiros e mascates, especializados em fornecer mulas, tecidos de armarinho e outras mercadorias nas áreas rurais, muitas vezes incluíam escravos no seu catálogo de "produtos". Em geral, iam ao Valongo ou às casas de leilão do Rio de Janeiro, compravam cativos a crédito, que, organizados em pequenas caravanas, iam sendo oferecidos de fazenda em fazenda no Vale do Paraíba, no sul de Minas Gerais ou cidades do interior fluminense. Feita a venda de todo o lote, o mascate retornava à capital, saldava o débito da compra anterior e, de imediato, negociava outro lote de cativos. Grandes casas comerciais eram mais organizadas. Vendiam lotes de escravos por antecipação, antes ainda da chegada do navio negreiro aos portos brasileiros, e permitiam o pagamento a crédito, mediante a emissão de letras de câmbio. Eram esses negociantes que colocavam anúncios nos jornais comunicando ao público a chegada de um novo carregamento. Em 15 de setembro de 1830, o *Correio Mercantil*, do Rio de Janeiro, noticiava:

> *Costa & Ottani fazem um leilão hoje na Rua dos Ourives, número 192, esquina da Rua do Sabão, de uma porção de escravos novos e ladinos, e obras em prata, diamantes, e baixela, e uma porção de mercadorias de diferentes qualidades, tudo em nome de seus donos.*

Agências de compra, venda e aluguel de escravos, abastecidas pelo Valongo, se multiplicavam nas cidades brasileiras. Uma dessas casas especializadas, a de Narcizo e Silva, forneceu, em 1856, uma escrava para José Thomaz Nabuco de Araújo, ministro do Império e pai do abolicionista pernambucano Joaquim Nabuco, mediante um pagamento inicial de 20 mil réis, mais uma taxa mensal de 2 mil réis.

O Valongo é um dos mercados de cativos mais bem documentados na história da escravidão graças, especialmente, aos relatos de diversos viajantes que o visitaram no começo do século XIX. Segundo esses documentos, os armazéns ocupavam os andares inferiores dos edifícios enfileirados às margens de uma rua sinuosa, amplos o suficiente para acomodar entre trezentos e quatrocentos escravos cada um. Os cativos mais velhos se sentavam em bancos alinhados junto às paredes, já os mais novos, as mulheres e crianças ajoelhavam-se próximos uns aos outros no centro do cômodo. Enquanto aguardavam serem vendidos, permaneciam quase sempre nus. As mulheres usavam "uma pequena faixa de algodão trançado ao redor dos quadris" e nada mais. Para evitar epidemias de sarna e piolhos, as cabeças eram raspadas. Dormiam em bancos, esteiras ou no próprio chão, guardados por um encarregado que caminhava entre eles para manter a ordem.

Em 1823, alguns meses após o Grito do Ipiranga, Maria Graham, também viajante inglesa e amiga da imperatriz Leopoldina, primeira mulher de dom Pedro I, registrou no seu diário:

1º de maio de 1823: vi hoje o Valongo. É o mercado de escravos do Rio. Quase todas as casas desta longuíssima rua são um depósito de negros cativos. Passando pelas suas portas à noite, vi na maior parte delas bancos colocados rente às paredes, nos quais filas de jovens criaturas estavam sentadas, com a cabeça raspada, os corpos macilentos, tendo na pele sinais de sarna recente. Em alguns lugares, as pobres criaturas jaziam sobre tapetes, evidentemente muito fracas para sentarem-se.[15]

Três anos mais tarde, em 1826, o explorador escocês John McDouall Stuart, ao fazer uma escala no Rio de Janeiro a caminho da Austrália, calculou que houvesse um total de 2 mil escravos em exposição para venda no Valongo, estocados em cerca de cinquenta barracões. Na mesma época, o oficial da Marinha britânica Charles Brand visitou o local no exato momento em que um grande carregamento de africanos escravizados acabara de desembarcar. Ele descreveu o mercado em cores fortes, chamando os barracões de "lojas de carne":

> *A primeira loja de carne em que entramos continha cerca de trezentas crianças, de ambos os sexos; o mais velho poderia ter doze ou treze anos e o mais novo, não mais de seis ou sete anos. Os coitadinhos estavam todos agachados em um imenso armazém, meninas de um lado, meninos de outro, para melhor inspeção dos compradores; tudo que vestiam era um avental xadrez azul e branco amarrado na cintura; [...] o cheiro e o calor da sala eram muito opressivos e repugnantes. [...] Nessa mesma sala vivem e dormem, como gado em todos os aspectos.*[16]

Inúmeras também são as descrições feitas por viajantes do cemitério de escravos situado nas imediações do mercado negreiro. O alemão G.W. Freireyss visitou o local em 1814 e calculou que as valas comuns ocupassem cerca de cinquentas braças de extensão, mais ou menos o comprimento de um campo de futebol:

> *Próximo à rua do Valongo está o cemitério dos que escapam para sempre à escravidão. [...] Visitei este triste lugar. [...] Alguns pretos estavam ocupados em cobrir de terra seus patrícios mortos e, sem se darem ao trabalho de fazer uma cova, jogavam apenas um pouco de terra sobre o cadáver, passando em seguida a sepultar outro. No meio deste espaço havia um monte de terra da qual, aqui e acolá, subiam restos de cadáveres descobertos pelas chuvas [...] e ainda havia muitos corpos que ainda não tinham sido enterrados. Nus, estavam apenas envoltos numa esteira, amarrada por cima da*

cabeça e por baixo dos pés. [...] Como os cadáveres facilmente se decompõem, o mau cheiro é insuportável.[17]

Na primeira década do Brasil independente, o mercado do Valongo e o seu vizinho cemitério de escravos começaram a ser alvo de frequentes reclamações da população carioca. Nos treze anos em que a corte portuguesa esteve no Brasil, entre 1808 e 1821, o número de moradores do Rio de Janeiro mais do que dobrou. O de escravos, triplicou. A cidade, antes restrita a um vilarejo onde hoje se localiza a área central, transbordou para a periferia, chegando rapidamente até as imediações do Valongo, que na época do vice-rei marquês do Lavradio era ainda um local ermo e distante. Em 8 de outubro de 1824, o provedor-mor da Saúde, Francisco Manoel de Paula, fez um relatório em tom alarmista sobre as condições de higiene na região. Segundo ele, o Cemitério dos Pretos Novos havia se tornado pequeno demais para abrigar tantos cadáveres. Em média, eram 1.019 novos sepultamentos por ano:

> *O dito cemitério no lugar em que se acha causa prejuízo à saúde e comodidade geral dos moradores [...]; por ser muito pequena a superfície do terreno relativamente ao número de cadáveres, cercado de casas que embaraçam a corrente de vento necessária para conduzir as emanações do cemitério para fora da povoação; por ter o terreno muito pouca altura de terra sobre o pântano, de maneira que a pouca profundidade ficam os cadáveres mergulhados em água; [...] sendo além disso de crer que haja descuido no modo de fazer as sepulturas, por ser isso entregue a um negro coveiro, e que portanto deve ser removido para lugar competente.*

Em janeiro de 1829, um editorial do jornal *Aurora Fluminense*, de Evaristo da Veiga, fazia coro aos protestos dos moradores:

> *O que concorreria desde já para assegurar a salubridade do nosso Rio de Janeiro seria a formação de cemitérios fora do povoado, para não estarmos respirando em todos os ângulos a putrefação dos corpos [...] sepultados à flor da terra.*[18]

As reclamações acabaram finalmente atendidas no ano seguinte. O cemitério deixou de funcionar em 4 de março de 1830. Nesse dia, foi ali lançado o último cadáver de um "preto novo", cujo nome a história não registrou.

***

Neste início de século XXI, os ossos da Gamboa e as pedras do Valongo falam, mas também silenciam. Essa região do Rio de Janeiro seria candidata natural a sediar um grande museu nacional da escravidão. Instituições semelhantes existem em outros países cujas histórias estão relacionadas ao cativeiro africano — caso dos Estados Unidos, da Inglaterra e de Angola. Museus, como se sabe, não são apenas lugares de passeio e entretenimento. São locais de estudo e reflexão. Famoso pelo descuido com seu patrimônio histórico, artístico e cultural, o Brasil tem, apesar disso, museus importantes e relativamente bem cuidados, como o Imperial, de Petrópolis, e o Histórico Nacional, do Rio de Janeiro. Tem museus surpreendentes e inovadores, como o da Língua Portuguesa, em São Paulo, e o do Amanhã, no Rio de Janeiro. Porém, jamais houve a preocupação de criar um grande museu da escravidão, mesmo tendo o nosso país sido o maior território escravista do hemisfério ocidental por mais de trezentos anos. A ausência de um museu com esse perfil é, portanto, parte de um projeto nacional de esquecimento — como denuncia de forma eloquente o silêncio dos mortos da Gamboa e do Valongo.

11. A TESTEMUNHA

EXISTEM MUITOS LIVROS SOBRE a escravidão, mas neles o que menos aparece é a memória de seus protagonistas, os homens e mulheres escravizados. A maioria deles não deixou traço algum de sua existência. Muitos eram analfabetos. Outros consumiram suas vidas em jornadas exaustivas de trabalho, que frequentemente começavam bem antes do nascer do sol e seguiam noite adentro, sem tempo para mais nada que não fosse produzir riquezas e satisfazer as necessidades de seus donos. Outros ainda nunca foram autorizados a erguer a voz para dizer coisa alguma, seja para contestar uma ordem, reclamar das condições em que viviam ou simplesmente tentar estabelecer a mínima ponte de comunicação com aqueles que exploravam seus corpos, como se máquinas ou animais domésticos fossem. Nessas condições, ninguém jamais teria a possibilidade de registrar suas histórias para a posteridade, menos ainda de escrever uma autobiografia. Por essa razão, quase todas as descrições, relatos e documentos relacionados à história da escravidão procedem de fontes brancas, ou seja, os mesmos colonizadores europeus responsáveis pela manutenção do regime de cativeiro na América.

Exemplo desse processo de apagamento da memória negra da escravidão é a história do Quilombo dos Palmares, que por mais de um século resistiu às incursões portuguesas e holandesas nas serras adjacentes à Zona da Mata da antiga capitania de Pernambuco. A documentação histórica sobre Palmares é relativamente escassa. Inclui diários de campanhas militares, trocas de cartas entre autoridades coloniais e a Coroa portuguesa, memórias e depoimentos de oficiais, soldados e moradores da região. Portanto, são todas fontes exclusivamente brancas, escritas ou registradas pelos colonizadores ou senhores escravistas. Não existe um único documento original que traga a visão dos próprios moradores de Palmares, nenhuma fonte negra em que seja possível confrontar a narrativa oferecida pelas fontes de origem europeia. Em resumo, o Palmares negro nunca contou sua própria história. Tudo que se sabe sobre o quilombo é construção dos brancos — tanto no período colonial quanto em épocas mais recentes, na forma de histórias, romances e interpretações produzidas por diferentes correntes ideológicas ao longo dos séculos XIX e XX.

Na falta de relatos pessoais registrados por escrito, a voz dos negros escravizados aparece nas fontes históricas de forma indireta, ou seja, mediados por outros agentes que não fossem os próprios personagens. Isso inclui, por exemplo, inquéritos policiais em que homens e mulheres acusados de crimes ou delitos eram chamados a depor perante as autoridades policiais. Caso semelhante é o dos processos da inquisição católica portuguesa, em que negros escravizados eram obrigados a se defender da acusação de praticarem feitiçaria, bruxaria e rituais religiosos de matriz africana (como se viu no capítulo "Esplendor e miséria" do segundo volume desta trilogia).

Uma riquíssima exceção nesse longo e sombrio manto de silêncio é a história de Mahommah Gardo Baquaqua. Em mais de

350 anos de escravidão negra e africana no Brasil, ele foi o único a escrever a própria biografia.[1] Sua permanência em território brasileiro foi curta, de menos de três anos. Ainda assim, seu registro é hoje uma preciosidade para os historiadores. Baquaqua nasceu em uma família muçulmana na cidade de Djougou, situada no interior do então reino do Daomé, atual República do Benim. Aprendeu a ler e escrever e trabalhou como guarda-costas de um chefe local. Por volta de 1845, quando tinha vinte anos, foi convidado a beber com alguns amigos na casa de um chefe vizinho. Bebeu demais e, ao acordar pela manhã, descobriu que tinha sido capturado como escravo. Amarrado, foi levado como cativo para o porto de São João de Ajudá, principal entreposto português na região, de onde embarcou em um navio negreiro com destino a Pernambuco. Chegou ao Brasil em uma época em que o tráfico de africanos escravizados, embora já proibido por lei, era praticado clandestinamente sem qualquer controle efetivo das autoridades. Por essa razão, desembarcou em uma fazenda situada em um ponto relativamente escondido da costa pernambucana, a cerca de 20 quilômetros ao norte do Recife.

    Em Pernambuco, Baquaqua foi vendido e trabalhou para um padeiro, "um patife com feições humanas", segundo seu relato.[2] Ali foi de tal forma maltratado que, certo dia, chegou a pensar em matar o seu senhor e, em seguida, cometer suicídio. Revendido para o Rio de Janeiro, foi empregado como marinheiro do navio *Lembrança*, de propriedade de Clemente José da Costa e Antônio da Rocha Pereira. Fez duas viagens, uma ao Rio Grande do Sul e outra a Santa Catarina. Deram-lhe um nome português e católico, José da Costa, homônimo do dono da embarcação. Em abril de 1847, o navio partiu do Rio de Janeiro para os Estados Unidos levando uma carga de café. Ao chegar a Nova York, Baquaqua tentou fugir pulando da amurada do navio. Foi recapturado, mas um grupo local de abolicionistas, a New York

Vigilante Society, entrou com um habeas corpus na justiça, pedindo a libertação dele e de outro escravo que estava a bordo, José da Rocha (uma terceira escrava, Maria da Costa, recusou a ajuda dos abolicionistas e preferiu ficar no navio).

O caso dos "dois brasileiros" foi exaustivamente coberto pelos jornais da época. A justiça decidiu que eram membros da tripulação e teriam de voltar ao navio, apesar da condição de escravos. Enquanto o caso era julgado, porém, ambos desapareceram misteriosamente da cadeia — tudo indica que num complô entre os abolicionistas e os carcereiros. Em seguida, foram levados para Boston numa rota de ajuda aos escravos que fugiam do sul para o norte dos Estados Unidos conhecida como *underground railroad* (a ferrovia subterrânea). Algumas semanas mais tarde, embarcaram para o Haiti, onde os negros eram oficialmente livres desde a sangrenta revolução de 1791-1804. Durante a viagem, conheceram um pastor da Igreja batista americana. Foi o começo da grande transformação na vida da Baquaqua. Convertido ao cristianismo, passou a fazer parte de uma extensa rede abolicionista de raiz protestante, que se estendia à Inglaterra, aos Estados Unidos e ao Canadá. Em seguida, retornou aos Estados Unidos, onde estudou numa universidade e viajou por diversos estados. Poliglota, era fluente em árabe, dendi e haussá (duas línguas africanas da região onde nasceu), português, inglês e francês.

O livro com as memórias de Baquaqua foi escrito em Chatham, no Canadá, aparentemente sob a supervisão e orientação direta dos abolicionistas protestantes que o abrigavam. Por essa razão, a obra é repleta de referências às doutrinas da Igreja batista. E também de expressões típicas da narrativa da campanha abolicionista norte-americana e britânica da época. Ainda hoje se discute a autenticidade de sua autoria, uma vez que muitas passagens podem ter sido acrescentadas ou alteradas conforme os interesses dos missionários responsáveis pela edição. Ainda assim, é um relato precioso, o único e mais importante no caso do Brasil, na voz de quem passou pela traumática experiência da captura na África, da travessia do oceano Atlântico a bordo de um navio negreiro e da escravidão no continente americano.

Em 1853, um ano antes da publicação do livro, Baquaqua tentou retornar à África, candidatando-se ao posto de tradutor da Associação Missionária Norte-Americana em Serra Leoa. Seu objetivo era tentar chegar à sua cidade natal. Como não teve êxito, acabou embarcando para a Inglaterra no começo de 1855, onde morou dois anos. Nunca mais se teve notícias dele depois de 1857.

A seguir, alguns trechos do seu singular relato:[3]

A captura na África

De manhã, quando acordei (depois de beber muito), descobri que tinha sido capturado e que todos os meus companheiros haviam desaparecido. Oh, que horror! Percebi que tinha sido traído e entregue nas mãos de inimigos como escravo. Jamais me esquecerei da tristeza que senti naquele momento. Pensei em minha mãe e o quanto eu tinha sido tolo ao me deixar enganar tão facilmente. [...] Fui então amarrado com uma corrente de ferro atada a um galho de árvore e, assim imobilizado, obrigado a marchar em direção à costa. Sofri muito enquanto atravessava a floresta e não vi um único ser humano ao longo de toda a jornada. Não havia estradas e tínhamos de seguir adiante do modo que podíamos.

A marcação a ferro quente

Os escravos foram colocados dentro de uma cerca e receberam ordens para ficar de costas para o fogo e não olhar para trás. Um homem foi colocado à nossa frente, com um chicote nas mãos, pronto para açoitar o primeiro que ousasse desobedecer às ordens. Outro homem começou a circular entre nós com um ferro quente. Então, fomos marcados, da mesma forma como se marcaria um animal ou qualquer outra espécie de mercadoria.

O embarque

Quando estávamos prontos para embarcar, fomos acorrentados uns aos outros e amarrados por cordas ao pescoço. O navio estava ancorado a certa distância. Eu nunca tinha visto um navio antes e, à primeira vista, me pareceu algum objeto de adoração dos homens brancos. Imaginei que seríamos todos sacrificados e que tínhamos sido levados até ali com esse propósito. Senti-me apavorado. Na noite anterior, os traficantes tinham feito uma espécie de celebração, distribuindo bebida entre os remadores de barcos que levaram os escravos até os navios. A nós deram arroz e outros alimentos. Nunca poderia imaginar que aquela seria minha última refeição na África. Eu desconhecia por completo meu destino. Sabia apenas que era um escravo e só me restava submeter-me, seja a quem fosse. Escravos vindos de todas as partes do território estavam ali e foram embarcados. O primeiro barco alcançou o navio em segurança, apesar do vento forte e do mar agitado; o próximo a se aventurar, porém, emborcou e todos se afogaram, com exceção de um homem. Ao todo, trinta pessoas morreram.

O navio negreiro

Fomos colocados dentro de um compartimento do navio, todos nus. Os homens de um lado e as mulheres de outro. O *espaço entre o chão e o teto era tão baixo que não podíamos ficar em pé. Para andar de um lado para o outro, tínhamos de engatinhar ou ficar sentados na mesma posição dia e noite. Dormir era quase impossível devido à posição dos nossos corpos. Começamos a ficar desesperados e exaustos. Um lugar horrível e sujo, que não me sai da memória.*

Fome e sede

Milho encharcado e cozido foi o único alimento que tivemos durante toda a viagem. Eu nem consigo calcular por quanto tempo nos mantiveram ali trancafiados. Sofríamos muita sede, mas eles se recusavam a nos dar água. Uma caneca por dia era tudo. Nada além disso. Muitos morreram de doenças na travessia. Um companheiro ficou tão desesperado de sede que tentou tomar a faca de um homem encarregado de distribuir água. Foi levado ao convés e eu nunca mais ouvi notícias dele. Imagino que tenha sido lançado ao mar.

Violência e indiferença

Quando alguém se recusava a cumprir ordens, tinha a pele cortada a faca. [Em seguida] a pele era esfregada com pimenta e vinagre, até que a pessoa se submetesse. Todos nós sofremos muito, primeiro de enjoo do mar, mas nada disso parecia incomodar nossos donos brutais. Os nossos sofrimentos eram problema nosso, e de ninguém mais. Ninguém se importava conosco, não tínhamos ninguém com quem dividir nossas dores, nenhuma palavra de conforto ou de consolo, nada. Se percebessem que alguém estava doente, sem chances de sobreviver, imediatamente atiravam da amurada do navio, antes ainda que a pessoa desse o último suspiro.

Apenas duas vezes nos permitiram subir ao convés para que pudéssemos nos lavar — uma vez enquanto estávamos em alto-mar, e outra pouco antes de entrarmos no porto.

A chegada

Chegamos a Pernambuco no início da manhã e o barco ficou ali, à espera, sem lançar âncoras, durante todo o dia. Durante esse tempo todo, não nos deram nada para beber ou comer. Também nos fizeram entender que deveríamos nos manter em perfeito silêncio, não fazer nenhum ruído, caso contrário nossas vidas estariam em perigo. Assim que a noite caiu, o navio atracou e fomos autorizados a sair para o convés, onde seríamos vistos e examinados pelos nossos futuros senhores, que chegavam a bordo vindos da cidade. Atracamos a alguns quilômetros da cidade, em uma casa que era usada como mercado de escravos.

A venda

Fiquei ali, nesse mercado de escravos, por um dia ou dois até ser vendido para um traficante local, que por sua vez me revendeu para um padeiro que vivia não muito longe de Pernambuco (Recife). Quando um navio negreiro se aproxima (da costa), a notícia corre como incêndio na floresta e imediatamente chegam todos (os compradores) interessados na carga humana. Eles selecionam da carga aqueles que são mais apropriados às suas necessidades e compram os escravos da mesma forma como comprariam um boi ou um cavalo no mercado. Muita gente faz fortuna comprando e vendendo carne humana e não faz outra coisa na vida, dependendo inteiramente desse mercado negreiro.

Trabalho e chicote

O homem que me comprou estava construindo uma casa. Era necessário buscar pedras para construção a uma distância considerável, do outro lado do rio, e fui forçado a carregá-las. Eram tão pesadas que três homens foram incumbidos de erguê-las e colocá-las sobre minha cabeça, fardo que era obrigado a sustentar [...] até o local onde se encontrava o barco. [...] Ele era católico, e fazia regularmente orações com a família; [...] nós todos tínhamos que nos ajoelhar; a família na frente e os escravos atrás. Fomos ensinados a entoar algumas palavras cujo significado não sabíamos. Também tínhamos que fazer o sinal da cruz diversas vezes. Enquanto orava, meu senhor segurava o chicote na mão e aqueles que mostravam sinais de desatenção ou sonolência eram prontamente trazidos à consciência pelo toque ardido do chicote.

A tentação da morte

Um dia, quando me mandaram vender pão como de costume, vendi apenas uma pequena quantia e, com o dinheiro que recebi, comprei uísque e bebi à vontade, voltando para casa bastante embriagado. Quando fui fazer as contas da diária, meu senhor pegou minha cesta e, descobrindo o estado em que as coisas estavam, fui muito severamente espancado. Eu disse a ele que não deveria mais me açoitar e fiquei com tanta raiva que me veio a ideia de matá-lo e, em seguida, suicidar-me.

12. O AMIGO DO REI

*"Um homem de hábitos estranhos,
sombrio e solitário."*

Henry Huntley, comandante britânico,
sobre o baiano Francisco Félix de Souza,
sócio do rei do Daomé no tráfico negreiro

Canhões de ferro fundido são objetos relativamente comuns em Ajudá, cidade da República do Benim, na costa ocidental da África. Parcialmente corroídos pelo tempo e pela maresia do Atlântico, podem ser observados por toda parte, em diferentes tamanhos e formatos, relíquias de uma época em que essa região foi um dos maiores entrepostos de tráfico de africanos escravizados para o Brasil. Alguns estão onde deveriam estar, em museus, prédios e monumentos públicos. Há dezenas deles, por exemplo, no pátio da antiga Fortaleza de São João Batista, inaugurada pelos portugueses em 1721. Estão agrupados ao redor de um pequeno monumento de concreto com o escudo da Coroa lusitana, a lembrar que foi pela força das armas que o negócio escravista se manteve ativo por mais de quatro séculos no Atlântico. No século XIX, até a igreja matriz local, dedicada à Nossa Senhora da Conceição, era protegida por canhões postados sobre uma muralha. Perto dali, no entanto, duas dessas armas despontam hoje de um lugar inesperado: as paredes de uma residência particular, um casarão de três andares de tom magenta debruçado sobre uma praça de terra batida. Estão posicionados a pouco mais de um metro do chão, apontados para o centro da praça, onde se vê uma frondosa gameleira, árvore sagrada no candomblé da Bahia.[1] Em caso de disparo, alguém que estivesse junto ao tronco seria atingido no peito, entre a linha da cintura e a parte superior do corpo, sem chance alguma de sobrevivência.

Quem teria sido o morador dessa casa? Por que razão precisaria ser protegido por duas bocas de canhões? Que atividade era ali exercida para requerer o uso de armas tão poderosas? E por que estavam apontadas para essa praça em particular?

Mulato de pele clara nascido em Salvador, o baiano Francisco Félix de Souza foi o maior e mais famoso traficante que levava escravos para o Brasil na primeira metade do século XIX. Tinha como amigo e parceiro nos negócios o rei Guezo, do Daomé, poderoso estado militar escravista africano. O casarão hoje emoldurado por canhões no centro de Ajudá era o seu quartel-general, de onde comandava uma vasta operação de compra e venda de gente que se estendia pelas duas margens do Atlântico. Na praça em frente, para a qual estão apontadas as duas armas, funcionava o mercado negreiro. Era uma feira de gente ao ar livre, onde pessoas sequestradas ou capturadas em guerras no interior do continente ficavam expostas para serem examinadas e arrematadas pelos capitães dos navios negreiros ancorados na praia a poucos quilômetros de distância. Por essa razão, era também um local tenso e perigoso, o que explica a presença de tão poderoso aparato de segurança.

Ao longo de meio século de atividade, Francisco Félix teria embarcado mais de meio milhão de escravos para o Recôncavo Baiano. Ao morrer, em 1848 aos 94 anos, deixou 53 viúvas, mais de 80 filhos e 2 mil escravos. Teria acumulado uma fortuna hoje equivalente a 120 milhões de dólares. Foi tão importante que ganhou do soberano do Daomé o título de Chachá, honraria hereditária, semelhante ao status de um vice-rei, que desde então vem passando de geração em geração dentro da família Souza. Seus descendentes formam hoje uma poderosa e influente dinastia no golfo do Benim, com ramificações na França. Estão espalhados por quatro países africanos — Benim, Nigéria, Togo e Costa do Marfim —, onde ocupam posições de grande importância na hierarquia social, muitas vezes à frente de grupos ou forças políticas rivais. Um deles, o general Paul-Émile de Souza, foi presidente da Junta que, entre 1969 e 1970, governou o Benim quando o país ainda se chamava Daomé e vivia sob uma ditadura militar. Outro, o arcebispo Isidore de Souza, presidiu o Alto Conselho da República, responsável pela redemocratização, em 1990, ao fim do mesmo regime militar. A lista inclui ainda sacerdotisas de voduns (divindades locais, assemelhadas aos orixás do candomblé nagô/iorubá), políticos, advogados, agricultores, bancários, carpinteiros, motoristas, comerciantes, construtores, costureiras, enfermeiros, escritores, fotógrafos, funcionários públicos, jornalistas, mecânicos, médicos, músicos, parteiras, professores e pedreiros, entre outras profissões.[2]

São muitas as incertezas a respeito dos primeiros anos na vida de Francisco Félix de Souza, a começar pela data e pelo local de seu nascimento.[3] Relatos da época e diferentes autores levantaram a hipótese de que teria nascido em Portugal. Seria por essa razão que, em 1846, a Coroa portuguesa o condecorou com a comenda de Cavaleiro da Ordem de Cristo e o considerou "benemérito patriota". Outras versões dizem que ele seria natural de Cuba ou do Rio de Janeiro. Seu melhor biógrafo, o embaixador e historiador Alberto da Costa e Silva, garante, no entanto, que Francisco seria mesmo baiano de Salvador, com base na forma como se identificou na carta de alforria de uma de suas escravas, em 1844: "Digo eu, Francisco Félix de Souza, natural da cidade da Bahia e residente neste Porto de Ajudá (...)".[4] Quanto à data de seu nascimento, seus atuais descendentes a comemoram como se fosse 4 de outubro de 1754. A Thomas Hutton, um comerciante inglês com quem fazia negócios, no entanto, o próprio Chachá teria dito que chegara à África em 1792 com 24 anos de idade. Nesse caso, teria nascido em 1768.

O antropólogo e fotógrafo Milton Guran, autor de um importante estudo sobre os brasileiros no golfo do Benim,[5] aponta sua chegada ao continente africano um pouco mais cedo, por volta de 1788, tendo vivido em Ajudá, Badagri e Anexô, localidades onde hoje existem bairros supostamente fundados por ele, todos chamados *Adjido*, que seria uma corruptela da expressão "Deus me ajudou". Os motivos pelos quais mudou-se do Brasil para a África são igualmente obscuros. Um relatório britânico de 1821 o descrevia como "um renegado, banido dos Brasis", por ter desertado do exército. Também o acusavam de ser um falsificador de moedas e de ter se envolvido em conspirações políticas.

Depois de analisar a documentação sobre ele existente na África, no Brasil e em Portugal, o etnógrafo e historiador francês Pierre Verger chegou à conclusão de que os motivos da mudança seriam mais prosaicos. Francisco Félix seguiu para a África como um modesto funcionário da Coroa, ocupando a função de um simples guarda-livros do almoxarife e escrivão do forte que alguns anos mais tarde, entre 1804 e 1805, seria dirigido por seu irmão, Jacinto José de Souza.[6] Quando Jacinto morreu, a fortaleza ficou abandonada por quase duas décadas pela Coroa portuguesa, que estava às voltas com problemas mais urgentes, como as invasões napoleônicas e a iminência de uma guerra civil. Nesse período, a fortaleza foi mantida graças à dedicação e aos esforços pessoais de Francisco Félix. Essa condição aparentemente precária, no entanto, lhe daria o tempo necessário para fazer as alianças locais que garantiriam sua prosperidade no negócio negreiro dali para a frente.

Quando Francisco Félix chegou à África, a escravidão se mantinha como uma das atividades econômicas mais importantes e lucrativas do continente. Milhares de cativos embarcados nos navios negreiros cruzavam o Atlântico em direção ao Novo Mundo. Caravanas atravessavam também o deserto do Saara, rumo à bacia do Mediterrâneo, onde homens e mulheres escravizados eram comprados aos milhares por chefes do mundo islâmico. A abolição do tráfico para os domínios britânicos e para os Estados Unidos, entre 1807 e 1808, aumentou a escravidão doméstica na própria África. Estima-se que, nessa época, havia mais escravos no continente africano do que nas Américas. Alguns anos antes, ao cruzar a Senegâmbia, o explorador escocês Mungo Park estimava que três quartos da população era escrava. "O trabalho aqui é todo feito por pessoas cativas", escreveu em seu relato de viagens. Em uma região vizinha do Daomé, no interior da atual Nigéria, pelo menos um quarto da população haussá foi escravizada durante as guerras religiosas promovidas pelo califado islâmico de Sokoto, na primeira metade do século XIX. Vendidos aos traficantes e explorados no trabalho local, escravos eram também vítimas de sacrifícios rituais em algumas ocasiões. Mais de mil teriam sido sacrificados em 1804, durante os rituais fúnebres de Opoku Fofie, rei dos axante, a mais poderosa etnia na Costa do Ouro, na atual República de Gana.

Ao longo do século XVIII, partiram do Golfo do Benim, também conhecido como Costa da Mina no trecho entre os atuais

Togo e Nigéria, cerca de 1,2 milhões de africanos escravizados, o equivalente a 18% do total embarcado na África Ocidental nesse período. No século seguinte, a região despacharia mais 421 mil escravos para o Novo Mundo. Era a segunda maior fornecedora de cativos para a América, atrás apenas de Angola e Congo. Os embarques só terminariam efetivamente na segunda metade do século XIX, sob pressão do movimento abolicionista britânico.[7] Um dos principais destinos era a Bahia. De um total de 2.871 viagens de navios negreiros que partiram de Salvador para a África entre 1649 e 1800, catalogadas pelo banco de dados slavevoyages.org, nada menos do que 1.848, dois terços do total, tiveram como direção a Costa da Mina — mais do que o dobro das 777 viagens registradas no mesmo período para Angola.

Na Costa da Mina, um cativo podia ser comprado por quinze libras esterlinas britânicas, equivalente em moeda local a oitenta conchas de búzios (cauris), doze barras de ferro, cem manilhas de bronze, cinco espingardas, dois barris de pólvora, três peças de tecidos da Índia ou doze galões de aguardente.[8] O artigo mais valioso era, no entanto, o fumo cultivado no Recôncavo Baiano. Na época, os rolos de tabaco de melhor qualidade da Bahia seguiam para a Europa, onde eram consumidos de diferentes formas: fumados em charutos, cachimbos ou cigarros, mastigados ou aspirados (o chamado rapé). Um subproduto conhecido como "soca", desvalorizado entre os europeus, ganhou grande popularidade na costa da África. Eram folhas consideradas de categoria inferior que sofriam um tratamento especial para evitar que se ressecassem ou apodrecessem rapidamente. Untadas com melado de cana antes de serem torcidas e enroladas em cordas, exalavam um agradável aroma, que rapidamente conquistou o olfato e o paladar africano a tal ponto que, no século XVIII, era considerado mercadoria vital na compra de escravos na Costa da Mina e outras partes do golfo do Benim.

A Costa da Mina era tão importante no tráfico de escravos que os primeiros chefes de estado a reconhecer a Independência do Brasil eram dessa região.[9] O gesto aconteceu mediante uma embaixada enviada ao Rio de Janeiro em 1824 pelo ologum Osinlokun, rei de Onim, atual cidade de Lagos, na Nigéria. Falava em seu próprio nome e também no de um rei vizinho, o obá Osemwede, do Benim, a quem Osinlokun prestava obediência e pagava impostos. O embaixador era um brasileiro traficante de escravos no golfo do Benim, o tenente-coronel Manoel Alves de Lima, amigo do ologum. Teria recebido de dom João VI duas grandes honrarias: era cavaleiro das Ordens de Cristo e de Santiago da Espada. Sua condição de embaixador entre a África e o Brasil aparece nos registros de passaportes emitidos entre 1829 e 1830.

Segundo Pierre Verger, alguns meses após o Grito do Ipiranga, Alves de Lima teria cruzado o Atlântico trazendo a mensagem dos dois soberanos a dom Pedro I. Seu destino inicial foi na Bahia, onde ficou retido em razão da guerra entre brasileiros e portugueses, então em andamento. De Salvador, enviou algumas cartas ao imperador, nas quais se apresentava como embaixador dos reis africanos e lamentava não ter podido continuar sua viagem até o Rio de Janeiro, a fim de cumprir a sua missão. Teria conseguido chegar à capital do Império só um ano e meio mais tarde, em 4 de dezembro de 1824, quando os portugueses já tinham sido expulsos da Bahia. Só então foi recebido com todas as honras por dom Pedro I, que ainda fez questão de pagar suas despesas na cidade.

Em meados do século XIX, sob pressão do movimento abolicionista, o governo britânico começou a assinar tratados especiais com os chefes africanos na tentativa de convencê-los a abandonar o comércio de escravos. Aqueles que aceitassem não mais vender cativos aos traficantes europeus ou brasileiros receberiam indenizações e tratamento especial por parte dos ingleses.[10] Pelos termos de um desses acordos, firmado em 1842, dois soberanos de Old Calabar (Velho Calabar), na atual Nigéria, concordaram em abandonar o comércio negreiro em troca de um "subsídio" de 2 mil libras esterlinas por um período de cinco anos. Ao rei de Bonny, Dappa Pepple, os ingleses prometeram a mesma quantia. Como não pagaram nada no primeiro ano, Pepple considerou o acordo rompido e voltou a traficar escravos em 1840. Outro chefe africano, *obi* (soberano, no idioma local) Assai, de Aboh, reino situado no delta do rio Níger, disse a uma comissão britânica que o visitou em 1841, não entender por que até poucas décadas antes os europeus faziam todos os esforços para obter cativos na região e, de repente, haviam decidido parar com as compras:

> *No passado, nós pensávamos que era da vontade de Deus que os negros deveriam ser escravos dos brancos. Os brancos primeiro nos disseram que era para vender escravos para eles e nós vendemos. Agora, dizem que não devemos mais vender. Se os brancos pararem de comprar, os negros vão parar de vender.*

O mesmo raciocínio apareceria alguns anos mais tarde, em maio de 1849, em um despacho do governador de Angola, Adrião Acácio da Silveira Pinto, comentando as pressões inglesas pelo fim do tráfico. "Enquanto houver quem compre escravos, há de haver quem os venda", dizia ele.[11] O reino do Daomé era uma das peças centrais dessa lógica escravista. O próprio rei Guezo, ao recusar-se a assinar, em 1848, um tratado semelhante, explicou ao enviado britânico, Brodie Cruickshank, que fazê-lo seria "mudar a maneira de sentir do meu povo", acostumado desde a mais tenra infância e a considerar aquele comércio justo e correto.

O forte de São João Batista de Ajudá, onde Francisco Félix se estabeleceu após chegar à África, foi erguido pelos portugueses em 1721 para proteger o tráfico negreiro na Costa da Mina. Seis anos mais tarde, em 1727, o reino Hueda, do qual Ajudá fazia parte, seria invadido e devastado pelos exércitos do general Agaja, o implacável soberano do Daomé, já descrito no volume anterior desta trilogia. Centralizado, autocrático e militarizado, mais do que qualquer outro estado africano, o Daomé tinha como rival apenas o império Oió, seu vizinho iorubá situado na atual Nigéria, que o desafiaria em campo de batalha inúmeras vezes até a terceira década do século XIX. Os derrotados eram vendidos como escravos, o que geraria uma gigantesca onda humana rumo ao cativeiro na América, no Oriente Médio e em algumas regiões do oceano Índico. As forças de Oió só seriam finalmente subjugadas em 1823 pelo rei Guezo, amigo e sócio de Francisco Félix no tráfico.

Conhecido como príncipe Gapê antes de subir ao trono, Guezo era bisneto de Agaja, o conquistador de Ajudá. Governou entre 1818 e 1858 e foi o mais longevo de todos os reis do Daomé. Sua chegada ao poder se deu por um golpe de Estado contra o irmão, Adandozan, no desfecho de uma longa e sangrenta disputa familiar, na qual teve a ajuda decisiva de Francisco Félix. Seu pai, o rei Agonglô, fora assassinado de forma misteriosa em 1797. Antes de morrer, teria apontado Gapê como seu sucessor, o que não se confirmou de imediato porque o príncipe era ainda uma criança. Na luta pela Coroa que se seguiu, dezenas de pessoas da corte real foram eliminadas, algumas penduradas em árvores, outras enterradas até o pescoço e deixadas ao relento para morrer de fome e sede. Entre as vítimas estavam outros três príncipes, irmãos de Gapê. Adandozan conseguiu se impor sobre todos os demais pretendentes, mas as duas décadas seguintes seriam marcadas pela violência e a instabilidade no reino.

Adandozan aparece na tradição oral do Daomé como um tirano sádico e cruel, que mandava castrar os guerreiros que considerava pouco valentes e abrir o ventre de mulheres grávidas para ver se o feto era fêmea ou macho. Teria vendido como escrava para o Brasil a rainha Nã Agotimé, uma das esposas de seu pai Agonglô e mãe do príncipe Gapê, que não o apoiara na disputa pelo trono, como se verá em outro capítulo deste livro. São de sua autoria, ainda, alguns dos documentos mais pitorescos da história da escravidão no Brasil: uma intensa troca de correspondência com o príncipe regente e futuro rei de Portugal, dom João VI, já parcialmente reproduzida no volume anterior desta trilogia. Nas cartas, o rei africano frequentemente trata o seu consorte português como "mano", "meu irmão" ou "meu senhor". Em uma das mensagens, se refere à rainha Maria I como "nossa mãe". Em outra, de 1799, saúda dom João como "meu irmão e senhor muito da minha veneração".

Afável nas cartas ao rei de Portugal e mergulhado em conflitos familiares, Adandozan também se indispôs inúmeras vezes com os traficantes europeus de escravos que atuavam no Golfo do Benim. Os conflitos em geral estavam relacionados às prestações de contas do tráfico negreiro, do qual o rei participava. Insatisfeito com os resultados do negócio, Adandozan mandou embarcar para o Brasil, nu e amarrado, o diretor da fortaleza de São João Batista, Manoel Bastos Varela. Também seu substituto, o tenente José Ferreira de Araújo, seria obrigado a fugir às pressas em 1801. Igual destino teria, dois anos mais tarde, José Joaquim Marques da Graça, que ficara no lugar do tenente. Francisco Félix não tardaria a cair nessa trama. Adandozan determinou sua prisão por causa de uma disputa comercial. No cárcere, o brasileiro teria recebido a visita do príncipe Gapê, que já tramava um golpe contra o irmão. O envolvimento de traficantes nas rixas políticas locais era frequente. Os rivais africanos buscavam o apoio dos europeus e brasileiros em forma de armas, munições, dinheiro e mercadorias. Em troca, caso fossem bem-sucedidos, prometiam lhes dar concessões e privilégios no comércio negreiro. Aparentemente, foi esta uma das razões que fez Gapê se aproximar de Francisco Félix. Outra seria, talvez, o desejo de localizar no Brasil, com a ajuda do traficante e sua rede de apoio na Bahia, a rainha mãe Nã Agotimé, vendida como escrava pelo irmão.

Vítimas de um mesmo infortúnio — os abusos de Adandozan —, Francisco Félix e Gapê teriam feito na prisão um "pacto de sangue", pelo qual se comprometiam a ajudar-se mutuamente pelo resto da vida. Não se sabe ao certo que tipo de pacto teria sido esse. Alberto da Costa e Silva, biógrafo do Chachá, aventa duas hipóteses. Segundo ele, na forma antiga e mais simples de firmar o pacto, cada qual fazia um pequeno corte no dorso da mão, entre o polegar e o indicador, para que o parceiro lhe sugasse o sangue. Um ritual mais sério exigia, porém, que se "bebesse o vodu", um líquido elaborado pelos sacerdotes, no qual uma divindade estaria presente. A essa bebida cada pactuante acrescentaria um pouco de seu sangue. Criava-se desse modo um parentesco simbólico mais forte que o natural. Os que contraíam o pacto se obrigavam a se ajudarem até a morte, com absoluta lealdade e total devotamento. Se um dos pactuantes, chamados de *vodunnon-honton*, faltasse a seus deveres de amizade ou traísse o parceiro, seria abatido pelo deus sobre cuja invocação o ritual fora feito.[12]

Seja lá qual tenha sido a forma do pacto, logo começaria a render dividendos para o traficante baiano. A primeira consequência foi a fuga de Francisco Félix da prisão, arranjada por Gapê. Consta que o príncipe mandou sessenta de seus adeptos o escoltarem até Popô Pequeno, entreposto do tráfico hoje situado na República do Togo, a oeste de Ajudá. De lá, Francisco Félix começou a abastecer Gapê não só de armas de fogo, mas também de tecidos finos, tabaco, cachaça e outras mercadorias. Em 1818, Gapê finalmente destronou o irmão e foi coroado como rei Guezo. Imediatamente, em cumprimento ao antigo pacto de sangue, promoveu Francisco Félix à virtual condição de vice-rei de Ajudá com o título de Chachá, concedendo-lhe ainda o monopólio sobre todo o tráfico de escravos na região. Nessa condição ele seria o "maior traficante de escravos de todos os tempos", como o definiu Pierre Verger. O historiador baiano Luís Henrique Dias Tavares acrescenta um detalhe curioso a essa narrativa. Segundo ele, o rei do Daomé era proibido, por preceitos religiosos, de se aproximar do oceano. O título Chachá dava a Francisco Félix a prerrogativa de representar o soberano nas negociações e no embarque de escravos junto ao mar.[13]

Consta que o rei Guezo também forneceu a mão de obra e o material para a construção do complexo de casas e barracões fortificados onde Francisco Félix passou a morar em Ajudá e de onde hoje despontam as duas bocas de canhões descritas no primeiro parágrafo deste capítulo. O local ficaria conhecido como Singbomey. A área urbana ao redor é chamada atualmente de Bairro do Brasil, *Quartier Brésil*, em francês, ou *Blésin*, na tradicional língua fongbé. A casa-grande do Chachá dividia-se em duas partes: numa, vivia com sua família; noutra, recebia seus hóspedes, em geral capitães dos navios e os comerciantes que iam negociar com ele. Habitualmente, os acompanhava no jantar, durante o qual oferecia aos convidados os melhores vinhos franceses e charutos cubanos. Para entretê-los, mantinha uma casa de jogo, com belas mulheres, bilhares, roleta e outras mesas de aposta.

Mobiliada à moda europeia, a casa tinha mesa arrumada com talheres de ouro e de prata, copos de cristal, toalhas de linho e serviços de porcelana gravados com tarja dourada e as iniciais F.S. — de Francisco de Souza. Ao visitar o Chachá em 1843, o príncipe de Joinville, filho do rei Luís Filipe I da França e de Maria Amélia das Duas Sicílias, foi servido em baixela de prata numa sala iluminada por tochas e candelabros. Os brindes aos reis da França foram acompanhados por 21 salvas de canhão. Quando saía à rua, Francisco Félix caminhava debaixo de um grande guarda-sol, como era costume entre os altos dignitários africanos, precedido por um funcionário que lhe abria caminho e anunciava sua passagem, e acompanhado por músicos, cantores que lhe louvavam o nome, bufões e guarda armada, que provavelmente incluiriam mulheres-soldados, as famosas e temidas amazonas do reino do Daomé.

Ao lado do complexo residencial ficavam os barracões ou depósitos de escravos, grandes espaços cercados por um muro de barro ou uma paliçada, dentro dos quais havia áreas cobertas de palha, onde os cativos dormiam e se abrigavam da chuva ou do sol excessivo. Em Singbomey havia uma torre, ou mirante, de onde Francisco Félix podia avistar de binóculo os navios que se aproximavam da barra e vigiar as manobras do esquadrão britânico que, desde 1816, tentava impedir a exportação de escravos em Ajudá. Quando percebia a presença dos britânicos, o Chachá orientava os capitães dos navios negreiros a se dirigirem a outros pontos de embarque da região e para lá encaminhava os escravos que tinha vendido.

Alberto da Costa e Silva conta uma intrigante história de sincretismo religioso envolvendo Francisco Félix. O Chachá, segundo ele, era católico, devoto de São Francisco de Assis, e não costumava faltar às missas dominicais. No Golfo do Benim, no entanto, seu nome ficaria associado a uma divindade local, um vodum chamado Dagoun (corruptela de "dragão"). O motivo estaria relacionado a um anel em forma de serpente que Francisco Félix trazia no dedo ao chegar à África. Na tradição local, era o símbolo de um poderoso vodu, a serpente Dan (Dangbê, em língua fon), rainha do arco-íris, hoje associada a Oxumaré em muitos terreiros de candomblé no Brasil de tradição jeje. Na própria cidade de Ajudá existe atualmente o Templo de Píton, visitado regularmente por turistas e religiosos de outros países, onde se cultua a serpente Dan.[14] A associação entre essa divindade e o anel usado por Francisco Félix foi, portanto, imediata. Não demorou muito, surgiu no Daomé todo um ritual em torno de Dagoun, o "vodu do Chachá", venerado até hoje, num santuário especial no *Quartier Brésil*. Na sua fachada branca veem-se duas serpentes a comer do mesmo pote e, numa das paredes do interior, é retratada a chegada de Francisco Félix da Bahia, remando em seu barco.[15] Para completar o processo de sincretismo religioso, junto à tumba com os restos mortais do Chachá há uma imagem de São Francisco de Assis.

Atualmente, só se conhece um retrato de Francisco Félix, de autor anônimo. Trata-se de uma pintura a óleo que o representa a meio busto, já na maturidade, vestido com uma camisa larga, um lenço em volta do pescoço e trazendo na cabeça uma espécie de gorro bordado com um pingente do lado direito. Tem o olhar penetrante e ares de aventureiro romântico. Sir Henry Huntley, comandante da fragata britânica *The Tinette*, que patrulhou a costa da África entre 1831 e 1838, o descreveu como "um homem de hábitos estranhos, sombrio e solitário".[16]

Outro oficial da marinha britânica, John Duncan, que visitou a África a serviço da Sociedade Geográfica Real, de Londres, ficou encantado com a recepção que o Chachá lhe ofereceu em Ajudá. "Apesar de ser um antigo e confesso traficante de escravos, dificilmente se poderia encontrar um homem mais generoso e benevolente", relatou.[17] Segundo Duncan, nessa ocasião Francisco Félix estava doente, de cama, atacado por uma crise de reumatismo. Ainda assim, recebia os visitantes e tomava providências para que fossem bem tratados e atendidos em suas necessidades. Mantinha boa relação com os ingleses, embora os britânicos tivessem recentemente capturado 22 de seus navios negreiros despachados para o Brasil. Durante a visita a Ajudá, Duncan testemunhou um leilão de escravos organizado por Francisco Félix:

> Às dez horas da manhã fui assistir à venda em leilão de um lote de escravos pertencentes a um comerciante português que acabara de morrer. Como eram destinados ao serviço doméstico, valiam muito. Um cozinheiro foi vendido por 250 dólares. Os escravos entram em fila à medida em que são vendidos, depois de ser examinados [pelos potenciais compradores]. São arrematados pelo preço mais alto, da mesma forma como se vende gado na Inglaterra.

Os negócios de Francisco Félix se encaixavam na complexa e relativamente sofisticada rede de relacionamentos do tráfico negreiro que envolvia pessoas em três continentes. Na compra de mercadorias, usava o crédito de instituições financeiras sediadas em Londres, Liverpool, Bristol e Nova York. Suas faturas eram pagas em letras de câmbio e cartas de consignação aceitas e honradas por banqueiros e grandes comerciantes na Europa, nos Estados Unidos e no Brasil. Em depoimento no parlamento britânico em 1842, John Arden Clegg, agente da empresa comercial inglesa Tobin & Horsfall na África, declarou que Francisco Félix sempre lhe pagava com dólares de prata e marfim. Henry Dring, representante de outra companhia, incluiu na lista dobrões de ouro. Cada dobrão valia na época cerca de três libras esterlinas ou quinze dólares. Era uma soma considerável, levando-se em conta que, na costa da África, um escravo podia ser comprado por dez libras esterlinas ou cinquenta dólares (aproximadamente, três dobrões de ouro).[18]

Seus casamentos e relacionamentos amorosos eram parte de uma habilidosa estratégia de alianças familiares envolvendo poder, riqueza e prestígio nos negócios locais. Logo ao chegar à África, Francisco Félix se casou, sucessivamente, com duas princesas do reino Guin. A primeira, Djidjiabu, era fluente em português, pois foi educada na Bahia. Foi mãe de seu primogênito, Isidoro Félix. A segunda, Ahossi, lhe deu mais quatro filhos. Depois disso, teria tido também dezenas de filhos com outras mulheres do Daomé, onde a poligamia era um traço cultural amplamente aceito. Algumas fontes falam em até oitenta filhos homens, sem incluir as mulheres. O número exato é desconhecido, mas todos foram devidamente reconhecidos. Seus descendentes, por sua vez, também seriam mercadores de escravos e se casariam com filhas e filhos de soberanos, chefes locais e outros traficantes, expandindo cada vez mais a rede de influência e poder da família, que se perpetua até hoje na região.

O prestígio e a importância política de Francisco Félix de Souza no Daomé se comprovaram nas homenagens a ele prestadas pelo rei por ocasião de sua morte, numa terça-feira, 8 de maio de 1849, aos 94 anos de idade. Tão logo recebeu a notícia do falecimento de seu amigo, o rei Guezo enviou a Ajudá dois de seus filhos, os príncipes Dako Dubo e Armuwanu, à frente de um destacamento de oitenta amazonas, para os ritos funerários tradicionais. A comitiva incluía sete pessoas que seriam sacrificadas em honra do Chachá. Ser sepultado na companhia de sacrifícios humanos era privilégio dos reis, e Guezo o concedeu a Francisco Félix. Segundo John Duncan, já então vice-cônsul britânico em Ajudá, os rapazes por ele enviados para tal fim foram imolados no túmulo do brasileiro. Outra testemunha, Frederick Forbes, garante que foram decapitados e enterrados com o Chachá um menino e uma menina. Os funerais duraram vários meses e foram organizados por Domingos José Martins, outro brasileiro que tinha se estabelecido no Golfo do Benim sob a proteção do Chachá, ao qual sucedeu como o mais importante traficante de escravos da região. Também se casaria com uma de suas filhas.

Domingos José Martins, o sucessor de Francisco Félix, nasceu na Bahia. Seu pai, de mesmo nome, foi fuzilado pelos portugueses por sua participação na Revolução Pernambucana de 1817. Chegou à África entre 1833 e 1835, como tripulante de um barco negreiro consignado ao Chachá. O navio foi apreendido pelos britânicos, e sua tripulação, desembarcada em Ajudá, onde Martins encontrou amparo em Francisco Félix de Souza. Provavelmente trabalhou para ele durante algum tempo, familiarizando-se com as nuances do comércio de escravos. Acabou se estabelecendo em Lagos, na atual Nigéria, onde acumulou uma fortuna avaliada entre 1 e 2 milhões de dólares e forneceu entre 7 mil e 10 mil escravos anualmente para o mercado baiano. Entre seus sócios no comércio de gente estava o poderoso banqueiro e traficante baiano Joaquim Pereira Marinho, o conde de Pereira Marinho, benemérito da Santa Casa de Misericórdia e de inúmeras outras instituições de caridade em Salvador, já descrito em um dos capítulos anteriores deste livro. As relações entre os dois eram estreitas e familiares. Pereira Marinho foi o tutor dos filhos de Domingos José Martins e seu executor testamenteiro depois de sua morte, em 1864.

Da trama do negócio negreiro na costa da África, frequentemente atada por laços de família, faziam parte grandes e pequenos traficantes. Alguns, como Francisco Félix e seu sucessor Domingos José Martins, eram poderosos. Outros, só esporadicamente vendiam alguns escravos. Entre eles estavam pessoas que, no dia a dia, se dedicavam a outras atividades — eram agricultores, carpinteiros, barbeiros, costureiras, vendedoras no varejo —, mas punham suas economias em dois, três ou quatro escravos, e os guardavam à espera da chegada do primeiro navio. "Moviam-se todos esses traficantes num conjunto de teias em que havia muitos fios comuns a mais de uma delas e que se urdiam a partir de vários pontos nos dois lados do oceano", escreveu Alberto da Costa e Silva. "Ainda quando rivais nos negócios, não hesitavam em auxiliar-se mutuamente, diante do adversário comum, o esquadrão naval britânico. Viam-se unidos ou, quando menos, solidários, em torno do tráfico."

13. NÃ AGOTIMÉ

EM MEIO AO CASARIO COLONIAL do centro histórico de São Luís do Maranhão há um mistério com raízes plantadas na África. É um terreiro de candomblé diferente de todos os demais existentes no Brasil. Situado no número 857 da rua de São Pantaleão, o Querebentan de Zomadonu (às vezes também grafado como Querebendã de Zomadônu), mais conhecido como Casa das Minas, ocupa uma área de 1.500 metros quadrados composta por três edificações térreas. Pelo lado de fora, de frente para a rua, as paredes são pintadas na cor verde-claro com uma faixa vermelha larga junto à calçada e outra, no mesmo tom e mais estreita, no alto, acompanhando o beiral. Nos fundos, há um pátio central, em forma de U, no centro do qual desponta uma centenária cajazeira, uma árvore sagrada, cujos ramos se debruçam sobre as telhas de cerâmica de estilo português. Ao redor dela crescem plantas de uso medicinal, aromático ou culinário. Os ambientes de terra batida são destinados aos rituais e trazem nomes africanos. O *comé* é o quarto secreto reservado aos *vuduns*, entidades espirituais, semelhantes aos orixás de outros terreiros. Nesse local só entram pessoas iniciadas nas práticas da casa, mães ou filhas de santo, as chamadas *vudunsi*, que em estado de transe incorporam os *vuduns*. A *guma* é o espaço de dança, na varanda. A comida dos santos é preparada em caldeirões de ferro que fervem sobre uma trempe — fogão à lenha de três bocas assentado sobre o chão da cozinha.

Em um terreiro de candomblé — na África, no Brasil ou em qualquer outro lugar onde se pratique essa religião —, tudo é sagrado. O revestimento do chão e das paredes, a posição das portas e janelas, as fitas que pendem do teto, as cores e os sons — tudo tem histórias e significados que transcendem a compreensão dos não iniciados. Até os tambores são considerados, eles próprios, divindades. Isso também acontece no Querebentan de Zomadonu, mas ali há outros segredos que o tornam diferente dos demais. O primeiro tem a ver com sua origem. Pela tradição oral, teria sido criado por um grupo de mulheres africanas vindas do antigo reino do Daomé no início do século XIX. Segundo se conta, algumas traziam no corpo diversas escarificações, cicatrizes permanentes produzidas de forma proposital pela incisão de objetos pontiagudos, como facas ou agulhas. Essas marcas eram feitas em rituais de iniciação, em geral na adolescência, e serviam para identificar pessoas originárias de diferentes povos no golfo do Benim. Indicavam também determinadas funções e status sociais da pessoa.

Ainda segundo a tradição oral, as primeiras mães de santo mal falavam português e assim passaram a vida toda no Maranhão. Por esse motivo, na Casa das Minas, os rituais sempre foram feitos em língua fon, típica dessa região do continente africano. O nome da fundadora, Maria Jesuína, aparece no documento mais antigo de que se tem notícia sobre o terreiro, a escritura de propriedade do imóvel, datada de 1847. Segundo alguns estudos, porém, Maria Jesuína talvez nunca tenha existido. Seria apenas um codinome, ou disfarce, para a verdadeira responsável pela criação desse local de culto, cuja identificação por razões obscuras se manteria até hoje como um segredo muito bem guardado pelas suas sucessoras.

Um segundo mistério está relacionado ao panteão de divindades ali cultuadas. Originário do antigo Daomé, o culto aos *vuduns* sobreviveu na Bahia e no Maranhão. Em Salvador e cidades do Recôncavo Baiano, é denominado candomblé jeje-mahi, nome de uma das etnias do antigo reino de onde partiram centenas de milhares de escravos entre os séculos XVIII e XIX. No Maranhão, recebeu o nome de tambor-de-mina, alusão à presença constante dos tambores nos rituais e à região de onde provinham os cativos africanos, a Costa da Mina, situada entre as atuais repúblicas do Togo e da Nigéria. A Casa das Minas é o único terreiro em que os *vuduns* são membros divinizados da família real do Daomé. E, curiosamente, apenas aqueles que viveram até a época do rei Agonglô, morto por envenenamento em 1797. O mais poderoso deles, Zomadonu, que dá nome ao terreiro, era cultuado em Abomei, a capital daometana e, em idioma fon, significa "não se põe o fogo na boca", indicação dos segredos mantidos no terreiro.

Na Casa das Minas são cultuados e conhecidos cerca de 45 *vuduns* e 15 entidades femininas infantis denominadas *tobossis*, ou meninas, relacionadas ao culto às princesas. Cerca de metade das entidades pertence à família de Davice, da casa real do Daomé. Os *vuduns* dessa família são nobres, reis e príncipes. É chefiada pela grande mãe ancestral mítica, Nochê Naé, conhecida na Casa como Sinhá Velha, que nunca teve filhas dançantes, a quem todos obedecem e sobre a qual se deve falar pouco. É a dona da cajazeira sagrada que centraliza os rituais.[1] Uma ausência notável é a do *vudum* Legba, equivalente ao orixá Exu nos terreiros de tradição nagô/iorubá, divindade poderosa e muito cultuada no antigo Daomé. Ao contrário de quase todos os demais terreiros de tradição jeje, Legba nunca é bem-vindo na Casa das Minas. Em vez disso, no início dos rituais, as filhas de santo (*vudunsis*) entoam cantos para Legba se afastar como se fosse um esconjuro, uma interdição à presença dessa entidade.

O sociólogo francês Roger Bastide, que foi professor da Universidade de São Paulo, definiu esse emblemático terreiro maranhense como "um Daomé em miniatura", separado da paisagem, como se um muro dividisse as duas realidades, uma africana e outra brasileira.[2] Mas não seria uma reprodução exata, uma simples cópia em menor escala do antigo reino africano. Na Casa das Minas haveria, em vez disso, uma reconstrução deliberada, com o propósito de preservar e valorizar apenas determinados elementos da cultura e das crenças daometanas, e não o conjunto todo. Refletiria, desse modo, a visão de alguém, ou de um grupo de pessoas, que teve de fazer escolhas, preservando alguns aspectos enquanto outros ficariam desprezados ou mesmo proibidos. Coube ao historiador e etnógrafo francês Pierre Verger acrescentar mais uma peça ao quebra-cabeça. É de sua autoria a mais desafiadora e intrigante explicação para os mistérios ali existentes. Segundo Verger, a Casa das Minas teria sido fundada por uma rainha africana, Nã Agotimé (em algumas fontes grafada também como Nã Agontimé), vendida para o Brasil como escrava no decurso de uma guerra entre seus filhos e enteados pela sucessão do trono do Daomé no final do século XVIII.[3]

Como descrito no capítulo anterior deste livro, o Daomé passou por uma violenta guerra sucessória depois da morte do rei Agonglô. O vencedor, Adandozan, apontado como um homem cruel e vingativo, subiu ao trono depois de eliminar os demais concorrentes. Dezenas deles, incluindo três príncipes, foram mortos. Outros foram aprisionados ou deportados para a América como escravos. Nesse grupo, estaria a rainha Nã Agotimé, uma das muitas esposas de Agonglô, que na disputa pelo trono havia apoiado seu filho, Gapê, na época, uma criança. Após o triunfo de Adandozan, foi capturada, destituída de suas funções na casa real e vendida para os traficantes de escravos. De acordo com Verger, Agotimé teria desembarcado de um navio negreiro no porto de Salvador e, de lá, seria revendida para o Maranhão, onde fundaria a hoje célebre Casa das Minas.

No Daomé, a rainha-mãe era chamada de *kpojito*, palavra que, na língua fon, significa "aquela que pariu o leopardo", ou seja, o rei. *Nã*, por sua vez, era o tratamento honorífico que precedia o nome pessoal da *kpojito*. O vocábulo poderia ser comparado, na língua portuguesa, à palavra *dona*, usada antes do nome de rainhas e imperatrizes. Designava a parceira do rei, considerada a mais rica e poderosa entre todas as mulheres da corte. Segundo a tradição oral do Daomé, eram esses os títulos que Agotimé ostentava antes de ser vendida como escrava.

Se a teoria de Pierre Verger estiver correta, Nã Agotimé seria, portanto, a representante de um pedaço do Daomé derrotado, escravizado e despachado para o Brasil na barriga de um navio negreiro como punição ou vingança pelas escolhas feitas durante as lutas políticas no Golfo do Benim. A Casa das Minas seria um espelho dessa visão, oposta à do vencedor Adandozan, que governou o Daomé por duas décadas, até 1818, quando finalmente foi derrubado por um golpe de estado sob a liderança do próprio príncipe Gapê, com o apoio do traficante baiano de escravos Francisco Félix de Souza. Gapê governaria nos quarenta anos seguintes com o nome de rei Guezo. Uma de suas primeiras providências teria sido enviar dois emissários ao continente americano, primeiro para Cuba e outras ilhas do Caribe, depois para o Brasil em busca da mãe escravizada.

Nunca se soube se essas embaixadas foram bem-sucedidas ou não. Restam apenas hipóteses. Segundo o historiador Alberto da Costa e Silva, teria sido o baiano Francisco Félix quem facilitou os contatos dos embaixadores de Guezo na outra margem do

Atlântico, onde, graças à condição de traficante de escravos, tinha uma ampla rede de relacionamentos.[4] O chefe dessas missões seria Dosso-Yovo (também conhecido como Dossou Yovo ou Dossouyévo), um mercador de Kéta, falante de português e inglês, alto dignatário na corte do falecido rei Agonglô, companheiro de prisão de Francisco Félix e que a ele se juntara no pacto de sangue com o príncipe Gapê, também descrito no capítulo anterior. Numa versão da história, os emissários do rei Guezo jamais encontraram Agotimé. Já outra, contada hoje pelos descendentes de Dosso-Yovo na África, garante o contrário: na segunda viagem, por volta de 1821, ele teria resgatado a rainha e a levado de volta ao Daomé.

O certo é que, em algum momento, ainda no início do governo de Guezo, uma mulher chamada Nã Agotimé sentou-se no tamborete da *kpojito*, ou rainha-mãe, no reino do Daomé. Em 1845, John Duncan presenciou o encontro dela, já bastante idosa, com o rei Guezo. Cinco anos depois, seria a vez de Frederick Forbes assistir a uma dança ritual diante do túmulo da mãe de Guezo, no qual estava gravado o título de *kpojito* e o nome "Agotimé". Além disso, existe atualmente na cidade de Abomei, na República do Benim, o sepulcro de uma Nã Agotimé, visitado por Alberto da Costa e Silva. Está situado em uma grande casa de planta circular, com paredes baixíssimas e uma ampla cobertura de palha. Seria esta a mesma mulher que fundou a Casa das Minas em São Luís? Não necessariamente.

No antigo Daomé, a mãe de cada um dos reis continuava a existir de forma simbólica depois de ter morrido. Seu nome, título e patrimônio eram perpetuamente herdados dentro da mesma linhagem paterna por alguém que continuava a personificar cada uma dessas rainhas-mães já falecidas. Além disso, no Daomé, a fronteira entre vida e morte era tênue e praticamente indistinguível. Eram considerados súditos do rei os vivos, mas também os mortos. O soberano reinava no mundo visível e no universo das sombras povoado pelos espíritos dos ancestrais divinizados, fundadores míticos dos clãs. Nascimento e morte eram passagens entre as duas dimensões. Os sacrifícios, oráculos e preces, feitos pela mediação dos sacerdotes em transe, eram formas de comunicação entre esses mundos.[5] Portanto, é possível que no túmulo hoje existente em Abomei repouse não os restos mortais da rainha escravizada que esteve em Salvador e no Maranhão, mas tão somente seu espírito. Ou de uma outra mulher que, depois dela, herdou seu nome e seu título na linhagem real.

O antropólogo Sérgio Ferretti, falecido em 2018, estudou durante muitos anos a Casa das Minas e nunca descartou a teoria de Verger, de que o terreiro tivesse como fundadora a rainha africana, embora também não a comprovasse. Segundo Ferretti, as sacerdotisas mais idosas jamais mencionavam o nome africano das primeiras mães de santo da casa, como se esse fosse um segredo bem guardado que jamais deveria ser revelado. Diziam apenas que as criadoras do santuário eram todas africanas e teriam chegado ao Maranhão no mesmo navio. Ferretti também não descartava a hipótese de que Maria Jesuína, apontada como a fundadora em algumas versões, fosse parente ou acompanhante da rainha daometana e que tivesse sido colocada como chefe da Casa das Minas a fim de permitir que Nã Agotimé se mantivesse incógnita, sem o risco de sofrer perseguições ou represálias no Brasil em consequência das disputas políticas e familiares no Daomé.

Ainda segundo Ferretti, uma possível indicação de que a fundação do terreiro seria mesmo resultado das intrigas e disputas sucessórias pelo trono do Daomé estaria na proibição do *vudum* Legba nos seus rituais. Em carta a dom João, em 1804, o rei Adandozan dizia ser Legba seu grande deus e protetor. Proibir o culto a essa divindade seria, portanto, uma vingança contra o rei responsável pela venda de Nã Agotimé como escrava para o Brasil. "Se, de fato, membros da casa real do Daomé foram vendidos como escravos por Adandozan, e se foram eles que fundaram a Casa das Minas, compreende-se porque ali não se cultua esse *vudum*", escreveu Ferretti.[6]

Essas e outras características têm chamado a atenção de inúmeros pesquisadores para a Casa das Minas. Nenhum outro centro religioso de matriz africana desperta tanta curiosidade. O terreiro vem sendo estudado há décadas por antropólogos, historiadores, etnógrafos, sociólogos e outros especialistas sem que as dúvidas e perguntas a seu respeito se esgotem. O local serviu de enredo e inspiração para inúmeros outros estudos, livros e produções artísticas. Na literatura, vários romances foram baseados na Casa das Minas como *Os tambores de São Luís*, do maranhense Josué Montello (1975), e *Agõtime: Her Legend*, da norte-americana Judith Gleason (1970), cuja primeira edição, ilustrada pelo baiano Carybé, trazia a seguinte apresentação:

> Era uma vez uma rainha negra, Agotimé, exilada pelo destino de uma África real. Os deuses que ela trouxe para o Novo Mundo conheceram uma modesta sobrevivência. Esta é a sua história, uma exploração de seu destino não louvado.

Desde 2005, a Casa das Minas figura entre os terreiros tombados pelo Instituto do Patrimônio Histórico e Artístico Nacional (Iphan). Apesar disso, encontra-se em acelerado processo de decadência. Suas práticas rituais e segredos há muito deixaram de ser passados de uma geração para outra. Nos demais terreiros, isso se faz pela iniciação de novas filhas e mães de santo, que se responsabilizam pela renovação e pela perpetuação desses centros religiosos ao longo do tempo. Na Casa das Minas, isso não acontece há muitas décadas, o que resultou na ausência de novas sacerdotisas dançantes. Restam apenas meia dúzia delas, todas idosas. Embora sua influência seja enorme no Maranhão, nenhum outro terreiro se originou diretamente dessa casa. Em 8 de fevereiro de 2015, morreu a última chefe da casa, dona Deni Prata Jardim, aos 89 anos. Desde então, um neto de sua antecessora, mãe Amélia, antigo tocador de tambor no terreiro, mantém a agenda cultural da Casa das Minas, que inclui a celebração do Divino Espírito Santo e as festas juninas, tradicionais no calendário festivo do Maranhão. No restante do ano, como patrimônio brasileiro, o local prossegue aberto à visitação. Porém, os rituais religiosos de culto aos *vuduns* cessaram definitivamente. Desse modo, seus mistérios aos poucos vão se perdendo no passado, sem que até hoje se tenha encontrado respostas adequadas para eles.

Na época da chegada da rainha Nã Agotimé ao Brasil, o Maranhão havia se convertido em um dos principais mercados do tráfico negreiro no continente americano. Conforme já explicado no volume anterior desta trilogia, entre 1751 e 1842, cerca de 100 mil africanos desembarcaram no porto de São Luís. Quase a metade desse número, 49 mil, foi redirecionada para o porto de Belém, no Pará. Dali, seguiam em comboios de barcos e canoas até as longínquas vilas de Barcelos, Moura e São Gabriel da Cachoeira, no alto rio Negro. Desse modo, a Amazônia seria a última grande fronteira escravista negra do Brasil depois que doenças, guerras e fugas tornaram inviável o trabalho cativo indígena praticado desde a chegada dos colonizadores europeus à região.

O primeiro desembarque de cativos trazidos diretamente da África em São Luís teria ocorrido em 1665. Os documentos falam de forma imprecisa em "alguns negros". Vinham de Cacheu, território na época designado como Alta Guiné. Sua escolha não era por acaso. Africanos dessa região dominavam as técnicas de cultivo de arroz, cujas lavouras floresciam nas terras baixas do Vale do Mearim maranhense. Um segundo grupo de cinquenta escravos atracou em 1673, seguido de outro, bem mais numeroso, de novecentos cativos, transportado por um navio holandês. O último desembarque de navio negreiro na Amazônia ocorreu em 1846, quatro anos antes da completa abolição do tráfico negreiro para o Brasil, pela Lei Eusébio de Queirós, de 1850[7].

Nesse período também se desenvolveria no Maranhão uma nova atividade agrícola: o cultivo do algodão, estimulado pela Revolução Industrial da Inglaterra. O produto era nativo em algumas regiões e fora usado de forma artesanal tanto pelos indígenas como pelos colonos nos séculos anteriores. A demanda das fábricas inglesas o transformaria em um dos principais itens da pauta brasileira de exportações. O primeiro carregamento chegou à Inglaterra em 1781. Uma década mais tarde, o Brasil já ultrapassava o Império Otomano entre os grandes fornecedores mundiais e respondia sozinho por um terço das importações de algodão bruto da indústria britânica. O produto maranhense era particularmente valorizado por sua fibra mais longa, de maior produtividade nos teares a vapor.[8] E tudo isso era movido à mão de obra escravizada.

Embora a escravidão africana tenha chegado tardiamente ao Maranhão, no começo do século XIX esse já era um dos principais destinos do comércio negreiro, responsável sozinho pela importação de 41 mil cativos só no breve período entre 1812 e 1820. Essa colossal força de trabalho cativa estava concentrada nas fazendas de algodão, arroz e açúcar situadas nos vales dos rios Itapecuru, Mearim e Pindaré. Uma típica fazenda de algodão possuía, em média, um plantel de cinquenta escravos. Cerca de 30 mil escravos trabalhavam nessas lavouras. Ao contrário das regiões Sul e Sudeste, o Maranhão nunca conseguiu atrair uma significativa imigração europeia. Como resultado, a população branca, em 1821, não passava de 15% do total de habitantes. A porcentagem de população escrava, em média de 55% sobre o número total de habitantes, era a mais alta do Brasil.[9]

Em meio a essa gigantesca e avassaladora onda negra que atravessava o Atlântico para satisfazer a fome do Brasil escravista, era comum que membros da nobreza acabassem vendidos para os traficantes. Os reinos africanos explorados pelo comércio de escravos eram numerosos, alguns muito pequenos em área territorial, e em cada Estado geralmente havia diversas linhagens reais. Além disso, a poligamia era um traço cultural muito forte na África. Reis e homens da nobreza tinham muitas esposas, o que resultava em grande número de filhos, todos eventuais candidatos ao trono na ocasião da morte do pai, e sempre apoiados por suas respectivas rainhas-mães. Disputas entre linhagens pelo trono ou por títulos de nobreza estavam entre as causas da escravização. Na Bahia, a tradição oral do terreiro do Alaketu sustenta que a fundadora fazia parte da realeza do reino de Ketu, aprisionada e vendida como escrava pelos daomeanos no final do século XVIII.

Alberto da Costa e Silva conta a história de diversos príncipes e princesas despachados como escravos para o Brasil.[10] Dois deles eram da própria nobreza do Daomé, de onde viria a rainha Nã Agotimé. Segundo Costa e Silva, em 1789, ao abrir-se a disputa pela sucessão do trono no Daomé, após a morte do rei Kpengla, um dos candidatos ao poder foi o príncipe Fruku, mais conhecido como "dom Jerônimo, o Brasileiro". Filho ou neto do rei Agaja, fora vendido aos traficantes pelo rei Tegbesu, que reinara entre 1732 e 1774, com outros membros da linhagem real considerados seus adversários. Teria vivido 24 anos no Brasil, boa parte desse tempo como escravo, antes de ser chamado de volta à África pelo rei Kpengla, seu amigo de infância. Graças ao domínio da língua portuguesa, exerceu a função de representante do soberano nas negociações de venda de escravos aos europeus em Ajudá. Em 1789, Jerônimo acabou vencido na disputa pelo trono por Agonglô, embora tivesse o apoio da importante comunidade brasileira no Daomé, formada em sua maioria por traficantes de escravos.

Décadas depois desse episódio, ainda segundo Costa e Silva, o próprio rei Guezo, filho de Nã Agotimé, teria vendido gente da nobreza do Daomé para a Bahia. Inclusive uma das esposas de Adandozan, conhecida apenas como Mino. Em Salvador, ela teria se casado com Joaquim D'Almeida, um escravo que, depois de liberto, regressou à África e se tornou um grande traficante de cativos para o Brasil. Um de seus colegas na época de cativeiro, Antônio Almeida, também retornou à costa africana para comercializar escravos. De nome verdadeiro Olufadé, seria, ao que consta, filho de Olukokum, rei de Iseyin.

Outro caso bem conhecido é o de Chico Rei, personagem mítico de um romance do escritor mineiro Agripa de Vasconcelos, de 1966,[11] e tema do samba-enredo da escola Acadêmicos do Salgueiro no carnaval de 1964. Chico Rei teria sido um chefe do reino do Congo trazido ao Brasil como escravo em meados do século XVIII. Levado a ferros para Vila Rica, atual Ouro Preto, labutou na mineração de ouro por muitos anos, mas ali também aprendeu a desviar pepitas e minério em pó, escondendo-os nos cabelos e outras partes do corpo. Graças a isso, conseguiu acumular fortuna suficiente para comprar não apenas a própria liberdade, como também a mina em que trabalhava. Rico e poderoso, passou então a alforriar todos os seus compatriotas, que o reconheciam como um rei africano. Por fim, associou-se à confraria do Rosário e financiou parte das obras da igreja de Santa Efigênia, descrita no volume anterior desta trilogia.

Algumas décadas mais tarde, já no início do século XIX, chegaria ao Brasil outro desses personagens fascinantes que, por uma trágica ironia do destino, saltaram da condição de nobres para a de escravos. Estudado por Lisa Earl Castillo, doutora em Letras pela Universidade Federal da Bahia, o babalaô (sacerdote) Rodolfo Manoel Martins de Andrade, conhecido pelo seu nome africano Bamboxê Obitikô, é um dos personagens mais destacados da história do candomblé.[12] Considerado um ancestral de um dos terreiros mais antigos da Bahia, o Ilê Axé Iyá Nassô Oká, hoje popularmente chamado de Casa Branca, também aparece nas tradições orais de terreiros no Recife e no Rio de Janeiro. Nascido no Império Iorubá de Oió provavelmente por volta de 1820, pertencia a uma linhagem real com descendência direta de Xangô, dos primeiros *alafins* (soberanos) do reino, deificado após a morte. Bamboxê Obitikô foi escravizado já em idade adulta e enviado para a Bahia, mas em poucos anos obteve a liberdade. Posteriormente, viajou para diversas províncias do então Império do Brasil, antes de retornar à África. Radicou-se em Lagos, mas voltava sempre às terras brasileiras. Hoje, tem descendentes nos dois lados do Atlântico.

Um personagem famoso, frequentemente citado em biografias do imperador Pedro II, foi dom Obá II, negro nascido na Bahia, filho de um ex-escravo de suposta ascendência real, que viveu no Rio de Janeiro na época da Lei Áurea e da Proclamação da República. Segundo o historiador Eduardo Silva,[13] Obá deve ter nascido por volta de 1845, na cidade baiana de Lençóis, filho de Benvindo, africano da nação iorubá que, ao obter a alforria, adotara o sobrenome de seu ex-senhor Fonseca Galvão. Alistou-se voluntariamente entre as tropas que seguiriam para a Guerra do Paraguai, de onde voltou com o posto de alferes. Depois, radicou-se na capital do Império, onde se tornou conhecido como uma figura excêntrica no Rio de Janeiro, famoso por suas vestimentas que misturavam trajes de oficial do exército, penas e outros símbolos africanos com fraques e cartolas.

Monarquista ferrenho, Obá II se dizia descendente de Abiodun, um dos *alafins* do Império africano de Oió. Em 20 de janeiro de 1878, publicou uma nota no jornal baiano *O Monitor*, insistindo em ser tratado como "Sua Alteza, o Sr. Alferes Cândido da Fonseca Galvão, filho do finado príncipe Obá I — neto de Sua Majestade, o rei da África, Abiodun" e advertindo que de jeito nenhum deixaria "de ser príncipe d'África".[14] A comunidade negra do Rio de Janeiro, constituída por pessoas livres e escravizadas, o reverenciava como um príncipe. Nessa condição, era também recebido regularmente nas audiências públicas pelo imperador Pedro II. Participou da campanha abolicionista e publicava artigos na imprensa carioca combatendo o racismo entre os brasileiros. Depois da queda do Império, em 1889, passou a ser discriminado pelos republicanos. Morreu logo em seguida, em julho de 1890.

    Todas essas histórias são a prova de que a escravidão afetava não só os pobres, mas também os ricos e poderosos. A perversa engrenagem do tráfico negreiro não poupava ninguém. Dependendo das circunstâncias, até mesmo príncipes, reis e rainhas poderiam ser lançados nos porões dos navios negreiros rumo a um destino muitas vezes anônimo e misterioso no cativeiro no Brasil.

14. ANGOLA, FRENTE E VERSO

Notícias frescas chegadas de Luanda, a capital de Angola, causaram alvoroço em Portugal em 1975. Os novos governantes de seu antigo e mais rico território na África, recém-declarado independente, estavam empenhados em apagar da memória local os traços que os identificavam com o passado colonial português. Uma nova versão da história estava a ser escrita na paisagem angolana. Avenidas, ruas, praças e até bairros inteiros haviam sido renomeados. Ao todo, dez reis, três príncipes, onze estadistas, 49 governadores e dezenas de navegadores, escritores, historiadores, cientistas e intelectuais portugueses, que figuravam na planta de Luanda até 1974, tiveram seus nomes erradicados da geografia da cidade. Em seu lugar, apareciam os novos heróis nacionais: comandantes militares e guerrilheiros, intelectuais e chefes civis do Movimento Popular de Libertação de Angola, o MPLA, de linha comunista. Entre os homenageados estavam também seus apoiadores e inspiradores internacionais, como o alemão Karl Marx, o russo Vladimir Lênin, o argentino Che Guevara e o chileno Salvador Allende. A escultura que simbolizava a Pátria Portuguesa, com soldados europeus e indígenas, foi dinamitada. Em seu lugar entronizou-se um tanque soviético.

Edifícios públicos haviam sido recentemente abandonados às pressas pelas autoridades coloniais e estavam sendo postos abaixo. Alguns foram transformados em abrigos para a população de rua. Enormes estátuas de pedra de alguns dos mais caros personagens da epopeia lusitana no mundo, que até então emolduravam alguns dos lugares mais emblemáticos da capital, tinham sido removidas de seus pedestais e escondidas no pátio interno da Fortaleza de São Miguel, longe dos olhos dos moradores locais, onde permanecem ainda hoje. Entre as vítimas da caça aos monumentos estavam Afonso Henriques, o primeiro rei lusitano, considerado o fundador da nacionalidade portuguesa; Luís de Camões, autor de *Os lusíadas*, poema épico da língua pátria; Vasco da Gama, o descobridor do Caminho das Índias no final do século xv; Diogo Cão, primeiro navegador europeu a chegar àquela região da África; Paulo Dias de Novais, o primeiro governador colonial de Angola, e Salvador Correia de Sá e Benevides, o brasileiro que, em 1648, reunira uma formidável força naval no Rio de Janeiro para libertar Luanda dos invasores holandeses. Do lado de fora da fortaleza restou apenas a estátua da rainha africana Jinga, que no século xvi havia desafiado as armas e o poder de Portugal à frente de milhares de guerreiros negros. Depois de 1975, virou heroína do novo governo comunista, celebrada como figura patriótica, defensora da liberdade e dos direitos do seu povo, em eterna luta contra a opressão dos colonizadores europeus.

Apesar das repercussões geradas por tais notícias, havia pouco que os portugueses pudessem fazer naquele momento. Eles próprios estavam às voltas com profundas transformações políticas internas. Em 25 de abril do ano anterior, na chamada Revolução dos Cravos, um grupo de militares saíra às ruas com o objetivo de pôr fim a uma ditadura de quatro décadas, uma das mais longas do século XX. Inspirado no modelo fascista, o salazarismo teve início em 1933, com a decretação do Estado Novo, o regime ditatorial que concentrou os poderes nas mãos do primeiro-ministro Antônio de Oliveira Salazar, e culminaria com o desmantelamento total do antigo Império Ultramarino Português.[1] Do tabuleiro colonial que restou após a Independência do Brasil, as primeiras peças a cair foram Goa, Damão e Diu, em 1961, territórios que Portugal mantivera na Índia por quatro séculos e meio. Depois viriam Cabo Verde e Guiné-Bissau (1974), São Tomé e Príncipe, Moçambique, Angola e Timor Leste (1975).[2] A última seria Macau, cuja autonomia o governo português, já em pleno exercício da democracia, devolveria à China em 1999.

Nada, porém, se comparou ao trauma e às dores do parto da Angola como nação independente. A batalha simbólica pela toponímia de Luanda, iniciada em 1975, seria sucedida por uma violenta guerra civil, que se prolongaria até 2002 e custaria a vida de mais de meio milhão de combatentes. Em jogo estiveram o poder de mando no novo país, mas também a memória de seu passado e sua identidade futura, nas quais colonialismo e escravidão estiveram sempre entrelaçados. Sob o domínio português, Luanda foi o maior porto negreiro da história africana. Só dali partiram, ao longo de quatro séculos, cerca de 12 mil viagens de navios que transportavam escravos para o Novo Mundo. A captura e o comércio de cativos foram a principal razão da chegada e da permanência dos portugueses em Angola.

Um século depois da fundação de Luanda pelo capitão e primeiro governador Paulo Dias de Novais em 25 de janeiro de 1576, Angola já tinha se consolidado como o maior território africano fornecedor de mão de obra cativa para as Américas. Estima-se que, de um total de 10,5 milhões de cativos que chegaram vivos ao continente americano, pelo menos 5,4 milhões, ou 51% do total, vieram dessa região. A proporção foi ainda maior em relação ao Brasil: 70% dos 4,9 milhões de cativos que desembarcaram em terras brasileiras até a proibição do tráfico pela Lei Eusébio de Queirós, de 1850, provinham de Angola ou áreas vizinhas. No século XIX, Angola sozinha exportou para a América cerca de 1,1 milhão de cativos, grande parte deles de forma clandestina e ilegal.[3]

Apesar dos esforços deliberados de redesenho da história e da geografia empreendidos pelos comandantes do MPLA depois de 1975, as marcas desse terrível passado continuam presentes no país na forma de estatísticas e indicadores sociais. Nesse aspecto, Angola se parece muito com o Brasil, maior território escravista do hemisfério ocidental até 1888 e principal destino dos escravos que partiam de Luanda. Hoje, quase meio século após a independência, é um país com índices de desigualdade perversos, embora esteja também entre os maiores produtores de diamantes e commodities como petróleo, café, algodão e madeiras, entre outras riquezas. No índice de desenvolvimento humano, medido pela Organização das Nações Unidas, figura em 147º lugar entre 189 países avaliados.[4] Quatro entre dez angolanos vivem abaixo da linha da miséria absoluta, privados de moradias adequadas, saneamento, eletricidade ou mesmo acesso ao registro civil que comprove sua existência no mundo. Três em quatro crianças com idade até cinco anos não têm registro de nascimento. Uma em cada cinco sofre de má nutrição crônica, ou seja, passa fome. Na zona rural, o índice de pobreza chega a 87%. Alimentados a petrodólares, os índices de corrupção são altíssimos. Favelas gigantescas de ruas sem calçamento e valas de esgotos que correm a céu aberto fazem fronteira com bairros e condomínios fechados, seguros e bem arborizados, onde moram os dirigentes nacionais e os executivos de grandes empresas multinacionais. No centro, edifícios da época colonial e escravista em ruína são vizinhos de prédios de vidro fumê e aço escovado — como se a cidade fosse uma mistura de Dubai com Salvador e Olinda.

No rolo compressor da modernização que tenta se impor sobre o oceano de pobreza, prédios históricos, como o mercado de Kinaxixe, do arquiteto modernista Vasco Vieira da Costa, vieram abaixo para dar lugar a shoppings e torres de vidro reluzente. Outro exemplo, muito simbólico do abismo que se criou entre passado e futuro, é o palácio Ana Joaquina, um imponente edifício construído em estilo barroco colonial português na primeira metade do século XVIII, situado junto ao mar na cidade baixa, com cerca de 40 metros de fachada, sete portas e 22 janelas com sacadas protegidas por grades e ornamentos de ferro. Sua proprietária, Ana Joaquina dos Santos e Silva, mais conhecida como dona Ana Joaquina, foi a rainha do tráfico clandestino de escravos em Angola na primeira metade do século XIX.

O palácio Ana Joaquina foi um dos primeiros alvos do redesenho da memória nacional empreendido pelos novos governantes depois de 1975. Abandonado após a Independência, virou abrigo de pessoas sem-teto. Em 1999, com a desculpa de que se encontrava em estado de ruína irreversível, impossível de ser restaurado ou recuperado, o governo decidiu demolir o prédio, que em poucas semanas foi arrasado pela ação de tratores e martelos hidráulicos. Pelos planos iniciais, o terreno seria ocupado por mais um dos edifícios de arquitetura arrojada que hoje dominam o centro da cidade. Dessa vez, porém, os protestos de inúmeros angolanos e portugueses surtiram resultado. O governo voltou atrás e decidiu construir uma réplica no lugar do antigo palacete. Reerguido em aço e concreto, o novo prédio, embora mantenha as dimensões do passado, é pobre do ponto de vista arquitetônico, que nem de longe lembra a beleza de seus traços originais. Ali funciona hoje um importante órgão de Justiça, o Tribunal Provincial. Vozes simpáticas aos novos tempos viram a mudança com animação. "Onde antes se vendiam filhos de uma Angola escravizada, tenta-se, agora, fazer justiça num tribunal de paredes altas", celebrou um portal de notícias. Visão diferente teve o escritor angolano José Eduardo Agualusa, para quem Luanda é um espaço ferido, afetado pela imposição de uma nova ordem que, na tentativa de reescrever o passado, perpetua mecanismos de exploração e exclusão herdados da época da escravidão. O lamento de Agualusa ficou registrado na voz de Bartolomeu Falcato, protagonista de seu romance *Barroco tropical*, de 2009:

> *Luanda corre a toda a velocidade em direção ao Grande Desastre. Oito milhões de pessoas aos uivos, aos choros e às gargalhadas. Uma festa. Uma tragédia. Tudo o que pode acontecer, acontece aqui. O que não pode acontecer, acontece igualmente. Estamos no século XXI. Estamos lá muito atrás. Estamos mergulhados na luz. Estamos afundados no obscurantismo e na miséria. Somos incrivelmente ricos. Produzimos metade dos diamantes vendidos no mundo. Temos ouro, cobre, minerais raros, florestas por explorar e água que não acaba mais. Morremos de fome, de malária, de cólera, de diarreia, de doença do sono, de vírus vindos do futuro, uns, e outros de um passado sem nome. [...] Vi cair o belo Palácio de Dona Ana Joaquina, a golpes de camartelo, para ser substituído por uma réplica de mau betão, e achei que era uma metáfora dos novos tempos — o velho sistema colonial e escravagista a ser substituído por uma réplica ridícula [...]. Mais tarde (tarde demais) compreendi que não havia ali metáfora alguma, apenas um casarão que caía. Muitos outros tombaram a seguir.*[5]

Ana Joaquina foi uma das figuras mais importantes da sociedade crioula de Luanda no século XIX. Rica, bem-educada, reunia em seu palacete a mais fina flor do Império Colonial Português, incluindo o governador, altos funcionários da Coroa, mercadores de escravos, armadores e capitães de navios negreiros, militares, religiosos, artistas, viajantes e diplomatas estrangeiros. Teria nascido em 1788, filha de pai português e mãe mestiça de ascendência africana. Casou-se e enviuvou duas vezes. Seu envolvimento com o tráfico negreiro teria iniciado por volta de 1820, ano da Revolução Liberal do Porto em Portugal, que teria como consequência a volta do rei dom João VI a Lisboa e, indiretamente, a Independência do Brasil. Tinha agentes de compra de cativos espalhados por uma enorme região entre as atuais República do Congo e de Angola. Era respeitada pelos chefes locais, seus fornecedores.[6] No norte de Angola era chamada de "Dembo Ualála" (Senhora dos Dembos, grupo populacional existente ao norte do rio Cuanza), cujos representantes se prostravam diante dela quando a visitavam em Luanda. Tinha feitorias estabelecidas em portos-chaves do comércio negreiro, como Cabinda, Ambriz, Benguela e Moçâmedes, além de um entreposto na ilha de São Tomé, usado como escala de reabastecimento por seus navios na travessia do Atlântico.

Por volta de 1840, era proprietária de mais de uma dezena de embarcações. Fornecia escravos para Rio de Janeiro, Salvador, Recife, Montevidéu e Havana, em Cuba. Em 1850, um de seus navios, o *Oriente*, foi apreendido na costa brasileira pela marinha britânica. Transportava clandestinamente cerca de duzentos cativos. Outras atividades incluíam o comércio de marfim e café. Tinha diversas fazendas ao redor de Luanda, nas quais trabalhavam centenas de cativos. Em uma delas, a fazenda Sant'Ana, produzia açúcar e álcool. Numa viagem ao Rio de Janeiro, teria gastado quarenta contos de réis, equivalente ao valor de 40 quilos de ouro ou meia centena de escravos. Tinha fama de mulher implacável com os inimigos, a quem mandava matar, de moralidade duvidosa e uma sexualidade compulsiva, segundo registrou o médico italiano Tito Antonio Omboni, que permaneceu dez meses em Luanda em 1835:

> *Todos os que frequentam aquelas costas conhecem a poderosa Dona Ana, que distribui riquezas às mãos-cheias de forma a apagar os sempre crescentes atos libidinosos, os caprichos depravados e as mais infames ações. Aos envenenamentos sucedem os presentes suntuosos e o crime fica sempre envolto em mistério. O seu poder apoia-se nos sobas [chefes africanos do interior de Angola] mais poderosos e na obediência de todas aquelas populações selvagens que lhe chamam a sua rainha [...]. A sua palavra faz a lei e ainda que ela resida em Luanda é obedecida pelas tribos mais remotas. Ninguém ousa contrariar os seus desejos e o próprio governo de Luanda acha-se sem força para a defrontar, e ela, entretanto, reforça o seu poder, encobre as depredações e as prepotências e torna-se o escudo de seus sequazes.*[7]

Outro viajante, o jornalista, escritor e diplomata português Carlos José Caldeira, que em meados do século empreendeu uma longa jornada à China, com escalas na África, registrou as seguintes impressões sobre Ana Joaquina, depois de ser recebido em seu palacete, em 1852:

> *Visitei uma senhora de muita nomeada em Loanda, Dona Anna Joaquina dos Santos Silva, a mais rica negociante e proprietária de Angola, à qual muitos chamam a baronesa de Loanda, porque já esteve para lhe ser dado este título. Os negros a apelidam Angana Dembo, espécie de rainha. É se-*

nhora idosa, que outrora possuiu fortuna de uns poucos milhões de cruzados, e que ainda hoje muito avulta [...]. Possui uns mil escravos, e quase outros tantos lhe andam fugidos. Já esteve no Rio de Janeiro, onde ostentou extraordinário fausto, e dispendeu em seis meses uns quarenta contos [de réis]. É viúva por segunda vez, e tem uma filha única, casada no reino com um cavalheiro da casa dos Guedes Garridos, da Bouça, nas proximidades de Coimbra.[8]

Ana Joaquina passou os últimos anos de sua vida em Portugal, onde morreu em 1859. A filha única se casou com Elísio Guedes Coutinho Garrido, filho de outro grande traficante de escravos, Augusto Guedes Coutinho Garrido, frequentador de seu palacete em Luanda. Um dos netos, Antônio Guedes Coutinho Garrido, formado em Teologia em Coimbra, foi cônego e governador do bispado de Angola e Congo.

O comércio de escravos era o principal negócio nos portos de Angola na época da Independência do Brasil e continuaria ativo mesmo depois da proibição formal do tráfico em Portugal, em 1836, por uma lei aprovada durante o governo do marquês de Sá da Bandeira. Seria o maior negócio português na África até quase o final do século XIX. As mercadorias utilizadas no tráfico compunham uma lista com mais de mil itens, incluindo conchas marinhas, artefatos de ferro e cobre, cordas, pregos, martelos, serrotes e outras ferramentas, bacias, panelas, facas, enxadas e objetos de adorno, como contas de vidro produzidas em Veneza e na Holanda. Roupas e tecidos, fabricados na Europa ou trazidos da Ásia, especialmente da Índia, representavam metade do total das negociações. Outros 20% eram de bebidas alcoólicas, que incluíam vinhos portugueses ou franceses e, principalmente, cachaça do Brasil. Entre 1785 e 1820, a cachaça, na época chamada de jeribita na África, representou mais de dois terços do total de exportações brasileiras que entravam no porto de Luanda. Em média, compravam-se dez escravos por uma pipa de quinhentos litros de aguardente. Armas, pólvora e munições completavam o terceiro item mais valioso.[9]

Luanda teria na época cerca de 5 mil habitantes, sendo que a metade deles era escravizada.[10] O médico alemão George Tams, que ali esteve no início de novembro de 1841, elogiou a arquitetura colonial portuguesa da cidade, em especial os imponentes edifícios da alfândega e o da praça de comércio que, na sua opinião, eram símbolos dignos da vigorosa atividade mercantil da cidade — ou seja, do tráfico negreiro. Ainda segundo a descrição de Tams, nas casas europeias que visitou a mobília estava à altura dos confortos e amenidades do mundo civilizado. Em suas mesas serviam-se queijo inglês, cerveja e vinho. Almoços e jantares reuniam mulheres e homens brancos que seguiam as etiquetas europeias enquanto de maneira muito educada fechavam negócios envolvendo a compra e venda de africanos escravizados. Fora das casas, as atrações eram relativamente tímidas. A vida pautava-se pelas festas religiosas e encontros nas tavernas, onde tomava-se aguardente e jogava-se bilhar. Um pequeno teatro apresentava espetáculos esporadicamente. Aos domingos, o governador oferecia um baile à aristocracia local, composta, nas palavras de Tams, por "heterogênea multidão de pretos, brancos e mulatos, todos igualmente ensoberbecidos com a honra de que se achavam gozando".

Enquanto permaneceu em Luanda, Tams observou a chegada de inúmeras caravanas que traziam escravos do interior. Em geral, os cativos transportavam na cabeça variadas mercadorias, como marfim, goma copal (resina usada na preparação de verniz de madeira, de medicamentos, e como incenso) e urzela (líquen usado como corante azul na indústria têxtil). Para evitar que fugissem, os capatazes usavam também o libambo, corrente de ferro que prendia pelo pescoço uma pessoa àquela que estivesse na frente. Alguns vinham com as mãos atadas às costas, ou com cordas ao pescoço, organizados em fila indiana. Eram todos embarcados imediatamente para o Brasil em navios negreiros que ancoravam longe da cidade, em locais ermos, para despistar a vigilância da armada britânica. Tams citou como exemplo o traficante Arsénio Pompílio Pompeu de Carpo, português da Madeira degradado em Angola por crime político, que, de acordo com o médico alemão, cavalgava grandes distâncias para supervisionar o embarque de seus escravos, sempre à noite, quando a vigilância dos ingleses era menor.

Os lucros compensavam largamente os riscos. Em 1820, um escravo comprado em Luanda por 75 mil réis era revendido no Rio de Janeiro por 152 mil, mais do que o dobro do preço original.[11] No século XIX, navios negreiros que partiam dos três principais portos de Angola — Ambriz, Luanda e Benguela — transportavam, em média, 408 cativos em seus porões. Em Moçambique, na costa leste da África (Lourenço Marques, Quelimane, Inhambane e Ilha de Mocambique), a média era maior, de 559 escravos por navio). A carga completa de uma embarcação, incluindo os escravos e os suprimentos a serem utilizados na travessia, valia entre 10 mil e 12 mil libras esterlinas, o equivalente a algo entre 1,6 milhão e dois milhões de dólares, em moeda atual.[12]

A importância das colônias africanas de Portugal no tráfico de escravos pode ser medida pelas repercussões que lá tiveram os acontecimentos políticos no Brasil ao longo do século XIX. Africanos acompanharam com grande interesse as notícias sobre a Independência, em 1822, a abdicação de dom Pedro I, em 1831, a coroação de seu filho, Pedro II, em 1841, a Guerra do Paraguai, entre 1864 e 1870, a Abolição, em 1888, e, finalmente, a República, em 1889. "Muito do que se passava na África Atlântica repercutia no Brasil, e vice-versa", observou o historiador Alberto da Costa e Silva. "Os contatos através do oceano eram constantes: os cativos que chegavam traziam notícias de suas nações, e os marinheiros, os ex-escravos de retorno e os mercadores levavam [para a África] as novas do Brasil e dos africanos que aqui viviam."[13]

Em Moçambique e Angola, particularmente em Benguela, houve movimentos de adesão ao novo Império Brasileiro na época da Independência. Nesse caso, o principal centro de agitação eram as lojas maçônicas, em geral lideradas por traficantes vindos do Brasil. Em Benguela, um desses maçons, Silvério Mariano, foi preso a mando do governador Joaquim Bento Fonseca e degredado para o Rio de Janeiro. Outros foram enviados para locais distantes do interior de Angola, incluindo o grão-mestre Justiniano José dos Reis.

Também em Benguela, um traficante de escravos negro nascido no Rio de Janeiro, Francisco Ferreira Gomes, foi preso sob a acusação de liderar uma conspiração para separar a colônia africana de Portugal. Segundo o inquérito que se seguiu, Gomes e outros quatro cúmplices planejavam prender o governador português e em seguida hastear a bandeira do Império Brasileiro, com o objetivo de transformar Benguela na primeira província ultramarina do novo país independente. Os revolucionários teriam apoio de tropas e tripulantes de alguns navios negreiros ancorados na região. Segundo testemunho do bispo de Angola, "alguns comerciantes [de escravos] de Benguela têm pedido que o príncipe real [dom Pedro, imperador do Brasil] mande navios para subjugar este reino [de Angola e Benguela]". Despachado para a prisão em Luanda, Francisco Ferreira Gomes seria mais tarde resgatado pelo pai, Miguel Ferreira Gomes, e prosseguiria sua carreira de traficante em Benguela até pelo menos a década seguinte. Seus navios teriam transportado entre 1809 e 1831 pelo menos 7 mil cativos para o Brasil.[14]

Em 1823, rumores de que uma esquadra brasileira estava a caminho da África com o objetivo de capturar Angola e incorporá-la ao novo Império do Brasil causaram verdadeiro pânico entre as autoridades portuguesas. Estaria sob o comando de lorde Thomas Alexander Cochrane, o intrépido almirante da real armada britânica contratado por dom Pedro I para expulsar os portugueses das regiões Norte e Nordeste. Em resposta aos rumores, o governador de Angola, Nicolau de Abreu Castelo Branco, ordenou a imediata mobilização de todas as tropas portuguesas em Luanda. Medidas semelhantes foram adotadas também em Benguela, incluindo a remoção do tesouro público para os "sertões", as regiões distantes do interior, onde supostamente estaria fora do alcance de Cochrane caso o dito ataque se confirmasse. No fim, como se sabe, eram apenas boatos infundados, mas, ainda assim, nas negociações do tratado de reconhecimento por parte da antiga metrópole, em 1825, mediado pelos britânicos, os representantes de dom Pedro I tiveram de se comprometer formalmente a não aceitar "proposições de quaisquer colônias portuguesas para se reunirem ao Império do Brasil".[15]

Por uma ironia da história, em 1975, o Brasil, então sob uma ditadura militar, seria o primeiro país a reconhecer a independência de Angola e o governo comunista do MPLA.

15. MEDO, MORTE E REPRESSÃO

"Morra branco e viva negro!"
Grito de guerra de escravos
que tentaram invadir Salvador.

RUMORES INQUIETANTES COMEÇARAM A circular pelas ruas e casas de Salvador ao cair da tarde de 24 de janeiro de 1835. Era um sábado, véspera de dois importantes eventos religiosos. Pelo calendário litúrgico católico, no domingo haveria a festa de Nossa Senhora da Guia, padroeira dos pescadores, cuja imagem, trazida de Portugal, fora entronizada em 1745 na igreja de Nosso Senhor do Bonfim, na época ainda situada na zona rural, longe do perímetro urbano. Fazia parte do ciclo de festas do Bonfim, que hoje inclui a famosa lavagem da igreja por devotas das irmandades religiosas, muitas delas mães e filhas de santo do candomblé baiano. A cidade estaria virtualmente paralisada naquele dia para que as pessoas pudessem comparecer logo cedo às missas e procissões. Na tradição muçulmana, por outro lado, celebrava--se a Noite do Destino (em árabe, *Lailat al-Qadr*) e o encerramento do Ramadã, período de jejum e orações que marca o início das revelações do Alcorão, o livro sagrado do islã, feitas ao profeta Maomé pelo anjo Gabriel. A capital baiana tinha na época grande concentração de negros escravizados praticantes dessa religião. Parte deles havia chegado recentemente da África. Eram chamados de *malês*, palavra derivada de *imale*, que significa "muçulmano" em iorubá, idioma africano da atual Nigéria, ou de *malam*, "mestre" na língua haussá, da mesma região.[1]

No início daquela noite, ao chegar em casa, o africano liberto Domingos Fortunato contou à esposa, Guilhermina Rosa de Souza, ter ouvido notícias a respeito de uma estranha movimentação de escravos recém-chegados do Recôncavo, o vasto e fértil cinturão agrícola que circunda a baía de Todos os Santos, santuário do sistema escravista baiano.[2] Segundo os boatos que corriam na Cidade Baixa, entre a igreja de Nossa Senhora da Conceição da Praia e a zona portuária, cativos muçulmanos procedentes da cidade de Santo Amaro ali tinham desembarcado para se juntar a um "maioral" africano de nome Ahuna, líder religioso que estaria envolvido em algum tipo de conspiração.

Pouco mais tarde, ao observar da janela os transeuntes que passavam pela rua, a própria Guilhermina julgou ter ouvido de dois deles detalhes sobre a suposta rebelião em andamento. O levante, entendeu ela, estaria marcado para as cinco horas da manhã, quando soasse o toque da alvorada e, como de costume, os escravos se dirigissem às fontes de água que abasteciam a cidade. De posse dessas informações, Guilhermina procurou seu vizinho, André Pinto da Silveira, sogro do advogado Antônio Pereira Rebouças, por sua vez pai do futuro abolicionista André Rebouças. Silveira ouviu tudo e, alarmado, comunicou o juiz de paz do 1º Distrito da Freguesia da Sé, José Mendes da Costa Coelho, que, de imediato, correu ao palácio para fazer um relato detalhado ao presidente da província, o advogado e ex-seminarista piauiense Francisco de Souza Martins, de trinta anos, empossado no cargo no mês anterior.

Foi assim que a notícia sobre a Revolta dos Malês, maior insurreição escrava registrada em ambiente urbano em todo o continente americano, chegou aos ouvidos dos brancos entre oito e onze horas da noite daquele sábado. O que se viu em seguida foi uma explosão de violência que se desdobraria em uma série de rápidos e brutais confrontos entre forças militares e policiais e centenas de negros cativos. Na manhã seguinte, quando o sol raiou, havia cadáveres espalhados por diversas ruas, praças e ladeiras da capital baiana. Estima-se em cerca de setenta o número de mortos. A cifra de feridos, não oficialmente apurada, seria incontáveis vezes superior. Na devassa que se seguiu, mais de quinhentas pessoas foram punidas com penas de morte, prisão e açoites. Outras foram deportadas. As consequências, porém, ultrapassaram em muito a contabilidade de vítimas e forças mobilizadas para a ação. A Revolta dos Malês levou pânico às outras regiões do país e contribuiu para abalar os alicerces do já tenso e imprevisível sistema escravista brasileiro. O temor de que acontecimentos semelhantes se repetissem em outras localidades foi tão grande que levou o parlamento a aprovar uma lei no mesmo ano que garantia que os escravos que atentassem contra a vida dos senhores fossem condenados à morte, não sendo necessário para a sentença, como nos outros casos, a unanimidade do júri.[3]

Revoltas e conspirações envolvendo escravos tiravam o sono das autoridades e famílias brancas da Bahia nas quatro primeiras décadas do século XIX. Foram mais de trinta, concentradas na capital, no Recôncavo e regiões adjacentes. Metade delas aconteceu entre 1826 e 1830. Nunca houve uma sequência tão grande de fugas e rebeliões em período tão curto e espaço geográfico tão limitado.[4] A primeira delas, liderada por africanos da etnia haussá, ocorreu em maio de 1807. A repressão foi duríssima. As principais lideranças foram presas e sentenciadas a açoites públicos no pelourinho. Reuniões e festas africanas ficaram proibidas. Em 1814 e em 1816, os haussás atacaram novamente, em uma sucessão de levantes no Recôncavo e em bairros periféricos da capital. Em 1826, mais um grupo de escravos, procedente do quilombo do Urubu, tentou invadir Salvador aos gritos de "morra branco e viva negro". As tropas reagiram e contra-atacaram depressa. Cercados, os rebeldes resistiram bravamente sob o comando de uma mulher, Zeferina, que, na falta de armas de fogo, enfrentou os soldados com arcos e flechas de fabricação caseira. Zeferina mais tarde declarou que os rebeldes planejavam "invadir a capital para matar os brancos e conseguir a liberdade".[5]

Nem todas as rebeliões resultaram em enfrentamentos nas ruas de Salvador. A maioria foi abortada quando ainda estava em fase de planejamento graças a delações ou rumores que despertaram a ação das autoridades. Nenhuma delas causou tanto medo e teve tanta repercussão nacional quanto à de 1835. Tudo aconteceu de forma rápida e inesperada. Ao receber as primeiras denúncias naquele sábado, 24 de janeiro, o presidente da província decidiu agir imediatamente. Reforçou a guarda do palácio, comunicou o chefe de polícia, Francisco Gonçalves Martins, então um jovem de 27 anos, e ordenou um alerta geral a todos os quartéis da cidade. Juízes de paz e inspetores de quarteirão foram orientados a redobrar as rondas noturnas. Também colocou a fragata *Baiana* de prontidão, provavelmente temendo que os rebeldes tentassem tomar algum dos navios ancorados no porto.

Seguindo as pistas das denúncias encaminhadas ao governador, por volta da uma hora da madrugada do domingo, dia 25, soldados de uma patrulha liderada por juízes de paz da Sé foram até um sobrado de dois andares situado na Ladeira da Praça, número 2, no centro de Salvador. Ali moravam dois africanos libertos.

Um deles, Aprígio, vivia de vender pães. O outro, Manoel Calafate, trabalhava na construção naval, especializado em vedar com estopas e betume o casco dos navios para evitar a infiltração de água. Supõe-se que, naquele momento, ambos estivessem reunidos com outros conspiradores, ultimando os planos para o ataque, mas ainda não inteiramente preparados para entrar em ação. Pegos de surpresa pela chegada das autoridades, decidiram atropelar as combinações iniciais e ir à luta improvisadamente com os recursos que tinham à mão.

Quando os soldados estavam prestes a arrombar a porta da loja situada no andar térreo, entre cinquenta e sessenta negros irromperam de dentro da casa armados de pistolas e espadas. Saíram atirando e brandindo suas armas aos gritos de "mata soldado!". Morador da Ladeira da Praça, Luís Tavares Macedo, funcionário público e guarda nacional, de 32 anos, correu à janela ao ouvir o som de vozes e tiros. Lá chegando, observou "pretos africanos de barretes brancos e camisas grandes por cima das calças que, armados de espadas, se encaminhavam na direção da praça do palácio". Eles foram seguidos por outro grupo, igualmente armado. O padre Bernardino de Sena do Sacramento já estava deitado quando ouviu os tiros que vinham da rua. Assustado, levantou-se da cama a tempo de ver os africanos subirem a ladeira enquanto gritavam "à maneira de sua terra", ou seja, com palavras de origem africana. Outra testemunha, o liberto Pompeu da Silva, quitandeiro de trintas anos, declarou ter ouvido "o barulho dos pretos, isto é, estrondo dos tiros e barulho de gente que corria pela rua". Nesse confronto inicial, morreram um soldado e um africano rebelde. Outras cinco pessoas ficaram feridas.

Depois de escapar ao primeiro cerco da polícia, os revoltosos saíram batendo nas portas e janelas de outras casas onde supostamente estavam escondidos mais participantes da conspiração, com o objetivo de avisá-los de que as autoridades já estavam alertas e era preciso antecipar o levante. No total, teriam conseguido arregimentar às pressas cerca de quinhentos combatentes que passariam as três horas seguintes enfrentando os agentes da lei nas ruas de Salvador. Os dois embates subsequentes ocorreram na Praça do Palácio, situada nas proximidades do atual elevador Lacerda. Ali, no subsolo da Câmara Municipal, se localizava a cadeia da cidade, onde estava preso um grande mestre muçulmano, Pacífico Licutan, por dívidas contraídas ao seu senhor. Aparentemente, os rebeldes pretendiam libertá-lo e tomar as armas dos carcereiros. O assalto, porém, fracassou.

Submetidos a um pesado tiroteio por parte da guarda do palácio, os revoltosos recuaram em direção ao Terreiro de Jesus e ao Largo do Teatro, atual praça Castro Alves, onde atacaram uma pequena força de oito homens ali estacionada e roubaram suas armas. Em seguida, tentaram tomar o quartel dos Guardas Permanentes. Mais uma vez repelidos a tiros, prosseguiram rumo ao bairro da Vitória, onde moravam muitos comerciantes, diplomatas e cidadãos britânicos, todos donos de numerosos escravos. No caminho, receberam ajuda do sacristão do Convento das Mercês, o escravo nagô Agostinho, que por isso seria, mais tarde, punido com quinhentas chibatadas. Nesse ponto houve novo confronto, com mortos e feridos de ambos os lados. O assalto seguinte foi ao quartel de polícia, situado no Largo da Lapa. Os 32 guardas ali de plantão refugiaram-se por detrás dos muros e começaram a disparar. Dois deles morreram. Os rebeldes se dispersaram e passaram a fazer ataques relâmpagos em diversos pontos da cidade.

A última e decisiva batalha ocorreu diante do Quartel da Cavalaria, no bairro de Água de Meninos, já quando o dia estava amanhecendo. O historiador João José Reis calculou que cerca de duzentos escravos rebeldes participaram desse confronto. Usavam lanças, espadas, porretes e pistolas. Foram recebidos a bala por soldados postados nas janelas do quartel e por uma carga da cavalaria que os desorganizou por completo. Na caçada humana que seguiu, muitos foram baleados ou retalhados à espada enquanto procuravam fugir para os matos e morros vizinhos. Alguns pularam no mar e tentaram escapar a nado, mas morreram afogados. Outros ainda foram capturados e ali mesmo fuzilados pelos marinheiros da fragata *Baiana*, que se encontrava nas imediações. Ao amanhecer, foram contados dezenove cadáveres.

Na época da Revolta dos Malês, entre 8 mil e 10 mil africanos escravizados desembarcavam anualmente no porto de Salvador. A imensa maioria era originária do Golfo do Benim, onde hoje estão situadas as repúblicas de Togo, Benim, Nigéria e Camarões. Como já se viu antes nesta trilogia, a região havia se convertido na principal fonte dos escravos enviados para a Bahia durante o século XVIII em razão de uma prolongada guerra entre o reino do Daomé e seus vizinhos. Os cativos dali provenientes recebiam dos traficantes a designação genérica de "pretos minas" devido à proximidade do antigo castelo de São Jorge da Mina, ou Elmina, hoje situado na república de Gana e antigo centro produtor de ouro e outros minerais preciosos. Em 1806, por exemplo, 8.037 escravos minas chegaram a Salvador, número três vezes superior ao dos 2.588 cativos que vinham de Luanda e Benguela, na atual Angola.

A capital baiana se destacava como o local de maior concentração de pessoas de descendência africana entre as grandes cidades do continente americano. A proporção era de quatro negros ou mestiços para cada morador branco. De cada cem cativos, 63 tinham nascido na África. Haveria dois homens para cada mulher. O censo de 1808 realizado em Salvador e treze freguesias vizinhas apurou que, dos 249.314 habitantes, só 50.451 eram brancos. Os negros e mulatos livres ou alforriados somavam 104.285 moradores. Os escravos eram 93.115. Além disso, havia 1.463 índios. "A classe dos pretos superabunda imensamente a dos brancos", assustava-se o presidente da província, Francisco de Souza Martins, ao observar os números em 1835.

Os haussás e os iorubás, que compunham a liderança da conspiração de 1835, eram africanos de estatura elevada, porte físico vigoroso, considerados pelos senhores escravistas como trabalhadores e inventivos, mas também muito ciosos de suas raízes étnicas e culturais e predispostos a se envolverem em fugas e rebeliões. Mesmo após a traumática experiência de captura e escravização na África e da travessia do Atlântico a bordo de um navio negreiro, em geral mantinham-se unidos, congregavam-se em sociedades secretas, frequentavam espaços de trabalho bem definidos — chamados de "cantos" nas esquinas, praças e ruas. Cicatrizes no rosto ou dentes pontiagudos e limados ajudavam a identificar suas raízes culturais.

Ao visitar Salvador em 1837, o botânico e médico escocês George Gardner fez o seguinte comentário sobre eles:

> O estrangeiro, visitando a Bahia, mesmo vindo de outras províncias do Brasil, tem chamada sua atenção pelo aspecto dos negros encontrados na rua. São os mais bonitos que se pode ver no país, homens e mulheres de alta estatura, bem formados, em geral inteligentes; alguns dentre eles são, mesmo passavelmente, instruídos na língua arábica. Foram quase todos importados da Costa da Mina e, não somente pela maior robustez física e intelectual, como também porque são mais unidos entre si, mostram-se mais inclinados aos movimentos revolucionários do que as raças mistas das demais províncias.[6]

Gardner confirmava assim a impressão já registrada duas décadas antes pelo arquivista Luís Joaquim dos Santos Marrocos, responsável pela biblioteca real trazida de Portugal pelo príncipe regente dom João na fuga da corte para o Brasil. Em carta à família de 15 de março de 1814, Marrocos afirmava que as chances de rebelião de escravos eram menores no Rio de Janeiro do que na Bahia devido à mistura, em território fluminense e carioca, de cativos de diferentes origens, fenômeno que, segundo ele, não se verificava na Bahia:

> Este perigo [de revoltas negras] não existe no Rio de Janeiro, aonde chegam negros de todas as nações e por isso inimigos uns dos outros, enquanto na Bahia chegam sobretudo da Costa da Mina e muito pouco de outras regiões; são todos companheiros e amigos e, no caso de revolta, formam um bloco unânime e matam os que não são de seu país.

Em geral, os africanos provenientes do Golfo do Benim praticavam crenças e religiões herdadas da África, caracterizadas pelo culto aos orixás. Muitos, no entanto, haviam se convertido ao islamismo. Na devassa que se seguiu ao levante de 1835, ficou evidente a motivação religiosa do conflito. A liderança era toda muçulmana. Os rebeldes que saíram das ruas usavam roupas e adereços islâmicos, como amuletos contendo passagens do alcorão, que, segundo acreditavam, lhes daria proteção contra as armas do inimigo. Estudos posteriores demonstraram que, na verdade, a Revolta dos Malês poderia ser apontada como o prolongamento de uma *jihad* (guerra santa islâmica) deflagrada na África algumas décadas antes.

Um violento processo de islamização fora iniciado no Golfo do Benim em 1804. Naquele ano, o xeque Usman Dan Fodio, muçulmano da etnia fulani, declarou a *jihad* contra seus vizinhos praticantes de cultos africanos ancestrais, o que resultou na formação de um novo estado, o Califado de Socoto (ou Sokoto) em território haussá e iorubá. A guerra se prolongou por oito anos e produziu milhares de prisioneiros dos dois lados em conflito, a maioria deles imediatamente vendida como escrava para os navios negreiros que cruzavam o Atlântico. A chegada maciça de cativos islamizados, como produto dessas guerras religiosas, serviria de combustível para as rebeliões registradas na Bahia nessa época, com destaque para a Revolta dos Malês, de 1835.[7]

Some-se a tudo isso o clima de agitação política reinante na época da Independência brasileira. Na Bahia, negros e mestiços, escravos e libertos, foram recrutados e participaram ativamente de episódios como a Conjuração Baiana (também chamada de Revolta dos Alfaiates), de 1798, da guerra pela Independência, que resultou na expulsão dos portugueses em 2 de julho de 1823, e da Sabinada, movimento republicano e federalista de 1837 liderado pelo médico Francisco Sabino Álvares da Rocha Vieira, que proclamou a independência da "República Bahianense" e custou as vidas de cerca de 1.800 pessoas. Essas divergências e rupturas no universo da elite dirigente brasileira criou o ambiente e o espaço para que os escravos se manifestassem na forma de revoltas e fugas. O fenômeno foi observado também em outras regiões. O chamado período da Regência, entre a abdicação de dom Pedro I, em 1831, e a maioridade de dom Pedro II, em 1840, foi especialmente agitado para o sistema escravista brasileiro. Como se viu em capítulo anterior, a população negra e mestiça, escravizada ou liberta, fora deixada à margem do processo de independência e pegou em armas no período da Regência, aproveitando-se do enfraquecimento do poder central e das rivalidades dos chefes regionais. "As camadas pobres da população rural expressaram suas queixas contra mudanças que não entendiam e eram distantes do seu mundo", observou o historiador Boris Fausto.[8]

Em 1833, por exemplo, dezenas de escravos se rebelaram na freguesia de Carrancas, comarca do Rio das Mortes, região que na época tinha uma das maiores concentrações de cativos de toda a província de Minas Gerais. A cada dez habitantes, seis eram escravos, dos quais 56% tinham nascido na África. Eram, portanto, pretos novos, recém-chegados ao Brasil. No levante, iniciado na fazenda do deputado Gabriel Francisco Junqueira, futuro barão de Alfenas, foram massacrados nove membros de sua família, incluindo o pai, a mãe, um filho e dois netos — um menino de cinco anos e uma recém-nascida de apenas dois meses. Na repressão que se seguiu, cinco revoltosos foram mortos pelas forças policiais. Outros doze seriam enforcados na praça pública de São João del-Rei. Em 1838, o Maranhão foi assolado pela Balaiada, movimento que tinha como líderes Raimundo Gomes, político local, Francisco dos Anjos Ferreira, vaqueiro e fazedor de balaios, e dom Cosme, líder negro de escravos fugidos. Os rebeldes ocuparam a cidade de Caxias, segunda maior da província, mas foram cercados e derrotados pelo então tenente-coronel Luís Alves de Lima e Silva. Como recompensa pela vitória das tropas imperiais, Lima e Silva ganhou o título de barão de Caxias (seria promovido a duque de Caxias após a vitória na Guerra do Paraguai).

O fantasma das rebeliões escravas fez com que as autoridades adotassem medidas drásticas. As batidas policiais em Salvador durante todo o primeiro semestre de 1835 resultaram na detenção de centenas de suspeitos, distribuídos por cinco prisões: a cadeira pública, o Quartel da Cavalaria, o Forte de São Pedro, a Presiganga (segundo o historiador João José Reis, um local extremamente insalubre, no porão de um navio) e a Fortaleza do Mar, localizada ao largo do porto em frente ao atual Mercado Modelo. No julgamento, as penas foram duríssimas. Dos 231 acusados, só 28 foram absolvidos. Dos demais, 16 foram condenados à morte por fuzilamento (sendo 4 efetivamente executados, os demais tiveram as penas comutadas para galés perpétuas ou açoites); 16 à prisão; 8 a trabalhos forçados; 45 a açoites que chegaram a 1.200 chibatadas; e 34 à deportação. O mestre malê Pacífico Licutan, embora estivesse preso na noite da revolta, recebeu mil chibatadas, aplicadas entre os dias 10 de abril e 12 de junho, "por ser considerado o maior e mais distinguido entre eles".[9]

A Revolta dos Malês teve enorme repercussão também na corte do Rio de Janeiro, onde denúncias e boatos de insurreições escravas passaram a tirar o sono das autoridades e senhores brancos.[10] No segundo semestre de 1835, a rebelião na Bahia era ainda um fantasma que ecoava nos corredores e salões imperiais. Um ofício do ministério da Justiça enviado ao chefe de polícia em 10 de novembro de 1835 recomendava "empregar a maior vigilância e atividade para que se não propaguem entre os escravos e menos se levem a efeito doutrinas perniciosas que tanto podem comprometer as famílias e perturbar o sossego público, como atestam os funestos exemplos que têm havido em algumas províncias, e principalmente na Bahia".

No mês seguinte, o chefe de polícia informava que "em diferentes distritos, negros têm dito que pelo Natal hão de insurgir e fazer desordem". Em Itaboraí, município distante da capital, se teria verificado "um ajuntamento de cinquenta ou mais negros para cometerem o crime de insurreição". Nos primeiros dias de janeiro de 1836, havia notícias de "dois focos de insurreição" nas freguesias de São João de Meriti e Santo Antônio de Jacutinga. O município de Campos solicitou com urgência ao ministério da Guerra o envio de munição extra, de "dois mil cartuchos embalados", para o corpo policial local depois que o juiz municipal informou ter detido alguns negros portadores de ordens vindas da Bahia para também se rebelarem. O uso de uma fita ou emblema no chapéu seria, segundo o magistrado, a senha para a deflagração do movimento. Em outubro de 1836, um articulista do *Jornal do Commercio*, depois de expressar o medo que tinha de um levante malê na Corte, concluía, em tom sombrio: "estamos continuamente com o pé sobre um vulcão". Em 1837, o então chefe de polícia e futuro ministro Eusébio de Queirós recomendava a imediata deportação de qualquer negro suspeito. "A verdadeira medida a tomar com os pretos minas perigosos em toda a parte e cujo número aqui vai crescendo com a migração da Bahia é fazê-los sair para o seu país, não esperando para isso tempo em que eles causem sustos e desconfianças", dizia ele.

No Vale do Paraíba, território escravista dos barões do café, os temores se confirmaram na noite de 5 de novembro de 1838, quando mais de quatrocentos escravos pertencentes ao capitão-mor Manuel Francisco Xavier escaparam das senzalas da fazenda Freguesia, dando início ao que, à primeira vista, parecia uma fuga coletiva com o objetivo de formação de um quilombo nas fraldas da Serra do Mar. Eram liderados pelo africano Manuel Congo, de ofício ferreiro, e uma mulher notável, Mariana Crioula, mucama, costureira e "escrava de estimação" da mulher do fazendeiro Xavier. Descrita também como "rainha do quilombo", durante os combates Mariana teria gritado: "Morrer sim, entregar não!". Na noite seguinte, os fugitivos rumaram para uma propriedade vizinha, a fazenda Maravilha. Lá chegando, tentaram matar o feitor. Em seguida, arrombaram os paióis, de onde roubaram uma grande quantidade de provisões e ferramentas.

Um relatório enviado mais tarde ao presidente da província relacionava, entre os mantimentos e objetos em posse dos fugitivos, "algumas armas, latas com pólvora, uma porção de chumbo, muitos machados, foices grandes e pequenas, [...] muitas facas", além de grande quantidade de alimentos e animais vivos. De posse dessa bagagem, os escravos concentravam-se em uma floresta, onde já se encontrava outro grupo de fugitivos, pertencentes ao fazendeiro Paulo Gomes Ribeiro de Avelar. Diante das primeiras notícias, o pânico se espalhou por toda a região. Avisado da fuga em massa nas fazendas, o juiz de paz José Pinheiro de Sousa Werneck, pediu providências ao chefe da Guarda Nacional da região, o seu parente Francisco Peixoto de Lacerda Werneck, futuro barão de Paty do Alferes e um dos maiores fazendeiros do Vale do Paraíba. Foram mobilizados mais de 160 homens em armas que em menos de dois dias atacaram e destroçaram os rebeldes. Manuel Congo foi condenado à forca. Os demais líderes, punidos com até 650 açoites, além do uso da gargalheira (um colar de ferro com haste suspensa) por três anos.[11]

Mesmo após a derrota de Manuel Congo, o clima de medo na região se prolongaria ainda por muito tempo, a tal ponto que, às vezes, inflacionava a capacidade de organização e mobilização dos escravos isolados nas fazendas. Em 1848, o desembargador Alexandre Joaquim de Siqueira apontava a existência no município de Vassouras de "uma associação secreta de escravos", cujo funcionamento imitaria a organização das lojas maçônicas. Segundo ele, a tal entidade secreta era "dividida em círculos de diversas categorias, cada uma das quais [...] composta de cinco membros, cujo chefe recebia ordens da categoria imediatamente superior, e assim por diante até o chefe principal, pardo livre, ferreiro de profissão, de nome Estevão Pimenta".[12]

Na Bahia, a elite escravocrata viveu um curioso dilema após a Revolta dos Malês: que destino dar, no futuro, à enorme massa escrava que tantos sobressaltos haviam causado aos baianos até aquele momento? Obviamente, dela dependia a prosperidade de suas lavouras de açúcar, tabaco e algodão, entre outras atividades. A mão de obra escravizada era a base da economia baiana desde os mais remotos tempos da colonização portuguesa. Ao mesmo tempo, a ameaça de insurreições se tornava cada vez mais incontrolável e perigosa. Seria possível encontrar um pouco de equilíbrio entre esses dois desafios?

Depois do levante de 1835, inúmeros senhores decidiram vender seus escravos para fora da Bahia. Tentavam, desse modo, recuperar o capital neles investido, evitando, ao mesmo tempo, que se envolvessem em novas rebeliões ou mesmo que fossem presos e mortos na onda repressiva desfechada pelas autoridades. "Todo mundo estava querendo se livrar de seus escravos, principalmente os nagôs, apesar da queda de seu valor no mercado nacional", observou o historiador João José Reis.[13] O problema é que, fora da Bahia, ninguém queria receber esses cativos, devido ao mesmo temor de que espalhassem o germe das revoltas por outras regiões do país. Um mês após a revolta, a Câmara de Pelotas, no Rio Grande do Sul, pedia, por exemplo, ao presidente da província que proibisse o desembarque e a distribuição para as charqueadas de cativos vindos da Bahia, os quais, segundo os vereadores, poderiam causar "danos irreparáveis" à população local.

Em resposta a preocupações dessa natureza, o governo regencial ordenou que nenhum africano deixasse a província sem autorização da polícia. Só poderiam embarcar para outras regiões munidos de um passaporte, emitido depois que se comprovasse que não haveria processo contra eles ou mediante testemunhos de outras pessoas garantindo que eram inocentes no crime de insurreição. Um edital de 21 de fevereiro daquele ano determinava que todo escravo encontrado nas ruas depois das oito horas da noite deveria trazer um papel assinado pelo seu senhor indicando a hora em que saíra de casa e quando deveria retornar. Quem fosse pego sem o passe seria punido com cinquenta chibatadas. Além disso, seus donos teriam de reembolsar os cofres públicos pelas despesas de carceragem e castigo.

Outra medida, ainda mais drástica, foi adotada em maio de 1835 pela Assembleia Provincial Legislativa da Bahia. A lei de número nove determinava a deportação para a África de escravos e libertos suspeitos de participação no levante. Também recomendava ao governo imperial no Rio de Janeiro "o estabelecimento de uma colônia em qualquer porto da África, para onde seja possível repatriar todo africano que se liberte, ou mesmo o africano liberto que ameace nossa segurança". O principal alvo das perseguições, como se vê, eram os africanos emancipados, ou seja, escravos nascidos na África que tinham obtido a alforria depois de algum tempo de cativeiro no Brasil. O presidente da província afirmava que esses homens e mulheres eram inimigos naturais dos brasileiros nativos e, portanto, deveriam ser devolvidos à África:

> *Tais indivíduos, não tendo nascido no Brasil, possuem uma língua, uma religião e costumes diferentes, e, tendo se mostrado inimigos de nossa tranquilidade durante os últimos acontecimentos, não devem gozar das garantias oferecidas pela Constituição unicamente a cidadãos brasileiros.*[14]

Estima-se que entre 3 mil e 8 mil pessoas tiveram esse destino. Muitos deportados eram recebidos na África pelo baiano Francisco Félix de Sousa, o Chachá, sócio e amigo do rei Guezo, do Daomé — que, curiosamente, era também o principal fornecedor, no sentido contrário, da perigosa mão de obra cativa africana para as lavouras da Bahia.[15]

16. MANUAL DO CATIVEIRO

> *"Quem se diverte não conspira."*
> Documento com recomendação
> aos fazendeiros de Vassouras sobre como
> evitar fugas e revoltas de escravos

NA PRIMEIRA METADE DO século XIX, uma óbvia constatação se impôs perante a elite senhorial brasileira. O ambiente escravista tinha mudado e continuava a se transformar mais rapidamente do que o desejado pelos brancos. Era, portanto, preciso tomar medidas urgentes, para tornar mais eficiente o sistema e, se possível, perpetuá-lo ainda por muitas décadas. Disso dependiam a riqueza e a prosperidade do Brasil.

O aumento da demanda de matérias-primas e bens de consumo de massa, como o açúcar, o café, o algodão e o tabaco, cuja produção até então dependia visceralmente do trabalho cativo, coincidia com uma nova realidade no mundo das ideias. Plantados no século anterior na Inglaterra e nos Estados Unidos, os ventos abolicionistas começavam a chegar até as senzalas. A ameaça de fugas e revoltas era cada vez maior. O exemplo mais assustador, para a elite escravocrata, tinha ocorrido no Haiti, em 1791, ano em que uma revolta escrava resultou no massacre de milhares de colonos franceses. Os reflexos desse incidente puderam ser observados em episódios como a Conjuração Baiana, de 1798, e a Revolta dos Malês, em 1835.

As tensões geradas pela escravidão fizeram crescer entre os brancos a noção de que os negros eram "inimigos internos". O Brasil dependia deles, mas, em contrapartida, era necessário todo o cuidado para que não se voltassem contra seus donos. Só a ameaça do chicote já não bastava. O que mais seria necessário para manter o escravismo sob controle? Como garantir que milhões de seres humanos privados de liberdade continuassem a trabalhar nas lavouras, de sol a sol, sem se rebelarem ou fugirem? Como tratá-los de forma que cooperassem com seus senhores?

Essas e outras questões serviram de roteiro para uma série de manuais e tratados, alguns deles escritos por grandes fazendeiros, com o objetivo de adequar aos novos tempos o tratamento dedicado aos escravos. Até então, a ideologia do escravismo tinha sido construída de fora para dentro, em documentos que incluíam bulas papais entre os séculos xv e xvii, sermões de missionários jesuítas e inúmeros tratados religiosos e filosóficos.[1] No século xix, pela primeira vez, os próprios senhores de escravos começaram a se pronunciar sobre o assunto e a compartilhar experiências a respeito do que julgavam ser a administração eficiente dos escravos.[2] Chamados de manuais agrícolas, combinavam instruções sobre técnicas de produção agropecuária com manejo do solo, organização da fazenda, comercialização e transporte dos produtos e, principalmente, o uso eficiente da mão de obra cativa, cada vez mais cara, escassa e imprevisível. Nos Estados Unidos, esses manuais chegaram ao requinte de recomendar a reprodução sistemática de escravos em cativeiro para venda, a exemplo do que se fazia em fazendas agropecuárias. No Brasil, nenhum tratado chegou a tanto, mas esses trabalhos fizeram muito sucesso e tiveram ampla circulação entre os fazendeiros.

Um dos pioneiros nessa área foi Miguel Calmon du Pin e Almeida, futuro marquês de Abranches, autor de *Ensaio sobre o fabrico de açúcar*, publicado em 1834 com o patrocínio da Sociedade de Agricultura e Comércio e Indústria da Província da Bahia. Formado pela Universidade de Coimbra, dono de um engenho no Recôncavo Baiano e um dos fundadores da Sociedade Auxiliadora da Indústria Nacional (Sain), Miguel Calmon foi deputado pela Bahia na Assembleia Geral por quatro legislaturas, senador pela província do Ceará, ministro da Fazenda do Império e membro do Conselho de Estado. Um dos capítulos mais importantes do seu livro tinha como título "Bom tratamento dos escravos". Segundo o autor, diante da óbvia mudança do ambiente escravista no século XIX, mais do que nunca seria do interesse dos fazendeiros "promover a conservação da vida dos atuais escravos, e sua reprodução". Para isso, seria necessário tratá-los de forma mais branda, dando-lhes comida, moradia, roupas, dias de descanso, o direito de se casarem e constituírem famílias, formarem pequenos pecúlios, entre outras necessidades. "Como nenhum homem, embora seja escravo, pode viver, nem se reproduzir, achando-se em constante luta contra a fome, nudez e miséria, é evidente o interesse, e grande interesse, que tem hoje qualquer senhor, em tratar bem da sua escravatura", recomendava Miguel Calmon.

Eram sete as suas principais recomendações aos colegas fazendeiros:[3]

1. Fornecer aos escravos alimentação, moradia e vestuário adequados;
2. Permitir que amealhassem "alguma propriedade" para, desse modo, inspirar-lhes o desejo de trabalho e distraí-los

das ideias que acompanhavam sua triste condição;
3. Estimular a que se reproduzissem e constituíssem família;
4. Ter cuidado com a criação dos filhos nascidos no cativeiro, que eram uma garantia de que o plantel de escravos se manteria forte e saudável;
5. Conceder tempo livre para que se divertissem;
6. Tratar das enfermidades;
7. Usar de método na aplicação de castigos corporais. Os castigos deveriam ser mantidos, mas com prudência e moderação.

Em 1838, os cafeicultores da região de Vassouras, no Vale do Paraíba, uma das maiores concentrações de mão de obra cativa do Brasil, constituíram uma "Comissão Permanente" com o objetivo de prevenir revoltas semelhantes à de Manuel Congo, já citada em um dos capítulos anteriores. A comissão se manteve ativa e alerta até 1854 e distribuiu aos fazendeiros um roteiro impresso no Rio de Janeiro com orientações a respeito de como proceder para evitar possíveis insurreições. As *Instruções para a Comissão Permanente nomeada pelos fazendeiros do município de Vassouras* é um documento notável a respeito do pensamento e dos temores da elite escravista brasileira na segunda metade do século XIX.[4]

As *Instruções* dos fazendeiros de Vassouras recomendavam que a prevenção era o melhor remédio contra a possibilidade de futuras rebeliões. O uso da força na hora da luta não seria o suficiente. Antes era preciso ter especial cuidado no tratamento dispensado aos negros cativos, de modo a prevenir o "potencial explosivo das relações entre senhores e escravos", como observou o historiador Ricardo Salles. Um dos conselhos era "permitir e mesmo promover divertimentos entre os escravos" porque, segundo explicava o documento, "quem se diverte não conspira". Além disso, seria necessário "permitir que os escravos tenham roças e se liguem ao solo pelo amor da propriedade", o que na prática significava reservar pequenas porções de terra dentro das fazendas onde os cativos pudessem produzir alimentos e cultivar suas próprias lavouras. "O escravo que possui nem foge, nem faz desordens", reforçava o texto.

Era, como se vê, a boa e velha combinação entre "pão e circo", comida e divertimento, recomendada desde a época do Império Romano como uma forma de manter o povo tranquilo e assim prevenir futuras revoluções. A fórmula havia sido repetida inúmeras vezes no Brasil escravista nos três séculos da colonização portuguesa. "No Brasil, costumam dizer que para o escravo são necessários três 'Ps', a saber: pau, pão e pano", resumia no começo do século XVIII o padre jesuíta André João Antonil, já citado nos dois volumes anteriores desta trilogia. Todas as três letras, segundo ele, faziam parte do repertório dos deveres dos senhores de escravos. O primeiro P, de pau, referia-se aos castigos, que, na sua opinião, deveriam ser aplicados sempre que merecidos. Os outros dois eram relativos à obrigação de prover os cativos com alimentos (pão) e roupas e abrigo (pano) adequados. Por fim, Antonil recomendava que, além de serem parcimoniosos nas punições, os senhores de escravos lhes dessem algumas liberdades, como cultivar suas próprias roças e hortas, e ter seus momentos de folguedo.[5]

O documento de Vassouras reproduzia parte das recomendações que o Barão de Paty de Alferes, Francisco Peixoto de Lacerda Werneck, já também citado em capítulos anteriores, enviara em 1847 a seu filho, Luiz Peixoto de Lacerda Werneck, recém-chegado da Europa, sobre como bem administrar uma fazenda escravista.[6] "O senhor deve ser justiceiro e humano", escrevia o barão. "Demasiada severidade ou frouxidão são coisas igualmente condenáveis".

O padre Antônio Caetano da Fonseca, autor de outro manual muito popular entre os fazendeiros, publicado em 1863, recomendava a mesma curiosa combinação de severidade e brandura. Segundo ele, o senhor jamais deveria tratar seus escravos com muito rigor, salvo quando se mostrassem incorrigíveis. Os castigos em excesso, ponderava, esgotavam os escravos "até o último alento", o que resultaria em inevitável prejuízo para o próprio senhor. Portanto, poupar a saúde e o ânimo dos escravos era a maneira mais segura de preservar o capital neles investido. "Os homens desalmados acabam pobres, como tenho muitas vezes observado", alertava o padre Fonseca. "Pelo contrário, os fazendeiros humanos, que tratam bem os seus escravos e lhes dão trabalho proporcionado às suas forças, têm prosperidade à vista dos olhos." Ele recomendava que, na contratação de um novo feitor, o fazendeiro observasse antes as suas "qualidades morais". Idealmente, o portador do chicote deveria ser antes "humano e de bons costumes". Feitores desumanos e imorais, dizia, acabavam por provocar a rebelião dos escravos.

Dentre todos os tratados da época, nenhum teve tanta repercussão quanto o *Manual do agricultor brasileiro*, de Carlos Augusto Taunay. É de sua autoria, "a reflexão mais sistemática sobre a escravidão brasileira do ponto de vista dos donos de cativos na primeira metade do século xix", de acordo com a definição do historiador Rafael de Bivar Marquese.[7] Ex-major do exército de Napoleão Bonaparte, Carlos Augusto Taunay era filho do pintor e professor Nicolas Antoine Taunay, membro da Missão Artística Francesa do Rio de Janeiro durante o governo de dom João vi, em 1816. O pai voltou para a França em 1821. O filho ficou no Brasil e participou da guerra contra os portugueses na Bahia durante a Independência. Depois, se tornou cafeicultor na região que hoje corresponde ao bairro da Tijuca, na capital do Rio de Janeiro.

Seu manual, lançado em 1839, virou uma obra de referência para a elite escravagista brasileira às voltas com os dilemas do cativeiro. Para o autor, o regime escravista era uma "violação do direito natural", porém necessário para o bom funcionamento da economia do Brasil. Segundo ele, os escravizados deveriam ser considerados "homens-crianças", incapazes de autogoverno. Nessa condição, requeriam uma tutela senhorial permanente. Recomendava premiar os escravos trabalhadores e de boa conduta, dando-lhes promoções, ainda que simbólicas, evidenciadas com insígnias de prestígio, como vestimentas coloridas ou bonés brilhantes. Por natureza, dizia Taunay, os negros eram inimigos do trabalho. Assim sendo:

> *Qual será a mola que os poderá obrigar a preencher os seus deveres? O medo, e somente o medo, aliás empregado com muito sistema e arte, porque o excesso obraria contra o fim que se tem em vista. [...] É preciso sujeitá-los a uma rigorosa disciplina, e mostrar-lhes o castigo inevitável. [...] Somente a mais rigorosa disciplina valerá para aplicar os negros a um trabalho real e regular. [...] Uma perpétua vigilância e regra intransgressível devem presidir aos trabalhos, ao descanso, às comidas, e a qualquer movimento dos escravos, com o castigo sempre à vista.*

A seguir, mais alguns trechos selecionados do *Manual do agricultor brasileiro*:[8]

O fazendeiro como "chefe de um pequeno reinado":

> *O dono de certo número de escravos rústicos, sendo bom agricultor, preenche somente a metade de sua tarefa, devendo juntamente possuir e exercer as partes que constituem*

o bom chefe de um pequeno reinado, no qual, por governar despoticamente, e acumular as atribuições de legislador, magistrado, comandante, juiz e algumas vezes de verdugo, nem por isso é menos responsável do seu bom governo, do qual depende a prosperidade da família.

A disciplina dos escravos:

É preciso sujeitá-los a uma rigorosa disciplina e mostrar-lhes o castigo inevitável. Sem este meio, não haveria exército de mar ou de terra. Um branco, um europeu, abandonado à sua livre vontade, nunca seguiria o regime militar. Da mesma forma, um preto não se sujeitaria nunca à regularidade de trabalhos que a cultura da terra requer.

O uso do medo e da coação:

Os pretos não se compram para se ter o gosto de os sustentar e de os ver folgar, mas sim para tirar do seu trabalho os meios de subsistir e lucrar. O salário deste trabalho foi pago em parte por uma vez em dinheiro da compra, e a outra parte paga-se diariamente com o seu sustento. Mas o preto, parte passiva em toda essa transação, é por natureza inimigo de toda a ocupação regular, pois que muitas vezes prefere o jejum e a privação de todas as comodidades ao trabalho que é justo, que dê para o cumprimento do contrato, e só a coação e o medo o poderão obrigar a dar conta da sua tarefa. A coação obtém-se pela vigilância assídua, e o medo inspira-se pela pronta e inevitável aplicação dos castigos.

Castigo e moderação:

Os castigos [...] devem ser determinados com moderação, aplicados com razão, proporcionados à qualidade da culpa e conduta do delinquente, e executados à vista de toda a escravatura, com a maior solenidade, servindo assim o castigo de um para ensinar e intimidar os demais. Quem observar estas máximas, conhecerá que não é difícil conservar a disciplina mais rigorosa com bem poucas correções, pois que o excesso de castigo e repetição contínua, longe de corrigirem, embrutecem, não devendo ser permitido aos feitores o castigarem imediatamente, senão na ocasião da desobediência com revolta, que é o maior dos crimes domésticos, e ao qual deve aplicar-se depois o máximo do castigo, seja qual for a dose instantânea que o réu tiver levado.

O chicote ideal:

O chicote de uma só perna, vulgarmente chamado de bacalhau, parece-nos conveniente, e cinquenta pancadas desse instrumento são, ao nosso ver, suficientes para castigar todo o crime cujo conhecimento for confiado aos senhores. Os crimes que exigem penas maiores, como fugas repetidas, furtos consideráveis, desobediência, bebedeiras incorrigíveis, revolta contra o castigo e outras da mesma natureza, deveriam ser castigados na cadeia dos respectivos distritos, a requerimento dos senhores e diferimento dos juízes de paz, que decidirão sumariamente.

A religião como meio de controle:

Os senhores têm [...] obrigação [...] de lhes mandar ensinar e praticar a religião, sendo aliás o meio mais eficaz de os con-

servar obedientes, laboriosos, satisfeitos da sua condição e de ocupar inocentemente as horas de domingo. [...] A religião católica romana, como se ensina e pratica em Portugal e no Brasil, [...] e sua tendência para a superstição a torna ainda mais apropriada ao gênio dos pretos, crédulos e supersticiosos por natureza. [...] A pompa, as imagens, as orações, os escapulários, as glórias do paraíso, as chamas do inferno cativam a sua imaginação. A crença em um Deus e nos seus santos, e entre estes alguns da sua cor, que não desdenham o pobre escravo, entretém a alegria e a esperança no coração dos pretos. A religião reabilita a sua condição, e consagra suas relações com os senhores, que não aparecem mais a seus olhos como proprietários, ou como tiranos, mas sim como pais, como retratos do mesmo Deus, aos quais devem amar e servir com o sacrifício de todos os seus trabalhos e suores, para merecerem a benção do céu e uma eternidade de bem-aventurança.

A necessidade do tráfico negreiro:

A América devora os pretos: se a contínua importação não os recrutasse, em breve a raça desapareceria de entre nós.

A escravidão justificada:

No caso particular da escravidão dos pretos comprados na costa da África, podemos considerar o seu resgate das mãos dos primitivos donos e a inferioridade da sua raça como circunstâncias atenuantes que devem tirar qualquer escrúpulo de consciência ao senhor humano, que põe em prática com os seus escravos a máxima admirável do Evangelho [...] de não fazer aos outros aquilo que não quereríamos que nos fizessem a nós.

O bom cativeiro:

A organização física e intelectual da raça negra, que determina o grau de civilização a que pode chegar; os costumes das tribos, o modo por que elas se tratam umas às outras, e por que os indivíduos da mesma tribo se tratam entre si, não permitem que se nutram as ilusões de que, cessando o tráfico, as guerras, e outros usos bárbaros que a flagelam, haviam de descontinuar: bem ao contrário, [...] devemos reconhecer que, geralmente falando, a sorte dos negros melhora quando escapam ao cruel choque do transporte. [...] O interesse dos donos é que os escravos escapem com vida e sãos.

Os negros como "homens-crianças":

A inferioridade física e intelectual da raça negra, classificada por todos os fisiologistas como a última das raças humanas, a reduz naturalmente, uma vez que tenha contatos e relações com outras raças, e especialmente a branca, ao lugar ínfimo, e ofícios elementares da sociedade. [...] O geral deles não nos parece suscetível senão do grau de desenvolvimento mental a que chegam os brancos na idade de quinze a dezesseis anos. A curiosidade, a imprevisão, as efervescências motivadas por paixões, a impaciência de todo o jugo e inabilidade para se regrar em si mesmos; a vaidade, o furor de se divertir, o ódio ao trabalho, que assinalam geralmente a adolescência dos europeus, marcam todos os períodos da vida dos pretos, que se podem chamar homens-crianças e que carecem viver sob uma perpétua tutela. É, pois, indispensável conservá-los, uma vez que o mal de sua introdução existe em um estado de escravidão ou próximo à escravidão.

O cuidado com as senzalas:

As senzalas devem ser levantadas do chão e conservadas com muito asseio, e é bom que os pretos durmam em jiraus, e que cada um tenha a sua esteira e um bom cobertor, sendo preciso haver todos os domingos uma inspeção severa do estado e limpeza da habitação, camas e vestidos da escravatura, a qual, se não houver todo o cuidado e previsão, se deixará atolar na sua imundície, ou venderá os trastes e cobertores.

A reprodução dos escravos:

Todas as espécies de animais, achando alimento e certo grau de bem-estar, tendem a se multiplicar: as raças humanas, com o mesmo privilégio, receberam de mais ordem positiva de o pôr em prática; crescei e multiplicai-vos. [...] Portanto, o senhor humano que tiver estabelecido uma disciplina razoável e regularmente observada na sua fazenda, e equiparado [...] mais ou menos o número dos machos ao das fêmeas, pode contar que, com bem poucas compras, conservará a sua escravatura completa e a transmitirá aos filhos melhor, mais dócil e mais adestrada, se souber convenientemente tratar e educar os crioulos. [...] Casadas ou solteiras, as pretas prenhes devem ser tratadas com mimo e aplicadas a um trabalho moderado. [...] Os filhos, depois de desmamados, deverão ser criados em comum por classes conforme a idade. A infância dos crioulos é perigosa. [...] À proporção que se forem criando, se lhes ensinará a trabalhar, a rezar, a amar seus senhores, suportar o frio, o calor, a fadiga e a seguir à risca a disciplina da casa. O mesmo se observará com as crioulas, que serão criadas à parte.

A "praga social" necessária:

O Brasil sente mais violentamente do que qualquer outra nação, ou colônia, este mal, e menos do que qualquer outra acha-se em estado de se subtrair tão cedo à sua influência. Nossa agricultura, já tão decaída, não aturaria no momento atual nem a libertação dos pretos nem mesmo a real cessação do tráfico. Portanto, em vez de querermos sanar o mal, cuja extirpação levaria consigo a existência, o nosso trabalho deve limitar-se a mitigar os seus piores efeitos, e preparar os meios às futuras gerações para se poderem livrar sem perigo da praga social com que nossos geradores nos dotaram.

17. NA MIRA DOS CANHÕES

> *"A coragem não é uma virtude brasileira."*
>
> JAMES HUDSON, embaixador britânico
> no Rio de Janeiro, em fevereiro de 1850

SITUADA NO FUNDO DE UMA BAÍA de águas calmas recortada por ilhas, bancos de areia e manguezais, com 494 casas térreas e 63 sobrados construídos em estilo colonial português, a bucólica cidade portuária de Paranaguá, no litoral paranaense, foi sacudida pelo tiro de um canhão por volta das nove horas da manhã de 1º de julho de 1850.[1] Em seguida, houve outro disparo. E mais outro, até que o ribombar se converteu em um ruído contínuo, como se fosse uma trovoada tropical. Ouvidos mais atentos contaram cerca de trinta estampidos. Depois de quarenta minutos, tudo voltou a ficar em silêncio. Naquele momento, convocados pelo repicar dos sinos, cerca de 6 mil moradores, dos quais 20% eram negros escravizados, preparavam-se para ir à missa matinal.[2] Outros, dedicavam-se à rotina diária de trabalho. De início, ninguém conseguiu entender o que ocorrera. Aparentemente, o tiroteio se dera a 3 léguas e meia de distância (aproximadamente 17 quilômetros), na direção do mar. Ali estava situada a antiga Fortaleza de Nossa Senhora dos Prazeres, construída na Ilha do Mel para proteger a entrada da barra. A confirmação veio só no final da tarde. A guarnição da fortaleza havia, de fato, trocado tiros com um cruzador britânico, o H.M.S. *Cormorant*. No confronto, um marujo inglês morrera. Outro saíra ferido. Do lado brasileiro, felizmente, não havia registros de vítimas.[3]

O motivo da rápida e prosaica batalha naval estava relacionado ao tráfico ilegal de africanos escravizados para o Brasil. Dois dias antes, o comandante do *Cormorant*, Herbert Schomberg, enviou uma nota ao chefe militar do forte da Ilha do Mel, capitão Joaquim Ferreira Barboza, informando que, pelas novas instruções recebidas de Londres, sua missão era examinar os navios suspeitos e apreender todos os que estivessem praticando o tráfico de escravos, onde quer que se pudesse encontrá-los. Como a resposta não veio, no dia seguinte, um domingo, Schomberg adentrou a baía e ancorou seu navio nas proximidades do porto. Ali, como desconfiava, encontrou diversas embarcações com visíveis indícios de que tinham retornado de recentes viagens negreiras à África.

Era o caso do brigue *Sereia*, cuja ficha corrida no comércio clandestino de gente era bem conhecida das autoridades. Em julho de 1848, desembarcara oitocentos escravos ilegais em Macaé, litoral norte do Rio de Janeiro. Em maio de 1849, mais 840 em Dois Rios. Em novembro do mesmo ano, outros novecentos em Campos. Por fim, mais 986 em Santos, no atual estado de São Paulo, em março de 1850. Um segundo brigue, o *Leônidas* (também identificado nos documentos como *Dona Ana*), tinha desembarcado oitocentos cativos em março de 1850. Um terceiro, o *Astro*, havia feito três desembarques, entre 1849 e 1850. Estavam todos alinhados a um grande navio a vapor, o *Campeadora* (em algumas fontes também denominado como *Lucy Ann*), com capacidade para transportar 1.600 escravos em cada viagem. Pegos de surpresa pela chegada do *Cormorant*, os próprios tripulantes do *Astro* tomaram a drástica iniciativa de afundá-lo durante a noite, evitando assim que sua embarcação fosse capturada. Os outros três barcos foram inspecionados pelos ingleses e atrelados ao cruzador para serem rebocados para fora da baía. Para surpresa dos ingleses, no entanto, ao amanhecer do dia seguinte, uma segunda-feira quando o *Cormorant* passava ao largo do forte da Ilha do Mel, o capitão Ferreira Barboza decidiu interceptá-lo.

Tratava-se, obviamente, de uma atitude temerária. Fabricado oito anos antes, o *Cormorant* era um dos barcos de guerra mais modernos da marinha britânica. Com 55 metros de comprimento e 1.054 toneladas, estava equipado com seis bocas de canhões de tecnologia recente. Sua tripulação, jovem e bem treinada, já havia servido no oceano Pacífico e na Bacia do Prata, antes de chegar ao Brasil no final do ano anterior. O capitão Schomberg vinha de uma família com longa tradição naval. Filho de um almirante que participara da guerra contra Napoleão, tinha mais de trinta anos de experiência no mar, incluindo missões no Cabo da Boa Esperança e Caribe.

Em situação bem mais precária se encontrava a fortaleza e a guarnição da Fortaleza de Nossa Senhora dos Prazeres. Inaugurada quase um século antes, em 1769, estava mal equipada, sem condições de se contrapor a um inimigo com poder bélico muito superior. Seus doze canhões enferrujados eram peças de artilharia produzidas ainda no século XVIII. Como o paiol de munições estava vazio, fora preciso arrecadar às pressas pólvora na cidade de Paranaguá. Já idoso, aos 67 anos, o capitão Ferreira Barboza era um oficial de terceira classe do exército. Até então tivera uma carreira relativamente burocrática nas forças armadas, sendo os últimos dezenove anos à frente do forte da Ilha do

Mel, onde, a rigor, nada de excitante ou perigoso jamais acontecia. Uma rara exceção nessa rotina tranquila havia sido a troca de tiros, sem maiores consequências, com um lanchão dos farrapos gaúchos, que roubou arroz de um outro navio ancorado no porto durante a Revolução Farroupilha, uma década antes.

Apesar da aparente desigualdade, por volta de nove horas da manhã daquela segunda-feira, ao ver o *Cormorant* passando ao largo com os navios apreendidos, o comandante da fortaleza despachou ao seu encontro um escaler — pequeno barco a remo, pouco maior do que uma canoa de pesca — com o objetivo de entregar um ofício ao comandante Schomberg no qual exigia a imediata liberação das embarcações brasileiras apreendidas. Avisava, ainda, que, caso a ordem não fosse respeitada, a fortaleza abriria fogo. A tripulação do escaler, porém, não conseguiu sequer entregar o documento. Foi obrigada a recuar às pressas quando o barco inglês disparou em sua direção um tiro de pólvora seca, como alerta para que não se aproximasse. O capitão Ferreira Barboza, que de binóculo observava a movimentação por cima das muralhas da fortaleza, entendeu o tiro como uma agressão e ordenou que seus soldados disparassem os canhões. Foi assim que se iniciou a fuzilaria. Após quarenta minutos de bombardeio recíproco, o comandante do *Cormorant*, que preferiu não usar sua capacidade de fogo superior contra a fortaleza, decidiu rumar para a enseada das Conchas a fim de consertar as avarias. O navio estava ligeiramente danificado na lateral. Ali mesmo Schomberg mandou queimar dois dos barcos apreendidos, o *Leônidas* e o *Sereia*. O terceiro, o vapor *Campeadora*, foi finalmente despachado para a ilha de Santa Helena, a meio caminho entre o Brasil e a África, onde o caso seria julgado por um tribunal britânico.

Por estar localizado nas vizinhanças do Vale do Paraíba e suas ricas fazendas de café, mas relativamente longe dos olhos dos oficiais e diplomatas britânicos, o litoral do Paraná, na época ainda sob jurisdição da província de São Paulo, havia se convertido em refúgio do tráfico clandestino de escravos. Em Paranaguá, o comércio ilegal de gente envolvia as mais altas autoridades, incluindo o delegado de polícia José Francisco Barroso, o juiz municipal Filastro Nunes Pires e o coronel Manuel Antônio Guimarães, comandante da Guarda Nacional. Chefe do Partido Conservador e grande exportador de erva-mate, Guimarães era dono de mais de cinquenta escravos em 1850. Mais tarde, seria citado como "contrabandista, pela sua notória participação no tráfico ilícito" em correspondência de Zacarias de Góis e Vasconcelos, primeiro presidente da província do Paraná, criada em 1853.[4] Apesar disso, receberia do imperador Pedro II dois títulos de nobreza, os de barão e visconde de Nacar. Hoje, é homenageado com o nome de uma das principais ruas no centro de Curitiba. Aparece também como traficante ilegal de escravos no banco de dados slavevoyages.org, mantido pela Universidade de Emory, nos Estados Unidos.

 A esquizofrenia brasileira diante do tráfico ilegal de escravos nessa época pode ser medida pela curiosa repercussão do incidente em Paranaguá. Ao receber as notícias, o padre Vicente Pires da Mota, presidente da província, elogiou oficialmente a guarnição da fortaleza e os civis que participaram do combate. Atitude diferente teve o governo imperial no Rio de Janeiro. Por temer retaliações militares e diplomáticas mais duras, preferiu se explicar perante a Inglaterra. Afinal, o cruzador britânico tinha encontrado provas concretas de tráfico ilegal de escravos em águas territoriais brasileiras, informação mais do que constrangedora para os compromissos internacionais até então assumidos pelo governo. O capitão Ferreira Barboza, comandante da fortaleza, foi afastado do cargo e teve de responder ao Conselho de Guerra por sua atuação no episódio. Inocentado, acabou a carreira no ostracismo.

Na capital do Império, as notícias do incidente em Paranaguá colocaram a população e as autoridades em polvorosa.[5] Boatos diziam que o forte da Ilha do Mel fora completamente destruído, com pesadas perdas de vidas humanas, e que a marinha britânica se preparava para bombardear o Rio de Janeiro. Multidões enfurecidas se reuniram no centro da cidade para protestar. Alguns marinheiros ingleses foram atacados. Convocado às pressas, o Conselho de Estado, mais alto órgão consultivo da monarquia, reuniu-se no dia 11 de julho sob a presidência do próprio imperador Pedro II. A pauta do encontro poderia ser resumida em cinco principais perguntas: como o Brasil deveria reagir à "agressão britânica", segundo as palavras do ministro dos Negócios Estrangeiros, Paulino José Soares de Souza, futuro visconde de Uruguai? A solução seria declarar guerra aos ingleses? Tentar uma solução diplomática? Buscar a mediação de uma terceira potência? Negociar um novo tratado sobre o comércio de escravos?

No final chegou-se à conclusão de que o país estava virtualmente sem condições de se contrapor à maior potência marítima e industrial da época. Uma eventual tentativa de resistência poderia ser desastrosa. Além do risco de ataques às capitais e cidades litorâneas pelos poderosos navios britânicos, um eventual bloqueio marítimo paralisaria por completo o comércio brasileiro. A economia iria à míngua. Haveria o risco de desestabilização interna. Um fantasma em particular assustava a todos: a possibilidade de uma rebelião dos escravos e negros libertos, que, àquela altura, compunham o grupo majoritário da sociedade. A única saída, portanto, era mesmo acabar de uma vez por todas com o tráfico de escravos. Sendo assim, logo no dia seguinte, o ministro da Justiça, Eusébio de Queirós convocou a Câmara dos Deputados para, às pressas, dar finalmente andamento a um projeto emperrado nos meandros da burocracia legislativa desde 1837. Ele suprimia, dessa vez de forma definitiva, o comércio ilegal de gente.

A partir daí, tudo transcorreu muito rapidamente, em uma correria legislativa e burocrática como raras vezes o país tinha visto.

No dia 13 de julho, o ministro Paulino se reuniu com o embaixador britânico James Hudson para informá-lo das providências. Pedia que cessassem os ataques aos navios e portos brasileiros, de modo que o governo imperial tivesse tempo de aprovar a nova legislação no congresso. Em resposta, no dia 14, o contra-almirante Barrington Reynolds, responsável por toda a frota britânica na costa brasileira, anunciou que faria uma pausa nas operações de buscas e apreensões, embora tenha avisado que seus navios continuariam de prontidão e voltariam a entrar em ação a qualquer momento, caso o governo brasileiro não cumprisse com a palavra. Vinte e quatro horas mais tarde, perante uma Câmara dos Deputados lotada, Paulino noticiou que o governo finalmente estava disposto a usar de todos os recursos possíveis para acabar com o tráfico. Em seu discurso, lembrou que o Brasil era o único país em todo o mundo civilizado a tolerar o comércio de cativos e que seria impossível se contrapor às pressões dali em diante. "Podemos resistir à torrente?", perguntou, respondendo logo em seguida: "Acho que não".

Em tramitação relâmpago, o projeto de Eusébio de Queirós foi aprovado pelos deputados no dia 17 de julho. Em meados de agosto, passou também no Senado. Em 4 de setembro, 65 dias após a troca de tiros em Paranaguá, tornou-se lei sancionada pelo imperador. Foi, portanto, literalmente sob a mira dos canhões britânicos que o Brasil concordou, em 1850, em acabar com o tráfico de africanos escravizados no Atlântico. Seria a primeira de uma série de importantes decisões relacionadas à escravidão que levariam à própria abolição do cativeiro décadas mais tarde.

Pela nova legislação, a importação de escravos para o Brasil passaria a ser tratada como crime de pirataria. Capitães, donos de navios e seus cúmplices seriam passíveis de punições que incluíam prisão e pesadas multas. Qualquer embarcação envolvida nessa atividade, sob bandeira brasileira ou estrangeira, seria capturada e vendida. O resultado dessa venda seria dividido entre captores e informantes. Os tripulantes e marinheiros envolvidos nessas operações receberiam um prêmio adicional de 40 mil réis por escravo encontrado a bordo. Os africanos seriam repatriados para seus locais de origem e, enquanto isso não acontecesse, seriam empregados em trabalhos supervisionados pelo governo. No final de 1850, a marinha brasileira, pela primeira vez, estava totalmente empenhada na repressão ao tráfico clandestino. Um total de 35 navios, incluindo alguns antigos negreiros a vapor recentemente capturados, patrulhavam a costa brasileira entre o Pará e o Rio Grande do Sul.[6] Várias apreensões foram realizadas. Alguns dos principais traficantes estrangeiros, como os irmãos portugueses Antônio e Manuel Pinto da Fonseca, foram presos e expulsos do país.

Ao receber as boas notícias do Rio de Janeiro, lorde Palmerston, primeiro-ministro britânico, comemorou em Londres, mas avisou que seus oficiais e marinheiros continuariam prontos a atacar, caso a nova lei não fosse, uma vez mais, cumprida:

> *Estes governos semicivilizados (...) precisam todos de uma surra a cada oito ou dez anos para se comportarem. Suas mentes são demasiado superficiais para guardar qualquer noção por mais do que esse tempo, e a advertência pouco adianta.*[7]

Eusébio de Queirós Coutinho Matoso Câmara, cujo nome ficou associado à famosa lei, era africano de ascendência portuguesa, nascido em Luanda, capital de Angola. Chegara ao Brasil em 1816, aos quatro anos de idade, acompanhando o pai, juiz colonial, recém-transferido pela Coroa para o Rio de Janeiro. Formou-se em Direito em Pernambuco. Segundo o historiador e jornalista Jorge Caldeira, era um homem de fino trato: tinha voz macia, quase feminina, raramente falava alto.[8] Porém, no exercício de suas funções, costumava ser duro e enérgico. Líder do Partido Conservador, alimentava sua base política com pequenos favores a cabos eleitorais e parlamentares aliados. Antes de 1850, isso incluía, obviamente, tratar os traficantes ilegais de escravos com certa deferência e deles receber o apoio necessário para governar. Como chefe de polícia da corte entre 1833 e 1844, notabilizara-se pela cegueira com que lidou com as múltiplas denúncias de desembarques clandestinos na costa brasileira. Como senador, se destacou por votar sistematicamente contra projetos de leis que pudessem ameaçar os interesses dos traficantes. Sua repentina conversão à luta pela supressão do tráfico foi, portanto, consequência da mesma pressão exercida sobre o governo e toda a elite imperial brasileira pelas canhoneiras britânicas estacionadas nos portos, praias, estuários e saídas de rios ao longo de todo o litoral brasileiro.

***

Para entender como o Brasil chegou à situação humilhante e desesperadora de 1850, é preciso recuar duas décadas, um período de afronta aos brios nacionais por parte do governo britânico devido à obstinada resistência das autoridades e dos senhores escravistas em acabar com o tráfico negreiro. A queda de braço, como se viu em capítulos anteriores, vinha desde 1831, ano em que o parlamento brasileiro, cumprindo disposições do tratado de 1826, de reconhecimento da Independência, aprovou uma lei proibindo a importação de africanos escravizados — a famosa "lei para inglês ver", que jamais tinha sido cumprida. Os ânimos se acirraram definitivamente alguns anos mais tarde. Em 18 de setembro de 1837, o ministério Liberal, que até então ainda mostrara alguma inclinação em fazer cumprir a lei, foi substituído pelo gabinete conservador de Bernardo Pereira Vasconcelos, íntimo aliado da aristocracia rural escravista. Vasconcelos logo cancelou as ordens do governo anterior para que fossem detidos e revistados os navios que chegassem da África, com a seguinte justificativa, que adiantara em um discurso feito pouco antes da posse:

Que os ingleses ponham em prática esse tratado a que nos obrigaram pelo abuso de seu poder superior, mas esperar que cooperemos com eles nessas especulações enfeitadas com o nome de humanidade não é razoável.[9]

Foi nesse clima que chegou ao parlamento um projeto de autoria do senador Felisberto Caldeira Brant, marquês de Barbacena, cujo objetivo era revogar, na prática, parte do tratado de 1826 e a própria lei de 1831. Caso notável de cinismo legislativo, a proposta mostrava até onde o parlamento brasileiro, dominado pela elite escravocrata, estava disposto a chegar no esforço de proteger seus interesses e bloquear todas as tentativas de acabar com o tráfico negreiro e a própria escravidão. Com catorze artigos, o projeto mudava radicalmente o entendimento e a interpretação das leis e tratados até então vigentes. Em primeiro lugar, a proibição do tráfico estaria limitada aos oceanos e portos. Um escravo trazido clandestinamente só poderia ser libertado se a captura ocorresse no mar, ainda a bordo do navio negreiro que o transportara da África. Uma vez tendo tocado o solo brasileiro, porém, seria considerado uma propriedade legal como outra qualquer, passível de ser comprada e vendida sem interferência das autoridades. Desse modo, quanto mais bem-sucedido fosse o traficante ilegal no esforço de fugir aos controles oficiais, melhor para todos os envolvidos na operação. Determinava, textualmente, que nenhuma ação poderia ser tomada contra aqueles que tivessem comprado escravos ilegais após o seu desembarque. Por fim, declarava revogada a lei de 7 de novembro de 1831. Apenas este artigo era suficiente para anular o crime de contrabando de escravos cometido nos anos anteriores e anistiar todos os culpados por ele. Ao mesmo tempo, legalizava a escravidão de centenas de milhares de africanos cativos que até então tinham entrado ilegalmente no Brasil.[10]

Ao apresentar o projeto, Barbacena em momento algum admitia o óbvio: se havia escravos ilegais entrando no Brasil, o culpado era o próprio governo, leniente, corrompido e incapaz de fiscalizar as águas e fronteiras nacionais e garantir o cumprimento de leis e tratados internacionais. Em vez disso, preferia enfatizar a inocência dos senhores que compravam os cativos ilegalmente. Segundo ele, fazendeiros, senhores de engenho, plantadores de café, mineradores de ouro e diamante eram todos "proprietários tranquilos, chefes de famílias respeitáveis, homens cheios de indústria e virtude, que promovem a fortuna particular e pública com seu trabalho".[11] Exigir deles que resistissem à tentação de comprar escravos trazidos até a porta de suas fazendas pelos traficantes ilegais seria, nas suas palavras, esperar "mais do que a espécie humana pode realizar". Era natural, portanto, que se deixassem seduzir pela tentação de garantir o suprimento de mão de obra e a produção de suas fazendas. "Merecem completo esquecimento sobre a infração que cometeram", propunha. Apesar do absurdo desse raciocínio, o projeto passou rapidamente pelo Senado. Emperrou, porém, na Câmara, como resultado de um vigoroso protesto do Império britânico. Pressionado, o governo brasileiro decidiu paralisar sua tramitação. Propostas semelhantes, no entanto, voltariam à tona sistematicamente nos treze anos seguintes.

Em agosto de 1845, cada vez mais irritados com a hipocrisia do governo brasileiro em relação aos traficantes, os ingleses decidiram finalmente endurecer o jogo. Uma lei aprovada pelo parlamento britânico naquele mesmo mês de agosto, a *Slave Trade Suppression Act* (Lei de supressão do comércio de escravos), mais conhecida como lei Bill Aberdeen, em homenagem ao seu autor, lorde Aberdeen, determinava que o tráfico de escravos no Brasil fosse tratado como pirataria. Qualquer navio suspeito poderia ser abordado e apreendido, mesmo em águas territoriais ou ancorados ao longo da costa brasileira. O julgamento não mais seria feito por comissões mistas, composta por juízes dos dois países, mas diretamente por tribunais marítimos britânicos. Navios condenados seriam confiscados, desmanchados e vendidos como sucata em leilões.

Definida pelo explorador Richard Burton como "um dos maiores insultos que um povo forte jamais fez a um fraco", a lei Bill Aberdeen provocou uma previsível irritação entre a elite escravista brasileira. Paulino José Soares de Souza, o ministro dos Negócios Estrangeiros, dizia que a ação da Marinha britânica, com base nos novos regulamentos, feria "profundamente todo sentimento de dignidade e espírito nacional do país, levantando um clamor geral de indignação contra tal opressão e violência".[12]

Mas o fato é que a nova lei funcionou.

Com a Bill Aberdeen em vigor, a situação se complicou para os traficantes brasileiros. Entre 1845 e 1850, cerca de quatrocentos navios negreiros envolvidos no transporte clandestino de africanos para o Brasil foram apreendidos e imediatamente despachados para os tribunais britânicos em funcionamento na ilha de Santa Helena, em Serra Leoa e no Cabo da Boa Esperança. Com poucas exceções, acabaram condenados celeremente. Devido ao risco das apreensões, os preços dos africanos dispararam. Ainda assim, estima-se que em apenas dois anos, de 1848 a 1849, mais de 100 mil escravos foram introduzidos clandestinamente no Brasil. Dois terços desse total desembarcaram em uma faixa de cerca de 300 quilômetros ao norte e ao sul do Rio de Janeiro, incluindo a baía de Paranaguá. "Todo esse governo é corrupto e abominável", resumia, em relatório a Londres, o embaixador britânico James Hudson. "E não fará nada para suprimir o tráfico se não for coagido." Em outra mensagem, Hudson propunha o emprego de força militar contra o Brasil. As sugestões incluíam invadir e bloquear portos, cidades e saídas de rios, ou até a guerra aberta. "Nenhum porto do mundo pode ser bloqueado tão facilmente quanto o do Rio", ponderava Hudson. "Coragem", resumia, "seja animal ou moral, não é uma virtude brasileira".

Parte dessas propostas foram colocadas em ação em setembro de 1849, quando chegou ao litoral brasileiro uma frota britânica composta de seis navios de guerra, mais dois navios de apoio para suprimentos, sob o comando geral do contra-almirante Barrington Reynolds. Em uma operação conjunta, quatro cruzadores — *Hydra*, *Rifleman*, *Tweedy* e *Harpy* — bloquearam parcialmente o porto de Santos durante vários meses impedindo que os dois mais famosos negreiros movidos a vapor, o *Serpente* e o *Providentia*, partissem para a África. Nos dois anos anteriores, esses navios tinham transportado milhares de cativos clandestinamente, driblando os navios britânicos. No segundo semestre, atracou no Rio de Janeiro o *Cormorant*, que no ano seguinte se envolveria no incidente em Paranaguá. Em meados de junho de 1850, chegou mais um reforço, o *Sharpshooter*, que imediatamente impôs sua presença capturando duas embarcações brasileiras envolvidas no tráfico ilegal. Uma delas, o navio *Maltesa*, foi destruída no próprio local da captura. A outra, batizada de *Conceição*, foi despachada para Santa Helena. Para completar o cenário de humilhação brasileira, no dia 22 de junho, o contra-almirante Reynolds determinou que seus navios de guerra vasculhassem portos, enseadas e saídas de rio e capturassem sem autorização ou consultas às autoridades nacionais qualquer navio suspeito de envolvimento com o tráfico.

Para dar suporte a essas operações, a legação britânica no Rio de Janeiro tinha um precioso informante, o Alcoforado, codinome de Joaquim de Paula Guedes. Antigo oficial da marinha do Brasil, traficante redimido, Paula Guedes conhecia os meandros do negócio negreiro. Sua tarefa era antecipar os movimentos de entrada e saída dos navios clandestinos, incluindo nome da embarcação e de seu comandante, rota e local de desembarque, de modo que os navios de guerra britânicos pudessem se antecipar e capturá-los. Como recompensa pelos seus serviços, recebia 10% do dinheiro pago como prêmio pela captura, além de uma remuneração mensal fixa. No total, teria recebido mais de 7 mil libras entre 1850 e 1855.[13]

É de autoria do Alcoforado espião um dos relatórios mais detalhados sobre o tráfico ilegal para o Brasil ao longo de quase duas décadas, entre 1831 e 1853. Com cinco páginas, descrevia nomes de navios e traficantes, preços de escravos pagos na costa da África e no Brasil, e até mesmo uma denúncia de corrupção contra o embaixador português no Brasil, que receberia entre 800 mil réis a um conto de réis para providenciar licenças e registros falsos para navios que atravessavam o Atlântico sob a proteção da bandeira de Portugal. Informava também sobre a participação de banqueiros, industriais, fabricantes de navios e outros empreendedores ingleses e norte-americanos na cadeia do tráfico. Finalizava com uma denúncia de conchavo contra o chefe de polícia da corte e futuro ministro da Justiça Eusébio de Queirós. Segundo Alcoforado, em 1849, Queirós teria convocado ao seu gabinete os grandes traficantes do Rio de Janeiro para avisar-lhes que o governo estava determinado a acabar com o tráfico, aconselhando-os que "tratassem de tirar seus fundos [do negócio] no prazo de seis meses", de modo a evitar prejuízos decorrentes da implantação da medida.

O fim do tráfico negreiro, em 1850, teve três resultados imediatos e importantes no sistema escravista brasileiro.[14] O primeiro foi a concentração social e territorial da propriedade de cativos. A posse de escravos, que antes era disseminada por todas as regiões e classes sociais, passou a ser um fenômeno típico da cafeicultura, a atividade mais dinâmica da economia brasileira na segunda metade do século XIX, ou de algumas camadas da população mais rica. Houve o deslocamento de grandes quantidades de cativos das regiões Norte e Nordeste e da cidade do Rio de Janeiro para as fazendas de café do Vale do Paraíba e do oeste de São Paulo. O preço pago por eles triplicou nos dez anos seguintes à Lei Eusébio de Queirós. Em 1850, pagava-se entre 500 a 600 mil réis por um escravo homem e jovem, na faixa etária de quinze a trinta anos. Em 1860, o valor já estava em torno de 1,5 conto de réis. Chegaria a 2,5 contos de réis em 1870. O praticante de algum ofício, como ferreiro ou marceneiro, valia ainda mais, até três contos de réis.[15] Só poderia comprá-lo quem tivesse muito dinheiro. Amador Lacerda Rodrigues, dono da fazenda Santa Gertrudes, de Rio Claro, no atual estado de São Paulo, queixava-se amargamente perante à assembleia provincial em 1857:

> *Hoje, para comprar escravos, não apenas eles não existem, como os poucos que aparecem no mercado têm um preço excessivo. Os fazendeiros lutam com dificuldades para conservar seus bens.*[16]

O segundo fenômeno foi a "ladinização da população cativa": em lugar dos africanos "boçais", antes despejados aos milhares no litoral brasileiro, aumentou o número de crioulos, ou seja, escravos nascidos no Brasil, também chamados de ladinos. Portanto, "dominavam melhor os códigos sociais vigentes", segundo a explicação do historiador Ricardo Salles, o que possibilitava a construção de laços de amizade, compadrio e parentesco, dentro e fora da comunidade. Com isso, aumentou, por exemplo, a possibilidade de participação em irmandades religiosas e a conquista da própria alforria. O terceiro e último fenômeno, consequência direta do segundo, foi uma mudança na equação demográfica do escravismo, por um maior equilíbrio entre os sexos, elevação dos padrões de vida da comunidade cativa e a constituição de famílias. Tudo isso aumentou o poder de barganha dos escravos junto aos senhores e a possibilidade de envolvimento em ações políticas, como o movimento abolicionista a partir da década de 1880.

A última tentativa de desembarque clandestino registrada no Brasil ocorreu em janeiro de 1856, quando o navio *Mary E. Smith*, de fabricação norte-americana, de 122 toneladas, foi interceptado no litoral norte do Espírito Santo quando transportava quatrocentos escravos ilegais. Havia rumores de que outro desembarque teria ocorrido em Sirinhaém, litoral de Pernambuco, com duzentos cativos. Nesse caso, porém, não existe nenhuma comprovação.

Mesmo assim, as relações entre Brasil e Inglaterra em torno da escravidão continuaram a se azedar até bem depois de aprovada a Lei Eusébio de Queirós. Em 1860, o responsável pela legação britânica no Rio de Janeiro, William Dougal Christie, um diplomata impulsivo e arrogante, denunciou a escravização em massa dos africanos chegados ilegalmente ao Brasil nas décadas anteriores. Segundo dizia, o governo era cúmplice porque fechava os olhos para beneficiar os fazendeiros envolvidos no crime. Além disso, reclamava do chamado tráfico interprovincial que, pelos seus cálculos, havia permitido a transferência de 34.688 escravos das províncias do Norte para as do Sul e Sudeste por via marítima. Isso, no seu entender, configuraria uma violação dos tratados firmados entre os dois países.

O problema se complicou em dois incidentes ocorridos entre 1861 e 1862. No primeiro, uma fragata inglesa foi saqueada depois de encalhar no litoral do Rio Grande do Sul. No segundo, três oficiais britânicos foram presos na Tijuca, no Rio de Janeiro, por desacato à polícia. Christie exigiu indenização e explicações do governo brasileiro. Como não foi atendido, decretou o bloqueio do porto do Rio de Janeiro por seis dias, entre 31 de dezembro de 1862 e 6 de janeiro de 1863, e a captura de doze navios mercantes brasileiros em águas territoriais. O episódio, que passaria para a história como "Questão Christie", inflamou a opinião pública. Durante o bloqueio naval, o próprio imperador Pedro II saiu às ruas para, junto com os manifestantes, defender a soberania nacional. A embaixada inglesa no Rio de Janeiro foi cercada por uma multidão enfurecida. Escravistas usaram os incidentes como uma defesa do tráfico interno. A crise chegou a tal ponto que as relações diplomáticas entre Brasil e Reino Unido foram rompidas por dois anos.

18. NO LIMBO

> *"O que é um liberto?*
> *É o fruto podre da escravidão."*
>
> Carta publicada no jornal Monitor Campista,
> de São Fidélis, Rio de Janeiro,
> duas semanas antes da Lei Áurea

No ANO EM QUE, sob a mira dos canhões da marinha britânica, o governo imperial finalmente concordou em acabar com o comércio de gente no Atlântico, milhares de homens e mulheres viviam à deriva na sociedade brasileira, aprisionados em uma espécie de limbo legal, equilibrando-se precariamente na fronteira entre a liberdade e o cativeiro. Chamados de "libertos", "livres" ou "emancipados", eram, em sua maioria, africanos importados clandestinamente depois da proibição do tráfico. Havia também escravos libertados pelos governos central e provincial em condições especiais, como, por exemplo, por serviços militares prestados em época de conflitos. Legalmente, não eram mais cativos, mas, ao mesmo tempo, nunca chegaram a conquistar a autonomia plena. Em vez disso, continuaram de fato no cativeiro até o fim de suas vidas, prestando serviços para o governo em obras públicas ou alugados para os próprios senhores e fazendeiros escravocratas. Era mais uma das muitas hipocrisias da legislação e da prática escravista brasileira.

O vácuo jurídico estava expresso nas próprias leis nacionais. Pela Constituição outorgada pelo imperador Pedro I em 1824, só eram considerados merecedores da cidadania brasileira os libertos nascidos no Brasil, que ficavam, no entanto, excluídos da cidadania política — não podiam votar nem serem votados. Aos africanos emancipados nem isso foi assegurado. Pela Constituição, não eram cidadãos brasileiros, nem estrangeiros. De acordo com o artigo 179 do Código Criminal do Império, datado de 1830, a escravização de pessoas livres era considerada crime, passível de prisão e multa. A lei de 7 de novembro de 1831 determinava, textualmente, em seu artigo 1º: "Todos os escravos, que entrarem no território ou portos do Brasil, vindos de fora, ficam livres". Entretanto, era só retórica jurídica, sem efeito prático para milhares de pessoas que jamais tiveram a oportunidade de desfrutar dos direitos que lhes eram formalmente assegurados. A situação legal das pessoas de origem africana tornou-se particularmente precária depois de 1831 em virtude da conivência de todas as esferas do governo imperial com o crime do tráfico e da escravidão ilegal de milhares de pessoas trazidas pelo contrabando.[1] "A liberdade", observou o historiador Sidney Chalhoub, "era experiência arriscada para os negros no Brasil do século XIX, pois tinham a sua vida pautada pela escravidão, pela necessidade de lidar amiúde com o perigo de cair nela, ou voltar para ela".[2]

A origem do problema era anterior à Independência do Brasil. Pelos tratados de 1815 e 1817 assinados entre Inglaterra e Portugal e, depois, ratificados pelo novo Império Brasileiro, todos os cativos encontrados a bordo de navios do tráfico clandestino condenados pelas comissões mistas britânico-portuguesas (ou brasileiras) seriam deportados para suas regiões de origem na África. Enquanto isso não acontecesse, poderiam ser empregados como "aprendizes" debaixo da tutela do governo. Um alvará da Coroa portuguesa de 1818, igualmente sancionado pelo Império Brasileiro após a Independência, estabelecia um período mínimo de catorze anos de serviço obrigatório aos novos "libertos", durante o qual os africanos estariam enquadrados juridicamente como incapazes, sob a mesma legislação aplicada aos órfãos. Teriam um curador, "pessoa de conhecida probidade", que, a partir de então, se responsabilizaria pelo seu bem-estar, assegurando-lhes, por exemplo, moradia e alimentação adequadas. A emancipação definitiva viria somente quando demonstrassem capacidade de viver de forma autônoma. Em meados do século XIX, cerca de 11 mil pessoas estariam nessa condição.[3] Na prática, isso jamais acontecia. Os "emancipados" simplesmente sumiam das estatísticas e controles oficiais. Entre 1833 e 1844, auge do tráfico ilegal para o Brasil, apenas 897 africanos obtiveram do governo brasileiro os papéis definitivos de emancipação.

Em 1832, o padre Diogo Antônio Feijó, então ministro da Justiça e futuro regente do Império, denunciava os maus-tratos e a reescravização dos africanos libertados dos navios negreiros clandestinos. Em um de seus discursos no parlamento, Feijó afirmou que, frequentemente, os próprios traficantes conseguiam readquirir seus cativos subornando as autoridades e falsificando documentos. Uma das falcatruas mais comuns era a emissão de certidões de óbito fraudulentas com os nomes dos africanos. Dados oficialmente como mortos, eles recebiam novas identidades e eram incorporados aos plantéis de escravos já existentes nas propriedades do interior, sem que jamais se tivesse novamente notícia deles.

No único relatório a respeito dos escravos apreendidos produzido pelo governo brasileiro e divulgado em 1865, portanto bem depois da proibição definitiva do tráfico, foram registrados apenas 8.673 africanos libertos. Desses, 1.684 já estavam mortos. Somente 1.890 tinham conseguido, de fato, cartas de emancipação. Outros 5.099 eram mantidos em estado de semiescravidão. Nesse último grupo, porém, só se conhecia o paradeiro de 2.534 pessoas. Os demais haviam desaparecido, provavelmente absorvidos ilegalmente no oceano de escravos que até então dominava a paisagem brasileira. Nessa estatística oficial não constava, por exemplo, um grupo de 142 africanos desembarcados no Maranhão em 1826 pela escuna *Carolina*. Da mesma forma, não estavam incluídos 518 africanos de uma carga clandestina capturada em 1851 na cidade de Santos; 181 apreendidos em Sirinhaém, Pernambuco, em 1856; e outros 313 trazidos ao Brasil pelo iate *Mary E. Smith* no mesmo ano — todos, portanto, de navios negreiros interceptados após a aprovação da Lei Eusébio de Queirós, de 1850. Quanto à exigência de que os libertos fossem devolvidos à África, como previa o tratado com os britânicos, aparentemente isso nunca esteve entre as prioridades do governo brasileiro. Até 1868, apenas 459 negros tinham retornado ao continente africano nessas condições.

Um documento do governo britânico de 1843 afirmava que o esquema de fraude incluía a participação do escritório do Juiz de Órfãos do Rio de Janeiro, cujos funcionários favoreciam determinadas pessoas ao "alugar" os emancipados mediante o pagamento de propinas. Haveria até uma tabela de suborno: 150 mil réis por um homem adulto; 200 mil réis por dois; 250 mil réis por três, e assim por diante. Uma das pessoas privilegiadas na distribuição dos libertos seria o padre João Carlos Monteiro, vigário do distrito de Campos dos Goytacazes, norte do Rio de Janeiro, e pai do futuro abolicionista negro José do Patrocínio.

Conforme o próprio Patrocínio relataria mais tarde, seu pai teria vendido 92 desses africanos, como se fossem escravos legais, para pagar dívidas. Honório Hermeto Carneiro Leão, marquês do Paraná, senador e conselheiro do Império, um dos homens mais ricos e poderosos do Brasil, ao ser acusado de enriquecimento ilícito em 1854, admitiu, em discurso no Senado, que parte de sua fortuna provinha da exploração, em suas fazendas, de mão de obra barata de africanos "livres".[4]

Os concessionários particulares (em geral amigos ou aliados das próprias autoridades) pagavam pelos "libertos" um aluguel simbólico ao governo, dinheiro que jamais era revertido em benefício do próprio africano emancipado. "Africano livre significa escravo barato", escrevia em 1849, no jornal *O Philantropo*, Frederico Burlamarqui, opositor do tráfico escravista. Segundo Burlamarqui, em média, um tutor particular desembolsaria 18 mil réis por ano com o aluguel de um africano emancipado. Em dez anos (tempo de vida útil de um escravo no Brasil), pagaria 180 mil réis ao governo, um excelente negócio considerando que, por essa época, a compra de um escravo jovem não sairia por menos de 1.000 mil réis (1 conto de réis).

Os "emancipados" alugados pelo governo a particulares eram, em sua maioria, empregados na agricultura, em serviços domésticos e atividades urbanas — como todos os demais escravos brasileiros. Nas cidades eram utilizados como "pretos de ganho", ou seja, prestadores de serviços diversos que saíam às ruas pela manhã, passavam o dia trabalhando por conta própria e, no final da jornada, tinham a obrigação de repassar ao senhor ou senhora parte dos ganhos obtidos. Muitas mulheres eram também alugadas por amas de leite, responsáveis pela amamentação de crianças recém-nascidas. Outras submetiam-se à prostituição.

Ao analisar uma amostra de 955 africanos emancipados entre 1834 e 1838 dos carregamentos de sete navios clandestinos e de outras apreensões avulsas, a historiadora Beatriz Gallotti Mamigonian, professora da Universidade Federal de Santa Catarina, constatou que nove em cada dez mulheres e sete em cada dez homens foram concedidos a particulares, cabendo somente 18% ao serviço público. Os favorecidos eram principalmente funcionários públicos, membros da elite política ou pessoas que mereciam favores do governo imperial. Na lista apareciam, por exemplo, o naturalista Emílio Joaquim da Silva Maia, professor de botânica e zoologia no Colégio Pedro II, que tinha dois africanos "livres" a seu serviço até 1855, e o médico João Vicente Torres Homem, membro da Imperial Academia de Medicina. Aureliano de Sousa e Oliveira Coutinho, senador e conselheiro do império, e sua esposa, Narcisa Emília de Andrada Vandelli, neta de José Bonifácio de Andrada e Silva, o Patriarca da Independência, exploravam o trabalho de treze "emancipados". O general Luís Alves de Lima, futuro duque de Caxias, foi o concessionário individual com o maior número de africanos, 22 no total. Nos anos 1830, quando comandante do corpo de Guardas Municipais Permanentes da Corte, Caxias também solicitava africanos "livres" para as tarefas do quartel a fim de poupar seus subordinados de "serviços indignos".[5]

Os africanos mantidos sob controle direto do governo eram empregados em fábricas, obras e serviços urbanos. Um grupo de libertos da escuna *Emília* responsabilizava-se pela iluminação das ruas do Rio de Janeiro, pela manutenção de serviços de água e pelo Passeio Público, no centro da cidade. Em meados do século, eram encontrados na Santa Casa de Misericórdia, em fábricas de ferro e pólvora, no asilo para leprosos, no Colégio Pedro II, na Biblioteca Nacional, no Museu Nacional e no Arsenal de Guerra. Outros trabalhavam em conventos das diversas ordens religiosas, como a Ordem Terceira do Carmo e a Ordem Terceira de São Francisco da Penitência. Em Alagoas, os emancipados trabalhavam na polícia, em hospitais, no correio, na cadeia, no cemitério público e na construção de um farol em Maceió.

Alguns eram despachados para obras em regiões distantes do interior. Em 1851, por exemplo, 41 libertos foram designados para a construção de uma estrada ligando São Paulo a Mato Grosso, projeto sob responsabilidade de João da Silva Machado, o barão de Antonina. Outros, para a base naval de Itapura, no rio Paraguai. Havia "libertos" na fundição Ipanema, de Sorocaba, e no serviço de mineração em Minas Gerais e no Mato Grosso. Catorze foram mandados para a província do Amazonas entre 1854 e 1858. Um dos beneficiários foi Irineu Evangelista de Sousa, o futuro barão de Mauá, que, em 1856, recebeu africanos "livres" para trabalhar na sua Companhia de Navegação do Amazonas. Denúncias que chegaram à legação britânica algum tempo depois diziam que sofriam maus-tratos. Nada recebiam pelo trabalho, a não ser comida e abrigo.

No Rio de Janeiro, depois de serem desembarcados dos navios negreiros clandestinos, muitos africanos, em vez de ganharem a prometida liberdade, eram remetidos para a Casa de Correção, um presídio para criminosos comuns. E lá permaneciam por um longo tempo, suportando as mesmas condições insalubres de vida dos demais prisioneiros. Em 1852, havia 677 africanos alojados na Casa de Correção, mas somente quarenta eram recém-chegados. Muitos deles saíam para trabalhar nas ruas da cidade durante o dia e voltavam à noite para dormir na cadeia. Além disso, inúmeros alforriados não conseguiam comprovar seu status civil por falta de documentação ou de testemunhas que defendessem sua causa. Acabavam na prisão e lá ficavam anos a fio, à espera de que algum senhor aparecesse para reclamá-los.

Para os libertos, a cor negra da pele continuava a ser um estigma. A qualquer momento, dependendo do humor de um segurança ou um policial, poderiam ser apreendidos e chamados a provar sua condição civil, pelo simples fato de serem negros. Esse foi o caso de Antônio Pereira Rebouças, pai do futuro abolicionista André Rebouças, que, em 1823, ao fazer uma viagem entre Salvador e Rio de Janeiro, foi detido pela polícia sob suspeita de ser um escravo fugitivo. Mesmo que Rebouças já fosse à época um advogado famoso, reconhecido e admirado na elite imperial, nada disso impediu que fosse vítima de um escancarado preconceito de cor.[6]

Exemplo do quanto era precária a liberdade para negros e mestiços brasileiros foi o destino de um numeroso grupo deles, cerca de trezentos no total, no Paraná. Conhecidos como "Escravos de Capão Alto", eles formavam um quilombo numa fazenda abandonada pelos frades da ordem carmelita no município de Castro. Durante muitos anos, ninguém os incomodou. Ali viviam na condição de camponeses livres e autônomos, cultivando lavouras e consumindo o produto do próprio trabalho. Em 1865, os carmelitas decidiram reduzi-los novamente ao cativeiro e alugá-los como escravos para cafeicultores paulistas. Todavia, eles se recusaram a partir, alegando que eram livres e, "se escravos, somente de Nossa Senhora do Carmo". A resistência foi inútil. Os frades acionaram a polícia, com a alegação de que "nessa desobediência poderá talvez haver o gérmen de uma futura insurreição". Os líderes foram presos e os demais, remetidos à força para as fazendas de São Paulo.[7]

A assombração do vácuo legal, entre a liberdade e o cativeiro, perseguia também os escravos legalmente libertados graças a serviços prestados ao Império, especialmente durante conflitos militares. Em 1823, um corpo de exército composto por 130 escravos emancipados participou do bloqueio da cidade de Salvador, ocupada no ano anterior pelos portugueses. Outro grupo de 2 mil libertos serviu em Montevidéu no início da década de 1840.

NO LIMBO

Em 1837, quatro escravos foram alforriados por terem carregado em uma cadeirinha o futuro imperador Pedro II, então um garoto de apenas doze anos, em um período de enfermidade. Em 1866, durante a Guerra do Paraguai, o governo anunciou a emancipação dos escravos existentes nas fazendas imperiais. Segundo um censo de 1864, eles somavam 1.481 cativos distribuídos em 28 propriedades, responsáveis pela criação de 50 mil animais. Na Revolução Farroupilha, no Rio Grande do Sul, escravos foram mobilizados para lutar nos dois lados em guerra, mediante a promessa de liberdade. Entre os revoltosos somariam mais de 10 mil guerreiros, chamados de lanceiros negros, famosos pela grande habilidade no uso da lança durante os combates.

Um dos episódios mais misteriosos e polêmicos da Farroupilha ocorreu na madrugada de 14 de novembro de 1844, já na fase final do conflito. Um esquadrão de lanceiros negros acampado no Cerro dos Porongos, no atual município de Pinheiro Machado, próximo da fronteira com o Uruguai, foi surpreendido e arrasado pelas tropas imperais. Cerca de cem deles foram mortos. O ataque foi visto como excessivamente cruel e desnecessário. Naquela altura, os Farrapos já estavam derrotados. A rendição ocorreria apenas quatro meses após o sangrento episódio. Já reconhecendo a iminente derrota, os rebeldes tentavam negociar uma anistia com o governo central. Entre as condições para o indulto, estaria a devolução dos escravos capturados ou fugitivos aos seus donos originais. Uma antiga suspeita, até hoje muito discutida no Rio Grande do Sul, é de que os lanceiros negros teriam sofrido uma traição por parte do general David Canabarro, líder dos Farrapos. Em um acordo secreto com o barão e futuro duque de Caixas, comandante das forças imperiais, Canabarro teria desarmado de propósito os guerreiros negros e facilitado a aproximação do inimigo ao acampamento onde dormiam sem suspeitar do que estava por vir. A suposta traição nunca se comprovou de forma conclusiva na documentação histórica. Ainda assim, como apontaram os jornalistas Geraldo Hasse e Guilherme Kolling em um livro recente sobre o assunto, "mesmo que não tenha havido traição, há o massacre, o fato hediondo", cujas vítimas foram guerreiros negros, que lutavam na expectativa de alcançarem a liberdade, inutilmente sacrificados nas mãos de dois poderosos homens brancos — Canabarro e Caxias.[8]

***

A preocupação com o controle e o destino dos libertos era uma antiga obsessão das autoridades, também anterior à Independência do Brasil. Como já explicado em um dos capítulos anteriores, o assunto foi exaustivamente debatido ao longo do período colonial e assim continuaria até depois da Lei Áurea de 1888. O que fazer com os ex-escravos? Como integrá-los à sociedade brasileira, de modo que ostentassem pelo menos a fachada de "cidadão responsável", enquanto, na prática, continuasse a servir de mão de obra abundante e barata para a elite branca brasileira? "Esta foi a grande questão debatida tão longamente durante todo o século XIX: o que fazer com o negro livre ou quais os controles institucionais necessários para mantê-lo subordinado ao branco", escreveu a historiadora Celia Maria Marinho de Azevedo.[9]

Ecos dessa recorrente preocupação podem ser encontrados em documentos ainda do final do século XVIII. Em abril de 1796, o então vice-rei do Brasil, José Luís de Castro, o conde de Resende, dizia-se aflito com os "inumeráveis e prejudiciais inconvenientes" que vinha observando na cidade do Rio de Janeiro, causados pelo "grande número de escravos" ociosos e pela "imensa quantidade de mulatos e pretos forros" vadios ali existentes.[10] Ponderava que, quanto aos escravos, não havia muito o que fazer. Eram propriedade privada, e não caberia ao governo interferir no domínio senhorial que até então assegurava a paz, a prosperidade e a estabilidade da colônia portuguesa. Quanto aos libertos, no entanto, cabia às autoridades agir de imediato para botar alguma ordem nesse universo instável e perigoso. Sem a decisiva ação do Estado, os "defeitos" políticos e materiais decorrentes dessa situação tenderiam a se agravar rapidamente. Livres dos grilhões do cativeiro, a população afrodescendente era perigosa. Precisava ser registrada, classificada, monitorada, controlada e encaminhada de acordo com os interesses do bem comum. Seguem algumas das propostas oferecidas pelo conde para a solução do "problema":

1. Que se fizesse um censo de "todos os mulatos, crioulos e pretos forros, da qual constassem suas idades, ocupações e estado";
2. Registro de todas as cartas de liberdade, para saber em que condições esses ex-escravos tinham conquistado a alforria;
3. Investigar "o modo de vida, procedimento e conduta" daqueles homens;
4. Decidir quais deles deveriam continuar a viver dentro da cidade;
5. Os que não tivessem ofício, fossem solteiros e adultos, seriam recolhidos a uma "casa de correção", onde aprenderiam ofícios;
6. Os "vadios e viciosos" seriam remetidos para "o continente" do Rio Grande do Sul, de Santa Catarina e Cantagalo para serem empregados na agricultura e na criação de gado;
7. Os casados que se enquadrassem nessa categoria — de "vadios e viciosos" — seriam empregados "fora da cidade";

8. As mulheres seriam igualmente registradas. As que fossem honradas e tivessem família, poderiam continuar onde estavam;
9. Mulheres solteiras ou independentes, que vivessem "sobre si", seriam enviadas a outra casa de correção para aprender "alguma ocupação própria do seu sexo".

A mesma e antiga ansiedade, tão detalhadamente expressa no relatório do conde de Resende, reaparecia em linguagem crua quase um século mais tarde em carta publicada na edição de 28 de abril de 1888, duas semanas antes da Lei Áurea, do jornal *Monitor Campista*, de São Fidélis, Rio de Janeiro. "O que é um liberto?", perguntava o autor. "É o fruto podre da escravidão. Ele traz consigo todos os vícios do servilismo, e precisará de muito tempo para adquirir algumas das virtudes da liberdade". Em seguida, o autor da carta oferecia o que julgava ser a melhor solução para o antigo dilema. Seria necessário coagir os ex-escravos ao trabalho pelo medo de castigo. Desaconselhava o uso do chicote, "não só porque repugna o espírito geral da época, como por surtir efeito contrário ao que se quer". Em vez disso, sugeria o uso de outro instrumento muito popular no tempo da escravidão: o tronco. "Todos sabem que tem sido este o modo de conservarem-se presos os homens livres onde não há cadeia."[11]

A legislação imperial se empenhou em vigiar a vida dos libertos até os estertores do regime escravista no Brasil. A lei 3.270, de 1885, determinava que todo negro alforriado deveria permanecer no mesmo domicílio por um prazo mínimo de cinco anos. Quem se ausentasse do local de residência sem autorização das autoridades seria "considerado vagabundo e apreendido pela polícia para ser empregado em trabalhos públicos ou colônias agrícolas". Além disso, estipulava que qualquer liberto, encontrado sem ocupação, seria obrigado a empregar-se ou a contratar seus serviços no prazo que for estipulado pela polícia. Quem não cumprisse as determinações estava sujeito à pena de "quinze dias de prisão com trabalho" e, em caso de reincidência, ser "enviado para alguma colônia agrícola" (na prática, uma penitenciária rural), onde ficaria sob a tutela do Estado.[12]

O tom de preocupação com o futuro dos libertos despontava em outros pronunciamentos da época. "É indispensável lançar mão do meio mais seguro de fixar, pela gratidão e pelo interesse, o escravo à fazenda onde tem trabalhado", alertava o barão de Cotegipe no discurso contra o projeto da Lei Áurea em tramitação no Senado, em 12 de maio de 1888. "Se a condição deste mudar, de um dia para o outro, só por disposição de lei, difícil será conservá-lo aí, ou só depois de muito tempo poderia conseguir-se, dando neste intervalo perturbações econômicas de maior vulto."[13]

Um mês antes, em 11 de abril de 1888, os fazendeiros se reuniram em um congresso realizado em São Benedito, freguesia de Campos, na casa do capitão Manuel Carneiro Leão, para discutir como regulamentar o trabalho dos escravos depois da Abolição, a essa altura já considerada inevitável. Pela decisão ali tomada, uma das formas seria manter a exaustiva jornada diária de trabalho praticada até então: dez horas de serviço por dia, "da aurora à ave-maria", ou seja, do nascer ao pôr do sol, com repouso e almoço das onze da manhã à uma da tarde. O pagamento seria em dinheiro ou víveres, negociado livremente entre o fazendeiro e o trabalhador. Faltas e atrasos seriam descontados ao final do mês. Haveria respeito aos dias santos segundo o calendário do bispado do Rio de Janeiro. O parágrafo nove estabelecia: "Fados e batuques ficam proibidos e ninguém permitirá nas suas fazendas ajuntamentos de pessoas estranhas, salvo um e outro caso, havendo licença do proprietário".[14]

Em dezembro de 1887, um jornal de Rio Claro, no interior paulista, publicava o depoimento de um grande fazendeiro, Alfredo Ellis, explicando como, em seu entender, havia resolvido satisfatoriamente a transição de seus trabalhadores do regime de cativeiro para a liberdade:

> *Acabo de dar liberdade plena a todos os meus escravos e todos continuam trabalhando comigo e recebendo salários, numa louca alegria. [...] Entre os novos libertos, não é alegria apenas, é um verdadeiro delírio: sinto-me feliz por ter de uma só vez arrancado da noite escura da escravidão este punhado de irmãos, que já não são mais simples coisas, mas sim úteis cidadãos.*[15]

Na prática, a realidade era bem diferente da visão eufórica e cor-de-rosa desenhada por Ellis. Os salários e as condições de trabalho oferecidos aos libertos eram desumanos, muito próximos da situação vivida no tempo da escravidão. Persistia entre os fazendeiros a antiga mentalidade escravista, segundo a qual, apesar da alforria e dos novos arranjos contratuais, os negros e descendentes de africanos eram pessoas de nível inferior, que jamais mereciam o tratamento respeitoso reservado aos trabalhadores imigrantes de ascendência europeia. Perdurava a crença da libertação concedida, resultado de uma ação benévola dos senhores escravocratas, e não da pressão do movimento abolicionista ou da rebeldia dos próprios cativos. Os fazendeiros se julgavam merecedores da gratidão e respeito dos ex-escravos.

Um exemplo dessa postura está em um episódio narrado pelo historiador Francisco Nardy Filho envolvendo o cafeicultor Lucas Ribeiro do Prado. Em certa ocasião, julgando que uma negra liberta não o havia tratado com o devido respeito, Prado teria citado uma série de instrumentos de tortura usados na fazenda na época da escravidão:

> *Cala boca, negra, eu não te arranquei do tronco, do vira mundo, do bacalhau, da escada da gargalheira e da senzala para sofrer desaforo teu.*

Ao que a ex-escrava teria respondido:

> *Deus foi quem me libertou!*[16]

19. APOGEU E QUEDA

Se o Brasil imperial fosse comparado a um edifício, o ano de 1870 apareceria como o momento em que suas bases de apoio estavam, finalmente, prontas, meticulosamente desenhadas e organizadas para suportar as demais estruturas de seu formidável arcabouço arquitetônico, mas seria também a ocasião em que uma assustadora carga de explosivos foi silenciosamente lançada em seus alicerces, dando início a um rápido processo de demolição.

Quatro fenômenos altamente transformadores se conjugaram na história brasileira em 1870: a crise no sistema partidário até então vigente, o início da campanha republicana, as primeiras chamas da chamada Questão Militar e, por fim, o fôlego renovado do movimento abolicionista. Todos eles coincidem com o fim da Guerra do Paraguai. Acrescente-se ainda que foi nesse período que o imperador Pedro II, no trono desde 1841, começou a apresentar os primeiros sinais de desgaste físico, provocado por doenças como a diabetes, que o deixariam sem condições de reagir às pressões que o governo enfrentava naquele momento. Conjugados, esses fatores levariam à queda da monarquia e à

Proclamação da República duas décadas mais tarde.[1] Desse modo, 1870 poderia ser considerado como o apogeu e o início do declínio da história imperial brasileira.

Na primeira metade do século XIX, o Império Brasileiro tinha feito progressos significativos. Havia uma constituição e um código de leis em funcionamento. Dois grandes partidos — o Liberal e o Conservador — se revezavam regularmente no poder, sem grandes sustos ou rupturas. Havia liberdade de expressão no parlamento e na imprensa. As fronteiras estavam definidas e consolidadas. Revoltas escravas, divergências regionais e rebeliões separatistas, que até 1848 ameaçaram a integridade territorial, tinham sido superadas.

Outra mudança importante dizia respeito à economia e ao perfil da sociedade brasileira. Até a época da Independência, o Brasil era mais ou menos o que sempre fora no período colonial: um território essencialmente rural e escravista composto, de um lado, por uma camada senhorial, dona de terras e negócios, dependente da mão de obra escrava, e, de outro, pelos próprios cativos, africanos ou seus descendentes. Entre esses dois brasis de extremos — um rico e outro miserável —, inexistia, portanto, uma expressiva "camada média" que não possuísse escravos, não dependesse diretamente do trabalho cativo, nem estivesse submetida ao jugo senhorial, sendo pobre, analfabeta e dependente da primeira. Em 1850, ano do fim do tráfico negreiro, o cenário havia mudado de forma perceptível. Transformações econômicas e tecnológicas — em geral trazidas de outros países — tinham produzido um impacto profundo na paisagem social brasileira.

Entre essas mudanças, estavam os novos meios de transporte, como os trens e os navios a vapor; de comunicação, como a imprensa, o telegrama e, mais tarde, o telefone; o início de um processo incipiente de urbanização; o aparecimento das primeiras empresas industriais, de companhias de seguro e de bancos e instituições de crédito. Aumentara também o número de escolas de ensino superior. O saldo foi o surgimento de uma "categoria social nova", na definição da historiadora Emília Viotti da Costa, composta por advogados, professores, jornalistas, médicos, engenheiros, funcionários públicos, escritores e intelectuais.[2] Era uma camada mais permeável aos ventos republicanos e abolicionistas que, desde o século anterior, sopravam da Europa e dos Estados Unidos. A partir de 1870, suas manifestações se tornaram cada vez mais fortes e visíveis.

A Guerra do Paraguai foi a experiência mais arriscada e traumática do Império brasileiro. Iniciada em novembro de 1864, durou mais de cinco anos, até março de 1870. Ceifou a vida de centenas de milhares de pessoas, das quais entre 30 mil e 60 mil brasileiras. O preço mais alto coube, obviamente, ao Paraguai, o país derrotado. A população paraguaia, estimada em 406 mil habitantes no começo da guerra, reduziu-se à metade. O custo econômico também foi altíssimo. Só do lado brasileiro foram gastos 614 mil contos de réis, onze vezes o orçamento do governo para o ano de 1864, agravando um déficit que já era grande e que o Império carregaria até sua queda.

Internamente, a guerra produziu alguns efeitos colaterais importantes. Nunca tantos brasileiros haviam juntado forças em torno de uma causa comum. Gente de todas as regiões se prontificou a pegar em armas para defender o país. Calcula-se que pelo menos 135 mil homens foram mobilizados. Mais de um terço desse total, cerca de 55 mil, fazia parte do chamado corpo de Voluntários da Pátria, composto por soldados que se alistaram espontaneamente. Nos campos do Paraguai, brasileiros de cor branca lutaram ao lado de escravos, negros, mulatos, índios e mestiços. Ribeirinhos da Amazônia e sertanejos do Nordeste encontraram-se pela primeira vez com gaúchos, paulistas e catarinenses. O imperador Pedro II, chamado de o "Voluntário Número Um", transferiu-se pessoalmente à frente de batalha, enfrentando o frio e a intempérie numa barraca de campanha. Tudo isso produziu um sentimento de unidade nacional que o país não conhecera nem mesmo no tempo de sua Independência. Os símbolos nacionais foram valorizados. O hino era tocado no embarque das tropas. A bandeira tremulava à frente dos batalhões e nos mastros dos navios.

Estima-se que, ao longo de toda a guerra, cerca de 20 mil escravos foram libertados e enviados para a frente de batalha — incluindo 190 de propriedade do próprio Pedro II. Em 6 novembro de 1866, o governo imperial publicou um decreto que concedia a liberdade a todos os chamados "escravos da nação" — cativos de propriedade do Estado brasileiro — que se dispusessem a lutar nos campos do Paraguai. Proprietários privados e ordens religiosas foram incentivados a seguir o exemplo. Na época, os carmelitas e os beneditinos eram donos de aproximadamente 4 mil cativos que trabalhavam em colégios e fazendas nas diversas regiões do país.[3] No começo de 1867, o imperador anunciou a doação de 100 contos de réis (na época, cerca de 10 mil libras esterlinas) para comprar a liberdade dos escravos que se tornassem "Voluntários da Pátria". Em São Paulo, o advogado abolicionista baiano Luiz Gama dizia que essas promessas de liberdade eram ilusórias porque, ao ser convocados para se juntar às forças brasileiras, os escravos "recebiam uma carabina envolvida numa carta de alforria, com a obrigação de se fazerem matar à fome, à sede e à bala nos esteiros paraguaios e [...] morriam, volvendo os olhos ao território brasileiro".[4] O governo rejeitou também a doação de centenas de escravos doentes, velhos e fracos, que os senhores espertamente tentavam empurrar para o front, esperando, em troca, obter alguma recompensa pelo gesto de "generosidade".[5] Era permitido substituir filhos de fazendeiros que se recusassem a ir para a guerra. Um documento assinado por um deles, de Campinas, em janeiro de 1867, declarava:

> *Tendo um filho que não é guarda nacional e, devido às circunstâncias em que nos achamos com a guerra contra o Paraguai, e querendo concorrer com meu contingente para o triunfo do meu país, resolvi oferecer para sentar praça no Exército, em substituição ao meu filho, o meu escravo Marcolino de Camargo, ao qual concedo liberdade para esse fim.*[6]

Cerca de 15% do total das tropas brasileiras no Paraguai eram integradas por negros até então escravizados. Apesar de sua importância na vitória do Brasil, a presença deles nos campos de batalha era vista com desdém e preconceito pelas próprias lideranças militares. O general Luís Alves de Lima e Silva, duque de Caxias, por exemplo, responsabilizava os libertos pelos recorrentes casos de indisciplina nas fileiras do exército. Eram, segundo ele, "homens que não compreendem o que é pátria, sociedade e família, que se consideram ainda escravos, que apenas mudaram de senhor". Outro comandante brasileiro, o coronel José Antônio Corrêa da Câmara, responsável pela perseguição final ao ditador paraguaio Solano López após a tomada de Assunção pelos aliados, escreveu uma carta à sua esposa, em dezembro de 1868, dizendo que as posições defensivas paraguaias poderiam ter sido tomadas mais rapidamente, "se os nossos soldados da infantaria não fossem os negros mais infames deste mundo, que chegam a ter medo até do inimigo que foge".[7] Terminada a guerra, os cativos que tinham participado do conflito foram considerados homens livres pelas leis do Império Brasileiro. Um total de 6 mil deles teria se beneficiado desse dispositivo legal, que se estendia mesmo àqueles que houvessem fugido das senzalas para se juntar às tropas nacionais. Porém, como a crueldade escravista não tinha limites, houve inúmeros casos de senhores que tentaram reconduzir ao cativeiro seus ex--escravos combatentes. Na cidade de Paraíba do Sul, no atual estado do Rio de Janeiro, um "Voluntário da Pátria", ao retornar do Paraguai, foi preso e reincorporado ao plantel de um fazendeiro. Em junho de 1870, contudo, ele acabou libertado por intervenção das autoridades. Enquanto isso, crescia o movimento popular de simpatia em relação aos homens escravizados que haviam combatido pelo Brasil. Esses homens expunham uma contradição insolúvel para o sistema escravista: até então excluídos de todos os direitos assegurados aos demais cidadãos de ascendência branca e europeia, mesmo assim tinham arriscado a vida nos campos do Paraguai, a rigor defendendo uma ordem que lhes era opressora. O número de alforrias espontâneas aumentou gradativamente a partir de 1870.

O país entrou em uma fase de mudanças difícil de controlar após a Guerra do Paraguai. Ao par das importantes transformações tecnológicas e econômicas, começaram a ficar cada vez mais evidentes as óbvias fragilidades na estrutura do Brasil imperial. Como se viu no capítulo anterior, os salões do Império procuravam imitar o ambiente e os hábitos das cortes de Viena, Versalhes, Londres e Madri, mas a moldura real compunha-se de analfabetismo, escravidão e pobreza. Havia uma óbvia contradição entre a corte de Petrópolis, que se julgava europeia, e a realidade social brasileira, na qual mais de 1 milhão de escravos eram considerados propriedade privada, sem direito algum à cidadania. Em contraste com o brilho dos palácios, a rua era dominada pela escravidão.

As contradições entre a aparência e a realidade brasileira fizeram com que, ainda durante a Guerra do Paraguai, começassem a aparecer as primeiras rachaduras no edifício imperial. Em julho de 1868, o imperador Pedro II insistiu em nomear um ministério dominado pelos Conservadores, desprezando a opinião da maioria Liberal na Câmara dos Deputados. Era uma forma de prestigiar o Duque de Caxias, líder do Partido Conservador no Rio Grande do Sul e àquela altura personagem fundamental na condução da Guerra do Paraguai. Representava uma mudança drástica no ritual de poder do Segundo Reinado, no qual o ministério refletia sempre a composição da Câmara. Sentindo-se desprestigiados, os Liberais divulgaram um manifesto em que acusavam o soberano de promover um "golpe de Estado". Dois anos mais tarde, alguns deles deixariam o Partido Liberal para aderir à causa republicana que, a partir daí, ganharia um vigor até então nunca visto.

O dia 3 de novembro de 1870 é considerado pelos historiadores como o marco do início da jornada política que levaria à queda do Império duas décadas depois. Nesta data foi criado no Rio de Janeiro o primeiro clube republicano do Brasil, por iniciativa de um jovem maranhense, Miguel Vieira Ferreira. Dele faziam parte os jornalistas Quintino Bocaiúva, Francisco Rangel Pestana, Aristides da Silveira Lobo e Antônio Ferreira Viana, os advogados Henrique Limpo de Abreu e Salvador de Mendonça, o médico José Lopes da Silva Trovão e o engenheiro Cristiano Benedito Ottoni — portanto, típicos representantes da "categoria social nova", citada anteriormente. Eram quase todos dissidentes do Partido Liberal, ainda magoados com a atitude tomada por dom Pedro II em 1868.

Divulgado em 3 de dezembro de 1870 no primeiro número de *A República*, jornal oficial do novo Partido Republicano, que apresentava quatro páginas, uma tiragem de 2 mil exemplares e três edições por semana, o Manifesto Republicano foi o marco inicial da campanha pela mudança de regime no Brasil. Entre os 58 signatários contavam-se doze advogados, oito jornalistas, nove médicos, quatro engenheiros, três funcionários públicos, dois professores, nove comerciantes e um fazendeiro. Redigido por uma comissão chefiada pelo advogado Joaquim Saldanha Marinho, ex-deputado liberal por Pernambuco, ex-governador das províncias de São Paulo e Minas Gerais e grão-mestre da maçonaria, o texto tentava provar que a monarquia já não representava os anseios da nação e criticava o "poder pessoal" do imperador Pedro II. Além disso, propunha mudanças radicais no sistema de governo, incluindo a descentralização administrativa, a autonomia do judiciário, o fim da vitaliciedade do Senado, as eleições diretas, a criação do registro civil, a liberdade religiosa, e, por fim, a emancipação gradual dos escravos. O documento terminava com uma grave ameaça: "Ou a reforma ou a revolução". Alguns meses mais tarde, uma ala mais radical do Partido Liberal lançaria um segundo manifesto exigindo a extinção do Poder Moderador, da Guarda Nacional, do Conselho de Estado e a abolição da escravatura — não mais uma "emancipação gradual", mas sim a "abolição".

No fim da Guerra do Paraguai estavam também plantadas as raízes da Questão Militar, uma série de conflitos envolvendo o Exército e o governo imperial e cujos desdobramentos levariam ao golpe contra a monarquia em 1889. Ela abriria fendas profundas nas relações hierárquicas, criando um ambiente de insubordinação no qual os chefes militares passaram a se pronunciar abertamente contra o comando civil do Império. A situação chegou a tal ponto que, às vésperas da Proclamação da República, a monarquia não tinha mais autoridade para impor disciplina aos quartéis, deixando as Forças Armadas à deriva e à mercê da maré revolucionária que assediava o trono. Os militares sentiam-se frustrados, mal recompensados e desprestigiados pelo governo. Reclamavam dos soldos, congelados havia muitos anos, da redução dos efetivos após a Guerra do Paraguai, da demora nas promoções e da falta de modernização dos equipamentos e regulamentos. Essas e outras reivindicações apareciam com frequência em artigos dos jornais *O Soldado* e *Tribuna Militar* e da *Revista Militar Brasileira*. O ambiente de expectativas frustradas favorecia o clima de indisciplina e revolta.

A isso tudo se somou o movimento abolicionista, que levaria à libertação dos escravos pela Lei Áurea em 13 de maio de 1888. Foi a primeira campanha genuinamente popular e de dimensões nacionais. Envolvendo todas as regiões e classes sociais, carregou multidões a comícios e manifestações públicas, dominou as páginas dos jornais e os debates no parlamento e mudou de forma dramática as relações políticas e sociais que até então vigoravam no país. Como efeito colateral, deu o empurrão que faltava para a queda da monarquia e a Proclamação da República.

No Brasil, até a época da Guerra do Paraguai, quase ninguém, com exceção dos próprios cativos, opunha-se de fato à escravidão. Raras eram as vozes abolicionistas. A situação começou a mudar ao longo da década de 1860, porém de forma muito lenta.[8]

Em janeiro de 1864, diante das notícias assustadoras que chegavam da Guerra da Secessão nos Estados Unidos, onde cerca de 750 mil pessoas morreriam para que se fizesse a abolição da escravatura, o imperador Pedro II enviou uma nota ao conselheiro Zacarias de Góis e Vasconcelos, que naquele mês assumia a chefia do gabinete de ministros pela segunda vez. Na mensagem, dizia que os acontecimentos relacionados à guerra civil norte-americana exigiam que o governo pensasse a respeito do futuro da escravidão no país, "para que não nos suceda o mesmo a respeito do tráfico de africanos". Em outras palavras, o soberano estava preocupado com a mudança dos tempos, em especial com a persistência das pressões externas que levara o Brasil a capitular de forma humilhante perante a Inglaterra em 1850. Na mesma mensagem, o imperador sugeria que o governo avaliasse a possibilidade de conceder a liberdade aos filhos das escravas "que nascerem daqui a certo número de anos". A referência a "certo número de anos" para a libertação dos recém-nascidos mostrava claramente que, até aquela altura, o imperador não tinha nenhuma pressa em enfrentar o assunto. Era, portanto, uma sugestão bastante genérica, sem uma data concreta para ser adotada.

Dom Pedro II demorou quase dois anos para voltar ao assunto. Em fins de 1865, encomendou ao senador paulista José Antônio Pimenta Bueno, futuro visconde de São Vicente, um projeto relacionado ao tema. Pimenta Bueno apresentou três sugestões. A primeira emancipava os filhos nascidos de mães escravas. A segunda criava Conselhos Provinciais de Emancipação. A terceira previa que todos os escravos pertencentes ao governo fossem libertados no prazo de cinco anos. Os de propriedade de mosteiros e conventos das ordens religiosas ganhariam a liberdade em sete anos.

Em jogo estava a própria reputação do soberano brasileiro. Desde que assumira o trono, em 1841, dom Pedro II cultivara cuidadosamente a imagem do homem culto, educado, amante das ciências e das artes. Em suas viagens ao exterior, foi colecionando uma impressionante galeria de relacionamentos com celebridades internacionais do meio artístico, científico e intelectual, com as quais se correspondeu até o fim da vida. A lista incluía os portugueses Camilo Castelo Branco, Almeida Garrett e Alexandre Herculano, os franceses Victor Hugo, Lamartine e Pasteur, e o alemão Richard Wagner. Em 1876, ao visitar a Exposição Internacional da Filadélfia, em comemoração ao primeiro centenário da Independência dos Estados Unidos, deu uma contribuição decisiva na divulgação do telefone, invenção ali apresentada pela primeira vez pelo professor escocês Alexander Graham Bell. Foi graças à presença e à curiosidade de dom Pedro que os juízes da exposição deram atenção ao invento de Graham Bell, até então relegado a um canto obscuro e pouco frequentado dos pavilhões.

A escravidão, porém, criava um embaraço instransponível em sua biografia de estadista moderno e ilustrado. Em julho de 1866, um grupo de políticos e intelectuais franceses, todos muito admirados no Brasil, enviou uma petição a dom Pedro, mediada pelo Ministério de Assuntos Estrangeiros da França, exigindo que o Império do Brasil deixasse de ser "a última terra cristã manchada pela escravidão". O imperador, que se orgulhava de se corresponder com alguns dos signatários, teria ficado visivelmente constrangido ao receber o documento. Na resposta aos intelectuais, despachada com a chancela do gabinete de ministros, o soberano dizia que "a emancipação dos escravos, consequência necessária da abolição do tráfico, é somente uma questão de forma e oportunidade".

Em resumo: o futuro se encarregaria de dar uma solução ao problema, no momento oportuno.

A proposta de Pimenta Bueno, encomendada pelo imperador em 1865, ficou pronta em janeiro de 1866, mas só chegou ao Conselho de Estado, onde tinha assento a mais fina flor do escravismo brasileiro, em abril de 1867. A essa altura, a guerra civil nos Estados Unidos já terminara, com a vitória das tropas da União, compostas pelos estados do Norte, sobre os Confederados do Sul escravista. No Paraguai, por outro lado, a guerra estava longe do fim, o que expunha as dificuldades do Império brasileiro para mobilizar e organizar suas forças.

Na sessão de abril de 1867, os conselheiros foram chamados a dar respostas à seguinte consulta feita pelo chefe do gabinete de ministros, Zacarias de Góis e Vasconcelos, do Partido Liberal:

1. Convém abolir diretamente a escravidão?
2. No caso de resposta afirmativa, quando deve ter lugar a abolição?

3. Como, com que cautelas e providências, cumpre realizar essa medida?

A ata dessa reunião é um testemunho do quanto o governo imperial brasileiro estava empenhado em retardar o máximo possível a marcha da abolição.[9] O primeiro a dar o parecer foi Antônio Paulino Limpo de Abreu, visconde de Abaeté. Segundo ele, antes de responder às três perguntas, era preciso saber a que ritmo a população escravizada do Brasil estava diminuindo após o fim do tráfico negreiro, em 1850. Com esse dado em mãos, julgava Abaeté, seria possível prever em quanto tempo o regime escravista desapareceria, sem que houvesse necessidade de qualquer intervenção do governo, evitando-se desse modo "crises econômicas e sociais, ofender o direito de propriedade e colocar em perigo a paz pública".

Pelos cálculos do próprio Abaeté, se nada fosse feito, a escravidão ainda persistiria no Brasil por mais três séculos e meio, portanto até cerca de 2220. Se, no entanto, os filhos das mulheres escravas fossem declarados livres, como propunha o projeto de Pimenta Bueno, o fim viria em 36 anos. Ou seja, ainda haveria escravidão no Brasil até 1903, já no século xx. Ainda assim, respondendo ao segundo quesito, Abaeté não tinha pressa. Achava que, naquele momento, não se deveria tomar providência alguma, esperando antes que acabasse a Guerra do Paraguai. Em resumo, o governo não teria de botar a mão no vespeiro dos interesses dos fazendeiros, uma vez que o tempo se encarregaria, por si só, de resolver o problema, sem qualquer risco para a ordem imperial.

O segundo a falar foi o baiano Francisco Jê Acaiaba de Montezuma, visconde de Jequitinhonha, um afrodescendente, filho do comerciante português Manuel Gomes Brandão e da mestiça Narcisa Teresa de Jesus Barreto. Sua resposta, repleta de ambiguidade, ia ao encontro da proposta de Abaeté. Embora defendesse o fim da escravidão, Jequitinhonha era contrário à fixação de qualquer prazo. Em vez disso, seria mais conveniente dar tempo ao tempo. "Quem pode prever o que convirá daqui a vinte ou trinta anos?", perguntava. "Faça-se agora o que é possível, não se levantem nem mantenham esperanças de completo melhoramento quanto ao futuro."

O terceiro parecer, do fluminense Joaquim José Rodrigues Torres, visconde de Itaboraí, lembrava que a escravidão existia no Brasil desde o início da colonização portuguesa, mas que não se deveria "expiar as culpas dela por uma única geração". Julgava correto satisfazer "as aspirações dos que desejam ver a raça escrava recuperar os direitos que lhe deu o Criador", porém, "sem ser à custa do aniquilamento de seus senhores". Era preciso, portanto, ter todo o cuidado com o andar da carruagem. Caso contrário, "os assassinatos, as insurreições mais ou menos extensas, e quem sabe mesmo a guerra civil, poderão ser o resultado daquela medida".

O conselheiro Eusébio de Queirós, o quarto a se manifestar, ainda que por escrito, alertava que "quase toda a produção era obtida por trabalho escravo". Assim sendo, "abolir de um dia para outro a escravidão seria por tudo em perigo". Recomendava também que, caso se optasse pela abolição, os fazendeiros e senhores de escravos fossem indenizados.

A defesa mais explícita da escravidão veio do pernambucano Pedro de Araújo Lima, marquês de Olinda, para quem a abolição representaria um risco maior do que manter o regime escravista. Olinda discordava da opinião de que o Império corresse algum risco pela existência dos cativos. Segundo ele, "os escravos estavam quietos", não haveria perigo de rebeliões. O risco estaria, isto sim, em tomar alguma medida que desse argumento aos abolicionistas:

> *E será verdade que estamos em cima de um vulcão? Não penso assim. [...] Em geral, os escravos estão quietos, e não se lembram de mudança de condição. [...] O que assusta os senhores, em particular os fazendeiros, são essas vozes que a imprudência tem feito soar — que, de um modo ou de outro, chegam aos ouvidos dos escravos. [...] Se é verdade que estamos em cima de um vulcão, não sejamos nós mesmos que vamos promover a explosão.*

José Tomás Nabuco de Araújo Filho, pai do abolicionista pernambucano Joaquim Nabuco, foi o único a dar voto decididamente favorável ao início de um processo de abolição, ainda que não "simultânea e imediata". Em seu entender, o Brasil corria sérios riscos se adiasse indefinidamente a solução do problema: "Impedir a torrente é impossível, dirigi-la para que não se torne fatal é de alta política".

Na abertura da Assembleia Geral de 22 de maio de 1867, pela primeira vez desde que subira ao trono, o imperador se referiu publicamente à escravidão brasileira na Fala do Trono — o pronunciamento anual que fazia por ocasião dos trabalhos legislativos. Foi um discurso cauteloso, desenhado para não despertar alarde ou resistência em sua base de apoio escravista. "O elemento servil do Império não pode deixar de merecer oportunamente a vossa consideração", sugeriu aos deputados e senadores, "provendo-se de modo que, respeitada a propriedade atual e sem abalo profundo em nossa primeira indústria — a agricultura —, sejam atendidos os altos interesses que se ligam à emancipação". O uso de expressões como "oportunamente" sugeria que o assunto não era assim tão urgente e poderia ser relegada uma oportunidade futura mais favorável à sua discussão. Além disso, recomendava o imperador, providência alguma deveria ferir os interesses dos fazendeiros, cuja propriedade (ou seja, a posse de escravos) deveria ser respeitada. O parlamento, representado em sua maioria por senhores escravistas, respondeu no mesmo tom:

> A Câmara dos Deputados associa-se à ideia de oportuna e prudentemente considerar a questão servil no Império, como requerem a nossa civilização e verdadeiros interesses, respeitando-se, todavia, a propriedade atual, e sem abalo profundo na agricultura do país.

Autorizado publicamente pelo imperador a empurrar o problema com a barriga, em julho de 1867, Zacarias de Góis e Vasconcelos apresentou, enfim, um projeto de lei sobre o tema. Entre outras providências, previa a completa abolição da escravidão brasileira no último dia do século, ou seja, 32 anos mais tarde, em 31 de dezembro de 1899. Mesmo assim, enfrentou novas e grandes resistências no Conselho de Estado. No parlamento, liberais e conservadores se uniram para se opor à proposta. A questão acabou adiada com a desculpa de que o país se encontrava em guerra contra o Paraguai e que o momento não seria oportuno para tamanho desafio.

Diversos outros projetos com o objetivo de melhorar a vida dos escravos e facilitar a emancipação foram apresentados na Câmara dos Deputados entre maio e julho de 1869. Tratavam, entre outros temas, da abolição dos castigos físicos, da libertação dos recém-nascidos e do direito à compra de alforrias. Poucos chegaram a ser examinados e discutidos. Em agosto, foi aprovada uma proposta originária do Senado na qual se proibia, na venda de escravos, a separação de casais e de pais e filhos menores de quinze anos. Também foram proibidos os leilões públicos de venda de cativos, com algumas exceções. Em caso de morte do senhor, o escravo passaria a ter o direito de comprar sua própria alforria, independentemente da concordância dos herdeiros ou credores.

Promulgada logo no ano seguinte ao fim da Guerra do Paraguai, durante o gabinete comandado por José Maria Paranhos, o visconde de Rio Branco, a Lei do Ventre Livre, de 28 setembro de 1871, seria o mais importante passo rumo à Abolição no Brasil depois da Lei Eusébio de Queirós, de 1850. O novo regulamento estabelecia que todo filho de escrava nascido no Brasil a partir daquela data teria a liberdade mediante as seguintes condições: o proprietário dos cativos poderia manter a criança junto aos pais na senzala até os oito anos de idade, quando então teria a opção de entregar o menor ao governo, em troca de indenização de 600 mil réis, ou continuar com ele até os 21 anos. A votação foi disputada: 65 deputados a favor e 45 contra. A principal oposição veio dos representantes de Minas Gerais, São Paulo, Rio de Janeiro, Espírito Santo e Rio Grande do Sul. Dos 48 deputados dessas regiões, que concentravam 62% da mão de obra cativa, 34 votaram contra o projeto. Enquanto isso, os representantes do Norte e do Nordeste, que já não dependiam tanto do sistema escravista, votaram maciçamente a favor — 45 em uma bancada de 54 deputados.[10] Curiosamente, algumas das maiores críticas à Lei do Ventre Livre, enquanto o projeto ainda estava em discussão no parlamento, vieram de dois intelectuais e políticos do Ceará, a província que na década seguinte assumiria a vanguarda do abolicionismo no Brasil. Tristão de Alencar Araripe, advogado, magistrado e político cearense, numa série de artigos publicados na época, afirmava:

> *O escravo é propriedade tão legítima como outra qualquer; portanto, não deve jamais ser violada. [...] Não nos devemos levar pelos sentimentos de filantropia em favor dos escravos*

> *quando arruinamos as nossas próprias famílias e prejudicamos o Estado... Que prurido de liberdade é esse, pois temos vivido com a escravidão por mais de três séculos e não podemos suportá-la por mais alguns anos?*

Outro cearense, o escritor José de Alencar, autor do romance nativista *Iracema*, acusava o governo imperial de, com a Lei do Ventre Livre, pretender provocar a desordem social para, em seguida, num ato ditatorial, decretar o fim imediato da escravidão, o que, segundo ele, seria levar à ruína a propriedade, causar miséria pública e o descalabro na sociedade:

> *Esse papel, senhores, contém uma ousada provocação, um cartel de desafio lançado à opinião na esperança de que ela aceite o repto não para combatê-lo aqui, na imprensa e na tribuna com as armas da razão, mas para atacá-la com a baioneta, o fuzil, o sabre e o canhão.*

No Conselho de Estado, o barão e futuro visconde do Bom Retiro, Luís Pedreira do Couto Ferraz, senador pelo Rio de Janeiro, afirmava que o fruto do ventre de uma escrava pertencia ao senhor tanto quanto a cria de um animal doméstico ou de carga usado na fazenda: "Não é propriedade o fruto da árvore, o produto da terra, a colheita da sementeira?", perguntava. "A lei hipotecária não estabelece que se podem com os escravos hipotecar os seus filhos futuros?"[11]

Os defensores da nova lei, enquanto isso, previam que o tempo se encarregaria de acabar com a escravidão brasileira. À medida que morressem os escravos mais velhos e nascessem crianças livres, o número de cativos diminuiria até não haver mais traço deles no país. Dessa maneira, o problema se resolveria naturalmente sem maiores sobressaltos ou prejuízos para a ordem estabelecida. "Não perturbem a marcha do elemento servil", alertou pouco antes de morrer o visconde do Rio Branco, responsável pela apresentação da lei.[12] Os críticos da medida, no entanto, discordavam desse ponto de vista. Diziam que, na prática, o problema continuava do mesmo tamanho e que, uma vez mais, o governo havia encontrado uma forma de adiar a solução. O abolicionista pernambucano Joaquim Nabuco calculava que, nesse ritmo, ainda haveria escravidão no Brasil até meados do século xx.[13] Sob a vigência da Lei do Ventre Livre, a maioria dos proprietários preferiu manter os filhos das escravas no cativeiro após os oito anos de idade em vez de entregá-los ao governo mediante a indenização prometida. Na prática, os fazendeiros continuaram a utilizá-los como mão de obra cativa, como se nada tivesse mudado. Em 1882, onze anos depois da aprovação da lei, um relatório do Ministério da Agricultura informava que apenas 58 crianças em todo o Brasil haviam sido entregues aos tutores oficiais. Todas as demais permaneceram nas fazendas, vivendo na companhia dos pais nas senzalas e trabalhando nas lavouras debaixo da vigilância dos feitores. A lei previa também que, para viabilizar a fiscalização, os fazendeiros tinham de registrar o nascimento das crianças. Poucos fizeram isso. Com a conivência dos párocos locais, a quem cabia fazer os registros, eles fraudavam as certidões de batismo, como se as crianças tivessem nascido antes da Lei do Ventre Livre.

O passo seguinte rumo à Abolição foi a chamada Lei dos Sexagenários. Promulgada em 28 de setembro de 1885, garantia a liberdade para escravos com sessenta anos ou mais. Seu efeito prático foi mínimo, uma vez que eram relativamente poucos os cativos que conseguiam chegar à essa idade. "O sistema imperial começou a ruir em 1871, após a Lei do Ventre Livre", escreveu o historiador mineiro José Murilo de Carvalho. "Foi a primeira clara indicação de divórcio entre o rei e os barões, que viram a lei como loucura dinástica. O divórcio acentuou-se com a Lei dos Sexagenários e com a abolição final. [...] A Coroa foi esgotando seu crédito de legitimidade perante os fazendeiros ao ferir seus interesses, e o imperador ficou sozinho em 1889."[14] Para os senhores de escravos, como já registrado em um dos capítulos anteriores, a marcha da Abolição era vista como um atentado contra o direito de propriedade. Fizeram consideravam os cativos um bem particular, tão valioso quanto as fazendas, as lavouras de café e cana, os engenhos de açúcar e outros itens de seu patrimônio. Forçados a aceitar o fim da escravidão depois de décadas de resistência, exigiam que o governo concordasse, ao menos, em indenizá-los pelos prejuízos que julgavam sofrer. Os abolicionistas, porém, discordavam desse ponto de vista. Um deles, o engenheiro André Rebouças, sustentava que, após a Abolição, quem deveria receber indenização não eram os proprietários, mas os escravos em razão do trabalho forçado e dos abusos a que foram submetidos ao longo da vida. A adesão do trono brasileiro ao abolicionismo e a recusa do governo em indenizar os antigos senhores de escravos fez com que os fazendeiros se sentissem traídos. Inúmeros deles se converteram à causa republicana.

    Caberia ao historiador pernambucano Manuel de Oliveira Lima o melhor resumo dessa trágica sequência de acontecimentos: "A República foi o resultado lógico da decomposição do regime monárquico".[15]

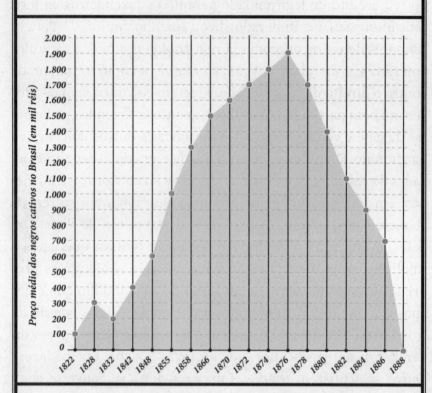

CATIVEIRO INFLACIONADO

As pressões pelo fim do tráfico negreiro e da própria escravidão fizeram com que o preço médio dos negros cativos no Brasil disparasse até por volta de 1876 e depois entrasse em rápido declínio (em mil réis).

Fontes: Francisco Vidal Luna e Herbert Klein, *Escravismo no Brasil*, p. 322; Stanley J. Stein, Vassouras, p. 271

20. OS ABOLICIONISTAS

> *"E a fome, o cansaço, a sede...*
> *Ai! Quanto infeliz que cede,*
> *E cai p'ra não mais s'erguer!..."*
>
> O NAVIO NEGREIRO, poema do
> abolicionista baiano Castro Alves

UMA EFICIENTE E BEM ORGANIZADA célula revolucionária funcionava em São Paulo nos anos que antecederam a Lei Áurea de 1888. Seus membros se autodenominavam "Os Caifases", referência ao sumo-sacerdote que participou do julgamento de Jesus Cristo perante o Sinédrio de Jerusalém. Liderados pelo promotor e juiz Antônio Bento de Sousa e Castro, representavam a ala mais radical do movimento abolicionista brasileiro. Tinham por estratégia a luta direta, de enfrentamento com os fazendeiros e defensores do regime escravista. Penetravam nas propriedades rurais disfarçados de mascates e vendedores ambulantes. Uma vez lá dentro, se aproximavam das senzalas e promoviam reuniões clandestinas com grupos de escravos, incentivando-os a se rebelarem contra o cativeiro. Perseguiam capitães-do-mato e denunciavam fazendeiros acusados de maltratar seus cativos. Organizavam e patrocinavam fugas em massa de escravos, que eram levados para abrigos situados nas fraldas da Serra de Cubatão, no litoral paulista. Ali obtinham dos abolicionistas certificados falsos de liberdade, que os permitia trabalhar como estivadores no porto ou mesmo nas fazendas, em contratos intermediados e negociados pelo próprio Antônio Bento. Um desses refúgios, o Quilombo do Jabaquara, no caminho de Santos, chegou a reunir 20 mil pessoas.

Testemunha e participante dessas operações, o escritor Raul Pompeia descreveu os Caifases como um grupo de pessoas "sem nome, sem residência, sem profissão, disciplinados, resolutos, esquivos, impalpáveis".[1] Antônio Bento, o chefe, era um tipo excêntrico, magro, alto, sempre metido num longo capote negro, "como num tubo", segundo a avaliação de Pompeia. Usava chapéu alto, cavanhaque rizo, como se fosse de arame, os olhos estavam sempre escondidos por detrás de um par de óculos azuis. Assumiu a liderança do movimento abolicionista em São Paulo após a morte de Luiz Gama, em 1882. O núcleo de seus seguidores era formado pela confraria negra de Nossa Senhora dos Remédios, da qual era provedor. As reuniões aconteciam na redação do jornal *A Redenção*, publicado entre 1887 e 1888.

Nas rotas que iam do interior para o litoral, os Caifases contavam com uma rede de colaboradores, da qual faziam parte pequenos sitiantes, que davam abrigo e alimentação aos fugitivos. Nas cidades, entravam em ação pessoas de diversas origens sociais, como tipógrafos, jornalistas, cocheiros, estudantes, comerciantes e advogados, em cujas casas ou estabelecimentos se hasteava uma pequena bandeira branca como sinal de adesão ao movimento. Em Santos, incluía gente da elite, como o industrial Henrique Porchat. Nas mensagens, usavam códigos secretos. Os escravos em geral eram chamados com nomes extraídos do vocabulário agrícola, como "fardo", "peru" e "leitão". Em uma das operações de fuga, Raul Pompeia despachou de trem para o Rio de Janeiro um escravo retirado de uma fazenda de São Paulo. Antes da partida, enviou um telegrama simples para a pessoa que o aguardava na estação Central do Brasil: "Segue bagagem trem". Antônio Bento também oferecia trabalho aos fugitivos, alugando-os por jornada muitas vezes para os próprios fazendeiros que haviam perdido seus escravos.

Como registrado em um dos capítulos anteriores, o abolicionismo brasileiro ganhou força nos anos seguintes à Guerra do Paraguai. O assunto, que até então era sistematicamente evitado em discussões públicas, de repente tomou as praças e ruas de todo o país até se converter na primeira grande campanha popular da história do Brasil. Panfletos, manifestos, jornais e livros contra a escravidão eram produzidos aos milhares no Brasil inteiro. Discursos e palestras dos líderes abolicionistas atraiam multidões.

A grande onda abolicionista coincidiu com o surto de desenvolvimento e modernização do Império brasileiro após a Guerra do Paraguai, promovida principalmente pelo gabinete de ministros liderado pelo visconde do Rio Branco, o responsável pela Lei do Ventre Livre, de 1871, e que governou até 1875. A lista de mudanças incluiu as reformas judiciária, eleitoral e comercial, a expansão das comunicações, como a instalação de telégrafos ligando as principais cidades e regiões brasileiras, a unificação de pesos e medidas, o primeiro censo populacional de abrangência nacional (em 1872), a modernização dos currículos nas escolas de ensino superior, o registro geral das terras públicas, investimentos em infraestrutura e um incentivo à economia.

No Rio de Janeiro, em São Paulo e outras capitais, a vida social girava em torno de confeitarias, livrarias, cafés e teatros, que serviam de pontos de encontro para discussões de novas ideias e tendências políticas, incluindo o abolicionismo. Dessas reuniões participavam professores, estudantes, jornalistas, poetas, escritores, artistas, políticos, funcionários públicos, tipógrafos, desenhistas e uma série de profissões novas que surgiram na época como consequência das mudanças em andamento. Nesses espaços se movimentavam alguns dos nomes que entrariam para a história brasileira como líderes do abolicionismo, caso dos baianos Luiz Gama, André Rebouças e Castro Alves, do fluminense José do Patrocínio, do pernambucano Joaquim Nabuco e do paulista Antônio Bento. Novidades tecnológicas típicas do século XIX, como o trem, o navio a vapor, o telégrafo, os jornais e as revistas (que não existiam no Brasil até a chegada da corte de dom João, em 1808) ajudaram a impulsionar e propagar suas ideias.

Outra linha de ação incluía a promoção de conferências-concerto, que misturavam discursos, música e apresentações artísticas. Entre 1878 e 1884 foram promovidas só no Rio de Janeiro 161 *soirées*, matinês, festivais, festas e outras reuniões desse tipo, prática que logo seria adotada em outras províncias do Império. Quando vinha ao Brasil, o maestro e compositor Carlos Gomes, autor da ópera *O guarani*, era sempre levado por Rebouças às manifestações. Em junho de 1883, quando Patrocínio entregou a ex-escravos 115 cartas de alforria de uma só vez, a multidão jogava flores de camélia sobre os novos libertos. Desse modo, a camélia, cultivada em um quilombo situado no atual bairro do Leblon, se tornou um poderoso símbolo. Usá-la na lapela esquerda do paletó era sinal de adesão à campanha abolicionista.

Partidários da luta direta e sem trégua com os escravocratas, os Caifases de São Paulo ridicularizavam essas manifestações, que consideram piegas, românticas e sem grandes resultados práticos. "Para que flores, para que música [...]? É perder tempo!", criticava o jornal *A Redenção*, de Antônio Bento. "Os abolicionistas devem se congregar secretamente, como têm feito os da capital, e trabalhar de comum acordo". Mais adiante, ensinava como deveriam ser os métodos de trabalho que julgava mais eficazes:

> *Pregar a greve, aos trabalhadores escravos, ensinar-lhes que eles estão sendo dilapidados, fazer com que abandonem os estabelecimentos rurais, obrigando os possuidores dessas bastilhas a empregarem o braço livre, deve ser a missão de todos os abolicionistas.*[2]

A participação de escravos no movimento era motivo de divergência entre os abolicionistas. Ao contrário de Antônio Bento, o pernambucano Joaquim Nabuco entendia que a tarefa da abolição cabia exclusivamente aos políticos. Defensor das instituições, afirmava que fora delas não havia solução para os conflitos da sociedade brasileira. "É no Parlamento e não em fazendas ou quilombos do interior, nem nas ruas e praças das cidades que se há de ganhar ou perder a causa da liberdade", escrevia em 1883 em seu livro mais famoso, *O abolicionismo*.[3] Só assim, no entender de Nabuco, seria possível evitar a tão temida convulsão social, ou seja, uma guerra étnica entre negros e brancos. Segundo dizia, era preciso preservar de uma "vindita bárbara e selvagem" as camadas mais "influentes e poderosas do Estado" — às quais, obviamente, ele próprio pertencia:

> *A propaganda abolicionista [...] não se dirige aos escravos. Seria uma covardia, inepta e criminosa [...], um suicídio político para o partido abolicionista incitar à insurreição ou ao crime homens sem defesa.*[4]

Clubes antiescravistas começaram a brotar em ritmo acelerado. Só entre 1878 e 1885 foram criados 227 em todo o Império, mais de trinta por ano, em média. Alguns eram enormes, antigos e tinham grande repercussão nacional, como a Sociedade Cearense Libertadora e a Caixa Emancipadora Luiz Gama, de São Paulo, por onde circulavam artistas e intelectuais importantes. Outros eram entidades de atuação local em cidades e vilarejos distantes no interior, alguns de vida curta, que reuniam entre meia dúzia e algumas dezenas de membros. Foi o caso da Sociedade Libertadora 28 de Julho, de Vila de Barra do Corda, no Maranhão, fundada em 1882; do Clube Abolicionista da Vila de Gurupá, interior do Pará, de 1883; da Libertadora de Palmas do Sul, no Paraná, de 1884; e da Sociedade Abolicionista de Carrapatinho, de Alagoas, fundada em 1887. Esses grupos promoviam debates e organizavam quermesses, leilões de prendas, rifas e coletas públicas para coletar fundos.

As mulheres, que não tinham direito ao voto, participaram ativamente do movimento. Foram criadas 36 associações femininas.[5] Em julho de 1870, o jornal *Diário de São Paulo* noticiava a fundação de uma delas, a Sociedade Redentora de Crianças. Tinha como objetivo comprar a alforria de meninos e meninas escravizados.[6] Também em São Paulo, as lojas maçônicas *América*, *Amizade* e *Sete de Setembro* empenhavam-se em libertar pessoas escravizadas ilegalmente após a proibição oficial do cativeiro em 1831. Foi esse o argumento usado por Luiz Gama (um rábula, ou seja, advogado praticante, além de maçom e republicano) para obter a libertação de um número de negros estimado em mais de quinhentos, segundo seus próprios cálculos.

Em maio de 1883 todas essas organizações, que até então funcionavam de maneira relativamente autônoma, se congregaram na Confederação Abolicionista (CA), que passou a organizar a campanha nacional. Criada numa sala da *Gazeta da Tarde,* o jornal de José do Patrocínio, no Rio de Janeiro, reunia quinze outras associações de diferentes províncias. O presidente era João Clapp, de 43 anos, filho de um cidadão norte-americano gerente do Banco do Brasil e dono de uma loja de porcelanas. Rebouças ficou com o cargo de tesoureiro. Patrocínio, com o de responsável pela propaganda.

Nesse período também surgiram jornais e revistas que teriam papel importante nos acontecimentos nacionais nas décadas seguintes, como a *Gazeta de Notícias* (1874), *A Província de São Paulo* (1875), a *Revista Ilustrada*, de Ângelo Agostini (1876) e a *Gazeta da Tarde* (1880). Muitos desses novos veículos de comunicação estavam diretamente empenhados na campanha abolicionista e tinham nomes sugestivos como *A Liberdade, A Abolição* e *A Redenção*. Derrotado nas eleições para a Câmara em 1881, Joaquim Nabuco aproveitou seu exílio temporário e voluntário em Londres para compor *O abolicionismo*. O livro, lançado em 1883, seria o principal libelo contra o regime escravista brasileiro nos anos que antecederam a Lei Áurea.

O tema logo passou a dominar as artes e a literatura. O escravo sofredor, torturado e destroçado pela experiência do navio negreiro e da vida nas senzalas, saudoso de sua pátria africana, à espera da remissão prometida pelos abolicionistas, se torna personagem central de inúmeros romances e novelas publicados nesse período, caso de *A escrava Isaura*, de Bernardo Guimarães (1875) e *O mulato,* de Aluísio de Azevedo (1881).[7] Nenhum teve tanta repercussão e chegou a um número tão grande de leitores quanto *O navio negreiro*, poema de autoria do baiano Antônio Frederico de Castro Alves, um abolicionista de vida curta, nascido em 1847 e falecido em 1871, aos 24 anos. Composto de seis partes, com um total de 34 estrofes, foi escrito em São Paulo, em 1868, quando o autor tinha apenas 21 anos. A obra, porém, está longe de ser um registro histórico fidedigno do tráfico negreiro. A África imaginada por Castro Alves é uma terra idílica, de imensos desertos banhados de luz, repletos de palmeiras, na qual "guerreiros ousados" viveriam uma vida de paz e harmonia antes de serem violentamente arrancados de suas raízes, separados de suas famílias e vendidos ao tráfico negreiro:

> *São os filhos do deserto,*
> *Onde a terra esposa a luz.*
> *Onde vive em campo aberto*
> *A tribo dos homens nus...*
> *São os guerreiros ousados*
> *Que com os tigres mosqueados*
> *Combatem na solidão.*
> *Ontem simples, fortes, bravos.*
> *Hoje míseros escravos,*
> *Sem luz, sem ar, sem razão...*

Na sequência, o poema dá a entender que, antes de serem acorrentados nos porões dos navios negreiros, os homens, mulheres e crianças escravizados teriam atravessado "o areal extenso", "o oceano de pó", "desertos... desertos só", onde muitos pereceriam e seriam devorados por chacais:

> *Depois, o areal extenso...*
> *Depois, o oceano de pó.*
> *Depois no horizonte imenso*
> *Desertos... desertos só...*
> *E a fome, o cansaço, a sede...*
> *Ai! quanto infeliz que cede,*
> *E cai p'ra não mais s'erguer!...*
> *Vaga um lugar na cadeia,*

> *Mas o chacal sobre a areia*
> *Acha um corpo que roer.*[8]

Hoje, sabe-se que foram relativamente poucos os escravos que passaram pelo deserto do Saara rumo ao Brasil. Essa rota antiquíssima do comércio de gente na África levava os cativos ao Oriente Médio e à bacia do Mediterrâneo. Os que chegavam ao continente americano provinham de regiões mais ao sul do "areal extenso", a chamada África Subsaariana, cuja paisagem era caracterizada por savanas e florestas equatoriais. Segundo a boa definição da historiadora Angela Alonso, o poema de Castro Alves "passa longe da verossimilhança, mas chega perto do coração do leitor".[9] E esse era, obviamente, seu único e grande propósito.

Igualmente poderosa nas palavras e nas imagens era a poesia de Cruz e Sousa, um homem negro, filho de pai escravo e mãe alforriada da cidade de Desterro, atual Florianópolis, cujos versos alertavam que a brutalidade da vida nas senzalas só podia resultar em mais medo e violência:

> *De dentro da senzala escura e lamacenta*
> *Aonde o infeliz*
> *De lágrimas em fel, de ódio se alimenta*
> *Tornando meretriz*
>
> *A alma que ele tinha, ovante, imaculada,*
> *Alegre e sem rancor;*
> *Porém que foi aos poucos sendo transformada*
> *Aos uivos do estertor...*
>
> *De dentro de senzala*
> *Aonde o crime é rei, e a dor — crânios abala*
> *Em ímpetos ferinos;*

*Não pode sair, não,
Um homem de trabalho, um senso, uma razão...
E sim um assassino!"*[10]

    Ideias abolicionistas, como se viu anteriormente neste livro, já circulavam no Brasil desde a época da Independência, mas estavam restritas a pequenos círculos intelectuais. Seus adeptos, chamados de emancipacionistas, eram, em geral, moderados e cautelosos em suas propostas. Achavam que o fim da escravidão deveria vir aos poucos, mediante indenização aos proprietários de cativos. Era o caso de José Bonifácio de Andrada e Silva, o Patriarca da Independência, autor de uma proposta à Assembleia Constituinte de 1823 na qual defendia o imediato fim do tráfico negreiro, mas a abolição da própria escravidão de forma lenta e gradual, de maneira a evitar a falência da lavoura ou, pior, uma conflagração social.

    Os três primeiros polos abolicionistas do Brasil nasceram na virada da primeira metade do século XIX no Rio de Janeiro, em Pernambuco e na Bahia.[11] Esses grupos eram mais modernizadores dos costumes e leis do Império do que propriamente abolicionistas. Em 1852 foi fundada na capital, no dia do aniversário da Independência, a Sociedade contra o Tráfico de Africanos e Promotora da Colonização e da Civilização dos Índios (SCT). Tinha 215 sócios, quase todos membros da elite imperial brasileira, autores de um projeto enviado a dom Pedro II no qual defendiam a liberdade dos recém-nascidos no cativeiro, com indenização aos fazendeiros e donos de escravos, incentivo à imigração europeia e à pequena propriedade rural. Em 1852, surgia em Salvador a Sociedade Libertadora Dois de Julho, organizada por alunos da Faculdade de Medicina, incluindo César Zama (futuro deputado), Jerônimo Sodré Pereira e Virgílio Damásio. Promoveria dez anos mais tarde a primeira passeata abolicionista do Brasil, sempre associada à data cívica mais importante da Bahia: a expulsão das tropas portuguesas, que consolidou a Independência brasileira em 2 de julho de 1823.

Associações semelhantes apareceriam nos anos seguintes no Amazonas, na Bahia, no Ceará, Espírito Santo, Maranhão, em Minas Gerais, Pernambuco, no Piauí, Rio de Janeiro, Paraná, Rio Grande do Sul e em São Paulo. Na definição da historiadora Angela Alonso, eram todas manifestações de um "abolicionismo de elite", ao estilo do próprio imperador Pedro II, que, embora governasse um império escravista, esforçava-se para projetar uma imagem ilustrada perante o mundo civilizado. Entre seus membros estavam barões, viscondes, altos servidores do Estado, advogados, jornalistas e intelectuais.

Personagem típico do "abolicionismo de elite", o baiano Abílio César Borges, barão de Macaúbas a partir de 1881, foi professor, membro do Instituto Histórico e Geográfico Brasileiro, condecorado inúmeras vezes pelo governo imperial, com vasta experiência de viagens pela Europa, Estados Unidos e Argentina. Era casado com Francisca Antônia Wanderley, sobrinha do barão de Cotegipe, líder do Partido Conservador e último bastião de resistência escravista no Senado por ocasião da votação da Lei Áurea. Abílio fundou o Ginásio Baiano, escola-modelo frequentada pelos filhos da mais fina aristocracia escravista, onde implementou um novo método de ensino por persuasão, aprendido nessas viagens. Contrariando o costume disseminado na época, Borges não tinha escravos e exigia que seus alunos não fossem ao colégio acompanhados de pessoas cativas.

Em uma de suas viagens à Europa, Abílio tornou-se membro da Sociedade Britânica e Estrangeira Antiescravista, de Londres, e aproximou-se da Sociedade Francesa pela Abolição da Escravidão. Um de seus pupilos era o futuro advogado e poeta Castro Alves. Foi um dos criadores, em 1869, da Sociedade Libertadora Sete de Setembro, que a partir de então se reuniria todos os anos para distribuir cartas de alforria na Bahia. Em 1871, a sociedade lançou o jornal *O Abolicionista*, que tinha entre os redatores Augusto Guimarães, cunhado de Castro Alves. Entre seus membros estava o conselheiro Manoel Pinto de Souza Dantas, futuro chefe de gabinete de dom Pedro II e autor, em parceria com Rui Barbosa, do primeiro projeto da chamada Lei dos Sexagenários, que libertou todos os escravos com idade acima de sessenta anos, em 1885.

Ao contrário do emancipacionismo moderado da primeira metade do século XIX, o abolicionismo pós-Guerra do Paraguai era mais radical e muito eficaz em suas ações. Defendia o fim da escravidão o mais rapidamente possível. E sem indenização aos fazendeiros e senhores de escravos, como reivindicava a aristocracia escravista. Em 1883, André Rebouças publicou um panfleto da recém-criada Confederação Abolicionista com o título *Abolição imediata e sem indenização*. Sinalizava uma mudança drástica no tom conciliador adotado até então. No texto, Rebouças dizia que era preciso indenizar os escravos, pelos muitos anos de trabalho no cativeiro, e não os senhores, que já haviam se beneficiado, e muito, da mão de obra cativa. Advogava também "a destruição do monopólio territorial, o fim dos latifúndios".

O mais ousado passo em direção ao fim da escravidão, iniciado de forma gradual pela Lei do Ventre Livre de 1871, foi dado em 1880, ano em que chegou ao parlamento brasileiro o primeiro projeto que previa a abolição completa da escravidão e medidas concretas para resolver seu perverso legado. De autoria de Joaquim Nabuco, a proposta incluía as seguintes providências: abolição da escravidão, com indenização aos proprietários de cativos, até 1890; fim do tráfico interprovincial, responsável pela transferência de centenas de milhares de cativos das regiões

Norte e Nordeste para o Sul do país; extinção de todos os mercados de compra e venda de pessoas ainda em funcionamento; doação de terras para associações abolicionistas com o objetivo de criar colônias para os novos libertos; liberdade imediata para todos os escravos idosos, cegos ou com doenças incuráveis; fim da separação entre mães e filhos escravos; e o fim dos castigos corporais. Embora fizesse uma enorme concessão aos senhores escravocratas — abolição com indenização — o projeto não prosperou. A luta, porém, iria continuar. Nesse mesmo ano, foi criada a Sociedade Brasileira contra a Escravidão, que tinha como porta-voz o jornal *O Abolicionista*. De breve existência, a publicação deixou de circular no ano seguinte, após a derrota de Joaquim Nabuco à reeleição.

Os clubes abolicionistas brasileiros tinham estreito contato com as sociedades congêneres britânicas, das quais copiavam os métodos de trabalho, incluindo os famosos *meetings*, mistura de reuniões e comícios que atraíam centenas de simpatizantes. Usavam diversos meios para mobilizar a opinião pública em favor da causa. Um deles era denunciar os casos de violência dos senhores contra seus cativos. Nas regiões ermas e distantes do interior, longe do controle das autoridades, os proprietários exerciam um poder ilimitado. A brutalidade contra os escravos era muito maior do que nos centros urbanos.[12] Em 1864, por exemplo, Francisco Manoel de Souza Braga, fazendeiro em Taubaté, foi acusado de matar um escravo e cortar as orelhas de vários outros. Sempre que essas notícias chegavam às cidades, a imprensa abolicionista alardeava o ocorrido. "O braço da nossa justiça não é nem bastante longo nem bastante forte para abrir as porteiras das fazendas", denunciava Joaquim Nabuco.[13] O abolicionismo era um movimento essencialmente urbano, enquanto a escravidão, na segunda metade do século XIX, havia se convertido em fenômeno marcadamente rural. O mesmo Joaquim Nabuco lamentava, em seus discursos, a ausência dos trabalhadores rurais escravizados na campanha pelo fim do cativeiro:

> *Infelizmente, senhores, nós lutamos contra a indiferença que a nossa causa encontra nessas mesmas classes que deveriam ser nossas aliadas e que a escravidão reduz ao mais infeliz estado de miséria e dependência.*

Em 1886, abolicionistas liderados por Antônio Bento em São Paulo promoveram na Igreja de Nossa Senhora dos Remédios uma exposição de instrumentos de suplício que incluíam ganchos, ferros e correntes usados para dependurar ou imobilizar os cativos. Em outro evento, realizado em Atibaia, exibiram um jovem escravizado de dezoito anos que passava seus dias com uma enorme bola de ferro, de 3,8 quilos, atada ao pé esquerdo. Em seguida, fizeram boletim de ocorrência contra o fazendeiro responsável pela sevícia.

Um caso dramático movimentou o Rio de Janeiro em fevereiro de 1886. Duas jovens escravas foram cruelmente torturadas pela proprietária, Francisca da Silva Castro, dama reconhecida na sociedade da corte. Os abolicionistas desfilaram com elas pelas ruas da cidade. Eduarda, de quinze anos, apresentava marcas de sangue pisado na pele e tinha as pálpebras em carne viva, semicerradas pelo inchaço. Joana, de dezessete anos, tinha o rosto todo deformado, o corpo coberto de úlceras e delirava de febre. No dia seguinte, constatou-se que, em razão do suplício, Eduarda estava cega. Joana morreu logo depois. A Confederação Abolicionista marchou com o corpo pela cidade até o cemitério. A proprietária foi processada por assassinato. As investigações da polícia, que incluíram a exumação do cadáver, revelaram que as moças viviam sob tortura em cativeiro havia três anos. Francisca da Silva Castro acabou absolvida sob a desculpa de que sofria de transtornos mentais.

Nos anos que antecederam a Abolição, mais de uma centena de periódicos reproduzia essas histórias com rubricas intituladas "Cenas da escravidão", prova cabal de que a escravidão brasileira esteve longe de ser o regime brando e patriarcal, ideia já amplamente defendida na época pelos defensores do cativeiro. Às vezes, eram notinhas rápidas, casualmente perdidas entre as páginas dos jornais, e ainda assim chocantes por seu conteúdo. Como neste exemplo, publicado na edição de 21 de setembro de 1885 da *Gazeta da Tarde*, do Rio de Janeiro:

Chovia muito, e o fazendeiro balançava-se numa cadeira quando lhe vieram dizer que uma escrava havia arrancado uma raiz de aipim para comer. Imediatamente foi ela amarrada a um tronco e surrada de um modo tão bárbaro, que faleceu um quarto de hora depois do castigo.[14]

A mesma *Gazeta da Tarde* registrava outra história trágica em 10 de maio de 1881:

Foi apresentada hoje, ao chefe de polícia, a criança Idalina, de oito anos de idade, pardinha. Idalina é órfã de pai e mãe, e estava na casa de Ribeiro, morador à Rua de Machado Coelho n.º 1C. O aspecto da desgraçada inocente é triste. Punge vê-la: seu corpo está coberto de sevícias. A inocente tem as mãozinhas empoladas, azuis, das bordoadas brutais do algoz. As solas dos pés, inchadas, disformes, igualmente azuladas. Traz os lábios e gengivas rebentados, cobertos de cicatrizes, dos murros da esposa de Ribeiro, D. Maria Rosa do Espírito Santo, o algoz desumano da infeliz órfã. A criança mal pode andar. Quase no mesmo estado acha-se uma ou-

tra criatura, por nome Maria, alugada à mesma bárbara senhora. Esta outra vítima é uma escrava.[15]

A fase final da campanha envolveu intensa movimentação dos cativos, que passaram a fugir em massa das fazendas do interior, e um mutirão nacional foi realizado com o objetivo de libertar ruas, praças, cidades ou territórios inteiros. Nesse caso, a ação dos abolicionistas consistia em criar uma determinada área geográfica sem escravidão. Pessoas eram mobilizadas a fazer doações com o objetivo de comprar cartas de alforrias ou a convencer os proprietários a concedê-las por vontade própria, sem nenhuma compensação financeira. Em todo o Brasil foram criados inúmeros abrigos para escravos fugitivos. Uma vez ali, estariam sob a proteção dos abolicionistas, e as autoridades não ousariam tentar recapturá-los. O andamento e os resultados da campanha eram cuidadosamente anunciados e acompanhados nos jornais pró-abolição. O anúncio da libertação de uma determinada área era comemorado com festas, comícios e concertos. Só entre agosto de 1887 e fevereiro de 1888, um total de catorze cidades foram libertadas nas províncias de Alagoas, Maranhão, Minas Gerais, Paraná, Rio de Janeiro, Rio Grande do Norte, Santa Catarina e São Paulo, incluindo três capitais: Natal, Curitiba e a própria sede do Império, o Rio de Janeiro.

A campanha de libertação de territórios na então capital do país demorou a engrenar. O primeiro exemplo bem-sucedido veio do Ceará, que logo se tornaria a primeira província brasileira a abolir a escravidão, como se verá em mais detalhes em outro capítulo deste livro. Em maio de 1884, a Comissão Libertadora Acadêmica, constituída por estudantes da Faculdade de Direito de São Paulo e ligada à Confederação Abolicionista pôs em marcha sua campanha para libertar os quarteirões situados na vizinhança da escola. Estratégia semelhante foi adotada em Porto

Alegre pelo grupo liderado por Júlio de Castilhos, ele próprio advogado formado pela mesma Faculdade de Direito. Ao retornar ao Rio Grande do Sul, em 1882, Castilhos fundou o Partido Republicano e o clube abolicionista Vinte de Setembro (assim batizado em homenagem à data do início da República Farroupilha, em 1835). Em 1884, assumiu a direção do jornal *A Federação*, que se tornaria um dos principais porta-vozes do movimento no Rio Grande do Sul.

No aniversário da Lei do Ventre Livre, em 1883, foi criado o Centro Abolicionista de Porto Alegre, que reuniu os diversos clubes e associações até então existentes na capital gaúcha. Em agosto do ano seguinte, surgia uma nova instituição de abrangência provincial, a Sociedade Abolicionista Sul-Rio-Grandense. Os resultados começaram a aparecer logo. No mesmo mês foram colocadas em marcha as campanhas de libertação dos quarteirões de Porto Alegre. Por fim, no dia 7 de setembro, o presidente da província, José Júlio de Albuquerque Barros, simpatizante do abolicionismo, declarou extinta a escravidão na capital gaúcha. Em 17 de outubro foi a vez de Pelotas, antigo centro escravista devido à indústria das charqueadas, fazer o mesmo. Ao longo do ano, 35 municípios foram declarados livres em todo o Rio Grande do Sul.

21. O PRECURSOR

> *"Em nós, até a cor é um defeito,
> um vício imperdoável de origem,
> o estigma de um crime."*
>
> Luiz Gama, homem negro, advogado
> e abolicionista baiano, em 1880

Há um lugar vazio, que jamais se preencheu, na fase derradeira do movimento abolicionista brasileiro. É a ausência de Luiz Gama. Foi ele o arauto, precursor e abridor de caminhos que levariam ao fim da escravidão, mas não teve a oportunidade de ver coroada sua obra. Morreu em 24 de agosto de 1882, seis anos antes da Lei Áurea. Foi chorado por multidões que acompanharam o cortejo fúnebre pelas ruas de São Paulo, incluindo milhares de homens e mulheres negros que, graças a ele, tinham obtido a liberdade ou alcançado justiça nos tribunais. Ninguém lutou tanto pelos seus quanto Luiz Gama. Ninguém antecipou com tanta clarividência os argumentos contra o chamado racismo estrutural que ainda hoje assombra os brasileiros descendentes de africanos. Ninguém foi tão efetivo ao transpor o mero discurso de protesto para a ação prática e efetiva em favor da causa que defendia. "Era o primeiro dos abolicionistas [...], o mais sincero, o mais convencido, o mais intransigente", definiu o jornal *Gazeta do Povo*, de São Paulo, na elegia que lhe dedicou na ocasião.[1] "Havia para ele como que um trono em minha alma", registrou o escritor abolicionista Raul Pompeia. "Eu votava-lhe o grande culto das lendas heroicas."

Baiano de Salvador criado na ilha de Itaparica, Luiz Gonzaga Pinto da Gama nasceu livre às sete horas da manhã de 21 de junho de 1830, filho de Luiza Mahin, uma africana alforriada, e de um fidalgo de origem portuguesa, cujo nome jamais foi revelado. Em 10 de novembro de 1840, quando Luiz era ainda criança, seu pai, às voltas com dificuldades financeiras resultantes de dívidas de jogo, não teve pudores de vendê-lo como escravo para um comerciante do Rio de Janeiro. Passaria oito anos no cativeiro, antes de conseguir provas de que nascera em liberdade. Sua história, portanto, se assemelha em muitos aspectos ao roteiro cinematográfico de *Doze anos de escravidão*, ganhador do Oscar de Melhor Filme de 2014. Dirigido por Steve McQueen, o filme reproduz a dramática experiência do agricultor e violinista negro Solomon Northup que, tendo nascido livre no estado de Nova York, foi sequestrado em Washington por mercadores de escravos em 1841, quando tinha 33 anos. Levado para a Louisiana, no sul escravista dos Estados Unidos, passaria doze anos em cativeiro, antes de recuperar os direitos originais. Seu livro de memórias, lançado em 1853, se tornaria um best-seller do movimento abolicionista norte-americano.

Como a de Northup, a biografia de Luiz Gama rendeu pelo menos um bom filme recente, *Doutor Gama*, do diretor Jeferson De, de 2021. Infelizmente, no restrito e empobrecido universo do cinema brasileiro, não ganhou um Oscar nem rendeu grandes bilheterias. Ainda assim, é a prova de que a estrela de Luiz Gama, no passado ofuscada por outros grandes abolicionistas — caso de Joaquim Nabuco, André Rebouças e José do Patrocínio —, continua a brilhar com grande intensidade e a despertar a atenção e admiração dos brasileiros que hoje a contemplam. Nunca se falou tanto e se produziram tantos estudos, livros e obras de arte sobre ele quanto neste início do século XXI.

Há duas fases bem distintas na vida de Luiz Gama. A primeira, do nascimento à juventude, é repleta de enigmas ainda não totalmente decifrados por inúmeros biógrafos e estudiosos que se debruçaram sobre sua história. A segunda fase, a do homem adulto, é muito bem documentada e conhecida. Advogado, escritor, poeta, militante político e orador brilhante, Gama escreveu diversos livros, publicou centenas de artigos nos jornais, proferiu conferências e participou de muitos debates. Além de grande abolicionista, foi um dos fundadores do Partido Republicano em São Paulo. Embora nunca tenha saído do Brasil, acompanhava com grande interesse as discussões das ideias em voga na época. Nos anos finais de vida, se tornou uma voz tão respeitada que seus artigos, depois de publicados na capital paulista, eram reproduzidos pelos jornais e revistas, lidos na corte do Rio de Janeiro e em outras capitais brasileiras. Da sua infância e adolescência, porém, pouco se sabe, além da versão incompleta, cheia de lacunas e meias explicações, da própria biografia que ele mesmo criaria mais tarde em cartas, artigos e outros documentos.

O maior de todos os mistérios está relacionado aos seus pais, cuja existência ou identidade real os pesquisadores jamais conseguiram comprovar. O nome da mãe, Luiza Mahin, consta hoje do Panteão da Pátria e da Liberdade Tancredo Neves, um memorial de autoria do arquiteto Oscar Niemeyer, inaugurado na Praça dos Três Poderes em Brasília em 1986. No texto do projeto do Senado Federal que lhe conferiu a homenagem, em 2017,

Luiza é apresentada como a heroína da liberdade que "liderou os escravos malês na Bahia, tendo participação decisiva na Sabinada". Nada disso, porém, é comprovado pela documentação histórica. Seu nome nunca foi encontrado nos relatos e peças do inquérito da Revolta dos Malês nem da Sabinada. Segundo o historiador João José Reis, sua construção seria resultado de "um misto de realidade possível, ficção abusiva e mito libertário". Na mesma categoria se acharia Dandara dos Palmares, suposta "noiva" de Zumbi, o líder do famoso quilombo morto em 20 de novembro de 1695. Dandara dos Palmares aparece como personagem no romance *Ganga-Zumba*, publicado em 1962 pelo escritor João Felício dos Santos. Já Luiza Mahin é protagonista de *Um defeito de cor*, premiado romance da escritora mineira Ana Maria Gonçalves.[2] Nada garante que ambas nunca tenham existido fora do universo da ficção, mas isso jamais foi comprovado em fontes documentais como certidões de nascimento, casamento e óbito, registros de compra e venda de escravos, depoimentos em inquéritos policiais ou processos judiciais.

Tudo que se sabe a respeito da possível existência de Luiza está no seguinte trecho de uma carta que o próprio Luiz Gama escreveu a um amigo, Lúcio Mendonça, em 1880, dois anos antes de morrer:

> *Sou filho natural de uma negra, africana livre, da Costa da Mina (nagô) de nome Luiza Mahim, pagã, que sempre recusou o batismo e a doutrina cristã. Minha mãe era baixa de estatura, magra, bonita; a cor era de um preto retinto e sem lustro, tinha os dentes alvíssimos como a neve, era muito ativa, geniosa, insofrida e vingativa. Dava-se ao comércio — era quitandeira, muito laboriosa; e mais de uma vez, na Bahia, foi presa, como suspeita de envolver-se em planos de insur-*

reição de escravos, que não tiveram efeito. Era dotada de atividade. Em 1837, depois da revolução do dr. Sabino, na Bahia, veio ela ao Rio de Janeiro, e nunca mais voltou. Procurei-a em 1847, em 1856 e em 1861, na Corte, sem que a pudesse encontrar. Em 1862, soube, por uns pretos minas, que a conheciam e que me deram sinais certos, que ela, acompanhada, com malungos desordeiros, em uma casa de dar fortuna, em 1838, fora posta em prisão; e que tanto ela como os companheiros desapareceram. Era opinião dos meus informantes que esses amotinados fossem mandados pôr fora pelo governo, que, nesse tempo, tratava rigorosamente os africanos livres, tidos como provocadores.
Nada mais pude alcançar a respeito dela. [3]

A mãe é citada em outro trecho dessa mesma carta, no qual Gama conta a Lúcio Mendonça ter abandonado a carreira militar, em 1854, depois de julgado e condenado a 39 dias de prisão por um suposto "ato de insubordinação", cujos detalhes não explicou. Uma noite, enquanto estava no cárcere, o "insubordinado" Gama sonhou com a mãe, a "insubordinada" Luiza Mahin:

Eram mais de duas horas, eu dormitava e, em sonho, vi que a levavam presa. Pareceu-me ouvir distintamente que chamava por mim. Dei um grito, espavorido saltei fora da tarimba; os companheiros alvoroçaram-se; corri à grade, enfiei a cabeça pelo xadrez. Era solitário e silencioso e longo e lôbrego o corredor da prisão, mal iluminado pela luz amarelenta de enfumaçada lanterna. Voltei para minha esteira, narrei a ocorrência aos curiosos colegas; eles narraram-me fatos semelhantes; eu caí em nostalgia, chorei e dormi.[4]

Ainda maior do que o enigma envolvendo Luiza Mahin é o mistério relacionado ao pai, cujo nome Luiz Gama jamais revelou. Na mesma carta a Mendonça, limitou-se a dar pistas genéricas sobre a identidade paterna. Segundo ele, seu pai teria sido um "fidalgo", de "uma das principais famílias da Bahia, de origem portuguesa". Como a mãe, também teria participado da Sabinada, gostava de jogar, até perder tudo e, falido, tomou a drástica decisão de vender o filho como escravo:

> *Meu pai, não ouso afirmar que fosse branco, porque tais afirmativas, neste país, constituem grave perigo perante a verdade, no que concerne à melindrosa presunção das cores humanas; era fidalgo; e pertencia a uma das principais famílias da Bahia, de origem portuguesa. Devo poupar a sua infeliz memória uma injúria dolorosa, e o faço ocultando o seu nome. [...] Foi rico, [...] revolucionário em 1837. Era apaixonado pela diversão da pesca e da caça; muito apreciador de bons cavalos; jogava bem as armas; e muito melhor de baralho; amava as súcias e os divertimentos; esbanjou uma boa herança, obtida de uma tia em 1836; e reduzido à pobreza extrema, a 10 de dezembro de 1840, em companhia de Luiz Cândido Quintela, seu amigo inseparável e hospedeiro, que vivia dos proventos de uma casa de tavolagem na cidade da Bahia, estabelecida em um sobrado de esquina, ao largo da praça, vendeu-me, como seu escravo, a bordo do patacho Saraiva.*

Um dos maiores territórios escravistas da América ao longo de mais de trezentos anos, a Bahia sempre funcionou também como grande celeiro de mão de obra cativa para outras regiões brasileiras. No século XVIII, tinha exportado milhares de escravos para as novas áreas de mineração de ouro e diamante de Minas Gerais, Goiás e Mato Grosso. Esse papel seria reforçado ainda mais no século XIX. Entre 1801 e 1851, 318 mil africanos foram levados para a Bahia, 22% a mais do que os 260 mil enviados para todo o restante do Nordeste e para a região Norte. Na última década antes do fim do tráfico, as importações baianas, que somavam em torno de 68 mil africanos, foram quase o dobro do número registrado nas províncias vizinhas, de 35.500. Com os engenhos de açúcar do Recôncavo já em decadência, milhares deles eram imediatamente reexportados para as ricas fazendas de café de Rio de Janeiro, São Paulo e Minas Gerais. Junto seguiam muitos crioulos, ou seja, negros de segunda ou terceira geração, já nascidos no Brasil. Esse foi o caso de Luiz Gama, que, mesmo na condição de menino livre, foi incorporado ao fluxo de cativos que seguia para o Sul do país.

Nessa mesma carta a Lúcio de Mendonça, Gama contou que fora despachado para o Rio de Janeiro como parte de um lote de cativos negociados por um português de nome Vieira. Era, segundo ele, um homem "de estatura baixa, circunspecto e enérgico", dono de uma loja de velas, que intermediava a venda de escravos da Bahia para outras regiões. Pouco depois de desembarcar, foi revendido para um segundo traficante, o alferes Antônio Pereira Cardoso, que comandava uma rede de redistribuição de cativos para as fazendas de café do interior de São Paulo. Esse homem, segundo o relato de Gama, teria um fim trágico. Três décadas mais tarde, sendo fazendeiro, com idade entre sessenta e setenta anos, acabaria preso em Lorena, município do Vale do Paraíba, acusado de manter escravos em cárcere privado. Alguns deles teriam morrido de fome. Enquanto respondia ao processo, Cardoso "suicidou-se com um tiro de pistola, cuja bala lhe atravessou o crânio".

Do Rio de Janeiro, Luiz Gama foi levado de navio para o interior paulista na companhia de um lote de cem escravos. O primeiro trecho da viagem, até Santos, foi feito de navio. De lá, caminharam até a região de Campinas, onde Gama seria oferecido a diversos donos de fazendas de café. Apesar do interesse inicial, todos acabariam por recusá-lo ao descobrir que era um recém-chegado da Bahia. Como se viu em um dos capítulos anteriores, após a Revolta dos Malês, de 1835, em Salvador, cativos vindos da capital baiana eram malvistos pelos fazendeiros do sul do Brasil devido ao temor de que estimulassem rebeliões e fugas nas senzalas. "Fui escolhido por muitos compradores, nesta cidade, em Jundiaí, e Campinas; e, por todos repelido, como se repelem coisas ruins, pelo simples fato de ser um baiano", ele explicou na carta a Lúcio de Mendonça. Considerado um refugo do mercado negreiro, Gama seguiu então para a cidade de São Paulo, onde permaneceu incorporado ao plantel de escravos do alferes Antônio Pereira Cardoso, que o alugava para outras pessoas. Trabalhou como copeiro, sapateiro, costureiro e engomador de roupas, entre outras atividades humildes.

Em 1847, porém, sua vida começaria a mudar de forma repentina quando conheceu um novo hóspede da casa do alferes Cardoso. Era o estudante Antônio Rodrigues do Prado Júnior, filho de um fazendeiro de Mogi Guaçu, que se tornaria um advogado e magistrado importante em São Paulo. "Fizemos amizade íntima, de irmãos diletos, e ele começou a ensinar-me as primeiras letras", escreveu Gama. Em 1848, fugiu da casa de seu senhor depois de obter "ardilosamente e secretamente provas inconcussas" da sua liberdade. Nunca explicou que provas seriam essas ou como as havia encontrado, mas, a partir de então era um homem livre.

Começava também ali a meteórica ascensão rumo à fama, impulsionada por uma inigualável disposição de superar obstáculos, estudar e aprender com a ajuda de algumas pessoas que providencialmente cruzariam seu caminho. A primeira foi o estudante Prado Júnior, que o ensinou a ler e escrever. A segunda seria o chefe de polícia e catedrático da Faculdade de Direito, conselheiro Francisco Maria de Sousa Furtado de Mendonça, de quem Gama se tornou escrivão depois de se alistar na Guarda Municipal. Nos anos seguintes, o conselheiro lhe serviria de guia e orientador no estudo das leis e dos rituais da Justiça brasileira até se tornar em "advogado provisionado", profissional do Direito sem formação acadêmica, na época chamado pejorativamente de "rábula".

Como nunca teve acesso à educação formal, jamais poderia tentar, por exemplo, uma vaga na prestigiada Faculdade de Direito do Largo São Francisco, em São Paulo, centro de formação da elite imperial brasileira. Sem essa opção, aberta aos outros grandes abolicionistas brasileiros, seguiu sozinho, como autodidata, registrando, porém, o seu protesto nos seguintes versos:

Ciências e letras
Não são para ti
Pretinho da Costa
Não é gente aqui.

Mesmo sem formação acadêmica, tornou-se um hábil advogado, capaz de explorar todas as imprecisões e lacunas das bases legais do escravismo em favor dos negros oprimidos. Uma de suas estratégias favoritas era procurar indícios ou provas de que os africanos tinham entrado no Brasil após a aprovação da lei que abolira o tráfico em 7 de novembro de 1831 — a famosa "lei para inglês ver", já descrita em um dos capítulos anteriores. Nesse caso, do ponto de vista legal, a propriedade do escravo seria nula. A idade ou o ano de chegada do africano servia, por si só, como prova de que tinha direito à liberdade, cabendo à Justiça apenas reconhecer essa condição. "A maior parte dos africanos existentes no Brasil foram importados depois da lei proibitiva do tráfico promulgada em 1831", Luiz Gama escreveu no jornal *Radical Paulistano*, em 1869. "Deverão os amigos da humanidade, os defensores da moral cruzar os braços diante de tão abomináveis delitos?"

Muitas vezes, quando encontrava sinais de tortura ou maus-tratos no corpo de um cativo, apelava para o recurso do *habeas corpus* e o artigo 179 da Constituição de 1824, que declarava extinta a punição por açoites, o uso das marcas de ferro quente e outras torturas. Esse artigo, como quase tudo que se referia a algum princípio legal a ser usado em defesa dos cativos, foi sempre ignorado tanto pelos senhores como pelas autoridades. Nesse caso, médicos simpáticos à causa abolicionistas forneciam laudos que comprovam as marcas de sevícias. Usando argumentos como esses, Gama teria conseguido libertar mais de quinhentos escravos. Quando nada disso funcionava, diante de juízes em geral comprometidos com o sistema escravista, levava as denúncias à imprensa, da qual foi um grande colaborador até o fim da vida.

A atuação de advogados abolicionistas como Luiz Gama foi também facilitada pela Lei do Ventre Livre, de 1871, que ampliou as possibilidades de recursos jurídicos contra a escravidão. Uma delas era a possibilidade de o escravo comprar a própria liberdade mediante o pagamento ao senhor de uma indenização equivalente ao seu próprio preço e à concordância do proprietário. Na ausência de acordo, recorria-se ao arbitramento judicial, recurso que Luiz Gama usou em dezenas de casos bem-sucedidos. Contando com a boa vontade de alguns juízes também simpáticos à causa abolicionista, conseguia abaixar o preço exigido pelo dono e facilitar a compra da alforria. A lei previa ainda que o escravo poderia alcançar a alforria ao receber uma doação de recursos, o que fez com que surgissem inúmeros clubes e associações abolicionistas empenhados em arrecadar fundos com esse fim.

Gama era, portanto, um tipo bem diferente de todos os demais grandes abolicionistas brasileiros. José do Patrocínio, por exemplo, era particularmente talentoso em mobilizar a operação pública através de textos, discursos e ações dramáticas. André Rebouças e Joaquim Nabuco preferiam travar a luta no parlamento e nas instituições. Antônio Bento e seus caifases optavam pelo enfrentamento direto, promovendo rebeliões e fugas e organizando quilombos. Gama, em vez disso, procurou usar habilmente a própria hipocrisia do sistema escravista para combatê-lo.

Outra diferença entre Gama e os demais abolicionistas estava relacionada à origem social, à escolaridade e a sua própria experiência de mundo. Nabuco, Rebouças e Patrocínio circularam pelas capitais europeias e tinham bom relacionamento com os abolicionistas estrangeiros. Todos os três se formaram na universidade — em Direito, Engenharia e Farmácia, respectivamente. Os dois primeiros frequentavam círculos aristocráticos, que incluíam viscondes, barões e membros da família imperial brasileira. Patrocínio, dono de um jornal, era um aclamado jornalista e promotor de eventos políticos no Rio de Janeiro. Gama, ao contrário, nunca pôs os pés fora do Brasil nem frequentou a escola formal.

Ele era um homem simples e de fácil acesso às pessoas mais humildes de São Paulo. Preferia a companhia do povo. Vivia numa casa modesta no bairro do Brás na companhia da mulher, a negra Claudina Fortunata Sampaio, e o filho, Benedito. No jardim, repleto de lírios, jabuticabeiras e passarinhos, se aglomeravam todos os dias dezenas de escravos necessitados de proteção e liberdade. A modéstia e a afabilidade eram, porém, só aparentes e, em especial, dirigidos aos seus pobres clientes. Gama sabia ser duro e implacável nas lutas.

Em 1873, recusou-se a assinar a ata da primeira convenção republicana, realizada na cidade de Itu, no interior de São Paulo. Como os demais participantes eram majoritariamente fazendeiros e donos de escravos, o documento não fazia qualquer menção à abolição da escravatura. Sua voz foi a única a levantar-se em favor de uma clara condenação do cativeiro no encontro de Itu. O Partido Republicano Paulista só apoiaria abertamente a abolição um ano antes da Lei Áurea, na mesma época em que o Partido Conservador de São Paulo, igualmente liderado pelo fazendeiro Antônio Prado, tomou uma decisão semelhante.[5]

Gama travou uma guerra declarada e sem tréguas aos que ele chamava de "salteadores fidalgos, contrabandistas impuros, juízes prevaricadores e falsos impudicos detentores".[6] Reclamava dos magistrados brasileiros que, depois de terem a oportunidade de estudar nas melhores escolas, se aliavam ao sistema escravista e a ele passavam a prestar serviços proferindo sentenças favoráveis aos interesses dos barões do café, senhores de engenho e outros donos de cativos:

> *Não sou jurisconsulto, nem sou douto, não sou graduado em Direito, não tenho pretensões à celebridade, nem estou no caso de ocupar cargos de magistratura; revolta-me, porém, a incongruência notória de que, com impávida arrogância, dão prova cotidiana magistrados eminentes que têm por ofício o estudo das leis, e por obrigação a justa aplicação delas.*[7]

Em um famoso processo de 1870, defendeu um escravo que matara o seu senhor. Seu argumento assustou os fazendeiros: "O escravo que mata o senhor, seja em que circunstância for, mata sempre em legítima defesa",[8] teria afirmado perante o juiz que ouvia o caso. Por sustentar posições como essa, foi perseguido e processado. Recebia ameaças de morte e, por precaução, andava armado. Ousado e corajoso, costumava ser intransigente no combate à escravidão e ao racismo brasileiro. No final de 1880, ao sair em defesa do colega José do Patrocínio, insultado por ser negro durante um comício em Santos, escreveu o seguinte:

> *Em nós, até a cor é um defeito, um vício imperdoável de origem, o estigma de um crime; e vão ao ponto de esquecer que esta cor é a origem da riqueza de milhares de saltadores, que nos insultam; que esta cor convencional da escravidão, [...] à semelhança da terra, ao través da escura superfície, encerra vulcões, onde arde o fogo sagrado da liberdade.*[9]

Em carta ao advogado e jornalista negro Ferreira de Menezes, de 28 de dezembro de 1880, descrevia em tons sombrios a realidade da escravidão brasileira, apontando ao final a cumplicidade da Igreja católica em relação ao sistema de cativeiro:

> *O negro, o escravo, come do mesmo alimento, no mesmo vasilhame dos porcos; dorme no chão, quando feliz sobre uma esteira; é presa de vermes e dos insetos; vive seminu; exposto aos rigores da chuva, do frio e do sol; unidos, por destinação, ao cabo de uma enxada, de um machado, de uma foice; tem como despertador o relho do feitor, as surras do administrador, o tronco, o vira-mundo, o grilhão, as algemas, o gancho ao pescoço, a fornalha do engenho, os banhos de querosene, as fogueiras do cafezal, o suplício, o assassinato pelo fome e pela sede!... e tudo isso santamente amenizado por devotas orações ao crepúsculo da tarde, e ao alvorecer do dia seguinte.*[10]

Admirador da ainda jovem república dos Estados Unidos, defendia "um Brasil americano, sem reis nem escravos". O nome da loja maçônica que frequentava em São Paulo, *América*, não era por acaso. Fundada em 1868, a loja contava com 116 membros ativos e 16 honorários. Nove deles eram estrangeiros, sendo um africano. Gama ocupou o posto de "Venerável" por três vezes. No exercício da função, cabia a ele presidir reuniões e cerimônias, definir diretrizes, promover campanhas para levantar fundos e tomar diversas outras importantes decisões. No relatório das atividades da loja de 1871, constavam, entre outras ações, a promoção do "ensino popular", a "manumissão de escravos" e a "libertação de menores" (prevista pela Lei do Ventre Livre, daquele mesmo ano). Por suas ligações com a maçonaria, onde se discutiam as ideias revolucionárias do século XIX, incluindo o regime republicano, Gama foi acusado de ser um "agente da Internacional" (referência à primeira Internacional Comunista, criada em 1864), que estaria "capitaneando uma insurreição de escravos" no Brasil.[11]

Entre os membros da loja *América* havia figuras notáveis, que nas décadas seguintes seriam protagonistas das grandes transformações políticas no Brasil, incluindo a Abolição e a República. O pernambucano Joaquim Nabuco foi ali iniciado em dezembro de 1868, quando era estudante de Direito. O baiano Rui Barbosa entrou meses mais tarde, em julho de 1869. Integravam também o grupo os jornalistas José Ferreira de Menezes, um afrodescendente, proprietário do jornal *O Ipiranga*, Joaquim Roberto de Azevedo Marques, dono do *Correio Paulistano*, Américo de Campos e Rangel Pestana, ambos fundadores de *A Província de São Paulo* (atual *O Estado de S. Paulo*). O ritual de iniciação, como nas demais lojas maçônicas de "rito escocês antigo e aceito", incluía o seguinte juramento:

> *Manter sigilo absoluto sobre o trabalho maçônico, praticar a caridade nas palavras e nas ações, socorrer os infelizes, atender a suas necessidades, aliviar-lhes o infortúnio, dispensar conselhos, luzes e ajuda material, segundo suas possibilidades e, por fim, preferir a todas as coisas a justiça e a verdade.*

Gama seguiu esse juramento à risca, como registrou num artigo que escreveu para *A Província São Paulo* em 1880, dois anos antes de morrer:

"Sou abolicionista sem reservas: sou cidadão; creio ter cumprido meu dever".[12]

Vítima da diabetes, a doença silenciosa que minou suas energias ao longo de muitos anos, Luiz Gama morreu no dia 24 de agosto de 1882. Foi velado na sala de sua própria casa, sobre duas mesas, "coberto a meio-corpo por um pobre lençol grosseiro", segundo a descrição do amigo Raul Pompeia. Na manhã seguinte, um gigantesco cortejo parou as ruas do centro de São Paulo, enquanto o corpo seguia para o sepultamento no Cemitério da Consolação, onde seu túmulo de mármore branco é hoje ponto de peregrinação em São Paulo. Na multidão havia gente de todas as idades, cores e classes sociais, incluindo especialmente homens e mulheres negros, ex-escravos que lhe deviam a liberdade. O clima daquele dia ficou registrado no seguinte trecho da crônica de Raul Pompeia:

> *A cidade estava triste. Inúmeras lojas tinham as portas fechadas, em manifestação de pesar; as bandeiras das sociedades musicais e beneficentes da capital pendiam a meio mastro. Apinhava-se povo nos lugares por onde devia passar o enterro. As janelas acotovelavam-se as famílias. Em alguns pontos, viam-se pessoas chorando. Ia sepultar-se o amigo de todos. Nunca houve coisa igual em São Paulo, dizia-se nas esquinas. E o nome Luiz Gama, coberto de bênçãos, corria de boca em boca.*[13]

O Calabouço e o Grito do Ipiranga

Açoitamento de escravos no Calabouço do Rio de Janeiro e dom Pedro I com a guarda de honra às margens do Ipiranga: os dois Brasis no ano da Independência.

Augustus Earle, 1822. Picture Art Collection/Alamy/Fotoarena

Independência ou Morte, por Pedro Américo, óleo sobre tela, 1888. Museu Paulista.

Retratos da elite escravista

O comendador Sousa Breves: testemunha do Grito do Ipiranga e contrabandista de escravos.

François-René Moreaux. Óleo sobre tela. Coleção IHGB

O quadro de Ana Clara, sobrinha do "Rei do Café", no Museu Nacional de Belas Artes, no Rio de Janeiro: um conto de fadas do Brasil escravista com final trágico.

Art Collection 3/Alamy/Fotoarena

Jantar de casal branco servido por negros: o cativeiro na intimidade.

Geff Reis/AGB Photo Library

Fidalgo e sua família a caminho da missa com seus escravos, no Rio de Janeiro.

Geff Reis/AGB Photo Library

Mulheres e suas escravas na visita a uma fazenda: confraternização da elite senhorial.

Geff Reis/AGB Photo Library

Barões e viscondes

A baronesa e o barão de Nova Friburgo: o fausto e a riqueza das lavouras de café.

O barão e a baronesa de Nova Friburgo, 1867, Emil Bauch. Acervo: Museu da República/ Instituto Brasileiro de Museus/Ministério do Turismo

Paulino Soares de Sousa: líder dos fazendeiros na luta contra a Lei Áurea.

Reprodução da revista *Don Quixote*, ano VII, nº 139, 06/11/1901

Barão de Cotegipe: medo da República e da reforma agrária após a Abolição.

Museu Histórico Nacional

Os donos do tráfico

A estátua do traficante Joaquim Pereira Marinho, honorável benemérito do hospital Santa Isabel, no bairro de Nazaré, em Salvador.

Conde de Ferreira: ações filantrópicas com fortuna obtida no tráfico clandestino.

Prisma/Álbum/Fotoarena

Francisco Félix de Sousa: amigo e sócio do rei do Daomé no tráfico de escravos.

Reprodução feita pelo Centro de Estudo Africanos e publicada em artigo de Alberto Costa e Silva: "O Brasil, a África e o Atlântico no século XIX"

Domingos José Martins, fuzilado na Revolução Pernambucana de 1817: o filho, do mesmo nome, seria traficante de escravos.

Hélio Nobre e José Rosael/Museu Paulista

Cenas da escravidão

A paisagem

A rua Direita e o Largo do Paço, no Rio de Janeiro: geografia dominada pela escravidão.

Escravo artista já idoso (ao centro): raridade em uma população em que a expectativa de vida era baixa.

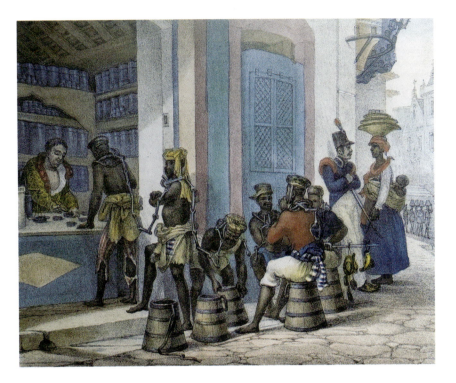

Negros numa venda de tabaco: maltrapilhos e atados uns aos outros com grossas correntes de ferro.

Geff Reis/AGB Photo Library

Um casal e duas mulheres: a escravidão vista pelos viajantes estrangeiros.

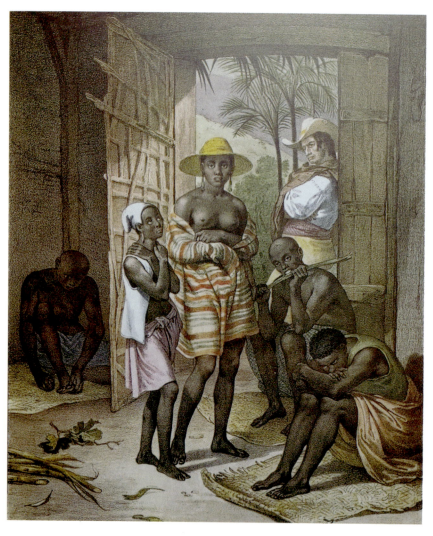

"Pretos novos", recém-chegados da África (sentados): alto índice de mortalidade.

Geff Reis/AGB Photo Library

O trabalho

Negros na colheita do café: responsáveis pela riqueza nacional.

Marc Ferrez. Coleção Gilberto Ferrez/Acervo Instituto Moreira Salles

Costureiros, limadores de facas, barbeiros, sangradores, dentistas, açougueiros e vendedores: atividades dos "escravos de ganho".

Geff Reis/AGB Photo Library

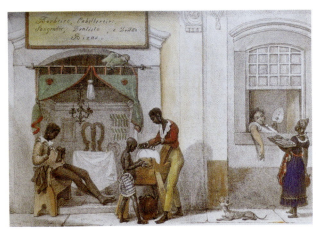

Carregadores

Transporte de mercadorias, objetos e gente: escravos no lugar de animais de carga.

Geff Reis/AGB Photo Library

Criança branca é conduzida para ser batizada na igreja: os escravos andavam descalços.

Geff Reis/AGB Photo Library

Amas negras: responsáveis por amamentar e criar os filhos de seus senhores.

Aclosund Historic/Alamy/Fotoarena

Três olhares

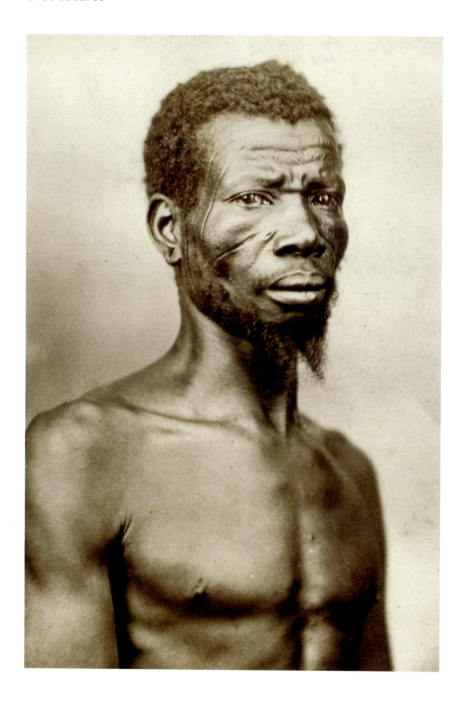

Um homem e duas mulheres escravizados: no semblante e nas cicatrizes, as marcas do cativeiro.

Augusto Stahl. Coleção Gilberto Ferrez/Acervo Instituto Moreira Salles

Apogeu e queda do Império

A Batalha do Riachuelo, na Guerra do Paraguai: ao fim do conflito, estavam plantadas as sementes da destruição da monarquia brasileira.

Princesa Isabel e o pai, Pedro II: abandonados pelos fazendeiros após a Abolição.

Getty Images

Os abolicionistas

Luiz Gama: vendido como escravo pelo próprio pai.

Arquivo Nacional/Fundo Correio da Manhã.

Joaquim Nabuco: cosmopolita reformador em um país de analfabetos.

Fundação Joaquim Nabuco

Patrocínio: filho de um padre, tornou-se farmacêutico e jornalista.

Acervo da Fundação Biblioteca Nacional

Rebouças: a descoberta tardia da própria negritude.

Rodolfo Bernardelli

Liberdade

Sessão de votação da Lei Áurea: o Brasil foi o último país a abolir o cativeiro na América.

Antônio Luiz Ferreira/Arquivo Nacional

Multidão acompanha a votação: como se o Brasil estivesse prestes a recomeçar do zero.

Antonio Luiz Ferreira/Coleção Gilberto Ferrez/Acervo Instituto Moreira Salles

Missa campal em São Cristóvão: o Brasil imperial celebra a Abolição.

Antonio Luiz Ferreira. Coleção Dom João de Orleans e Bragança sob guarda do Acervo Instituto Moreira Salles

Reprodução da Lei Áurea com a assinatura da Princesa Isabel: a lei mais importante da história do Brasil.

Arquivo Nacional. Fundo Ministério da Agricultura, Comércio e Obras Públicas.

22. A CONVERSÃO

HÁ UM TRAÇO EM COMUM na biografia dos quatro principais abolicionistas brasileiros. Todos eles passaram por momentos marcantes de conversão à causa que defenderam. São acontecimentos transformadores, como se fossem rituais de passagem, em geral carregados de dor e sofrimento, que Luiz Gama, Joaquim Nabuco, José do Patrocínio e André Rebouças registraram em seus diários e memórias que hoje ajudam a explicar o empenho com que se envolveram nas grandes lutas de seu tempo. Das lições aprendidas nesses episódios nasceria em todos eles uma nova consciência a respeito das injustiças do sistema escravista brasileiro.

A conversão de Luiz Gama já foi explicada em um dos capítulos anteriores. Nascido livre na Bahia, Gama passaria pela dramática experiência de ser vendido pelo próprio pai como escravo quando tinha dez anos. Foi o único desses quatro abolicionistas a viver a dor do cativeiro. Foi também o primeiro a perceber o quanto a pele negra funcionava como um estigma — "um defeito de cor", nas suas palavras — a impedir que a maioria da população africana ou descendente de africanos jamais tivesse as oportunidades oferecidas aos demais brasileiros de ascendência europeia. O que também, no seu entender, já na época funcionava como o motor das enormes desigualdades sociais no país. Como Luiz Gama, os momentos decisivos de Joaquim Nabuco e José do Patrocínio ocorreram ainda na infância, nos locais onde nasceram e viveram os primeiros anos. O de André Rebouças viria só na vida adulta, em uma viagem aos Estados Unidos.

O despertar de Nabuco

Nascido no Recife em 1849, Joaquim Nabuco era filho de um dos mais importantes políticos do Império, o senador José Thomaz Nabuco de Araújo. Foi amamentado por uma mulher negra e passou a infância longe da família, entregue aos cuidados da madrinha, Ana Rosa Falcão de Carvalho, viúva, corpulenta e inválida, em um "engenho de fogo morto", propriedade da Zona da Mata de Pernambuco que ainda cultivava cana, mas não produzia açúcar. O decadente engenho Massangana estava longe de ser um retrato do regime brutal e desumano que caracterizava o restante do Brasil escravista. Era, em vez disso, na descrição da historiadora Angela Alonso, um "mundo parado, com rendeiros, agregados e poucos escravos cantando lundus na senzala, integrados à vida doméstica de senhores patriarcais parcimoniosos no uso do açoite".[1] A lembrança desse ambiente bucólico e nostálgico, em que negros e brancos, explorados e exploradores, conviveriam em relativa harmonia, apoiando-se mutuamente, ficou assim registrada em livro de memórias do grande abolicionista pernambucano:

> *A escravidão permanecerá por muito tempo como a característica nacional do Brasil. Ela espalhou por nossas vastas*

> *solidões uma grande suavidade. [...] É ela o suspiro indefinível que exalam ao luar as nossas noites do Norte. Quanto a mim, absorvia-se no leite preto que me amamentou, ela envolveu-me como uma carícia muda por toda a minha infância; aspirei-a da dedicação de velhos servidores que me reputavam o herdeiro presuntivo do pequeno domínio de que faziam parte... Entre mim e eles deve ter-se dado uma troca contínua de simpatia, de que resultou a terna e reconhecida admiração que vim mais tarde a sentir por seu papel.²*

A dura realidade do chicote e dos grilhões logo, porém, entraria em sua vida devido a um episódio em particular. Determinado dia, o menino Joaquim Nabuco foi surpreendido pela chegada de um jovem negro fugitivo. Ameaçado de morte e desesperado pelas torturas que sofria em um engenho vizinho, ajoelhou-se aos seus pés e suplicou-lhe que convencesse a madrinha a comprá-lo. Só assim poderia se livrar do senhor cruel que até então o atormentava. Esta cena, conforme Nabuco escreveria mais tarde, mudaria radicalmente sua visão sobre a escravidão e marcaria sua conversão definitiva à causa dos oprimidos. Foi a primeira vez que testemunhou a brutalidade do cativeiro. A partir daí desenvolveu a genuína empatia pelos sofrimentos dos escravos que faria dele um dos maiores abolicionistas brasileiros:

> *Eu estava uma tarde sentado no patamar da escada exterior da casa, quando vejo precipitar-se para mim um jovem negro desconhecido, de cerca de dezoito anos, o qual se abraça aos meus pés suplicando, pelo amor de Deus, que o fizesse comprar por minha madrinha, para me servir. Ele vinha das vizinhanças, procurando mudar de senhor, porque o dele, dizia-me, o castigava, e ele tinha fugido com risco de vida... Foi este o traço inesperado que me descobriu a natureza da ins-*

tituição, com a qual eu vivera até então familiarmente, sem suspeitar a dor que ela ocultava.[3]

Algum tempo depois desse acontecimento, Joaquim Nabuco teve de se mudar para a casa dos pais no Rio de Janeiro, devido à morte da madrinha. Tinha oito anos e passou a frequentar os salões da corte, nos quais se valorizavam a etiqueta, a oratória e os gestos teatrais. Era um ambiente solene, bem diferente da vida simples e pacata do engenho Massangana. Foi o início da sua formação como homem da elite imperial brasileira. No Colégio Pedro II, no Rio de Janeiro, teve como colega Rodrigues Alves, futuro presidente da República. Mais tarde, como estudante de Direito da Faculdade do Largo São Francisco, em São Paulo, tornou-se amigo de Castro Alves, Rui Barbosa e de outro futuro presidente, Afonso Pena. Ao lado de Machado de Assis, seria um dos fundadores da Academia Brasileira de Letras.

Em um país de analfabetos, rural e atrasado, Nabuco era um homem cosmopolita. Passou a maior parte de sua vida viajando pela Europa e pelos Estados Unidos e travou amizade com alguns dos homens mais influentes do seu tempo, como o presidente americano Theodore Roosevelt. Em Londres, onde morou, manteve intenso contato com o movimento abolicionista britânico. Na juventude, foi um dândi — estilo de vida celebrizado por intelectuais europeus, como Oscar Wilde e Marcel Proust, que valorizava a aparência e o comportamento mundano dos salões.

Em uma viagem de navio para a Europa, conheceu Eufrásia Teixeira Leite, com quem teria um longo e apaixonado relacionamento. Eufrásia era neta do Barão de Itambé, por sua vez, irmão do Barão de Vassouras, ou seja, gente da fina flor da aristocracia rural do Segundo Reinado. O casal se correspondeu por catorze anos, mas o romance não prosperou devido a barreiras políticas e familiares. Inimigo do regime escravista e filho de um político de carreira, Nabuco tinha uma vida relativamente confortável, mas não possuía bens de raiz e, às vezes, até se submetia a uma certa rotina de trabalho para ganhar a vida, como ser correspondente de um jornal carioca em Londres. Eufrásia, ao contrário, vinha de uma família que era o próprio sustentáculo da escravatura e símbolo da riqueza no Vale do Paraíba. Jamais precisaria trabalhar para viver. Estavam, portanto, em lados opostos na política e na conta bancária.

Terminado o romance com Eufrásia, Nabuco se casou tarde, aos quarenta anos, com Evelina Soares, dezesseis anos mais jovem, filha de um barão e educada na França, mas nem de longe dona de uma fortuna comparável à dos Teixeira Leite. Com ela, teve duas filhas e três filhos. Eufrásia, por sua vez, herdou uma fortuna quando jovem, deixou o Brasil em 1874 para morar em Paris, onde se enriqueceu ainda mais fazendo bons negócios nas bolsas europeias. Sem nunca ter se casado, retornou ao Brasil somente em 1926, aos 76 anos. Deixou seus parentes furiosos ao ignorá-los por completo no testamento, legando toda a herança a instituições de caridade e à manutenção de escolas, uma delas para educar meninas pobres, "sem distinção de cores e de classes".[4]

Além de grande abolicionista, Nabuco era um reformador. Na sua visão, o Brasil imperial precisava de mudanças essenciais, que permitissem a reconstrução do país quase do zero. Seu projeto de nação se comparava, em muitos aspectos, ao defendido por José Bonifácio de Andrada e Silva na época da Independência. Entre outras medidas urgentes, propunha a reorganização econômica e financeira, a instrução pública, a descentralização administrativa, a igualdade religiosa, a representação política, a reforma agrária para taxação do latifúndio improdutivo e a imigração europeia. Achava que a monarquia parlamentar, à moda inglesa, era preferível à república — embora tenha recusado um título de nobreza, o de visconde, que lhe foi oferecido pelo imperador Pedro II após a assinatura da Lei Áurea. Segundo ele, em um país de instituições fracas como o Brasil, seria difícil construir uma democracia sólida como a americana apenas pela mudança do regime monárquico pelo republicano. "A grande questão da democracia brasileira não é a monarquia, é a escravidão", dizia. Antes de mais nada, portanto, era necessária a abolição do cativeiro.

Em artigos de jornal e comícios que atraíam multidões no Recife e no Rio de Janeiro, afirmava que o Brasil estava condenado a continuar no atraso enquanto não resolvesse de forma satisfatória a herança escravocrata. Para ele, não bastava libertar os escravos. Era preciso incorporá-los à sociedade como cidadãos de pleno direito. O regime de cativeiro, dizia, "criou um ideal de pátria grosseiro, mercenário, egoísta e retrógrado, e nesse molde fundiu durante séculos as três raças heterogêneas que hoje constituem a nacionalidade brasileira". Afirmava também que "a escravidão não consentiu que nos organizássemos e sem povo as instituições não têm raízes, a opinião não tem apoio, a sociedade não tem alicerce".

Nos textos e discursos de Nabuco predomina um tom caridoso, de compaixão do branco pelo negro, visto como um não agente do próprio destino, que precisa ser resgatado do sofrimento e do cativeiro pela benevolência de seus antigos opressores recém-convertidos pelas ideias iluministas e libertárias em circulação. A escravidão e o negro aparecem como uma mancha a corromper e a desvirtuar o que a sociedade brasileira, branca e herdeira da civilização europeia, poderia ter sido sem eles. "O principal efeito da escravidão sobre a nossa população foi [...] africanizá-la, saturá-la de sangue preto; [...] assim os vícios do sangue africano acabavam por entrar na circulação geral do país."[5]

Nabuco acentuava o caráter espoliador do sistema escravista e os danos que ele acarretava para o negro, mas reforçava que, com a Abolição, os brancos também ganhariam, ao se desvencilharem de um sistema que, na sua opinião, travava os processos de desenvolvimento e amadurecimento da sociedade brasileira. Segundo ele, ao impedir a plena realização de todo o potencial civilizatório do colonizador europeu, a escravidão tudo corrompera, realizando "uma ação predatória, de riquezas efêmeras". O sistema escravista, para Nabuco, punha em risco a própria nacionalidade brasileira, desprestigiando o Brasil perante a comunidade das nações, gerando um permanente clima de instabilidade política. Era, portanto, prejudicial tanto aos cativos quanto aos seus senhores e cabia extirpá-la para o benefício de todos.[6]

O arrependimento de Patrocínio

Como seu colega pernambucano, José do Patrocínio teve uma vida digna de roteiro de cinema, mas suas origens e experiências eram muito diferentes. A começar pela aparência e a cor da pele. Nabuco era branco, magro, com 1,86 de altura. Usava pulseiras de ouro, chapéu de palha, sapatos ingleses, roupas impecáveis e circulava com grande naturalidade pelos salões europeus. Tornou-se conhecido como "Quincas, o Belo". De porte meio atarracado, cabelo e barba crespos, testa calva e olhos esbugalhados, Patrocínio não era negro retinto, como também não chegava nem perto da cor branca. De forma bem-humorada, se autodescrevia como da cor de "tijolo queimado". Mas era negro o suficiente para que fosse alvo frequente de ataques e injúrias raciais nas ruas, nos comícios e em artigo na imprensa. Nabuco era um homem aristocrático, de maneiras afáveis, o que em muito facilitou sua carreira diplomática no final da vida. Patrocínio, enquanto isso, embora tivesse enorme capacidade de fazer amigos e seduzir as pessoas, era um vulcão de paixões, dado a ataques violentos de cólera que lhe valeram também inúmeros inimigos. O poeta Olavo Bilac o comparou a um profeta há muito esperado, "dentro de uma tempestade de raios e de flores, acendendo cóleras, pensando feridas, despedaçando grilhões, iluminando orgulhos, beijando cicatrizes, ateando a fogueira em que se havia de purificar o Brasil".[7] Em 1878, foi preso por andar nas ruas portando uma navalha, pronto para a briga. Boêmio, perdulário e espalhafatoso, gostava de passar as noites cercados de artistas e capoeiristas negros. Entre os íntimos, era conhecido como Zé do Pato.

À semelhança de Nabuco, porém, Patrocínio trazia da infância um episódio marcante em relação à escravidão, algo que teria contribuído de forma decisiva para sua conversão à causa abolicionista. No seu caso, era um fato repleto de culpa e arrependimento.

Nascido em 9 de outubro de 1853 em São Salvador dos Campos dos Goytacazes, norte do atual estado do Rio de Janeiro, José Carlos do Patrocínio era filho do vigário da cidade, o cônego João Carlos Monteiro, com uma escrava, a adolescente Justina Maria do Espírito Santo. Fazendeiro, dono de um numeroso plantel de escravos, vereador, deputado provincial e filiado à Loja Maçônica Firme União, o padre João Carlos era famoso pelas bebedeiras, jogatinas e aventuras sexuais. Teve inúmeros filhos com as jovens escravas, das quais se servia sem qualquer pudor — como, aliás, era comum em todo o Brasil naquela época. Justina, a mãe de Patrocínio, havia sido entregue a ele quando tinha doze ou treze anos, como presente de Emerenciana Ribeiro do Espírito Santo, uma fiel da paróquia de Campos, dona de escravos e, segundo acreditam os biógrafos, também amante do padre.

A CONVERSÃO

O pai nunca o reconheceu ou registrou como filho. Ainda assim, o cercou de todos os cuidados na infância. Patrocínio teve a oportunidade de estudar e cresceu no amplo e confortável sobrado do Largo da Matriz, sede da casa paroquial onde a mãe escrava vivia presa aos afazeres domésticos. Sua condição de filho do poderoso vigário e chefe político, embora não reconhecida oficialmente, fazia com que os moradores da região o tratassem com deferência e respeito. Por essa razão, Patrocínio teria se comportado inicialmente como um garoto arrogante, mimado e impaciente, habituado a descarregar nas pessoas humildes que o rodeavam seus frequentes acessos de cólera. "O rapazote, com fumos de autoridade senhorial, mandava e desmandava a torto e a direito", escreveu o jornalista Tom Farias, um de seus biógrafos.[8] O episódio de conversão de Patrocínio estaria relacionado a esse temperamento e foi testemunhado por um vizinho, Luís Carlos de Lacerda, seu amigo de infância e também futuro abolicionista.

Segundo o relato de Lacerda, numa certa ocasião, voltando de um passeio nas redondezas da fazenda do pai, Patrocínio exigiu que um escravo idoso, já curvado pelo tempo e pelo trabalho duro no campo, lhe abrisse a porteira. Talvez pelo cansaço, talvez incomodado com a insolência do menino, o homem demorou a obedecer a ordem. Tomado de impaciência, Patrocínio lhe desferiu uma forte pancada na cabeça com o cabo do chicote, produzindo uma ferida que logo começou a sangrar. Ao saber do fato, o pai (que era dono de escravos, mas também um homem religioso) o repreendeu de forma severa. Na conversa, teria apelado para os preceitos cristãos, que recomendavam tratar as pessoas mais frágeis e humildes com bondade e compaixão. Depois de ouvir o sermão paterno, Patrocínio reconheceu o erro e prometeu nunca mais repetir semelhante comportamento. A partir daquele momento, sua vida mudaria radicalmente. "O fato calou tão fundo na consciência do jovem rebelde que, a partir daí, o seu posicionamento seria completamente mudado", observou Tom Farias.

Em 1868, aos catorze anos, Patrocínio deixou o município de Campos e mudou-se para o Rio de Janeiro, onde trabalhou como servente aprendiz na Santa Casa de Misericórdia. Era inteligente, ambicioso e esforçado em tudo que fazia. Graças ao apoio de um professor da Escola de Medicina, conseguiu concluir um curso superior, o de Farmácia. Em 1873, um pequeno poema abolicionista de sua autoria aparecia no jornalzinho da faculdade, *O Lábaro*:

> *Quebremos essas algemas*
> *Que oprimem nossos irmãos [...]*
> *Brademos aos quatro ventos:*
> *"Escravos, sois cidadãos!"*[9]

Concluído o curso, em vez de seguir a carreira de farmacêutico, virou professor e jornalista. Casou-se com uma de suas alunas, Maria Henriqueta de Sena Figueira, mulher branca, filha do capitão Emiliano Rosa de Sena, avô do futuro pintor Di Cavalcanti. Com a ajuda do sogro, um homem bastante rico, republicano e abolicionista, comprou seu próprio jornal, o *Cidade do Rio*, por cuja redação passariam nomes famosos, como Olavo Bilac e o engenheiro André Rebouças.

Patrocínio foi um jornalista agressivo e polêmico, cuja pena não poupava ninguém, nem mesmo os amigos e aliados republicanos. Indicador disso era o nome do primeiro jornal, que criou em 1875 com um colega de faculdade: *Os Ferrões*. Nesse mesmo ano passou a trabalhar na *Gazeta de Notícias*, dirigida por outro ex-aluno da Faculdade de Medicina, José Ferreira de Araújo, descendente de africanos. Entre os colunistas do jornal estava o escritor Machado de Assis. Patrocínio era também um orador carismático e inflamado. Suas conferências abolicionistas atraiam multidões. Em 1880, ano em que o projeto de Joaquim Nabuco em favor da abolição foi rejeitado no parlamento, criou, com André Rebouças e o próprio Nabuco, a Sociedade Brasileira contra a Escravidão, inspirada na Sociedade Britânica e Estrangeira Antiesclavagista. Três anos mais tarde lançou, junto com Rebouças, o *Manifesto da Confederação Abolicionista*, primeiro passo para a união dos diversos grupos que até então atuavam de forma relativamente dispersa.

O objetivo de Patrocínio era alcançar a abolição total do cativeiro até 1889, primeiro centenário da Revolução Francesa, sem qualquer indenização aos proprietários de cativos. "A escravidão é um roubo; todo dono de escravo é ladrão", dizia, parafraseando o anarquista francês Proudhon, cujo nome adotou como pseudônimo em alguns escritos. Seus planos reformistas incluíam ainda educação e oportunidade de participação política para todos e o apoio do Estado aos menos favorecidos. Pelo papel decisivo na campanha abolicionista, no dia 13 de maio de 1888 seria ovacionado e carregado pela multidão, que arrancou os botões de sua casaca para levá-los como recordação.[10]

Na política, sua biografia é pontilhada de contradições. Derrotado na eleição da Câmara em 1884, foi eleito vereador no Rio de Janeiro em 1886. Quando a Princesa Isabel deu claros sinais de que apoiava a Abolição, no início de 1888, tornou-se um de seus mais ardorosos defensores. Após a assinatura da Lei Áurea, ficou de tal forma grato ao papel desempenhado pela princesa que deu a ela o título de "A Redentora". Também se atribui a Patrocínio a criação da Guarda Negra, milícia composta por ex-escravos que tinha por objetivo defender, pelas armas se necessário, o trono e o Terceiro Reinado. Chegou a afirmar que a continuidade da monarquia, junto com a Abolição, era a solução ideal para o Brasil. Na tarde de 15 de novembro de 1889, porém, enquanto o marechal Deodoro da Fonseca, após derrubar o gabinete imperial, ainda relutava em aceitar a mudança do regime, Patrocínio tomou a iniciativa de proclamar a República perante um grupo reunido na Câmara Municipal do Rio de Janeiro. Tudo indica, no entanto, que, no fundo, era mais abolicionista do que republicano.

Companheiros de jornada abolicionista, Nabuco e Patrocínio se distanciaram na República.

Desgostoso com a queda da monarquia, o pernambucano se retirou da política por alguns anos, mas logo faria as pazes com o novo regime por amor à vida diplomática. Em 1905 seria nomeado como o primeiro embaixador brasileiro nos Estados Unidos, responsável por um trabalho exemplar de aproximação entre os dois países. Morreu em Washington em 17 de janeiro de 1910, aos sessenta anos. Seu prestígio era tão elevado que o governo americano fez questão de lhe prestar homenagens só reservadas aos chefes de Estado. Transportado de Nova York para o Brasil em um navio de guerra, seu corpo foi sepultado no Recife em meio à grande comoção popular.

José do Patrocínio, ao contrário, perdeu rapidamente as ilusões em relação ao regime que ajudara a fundar. No governo de Floriano Peixoto, foi preso e deportado para uma localidade distante no Amazonas. Anistiado, retornou ao Rio de Janeiro, mas teve de passar meses escondido na casa de parentes. Ao abandonar a política tornou-se um homem fascinado pelas invenções que revolucionavam o mundo. Foi um dos primeiros brasileiros a importar um automóvel, da França, movido a vapor, em 1892. E também o primeiro a se envolver em um acidente de trânsito: seu carro espatifou-se de encontro a uma árvore algumas semanas após desembarcar no Rio de Janeiro. No fim da vida, tentou construir um balão dirigível, com o qual sonhava sobrevoar a cidade. O arcabouço do seu projeto ainda estava em construção quando chegou de Paris a notícia de que outro brasileiro, Alberto dos Santos Dumont, havia acabado de circundar a Torre Eiffel com um invento semelhante. Patrocínio morreu em 29 de janeiro de 1905, aos 51 anos, pobre e vivendo de favores dos amigos no bairro de Engenho de Dentro, no Rio de Janeiro.

A negritude de Rebouças

Baiano de Cachoeira, nascido em 1838, André Rebouças se descobriu negro já relativamente tarde na vida. Ao contrário de seu conterrâneo Luiz Gama, que sofreu as dores do preconceito e do próprio cativeiro na infância e na juventude, Rebouças veio ao mundo em um berço surpreendentemente privilegiado para um homem negro do século XIX. Filho do jurista e conselheiro do Império Antônio Pereira Rebouças, formou-se, aos 22 anos, em Engenharia Militar na Escola de Aplicação da Praia Vermelha, do Rio de Janeiro, em 1860. Ele e o irmão Antônio completaram a formação na Europa, em viagem de estudo financiada pelo pai. Durante a Guerra do Paraguai, foi liberado do serviço ativo por questões de saúde. Tinha recursos e amigos influentes, com acesso aos salões mais requintados da corte, que incluía a convivência com chefes de governo e membros da família imperial. Frequentava a casa da Princesa Isabel e do marido, o Conde D'Eu, de quem era amigo íntimo. Em 1873, viajou novamente pela Europa. Em Londres, teve uma recepção de honra oferecida pela chancelaria brasileira. Na Itália passeou por Veneza e Milão, onde foi introduzido nas altas rodas pelo já aclamado compositor Carlos Gomes. Esteve em Viena e Paris. Depois, atravessou o Atlântico e aportou em Nova York, onde descobriu que, por ser negro, simplesmente não teria onde ficar ou comer.

Nos Estados Unidos, embora tivesse dinheiro, foi barrado em diversos hotéis. "Depois de algumas tentativas, compreendi que era a dificuldade da cor a causa das recusas de aposento", relataria mais tarde. Por fim, com a ajuda do consulado brasileiro, foi aceito no Washington Hotel com a condição de que fizesse todas as refeições no aposento, "um quartinho muito sujo no terceiro andar", e jamais aparecesse no restaurante. Como não havia chuveiro no aposento, pela manhã era obrigado a tomar banho em uma barbearia da vizinhança. No dia 16 de junho, uma vez mais vetado em todos os restaurantes, dormiu com fome. O preconceito racial também o impediu de ver um espetáculo na Grand Opera House, em companhia de um amigo que o convidara. Assustado, rumou para a Filadélfia, na Pensilvânia, uma cidade de população predominantemente negra, que servira de abrigo para cativos fugidos do Sul escravista até as vésperas da Guerra da Secessão, na década anterior. Conseguiu hospedar-se em um hotel, mas nem por isso teve paz. "Ainda o prejuízo da cor obrigou-me a fazer a refeição no nosso quarto", anotou em seu diário.

Em seguida, retornou a Nova York e, uma vez mais, só com ajuda de amigos foi admitido no French's Hotel. Acostumado a ser bem tratado nas rodas aristocráticas brasileiras e europeias, reclamou dos criados que o atenderam — "um serviço muito inferior ao dos hotéis da Europa". Embora tentasse manter a pose, "sua identidade estava trincada", como definiu a historiadora Angela Alonso. Pela primeira vez, Rebouças "deu-se conta de que era também rebento do tráfico africano", impregnado na cor da pele negra.

Ao voltar ao Brasil, Rebouças reassumiu por pouco tempo seus projetos de melhoria da infraestrutura brasileira, como a construção de ferrovias, reformas de portos e redes de abastecimento de água, mas era um homem mudado. Da traumática experiência norte-americana nasceria o abolicionista negro que de forma mais organizada pensaria na realidade e no legado da escravidão brasileira. Queria ação, e rápida. "Precisamos educar esta nação para o trabalho, estamos cansados de discursos", escreveu em uma carta ao professor baiano Abílio Borges, em 1879.[11] Chegou a esboçar um itinerário para facilitar a fuga de escravos por via férrea, partindo de São Paulo rumo ao Ceará, onde a escravidão foi abolida bem antes da Lei Áurea, em 1884.[12]

Em 1879, Rebouças tentou a carreira política candidatando-se a deputado provincial pelo Paraná. Perdeu feio. Virou professor da Escola Politécnica do Rio de Janeiro. Também começou a escrever na *Gazeta da Tarde*, jornal de José do Patrocínio, seu compadre. Em 1880, foi um dos fundadores da Associação Central Emancipadora (ACE). Em 1883, redigiu, com Patrocínio, o *Manifesto da Confederação Abolicionista*. Conseguiu horário fixo aos domingos no Teatro Polytheama Fluminense para as conferências abolicionistas. Cuidava de toda a parte logística das reuniões, que atraiam pessoas do povo, mas também autoridades, como senador liberal Silveira da Mota, um antigo partidário da causa.

O círculo de parceiros de Rebouças na campanha abolicionista incluía figuras curiosas como o general Henrique Beaurepaire-Rohan personagem de uma das trajetórias mais espetaculares na história do Império do Brasil. Seu pai, um conde francês, refugiou-se no Brasil junto com a corte de dom João em 1808 e lutou contra os portugueses na Guerra da Independência no Piauí e na Bahia. Morreu em 1838 com o posto máximo da carreira militar, o de marechal de campo. O filho, Henrique, também seguiu a carreira militar. Durante o período da Regência, comandou a luta contra a Sabinada, revolta republicana e separatista ocorrida em 1837 na Bahia. Depois governou sucessivamente as províncias do Paraná, do Pará e da Paraíba.

No início da Guerra do Paraguai, em 1864, era o chefe supremo das forças armadas brasileiras. Em 1888, recebeu do imperador Pedro II o título de visconde com grandeza de Beaurepaire Rohan. Proclamada a República, tornou-se ministro do Superior Tribunal Militar. Morreu em 1894, ostentando o mesmo título do seu pai, marechal de campo. Sua atuação abolicionista envolveu uma estreita parceria com Rebouças, com quem compartilhava o sonho de uma "democracia rural", a ser promovida no Brasil mediante uma reforma agrária que retalhasse o latifúndio improdutivo em favor de trabalhadores livres, incluindo ex-escravos. Como explicou neste texto:

> *Enquanto houver escravos, há de haver a grande propriedade territorial, e com ela a cultura extensiva, em grave detrimento não só de milhares de famílias pobres, que vegetam na miséria em falta de terras onde exerçam a sua atividade, como também de um bom sistema de colonização. [...] A completa abolição da escravidão é, pois, a maior necessidade do Brasil.* [13]

Dentre todos os projetos abolicionistas no último quarto do século XIX, o de André Rebouças e Beaurepaire-Rohan foi dos mais radicais. Dedicado a compreender os mecanismos que emperravam o desenvolvimento do país, Rebouças sustentava que a libertação dos escravos, por si só, não seria suficiente. Era também necessária a imediata eliminação do monopólio da terra, pois a autonomia individual só seria possível com a transformação do ex-escravo em pequeno produtor independente. Era este, para Rebouças, o único caminho de libertação dos homens pobres do campo, pretos ou brancos, ex-escravos ou imigrantes. Diante da forte resistência dos fazendeiros e seus representantes no parlamento, a partir de meados dos anos 1880 passou-se a considerar que somente o imperador tinha condições políticas de dirigir o processo de libertação dos escravos e uma eventual reforma agrária.

O sonho de Rebouças jamais se realizou. Feita a Lei Áurea, frustrou-se profundamente com os rumos da política brasileira e logo mergulhou em um processo de depressão, que o levaria à morte em menos de uma década. No dia 15 de novembro de 1889, tentou convencer dom Pedro II a resistir ao golpe republicano. Pelo seu plano, o imperador deveria permanecer em Petrópolis, em lugar de descer para o Rio de Janeiro e ficar à mercê das forças comandadas pelo marechal Deodoro da Fonseca. Da Serra Fluminense, acreditava Rebouças, o soberano teria condições de seguir para Minas Gerais e eventualmente organizar a resistência aos republicanos. Essa hipótese foi sugerida por Rebouças ao conde D'Eu no próprio dia 15 em uma reunião no Rio de Janeiro. Só não foi levada em consideração por um problema de comunicação. Naquele mesmo momento, dom Pedro já estava no trem, descendo de Petrópolis para a capital. Avisá-lo para recuar seria praticamente impossível.

No dia 17, quando dom Pedro II, banido do território nacional pelos republicanos, partiu para o exílio, Rebouças decidiu segui-lo rumo à Europa. Chegara à conclusão de que não havia mais nada a fazer no Brasil. Durante os anos de exílio, uma segunda revolução, sequência daquela iniciada na viagem aos Estados Unidos, se processou na forma com que até então expressava sua identidade pessoal. Pela primeira vez, Rebouças assumiu por inteiro sua negritude. "O nosso velho imperador necessita da minha dedicação africana, bem africana", explicou em uma carta. Em outubro de 1891, enquanto aguardava em Cannes a morte do soberano, escreveu uma correspondência ao amigo José Carlos Rodrigues, dono do *Jornal do Commércio*, do Rio de Janeiro, na qual se referia a si mesmo como "o Negro André." No ano seguinte, mudou-se para o continente africano. Primeiro morou na África do Sul. Depois, seguiria para o arquipélago da Madeira, que, apesar de ser considerado um território europeu, geograficamente está mais próximo da África. Em outra carta a um amigo, explicou a decisão de terminar seus dias no continente africano: "Sou, em corpo e alma, meio brasileiro meio africano, não podendo voltar ao Brasil, parece-me melhor viver e morrer na África".

As últimas cartas de Rebouças no exílio são marcadas por sinais de profunda depressão. Em 1898, seu corpo apareceu boiando no mar, ao pé de uma rocha em frente à casa em que vivia na cidade de Funchal, na Madeira. Tinha sessenta anos. Aparentemente, havia se suicidado, "convencido de que a civilização brasileira, tal como a da Grécia antiga, se extinguira. Com a diferença de que, por aqui, ela sequer florescera" — como observou, com grande sabedoria, a historiadora Maria Alice Rezende de Carvalho.[14]

23. TERRA DA LUZ

> *"Uma província do Brasil acaba de declarar a escravidão abolida."*
>
> Victor Hugo, escritor francês,
> sobre o Ceará, primeira região a fazer
> a Abolição, quatro anos antes da Lei Áurea

Em março de 1884, José do Patrocínio estava em Paris, fazendo propaganda do movimento abolicionista, quando recebeu uma grande notícia. O governador do Ceará, Sátiro Dias, acabara de anunciar, no dia 25 daquele mês, o fim da escravidão na província. Era a primeira região brasileira a acabar com o regime de cativeiro, quatro anos antes da Lei Áurea. Algumas semanas mais tarde, no dia 10 de julho, seria a vez do Amazonas se declarar "território livre", por decisão do governador Teodureto Carlos de Faria Souto. Manaus foi enfeitada com flores, lanternas e bandeiras. Houve desfile de bandas de música nas ruas e concertos no palácio presidencial.

A sequência de acontecimentos demonstrava que a marcha do abolicionismo se tornara irreversível. O Ceará se colocou na vanguarda nacional desde o dia 1º de janeiro de 1883, data em que a vila de Acarape, atual cidade de Redenção, a 64 quilômetros de Fortaleza, com apenas 116 escravos, fora declarada o primeiro município livre do império brasileiro, logo seguido por Paçatuba, São Francisco, Icó e Baturité. A poderosa onda chegaria à própria capital, uma cidade sem escravos a partir de 24 de maio. Ao todo, dezoito municípios foram "libertados" no Ceará até o final daquele ano. Assustado, o chefe de polícia de São Paulo, aliado dos fazendeiros escravistas, escreveu um memorando ao presidente da província, no qual alertava: "As sociedades libertadoras e abolicionistas crescem de momento a momento e se tornam cada vez mais exigentes e desrespeitosas do legítimo direito da propriedade escrava".[1]

A Sociedade Cearense Libertadora (SCL) é considerada a primeira entidade abolicionista de grande envergadura fora do Rio de Janeiro. Foi fundada em 1880 pelos comerciantes João Cordeiro, violeiro, repentista e presidente da Associação Comercial de Fortaleza, e José Correia do Amaral, sócio de uma casa de ferragens. E já nasceu grande, com 227 sócios. A partir da primeira reunião, em 30 de janeiro de 1881, passou a organizar palestras-concertos inspiradas em eventos do gênero bem-sucedidos no Rio de Janeiro. O artigo primeiro de seus estatutos trazia o refrão "um por todos, todos por um". O parágrafo único acrescentava: "A sociedade libertará escravos por todos os meios ao seu alcance".

Na mesma semana de sua primeira reunião, a SCL promoveu a operação que lhe daria fama nacional: o boicote ao embarque no porto de Fortaleza de escravos vendidos para o sul do país. No dia 31, os jangadeiros incendiaram um prédio nas imediações do porto e promoveram a fuga de nove escravos que aguardavam a embarcação. A ação foi liderada por Francisco José do Nascimento, o Chico da Matilde, prático da barra, de cor parda, jangadeiro forte e bom de serviço. Convenceu os colegas a parar novamente em agosto de 1881. A SCL reuniu cerca de 6 mil pessoas diante da barra, aos gritos de "No porto do Ceará não embarcam mais escravos". Por ordem do governo imperial, diversos funcionários públicos, membros SCL, foram demitidos. Chico da Matilde também perdeu o emprego. O 15º Batalhão do Exército se recusou a reprimir os grevistas. Em vez disso, seus oficiais e soldados fundaram uma entidade de apoio à SCL, o Clube Abolicionista Militar. Como represália do governo imperial, todo o batalhão foi transferido para Belém. Enquanto marchavam em direção ao porto, de onde partiriam, os soldados foram aplaudidos por cerca de 15 mil pessoas convocadas pela SCL. Entre dezembro de 1880 e dezembro de 1881, a SCL distribuiu 379 cartas de alforrias em suas conferências-concertos.

Em 1882, animado com a campanha abolicionista cearense, José do Patrocínio visitou Fortaleza. Voltou impressionado para o Rio de Janeiro. "Ceará é o herói da abolição, São Paulo é o castelo forte do hediondo escravagismo", registrou no jornal *Gazeta da Tarde*.[2] "É pena que o Ceará não se possa derramar no Brasil, invadir os baluartes da escravidão onde ela é realmente poderosa", ecoava o pernambucano Joaquim Nabuco em 1883.[3] Os fatos ao longo daquele ano, porém, mostrariam que, ao contrário do que supunha Nabuco, o vigor abolicionista dos cearenses poderia, sim, transbordar para o restante do Brasil. A partir de acontecimentos ocorridos na "Terra da Luz", como José do Patrocínio chamava o Ceará, a campanha abolicionista rapidamente se espalharia por todo o país. A repercussão seria enorme, dentro e fora do Brasil.

No final de março de 1884, ao embarcar de volta de Paris para o Rio de Janeiro, Patrocínio trazia como troféu na bagagem uma cartinha do escritor Victor Hugo, autor de algumas das obras mais importantes da literatura universal, como o romance *Os miseráveis*. Celebrava o feito cearense:

> *Uma província do Brasil acaba de declarar a escravidão abolida. Esta é uma grande notícia. [...] O Brasil infligiu na escravidão um golpe decisivo. O Brasil tem um imperador, e este é mais do que um imperador, é um homem. Que continue. Nós lhe damos os parabéns e o homenageamos. Antes do final do século, a escravidão terá desaparecido da Terra. A liberdade é a lei humana.*[4]

A manifestação de Victor Hugo representava um constrangimento adicional ao governo imperial brasileiro, acusado de ser cúmplice do escravismo e de retardar por todos os meios possíveis a marcha do movimento abolicionista. O imperador Pedro II e o escritor francês tinham um relacionamento especial havia já alguns anos. O primeiro encontro entre eles ocorrera em 1877, numa viagem do soberano a Paris. Na época, aos 75 anos, Victor Hugo era a maior celebridade da França. Além de um consagrado escritor, havia-se convertido em ativista político radical, senador da esquerda republicana, e detestava os regimes monárquicos. Ele e dom Pedro II estavam, portanto, em lados opostos do espectro político. Aparentemente, nenhum dos dois teria nada a ganhar com um encontro que pudesse ser divulgado publicamente. Para os monarquistas, soaria como uma concessão desnecessária aos ideais republicanos, que a esta altura já tinha um número considerável de adeptos no Brasil. Para os republicanos, franceses e brasileiros, também soaria mal a reunião de um de seus maiores expoentes mundiais com um velho monarca, que ridicularizavam por gastar seu tempo ocioso em tertúlias intelectuais na Europa.

Dom Pedro ignorou todas as ponderações e decidiu, por conta própria, procurar Victor, a quem admirava profundamente. Por intermédio da embaixada brasileira, mandou perguntar se o escritor concordaria em visitá-lo no hotel em que estava hospedado em Paris. A resposta veio seca e dura: "Victor Hugo não vai à casa de ninguém..." Depois de mais duas tentativas e novas recusas, dom Pedro tomou a iniciativa de ir pessoalmente, e sozinho, ao apartamento do escritor, situado no quarto andar de um prédio da Rue de Clichy, número 21, centro da capital francesa. Sem aviso prévio, bateu à sua porta na manhã de 22 de maio de 1877. A surpresa desarmou o grande escritor que não só concordou em receber o ilustre visitante como se tornou seu amigo pelo resto da vida. Esse primeiro encontro durou várias horas. Dois dias mais tarde foi a vez de Victor Hugo visitá-lo no hotel. No dia 29, novamente o imperador foi à casa dele. O respeito entre os dois era tão grande que, em 1891, ao saber da morte de dom Pedro, a filha do escritor, falecido seis anos antes, fez questão de prestar-lhe homenagens fúnebres.

Como se viu em um dos capítulos anteriores, nos primeiros anos do movimento abolicionista, o imperador Pedro II guardou uma atitude de reserva em relação à escravidão. Temia ferir os interesses da aristocracia rural que compunha a base de sustentação da monarquia. A todos estava, porém, claro que, sem uma ação mais firme do monarca, a solução do problema não avançaria. "A escravidão brasileira é irmã gêmea da monarquia", escreveu o autor anônimo de um panfleto publicado em 1884 no Rio de Janeiro com o título *Carta de um agricultor à Sua Majestade o Imperador sobre a questão do elemento escravo*. "As duas instituições se defendem, ambas pelos mesmos argumentos: a tradição, o costume e a lei."[5] Os acontecimentos no Ceará contribuíam para arranhar a imagem do governo monárquico e do próprio imperador, situação da qual os abolicionistas procuravam tirar proveito. No calor dos acontecimentos no Ceará, José do Patrocínio mandou um telegrama em tom de provocação a Pedro II: "O nome de Vossa Majestade ainda não figura na lista de subscritores da Sociedade Cearense Libertadora".

Cioso de sua reputação, o imperador respondeu imediatamente, enviando uma contribuição aos cearenses por meio da mordomia da casa imperial. Convidado, porém, pela Confederação Abolicionista a se deslocar ao Ceará, com o objetivo de participar pessoalmente da campanha, refugou: "Se não compareço às festas da liberdade, é que esse comparecimento poderia ser interpretado de modo diverso por algumas pessoas".

Na Fala do Trono em 1884, o imperador ignorou os acontecimentos no Ceará. Limitou-se a mencionar a necessidade de executar com mais celeridade e rigor o Fundo de Emancipação de 1871, a essa altura uma lei já desmoralizada, que previa a compra de alforrias mediante a indenização dos proprietários. A lentidão do governo servia de combustível para a campanha abolicionista, a tal ponto que os próprios governadores das províncias, representantes diretos do governo imperial em suas respectivas regiões, acabaram se tornando protagonistas das mudanças. Caso exemplar foi a província do Amazonas, que virou um ativo centro do movimento abolicionista nos anos finais da Guerra do Paraguai.

Duas lojas maçônicas de Manaus, a *Amazonas* e a *Esperança e Porvir*, congregavam as principais lideranças da campanha, com destaque para Lemos Bastos, Hosana de Oliveira, Pedro Aires Marinho, Paulino de Brito, João Lopes Ferreira Filho, Domingos Ferreira do Vale e João Carlos Antony. Um dos grandes aliados desse grupo era ninguém menos que o governador Teodureto Souto, a quem caberia a iniciativa da abolição total do cativeiro na província em 10 de julho de 1884. Quando a notícia chegou à Câmara dos Deputados, no Rio de Janeiro, o deputado

Paulino de Souza, do Partido Conservador e porta-voz dos fazendeiros escravistas, barrou uma moção de congratulações a Teodureto. Segundo ele, era vedado ao parlamento brasileiro premiar "ilegalidades e violências". Teodureto foi imediatamente demitido, decisão que, segundo Evaristo de Moraes, teria sido uma represália ao seu ímpeto abolicionista, considerado precipitado pelo governo imperial.[6]

O Ceará foi igualmente governado por abolicionistas, não só por um, mas dois: Sancho de Barros Pimentel e Sátiro de Oliveira. O primeiro, advogado, baiano de Salvador, havia sido deputado no Rio de Janeiro e companheiro de legislatura de Joaquim Nabuco no bloco parlamentar de 1880. Era membro da Sociedade Brasileira Contra a Escravidão (SBCE). Antes de chegar ao Ceará, em março de 1882, para um mandato de apenas sete meses, já tinha sido presidente das províncias do Piauí (abril a dezembro 1878) e do Paraná (maio de 1881 a janeiro de 1882). Sátiro de Oliveira Dias, que ocuparia o cargo entre agosto de 1883 e maio de 1884, era médico, também baiano, da cidade de Inhambupe. Tinha governado o Amazonas e o Rio Grande do Norte. Entrara no movimento abolicionista pelas mãos do professor Abílio Cesar Borges, o barão de Macaúbas, de quem foi auxiliar no Ginásio Baiano.

Os presidentes-relâmpagos, que paravam pouco tempo no cargo, eram parte de uma estratégia do governo imperial para promover o rodízio nos altos cargos do executivo regional. Assim, os ocupantes tinham a oportunidade de conhecer as diferentes realidades de um país enorme, de dimensões continentais, sem que, ao mesmo tempo, se contaminassem com o ambiente de promiscuidade e corrupção das oligarquias locais. Alguns mal chegavam a esquentar a cadeira. A média de duração do mandato em cada província durante todo o período monárquico foi de só sete meses. Em um breve período de sete anos, entre 1878 e 1885, Ceará, Rio de Grande do Sul, Pernambuco e Espírito Santo tiveram oito governadores. Paraíba e Santa Catarina, nove. Alagoas, dez.[7]

Uma das primeiras medidas de Sancho de Barros Pimentel ao assumir o governo do Ceará foi saber o número de escravos remanescentes na província. O censo anterior, de 1872, apontava um total de 31.913, equivalente a cerca de 5% dos 720.726 habitantes. Desde então, o número havia caído ainda mais por conta das secas devastadoras de 1877 e 1878, quando os senhores, em dificuldades, venderam milhares deles para o sul do país. Só nesses dois anos, 4.634 escravos foram embarcados no porto de Fortaleza com destino a outras regiões. Por esse mesmo motivo, a população da capital, de aproximadamente 25 mil habitantes, quintuplicou depois de receber mais de 100 mil retirantes.[8] Em meados de 1883, restavam entre 3 mil e 5 mil cativos. A taxa diminuta em relação ao total da população facilitava a tarefa abolicionista. O Ceará dependia bem menos da escravidão do que São Paulo, Rio de Janeiro e Minas Gerais, as províncias produtoras de café na região Sudeste, bastiões de resistência do escravismo.

A total proibição do comércio de africanos escravizados, pela Lei Eusébio de Queirós, de 1850, coincidiu com um período de decadência nas lavouras das regiões Norte e Nordeste, marcadas por excesso de mão de obra e falta de capital para investimentos em novas tecnologias de produção. Por volta de 1860, cerca de 70% dos 1.350 engenhos de Cuba usavam máquinas movidas a vapor, enquanto, em Pernambuco, a taxa era de apenas 2%. Meio século mais tarde, em 1914, só um terço dos engenhos pernambucanos havia aderido à tecnologia do vapor. O empobrecimento das lavouras arcaicas fez com que o preço dos escravos despencasse. Em Pernambuco, o preço médio de um cativo caiu de 816 mil réis em 1863 para 181 mil em 1887.[9]

Como resultado, os senhores passaram a vender o excedente de mão de obra cativa às prósperas fazendas de café do Sudeste, onde o preço continuava alto em virtude da demanda cada vez mais elevada. Por volta de 1870, um escravo comprado na Bahia por 650 mil réis era revendido em São Paulo pelo dobro do preço. Em agosto de 1854, o baiano João Maurício Wanderley, futuro barão de Cotegipe, chegou a apresentar, na Câmara dos Deputados, um projeto de proibição do tráfico interprovincial. Argumentava que, sem a mão de obra cativa, os senhores de engenho do Norte e do Nordeste se empobreceriam ainda mais, e logo a região estaria "reduzida a criadores de bois". A proposta foi derrotada por pressão dos representantes das províncias cafeeiras.

Na viagem exploratória que realizou pelas cidades e vilas cortadas pelo rio São Francisco, em 1879, o engenheiro baiano Theodoro Sampaio responsabilizou a decadência das lavouras no sertão pela drenagem de mão de obra cativa para outras regiões:

> *A lavoura deprecia a olhos vistos. O braço servil continua a ser exportado em grande número para saldar os débitos que a produção insuficiente acumulava e agravava cada ano. A instituição servil, em 1879, tinha já entrado no seu período agudo nos sertões do norte do Brasil. O êxodo da escravaria para as fazendas de café no Sul fazia-se já em grandes levas, quer pelas estradas do interior através das províncias limítrofes, como pelos portos do litoral onde por largo período se mantinha um tráfico vergonhoso e ativo. Privados de recursos, os lavradores do sertão não tinham outro remédio senão venderem o escravo, deixando-se na desgraçada contingência de não contarem com o trabalho livre.*

O tráfico interno deu origem a uma nova profissão no Brasil. Eram os compradores ambulantes de gente. Munidos de dinheiro, argolas e correntes de ferro, armas e animais de montaria, percorriam as vilas e cidades do interior do Norte e Nordeste na condição de representante das grandes casas comerciais do Rio de Janeiro e de São Paulo, convencendo os senhores e fazendeiros mais pobres a venderem um ou dois escravos por pagamento à vista e a preços muito superiores aos praticados pelo mercado local. "Há uma rede organizada de angariadores de escravos, especializada em seduzir os pequenos lavradores", explicava João Maurício Wanderley na apresentação do seu projeto de proibição do tráfico interno, em 1854.

A intensa procura por cativos para as lavouras cafeeiras do sul do Brasil aparecia em anúncios publicados em cidades nordestinas, como este, do jornal *A Ordem*, de Baturité, interior do Ceará, em setembro de 1879: "Olympio e irmão vão comprar seis escravos entre doze e vinte e seis anos de idade. Pagarão melhor do que qualquer outro comprador, para uma consignação para São Paulo".

Outro anúncio, de 12 de dezembro de 1879, no jornal *O Paíz*, de São Luís do Maranhão, especificava a preferência dos compradores: "Serão comprados dos dois sexos. Os preferidos são aqueles entre catorze e vinte anos de idade, de cor negra. Contatar Fragoso e Co, Praça do Comércio, 18".[10]

No Ceará, os cativos recém-adquiridos eram amarrados, acorrentados e seguiam a pé para Fortaleza, onde permaneciam estocados nos barracões da zona portuária, enquanto os negociantes providenciavam os passaportes junto ao chefe de polícia e o pagamento dos impostos correspondentes à exportação. Em seguida, eram embarcados em navios a vapor junto com outros passageiros e mercadorias. Ao chegarem ao Rio de Janeiro, eram redistribuídos para as fazendas do Vale do Paraíba, do sul de Minas Gerais e do oeste paulista. Outro meio utilizado pelos traficantes, em menor escala, era o comboio terrestre. Enormes caravanas de escravos atravessavam a pé trilhas e precárias estradas do sertão e do agreste rumo ao sul do Brasil.[11]

Em 1880, o deputado baiano Marcolino de Moura assim descreveria grupo desses escravos, no qual seguiam mulheres grávidas ou com filhos recém-nascidos, todos transportados a pé sob o sol inclemente em direção às fazendas de café do interior paulista:

> *Não há muito atravessava eu, ao calor do meio-dia, uma dessas regiões desertas de minha província; o sol abrasava: de repente, ouvi um clamor confuso de vozes que se aproximavam, era uma imensa caravana de escravos com destino aos campos de São Paulo. Entre alguns homens de gargalheira ao pescoço, caminhavam outras tantas mulheres, levando sobre os ombros seus filhos, entre os quais se viam crianças de todas as idades, sendo toda essa marcha a pé, ensanguentando a areia quente dos caminhos. E se acontece que durante a noite algumas dessas míseras escravas torna-se mãe, no dia seguinte a marcha da caravana não se interrompe, e o fruto querido de suas entranhas é condenado a morrer no primeiro ou segundo dia da jornada se antes não é lançado em algum canto, ignorado a expirar pelo abandono. É o tráfico na sua mais horrenda forma.[12]*

A diminuição dos plantéis de escravos nas regiões exportadoras de mão de obra cativa foi rápida. O censo de 1872, o primeiro de abrangência nacional, mostrava que no Norte e Nordeste o número deles era relativamente pequeno. No Ceará, representavam 4,5% da população. No Rio Grande do Norte, 5,5%. Na Paraíba, 5,7%. No Amazonas, apenas 1,7%. Como resultado, as províncias dessas regiões se tornaram mais permeáveis à campanha abolicionista do que as do Sul e Sudeste, onde as resistências dos senhores escravocratas se manteriam inabaláveis quase até as vésperas da Lei Áurea.

O ativismo cearense logo se espraiou pelas demais províncias nordestinas. Por influência de seus vizinhos abolicionistas, no dia 30 de setembro de 1883, Mossoró declarou-se a primeira "cidade livre" do Rio Grande do Norte. A cerimônia foi realizada na presença de Almino Affonso, funcionário público demitido do emprego no Ceará depois de saudar o 15º Batalhão, a guarnição militar transferida para Belém por se recusar a reprimir os jangadeiros do porto de Fortaleza. Em novembro, a assembleia provincial da Paraíba aprovou a elevação em dez vezes do imposto anual cobrado sobre os escravos, tornando assim pouco vantajoso para seus proprietários mantê-los em cativeiro. Era uma forma de acelerar o passo do abolicionismo paraibano.

Em Pernambuco havia uma associação secreta, chamada Clube do Cupim, cujo objetivo era a "demolição da montanha do cativeiro, minando-a por todos os lados".[13] Era uma entidade informal, sem diretoria ou estatutos. Tinha entre seus membros o guarda-livros João Ramos, o advogado Gomes de Matos, o médico Barros Sobrinho, o jornalista Artur de Matos, o dentista Numa Pompílio, o ator Tomaz Espiuca e a costureira Leonor Porto. O objetivo dos "cupins" era roubar, esconder e remeter escravos ao Ceará e outras regiões do Nordeste onde ficassem a salvo da perseguição dos capitães do mato. Outro grupo com atuação semelhante era o Diretório dos Cinco ou Clube dos Mortos, formado por setenta estudantes de São Luís, no Maranhão, cujo objetivo era acoitar escravos que quisessem fugir para o Ceará.

Os membros do Clube do Cupim usavam codinomes, sinais e senhas secretas, se reuniam em pontos de encontro na calada da noite para fugir da polícia e organizavam rotas de fugas em direção ao Ceará e Rio de Janeiro. Um dos sócios, de codinome Acarape (referência à atual cidade cearense de Redenção, primeira vila a abolir a escravidão, como já registrado antes neste livro) teria libertado mais de setenta cativos de um engenho da Zona da Mata. Outro "cupim", identificado como Amazonas (segunda província a realizar a abolição) teria transportado 34 fugitivos negros num iate que zarpou do litoral de Pernambuco para o Ceará. Em uma das ações mais espetaculares, Carneiro da Cunha e João Ramos teriam se aproveitado da folia de Carnaval para atravessar as ruas do Recife escoltando uma negra fugitiva — todos os três vestidos com uma fantasia de peças de dominó. A mulher foi embarcada para Aracati, no Ceará. Até o bem-comportado Joaquim Nabuco, defensor das instituições e em geral avesso às fugas e revoltas escravas, teria participado de uma dessas operações, providenciando esconderijo para alguns fugitivos. "Os abolicionistas desta província são todos francamente açoitadores de escravos", relatou Nabuco em artigo para o jornal *O País*, do Rio de Janeiro. "É o único meio de fazer executar o que a lei aboliu".[14]

O dia 25 de março de 1884 foi escolhido para a data oficial da abolição no Ceará por coincidir com o aniversário da Constituição do Império, outorgada sessenta anos antes pelo imperador Pedro I. A decisão cearense foi celebrada em todo o Brasil com desfiles, concertos, saraus e outras manifestações de júbilo. No Rio de Janeiro, a *Gazeta de Notícias* saiu com edição especial dedicada ao evento. Francisco Nascimento, o Chico da Matilde, herói dos jangadeiros cearense, foi recebido na cidade com honras e glórias. Uma regata na enseada de Botafogo com sua presença atraiu cerca de 10 mil pessoas. Teria sido ali que ele ganhou o apelido pelo qual desde então se tornaria conhecido: "Dragão do Mar". No Teatro Politeama foi executada a "Marselhesa dos escravos", paródia do hino nacional francês composta pelo maestro Antônio Cardoso de Menezes e Sousa, filho do poeta e jornalista João Cardoso de Menezes e Sousa, Barão de Paranapiacaba. Houve declamações de poemas, encenações teatrais, apresentação de uma orquestra e canto lírico. André Rebouças encomendou ao amigo compositor Carlos Gomes uma peça na qual figurassem duas jangadas libertadoras. O maestro mandou da Itália a "Marcha popular ao Ceará livre".

O imperador Pedro II foi convidado a se juntar à festa, porém, uma vez mais, recusou.[15]

24. REAÇÃO

> *"Respondam com o revólver na mão!"*
> Martinho Campos, deputado mineiro,
> orientando os fazendeiros a
> resistirem aos abolicionistas

Enquanto a campanha abolicionista ganhava as ruas, as praças e os corações dos brasileiros, a nata da aristocracia escravista representada pelos fazendeiros se organizava na vã tentativa de conter a tempestade. Centros da lavoura, clubes secretos e milícias particulares foram criados para defender os interesses dessas classes por todos os meios possíveis. Até pelas armas, se fosse o caso. Só no ano de 1884 nasceram 49 clubes da lavoura em todo o Brasil. Desse total, 39 estavam sediados no Vale do Paraíba e na Zona da Mata mineira, territórios dominados pelos barões do café. Reuniam fazendeiros, comissários do café, atravessadores e financiadores, ou seja, os principais agentes do mais próspero negócio brasileiro na época.[1] Em julho do mesmo ano, todos os clubes se congregavam em um fórum nacional, o Congresso da Lavoura.

Os estatutos dessas entidades tinham o declarado propósito de impedir eventuais fugas e rebeliões de escravos, atacar quilombos e intimidar os abolicionistas. O da Sociedade da Lavoura de São José de Além Paraíba, atual município de Além Paraíba, na divisa de Minas Gerais com Rio de Janeiro, previa a organização de um corpo de seguranças destinado a proteger os fazendeiros de eventuais agressões por parte daqueles que lutavam contra o cativeiro. Os agricultores da freguesia de Nossa Senhora do Livramento de Sarandi pediam garantias de vida às autoridades e denunciavam o que, no entender deles, era o "descalabro" que tomava conta do país devido à campanha abolicionista.[2] Os vereadores de Oliveira e Rio Pomba, ambos municípios de Minas Gerais, enviaram uma representação ao parlamento, no Rio de Janeiro, na qual qualificavam os abolicionistas de "anarquizadores da ordem pública". E acrescentavam:

> *A vida e a propriedade não podem estar à mercê desse punhado de aventureiros que, tendo tudo a ganhar e nada a perder, tentam revolucionar o país tomando por pretexto uma questão de ordem econômica do mais alto interesse social. Esses grupos de demolidores que ora se congregam no país promovendo propaganda com o fim de abolir os escravos são os mesmos que, na Rússia, formam o Partido Niilista, na Alemanha, o Socialista, assim como na França, o Comunista. Estejamos, pois, precavidos contra estes desordeiros que preferem a luta renhida e o sangue a correr em rios, a ver a questão regularmente marchando e pacificamente terminada.*

Em 14 de junho de 1884, o Imperial Instituto Baiano de Agricultura enviou à Câmara dos Deputados uma petição que resumia o pensamento escravista:

Mais do que um bem patrimonial, mais do que um elemento da fortuna privada, o escravo é uma instituição social, um elemento de trabalho, uma força de produção e da riqueza nacional. [...] A escravidão, tendo entrado em nossos costumes, em nossos hábitos, em toda nossa vida social e política, acha-se de tal forma a ela vinculada que extingui-la de momento será comprometer a vida nacional, perturbar sua economia interna, lançar esta na indigência, na senda do crime e no precipício de uma ruína incontável.³

Diante do avanço abolicionista, os fazendeiros começaram a sentir as consequências no bolso. O preço dos escravos desabou. Bancos passaram a recusar hipotecas que oferecessem cativos como garantia. Por essa razão, nos feudos dominados pelos senhores escravocratas, quem desse apoio à campanha pró-abolição seria perseguido e hostilizado. Juízes que apoiavam a causa dos escravos eram ameaçados. *O Brasil*, jornal sustentado pelos fazendeiros, acusava os abolicionistas de incitar o assassinato dos proprietários rurais e promover greves e fugas em massa. Protestava também contra as recentes vitórias abolicionistas no Ceará e no Amazonas, as primeiras províncias a abolir a escravidão, decisão que o jornal definia como "espoliação da propriedade privada", exigindo que o governo central tomasse providências contra os envolvidos: "Não podemos admitir que em qualquer província se rasguem as leis, se viole a Constituição do Império". O discurso do deputado mineiro Martinho Campos, em agosto de 1880, denunciava os abolicionistas como parte de um movimento socialista internacional para subverter a ordem e os costumes. E terminava com uma ameaça: "A esse grito de abolição, que os fazendeiros respondam com o revólver na mão!".⁴

Na segunda metade do século XIX, o clima de medo e sobressalto se tornou uma constante entre os brancos donos de escravos. Eram frequentes os boatos de fugas, formação de quilombos, agitações e supostos complôs nas senzalas que nem sempre se materializavam. Assassinatos de senhores e capatazes ganhavam grande repercussão nos jornais.[5] Tudo isso se intensificou durante a Guerra do Paraguai, período em que as autoridades do Vale do Paraíba e da região oeste de São Paulo frequentemente solicitavam a ajuda dos governos provincial e central para investigar ou prevenir rebeliões escravas. Temia-se que o envio de tropas para a guerra tornasse a segurança local mais vulnerável diante de uma possível insurreição negra. Em 1865, o delegado de Campinas escrevia ao presidente da província de São Paulo em tom de alarme. Segundo ele, abolicionistas e imigrantes estrangeiros, entre eles portugueses e italianos, estavam insuflando os ânimos entre os escravos da região:

> *A escravatura deste município é copiosa, as fazendas estão amontoadas todas, uma nas vizinhanças das outras; [...] pode-se levantar com facilidade uma força de dois mil escravos, o que é bastante para assolar uma população quase sem meios de defesa. [...] Nesta cidade há muita gente de classe baixa que se liga com a escravatura, dizendo coisas que podem ser fatais, por exemplo, que a Inglaterra e o Paraguai protegem os escravos e que os paraguaios nos declararam guerra para libertá-los da escravidão. Entre os indivíduos que assim procedem figuram principalmente alguns portugueses, vendeiros e carcamanos italianos. [...] Tenho preso um italiano por ter sido encontrado no meio de vários escravos discorrendo sobre os motivos da guerra e sobre liberdade da escravatura.*

Em 1871, o presidente da província de Minas Gerais dizia em seu relatório que, em Juiz de Fora, havia receios de sublevação porque vinte ou trinta escravos estavam "açoitados" por italianos residentes na cidade. No mesmo ano, a Câmara Municipal de Campinas enviou ao presidente da província um ofício que solicitava o reforço das tropas, alegando que "as ideias da época em relação à escravidão, hoje imprudentemente espalhadas ou em escritos públicos ou por particulares estouvados produzem seus frutos". Um relatório da Repartição de Polícia citava agitações ocorridas em Pinhais, Campinas, Jundiaí, Indaiatuba e Pindamonhangaba, devido à ação de agitadores abolicionistas: "Hoje não há a temer só os escravos, mas também os especuladores que os excitam".

Em abril de 1871, um grupo de 57 fazendeiros da região de Rio Claro enviou uma petição ao presidente da província de São Paulo exigindo que se colocasse uma guarnição militar permanente no município.[6] O objetivo era controlar os escravos e prevenir eventuais fugas e rebeliões. "Cresce de importância a necessidade de força pública [...], quando do vulcão que pisamos principiam as explosões", alertavam os signatários. Um pedido semelhante, assinado por 275 fazendeiros de Campinas, chegou às mãos das autoridades. Preocupados com o aumento da população escrava na região, alertavam para o "divórcio perene das duas raças" e que os negros eram "inimigos, não se tratando com afagos e carinhos".

Neste caso, o que mais preocupava os fazendeiros era a mudança no perfil demográfico dos escravos. Segundo diziam, no passado, a maioria dos cativos era africana, gente que chegava ao Brasil em "estado de embrutecimento e de pouca inteligência" — portanto, segundo se depreende do texto, mais fácil de ser dominada e explorada. Depois da proibição do tráfico, porém, o grupo majoritário na escravaria era composto por brasileiros, descendentes dos africanos originais e muito mais organizados e conscientes de seus direitos. "Seu espírito mal suporta o jugo da escravidão e tenta emancipar-se dele", reclamavam. Em seguida relatavam que um escravo tinha matado seu dono na localidade de São João do Rio Claro e que, perguntado sobre a razão do crime, respondera candidamente que "não sabia por que razão deveria trabalhar toda sua vida em proveito exclusivo de um homem igual a ele".

Alguns anos mais tarde, em 1885, os fazendeiros de Capivari, em São Paulo, se declaravam alarmados com as notícias da formação de um quilombo nas vizinhanças de suas propriedades e pediam providências às autoridades:

> *Além do roubo escandaloso que sofremos em nossos cafezais, a ponto de ficarem reduzidos a menos da metade de nossas colheitas, e dos assaltos noturnos às nossas propriedades, vivemos inteiramente sobressaltados pelo perigo iminente das relações dessa gente com os nossos escravos.*[7]

Documentos como esse revelam uma mudança drástica na atitude dos escravos diante do regime de cativeiro e dos temores que isso gerava nos senhores escravocratas. Os escravos começavam a abertamente questionar a legitimidade da escravidão e a tomar providências para escapar do cativeiro. Os fazendeiros, por sua vez, reconheciam que, daí por diante, só a força poderia manter um sistema de exploração que, conforme diziam, era responsável pela própria riqueza e prosperidade, "avultadas aos olhos da província e do Império".

Nos anos que antecederam a Lei Áurea, os jornais abolicionistas traziam inúmeros relatos de crimes envolvendo escravos e seus senhores. Muitos eram motivados por castigos infringidos a cativos ou a pessoas de sua família. Em Batatais, uma negra foi presa por matar seu dono. Durante as sindicâncias, a polícia encontrou na fazenda um outro escravo amarrado em posição de crucificação. Era o marido da assassina, o que explicava o crime.[8] Outro assassinato de um senhor branco por um escravo era noticiado em cores fortes pelo jornal *O País*, do Rio de Janeiro, em maio de 1887, sob o título "Quadros da escravidão":

> *Depois de sofrer aviltante castigo de chicote, o escravo Firmino, de Antônio Jacome Vilaça, alugado em uma charqueada de Pelotas, assassinou com uma faca o feitor Antônio Martins das Neves, por ordem de quem fora aplicada aquela pena. O golpe produzido foi horroroso, e o assassinado ficou com os intestinos a descoberto.*[9]

Em alguns episódios de violência, a pressão abolicionista se misturava a outros focos de tensão típicos dos anos finais da monarquia brasileira, como a crescente indisciplina nos quartéis da chamada Questão Militar. Em outubro de 1883, por exemplo, o jornal *O Corsário*, do Rio de Janeiro, criticou o mau uso do recrutamento militar para fins políticos e atacou o comportamento de oficiais do 1º Regimento de Cavalaria da Corte. Em resposta, um grupo de oficiais e soldados do regimento invadiu a sede do jornal e destruiu a tipografia na qual era impresso. Ameaçado de morte, o editor Apulcro de Castro pediu proteção à polícia. Foi inútil. O jornalista acabou morto a facadas e pauladas no vestíbulo do próprio quartel-general de polícia. Um inquérito, logo arquivado, apontou onze oficiais como responsáveis pelo assassinato. Nenhum foi punido.

Entre os acusados pelo crime estava o capitão Antônio Moreira César que, anos mais tarde, ficaria famoso por comandar fuzilamentos de rebeldes em Santa Catarina e perderia a vida no comando de uma expedição derrotada de forma humilhante pelos sertanejos de Antônio Conselheiro na Guerra de Canudos, na Bahia. Notável colecionador de inimigos (incluindo José do Patrocínio, a quem chamava de "Rei Zulu"), Apulcro de Castro era membro da Sociedade Abolicionista Luso-Brasileira, dirigida por Vicente de Sousa e filiada à Confederação Abolicionista. Tinha feito campanha para Joaquim Nabuco em 1881. Seu jornal anunciava: "Somos do povo, e a abolição é aspiração popular". Seu assassinato resultou em um grande quebra-quebra no centro do Rio de Janeiro promovido por capoeiristas negros. A missa de sétimo dia reuniu cerca de mil pessoas e se transformou em um comício abolicionista.[10]

O auge da tensão entre abolicionistas e escravocratas ocorreu durante o chamado Gabinete Cotegipe, o ministério do Partido Conservador chefiado pelo baiano João Maurício Wanderley, barão de Cotegipe, entre 20 de agosto de 1885 e 10 de março de 1888. Foi um dos governos mais repressores da história do Império. "É o regime do cacete", resumiu o deputado abolicionista pernambucano José Mariano Carneiro da Cunha, fundador do Clube do Cupim no Recife. "Temos uma lei, que é dever do governo executar", explicou-se Cotegipe ao imperador em novembro de 1886. "Ela reconhece a propriedade sobre escravos, e enquanto vigorar tem essa propriedade de ser garantida".[11]

A radicalização por parte dos fazendeiros e seus representantes no governo fez com que os abolicionistas passassem a responder no mesmo tom. Um editorial da *Gazeta da Tarde* alertava que a campanha até então pacífica, restrita a comícios, saraus e concertos musicais e distribuição de flores, poderia rapidamente se converter em conflito armado:

> *Então não teremos mais escrúpulos de gritar aos abolicionistas: às armas! E de incitá-los no caminho de todas as represálias, porque, estando dentro da lei, fomos atacados [...];*

a história dirá que não fomos os primeiros a dar um passo nesse caminho perigoso, e que, se saímos armados para a rua, foi depois das provocações.[12]

Na cidade de Campos, norte fluminense, o abolicionista Carlos de Lacerda, companheiro de infância de José do Patrocínio, conclamava seus partidários a incendiar os canaviais — como tinham feito, em 1791, os escravos da colônia francesa de São Domingos, no Caribe, durante a revolução que levaria à independência do Haiti. Lacerda era dono do jornal *Vinte e Cinco de Março*, título que fazia referência à data da Abolição no Ceará, em 1884. Fundou também o Clube Abolicionista, cujo objetivo era promover campanhas de libertação de territórios. Em 1885, divulgou pela imprensa o massacre dos moradores de um quilombo. Também denunciou a presença, nas ruas da cidade, de uma mulher escravizada portando um colar de ferro no pescoço — típica punição reservada a escravos fugitivos. A reação dos fazendeiros foi violenta. A polícia arrombou a porta do jornal a golpes de machado e depredou suas instalações. Os abolicionistas resistiram com tiros e dinamite. Quatro policiais ficaram feridos e um morreu. Ameaçado de morte, Lacerda fugiu para o Rio de Janeiro. Seu irmão, Paulino de Lacerda, eleito deputado, promoveu uma passeata no centro de Campos. Os manifestantes foram dispersados pela cavalaria, primeiro a golpes de chicote, depois a bala. Os abolicionistas revidaram a pedradas. A *Gazeta da Tarde* também foi depredada em 1885.

Alarmada com os acontecimentos, uma comissão da Confederação Abolicionista conseguiu ser recebida pela princesa Isabel, regente do trono a partir de junho de 1887, enquanto o imperador viajava para realizar um tratamento médico na Europa. Foi uma reunião inócua. Na óbvia tentativa de não desagradar os fazendeiros, de cujo apoio a monarquia dependia, a princesa, que ainda relutava em declarar apoio à causa abolicionista, limitou-se a dizer que "pedia a Deus que a escravidão acabasse o quanto antes", sem dar nenhum passo além disso. Na Fala do Trono que encerrou a sessão legislativa daquele ano, em momento algum a princesa citou "a questão servil" — eufemismo usado até então para se referir à escravidão nos pronunciamentos imperiais. O jornal de José do Patrocínio, *Cidade do Rio*, acusou a princesa de conivência com os fazendeiros e estampou o título "A regência ensanguentada" em letras garrafais na manchete de sua edição de 21 de novembro de 1887. O artigo dizia: "Vossa Alteza [a Princesa Isabel], para firmar a autoridade regencial e consolidar o trono que vos deve pertencer, sanciona os crimes que o governo manda praticar".[13]

Um episódio ocorrido em Itu, interior de São Paulo, em 1880, ilustra bem o clima de tensão no início da última década da campanha abolicionista. Acusados de assassinar o filho do fazendeiro Valeriano José do Vale, quatro escravos foram presos e indiciados pela polícia. Antes do julgamento, porém, foram arrancados da cadeia pública e massacrados por uma multidão armada de machado, enxadas, facas e foices. Os fazendeiros aproveitaram o acontecimento para reforçar o discurso de que o abolicionismo poderia mergulhar o país no caos. O advogado Luiz Gama, por sua vez, chamava as vítimas do linchamento de "quatro apóstolos do dever" e que "morreria de nojo, se por torpeza me achasse entre essa horda inqualificável de assassinos".[14]

Outro caso especialmente dramático, de grande repercussão nacional, ocorreu em Penha do Rio do Peixe, atual município de Itapira, interior paulista, onde o jovem delegado Joaquim Firmino de Araújo Cunha, de 33 anos, foi trucidado com toda a sua família no início de 1888. No cargo desde 1885, Joaquim revelou-se um dedicado abolicionista que se recusava a caçar e prender escravos fugitivos. Sua atuação atraiu a ira dos fazendeiros locais, entre eles dois ex-combatentes da guerra civil norte-americana, James Ox Warne, conhecido pelo apelido de "Boi", e John Jackson Klink. Ambos tinham imigrado para o Brasil depois da derrota dos confederados. Junto, trouxeram a chamada Lei de Lynch (*Lynch Law*, em inglês), prática muito comum no sul escravista dos Estados Unidos, que pregava o linchamento de adversários e negros rebeldes. A expressão se referia a William Lynch, fazendeiro e juiz do condado de Pittsylvania, no estado da Virginia, famoso pelas execuções sumárias, em geral por enforcamento, de homens e mulheres negros acusados de crimes ou insubordinação.[15]

Por pressão do Clube da Lavoura, do qual Warne e Clink faziam parte, em 11 de fevereiro de 1888, o presidente da província, Francisco de Paula Rodrigues Alves, futuro presidente da República, demitiu o delegado. Na madrugada do mesmo dia, insuflado pelos fazendeiros, um grupo de duzentas pessoas armadas com facas, espingardas e pedaços de pau cercou a casa em que ele se abrigava com a família, mais quatro escravos fugitivos. As paredes ficaram crivadas de balas. Joaquim Firmino foi alvejado quando tentava fugir pulando o muro de uma residência vizinha. Ao cair, foi massacrado a golpe de porretes. Sua mulher conseguiu se salvar escondendo-se dentro do forno à lenha.

Após o assassinato de Joaquim Firmino, o grupo se dirigiu a duas casas próximas, onde moravam os abolicionistas Pedro Cândido de Almeida e Bento da Rocha Campos. Felizmente, os dois tinham se refugiado em outro local naquele momento. "O governo se regabofeia numa orgia de sangue", acusou o jornal *Cidade do Rio*, de José do Patrocínio. "O morticínio tornou-se o complemento necessário da escravidão."[16] No inquérito policial aberto em seguida, 32 pessoas foram indiciadas pelo crime de homicídio. Os fazendeiros contrataram para sua defesa o mais famoso advogado do estado de São Paulo, Brasílio Machado, pela quantia de 100 contos de réis, valor suficiente para comprar entre cinquenta e setenta escravos na época. No dia 7 de julho de 1888, dois meses após a assinatura da Lei Áurea, o júri anunciou a decisão unânime: todos os acusados foram considerados inocentes. Para substituir o delegado morto, o governo provincial nomeou o major Guilherme José do Nascimento, proprietário de 180 escravos. Em 1890, Penha do Rio do Peixe mudou de nome, na tentativa de se livrar da má fama que o caso lhe trouxera. Virou Itapira, topônimo que, em tupi guarani, significa "pedra levantada". O idealizador do projeto foi o ex-confederado John Jackson Klink, que àquela altura já era presidente da Câmara Municipal.

25. ALIANÇA ESCRAVOCRATA

> *"Nós queremos negros baratos, e muitos deles."*
>
> William L. Yancey, representante do
> sul escravista dos Estados Unidos, em 1858,
> vésperas da Guerra da Secessão

Em novembro de 1865, último ano da Guerra da Secessão nos Estados Unidos, um pequeno texto com o título "Emigração para o Brasil" chamava a atenção dos leitores do jornal *Enquirer*, de Columbus, estado da Geórgia. Era uma convocação dirigida a um grupo de agricultores confederados, o lado perdedor no conflito. Todos deveriam se deslocar até a cidade portuária de Mobile, no Alabama, de onde partiriam para o Brasil a bordo de "um navio confortável, de grande tonelagem, com acomodações para quinhentos passageiros". Chefes de família e pessoas solteiras pagariam trinta dólares pela viagem. Outros familiares com idade acima de doze anos, vinte dólares. Crianças, dez dólares. O pagamento seria feito em moedas de ouro. Cada família teria permissão para levar uma tonelada de carga. Já para os solteiros, o limite era de 100 quilos. A primeira etapa da jornada teria como destino a cidade de Belém, no Pará, de onde, após algum descanso, a embarcação seguiria para um local da floresta amazônica situado "entre 5 e 10 graus de latitude" e chamado "Colônia Pioneira do Major Hastings". O percurso total, de 3.218 quilômetros, seria coberto em "cerca de três semanas"[1].

O promotor da viagem, o major Warren Lansford Hastings, veterano combatente das tropas confederadas, era um aventureiro bastante conhecido nos Estados Unidos. Um livro de sua autoria ajudara a promover a marcha para o Oeste, em que milhares de pessoas cruzaram as montanhas Rochosas rumo ao Oregon e à Califórnia. Na época da guerra civil, seus olhos haviam-se voltado para a Amazônia brasileira, que considerava a última grande fronteira do continente a ser ocupada pelos norte-americanos. Com esse objetivo, embarcara quatro vezes para o Brasil. Na primeira, percorrera durante seis meses parte da região que pretendia colonizar. Antes de retornar aos Estados Unidos, assinou um contrato com o governo do Pará, no qual se comprometia a transportar para o Brasil entre trezentos e quatrocentos colonos com grande conhecimento em cultivo de lavouras e agroindústria. Na segunda viagem, partiu com um grupo de imigrantes de Nova Orleans, mas a embarcação naufragou nas costas de Cuba. Os sobreviventes foram resgatados e levados para o México. Na terceira, houve uma nova tragédia: o navio se viu forçado a regressar em razão de uma epidemia de varíola a bordo. Quarenta e seis passageiros morreram. A quarta e última viagem — a do anúncio acima, publicado no jornal *Enquirer* — foi também o desfecho da saga pessoal de Hastings. Dessa vez, seu grupo de 109 colonizadores conseguiu chegar a Santarém no final de 1867, viajando a bordo do navio *Inca*, mas ele morreu de febre amarela ainda no meio da jornada, na ilha de Saint Thomas, no Caribe, sem ver o sonho realizado.

Pelos termos do contrato assinado com Hastings, o governo do Pará se comprometia a pagar as passagens, dar abrigo e alimentação aos imigrantes por seis meses e lhes vender 60 léguas quadradas de terras públicas (devolutas) situadas às margens do rio Tapajós, afluente do Amazonas, onde todos ficariam sob os cuidados do então coronel Miguel Antônio Pinto Guimarães, barão de Santarém, vice-presidente da província e pessoa de muita influência na região. No começo de 1868, a colônia já contava com cerca de duzentas pessoas. No total, o governo do Pará desembolsou cerca de 13 mil dólares no projeto, média de 65 dólares para cada imigrante adulto. Inicialmente, Hastings queria mais: que a colônia tivesse autonomia em relação ao governo brasileiro e fosse regida por suas próprias leis e regulamentos, proposta recusada pelas autoridades imperiais.

A exótica e arriscada viagem do Major Hastings e seus colonos era parte de uma grande onda migratória que traria milhares de norte-americanos — entre 3 mil e 4 mil, segundo algumas estimativas — para o Brasil até o final daquela década. Eram, em sua maioria, fazendeiros confederados donos de escravos que, no decorrer da guerra, tinham perdido grande parte de seu patrimônio representado por lavouras, benfeitorias e, principalmente, gente cativa. "Muitos ricos sulistas estão se mudando para o Brasil e ali se estabelecendo", informava o jornal *The New York Times* na edição de 22 de novembro de 1864. "Fazem isso para ficar com seus escravos em um lugar onde não serão molestados."[2]

Entre 1865 e 1867, os norte-americanos instalaram seis colônias agrícolas no Brasil. A de Santarém, organizada pelo major Hastings, teve vida curta. Vitimados por doenças, como a malária, e assustados com as precárias condições de vida na Amazônia brasileira, muitos agricultores retornaram aos Estados Unidos. Os demais se dispersaram em busca de oportunidades em

Belém, Manaus e outras cidades e regiões. Somente nove famílias permaneceram morando nas terras concedidas no Baixo Amazonas, onde muitos de seus descendentes vivem ainda hoje. Destino semelhante tiveram as colônias instaladas em Linhares, no Espírito Santo; Paranaguá, no litoral paranaense; Juquiá e New Texas, na divisa de São Paulo com o Paraná. Todas desapareceram sem deixar muitos vestígios.

A maior, mais bem-sucedida e duradoura de todas as colônias confederadas no Brasil prosperou e existe ainda hoje nos municípios de Santa Bárbara d'Oeste e Americana, no interior de São Paulo. Ali, todos os anos, no mês de abril, milhares de pessoas se reúnem para comemorar a chegada dos primeiros colonos no Brasil. Em Santa Bárbara, a festa confederada ocorre no Cemitério do Campo, administrado pela Fraternidade de Descendência Americana, onde estão enterrados os fundadores da cidade. Inclui danças, músicas e comidas típicas do sul dos Estados Unidos, como churrasco, hambúrguer e frango frito. No início das celebrações, hasteiam a bandeira e cantam o hino confederado, os mesmos símbolos que acompanhavam os soldados rumo aos campos de batalha na guerra civil de um século e meio atrás. Um obelisco emoldurado pela bandeira confederada marca a entrada do cemitério, criado depois que um funcionário do município recusou aos imigrantes norte-americanos, todos protestantes, o direito de sepultar seus mortos no local reservado aos católicos, praticantes da religião oficial do Império brasileiro no século XIX. Uma das avenidas dentro de um condomínio fechado da cidade leva o nome de Robert E. Lee, em homenagem ao general que comandou as forças rebeldes durante a Guerra da Secessão. Em 1972, Santa Bárbara recebeu dois visitantes ilustres, que lá foram homenagear a memória dos confederados: o então governador da Geórgia e futuro presidente dos Estados Unidos, Jimmy Carter, acompanhado de sua mulher, Rosalynn.

A colônia de Santa Bárbara e Americana foi fundada pelo coronel William Hutchinson Norris, ex-senador no estado do Alabama, e seu filho, Robert Norris. Ambos chegaram ao Brasil em 27 de dezembro de 1865. Tendo já acumulado bom patrimônio cultivando algodão nos Estados Unidos, se enriqueceram ainda mais plantando café no Brasil. Logo após o desembarque, compraram três escravos — Manuel e Jorge, para ajudar na agricultura, e Olympia, para o trabalho doméstico. O coronel era maçom. Fora grão-mestre da Grande Loja do Alabama, o que lhe dava certa afinidade com algumas das mais altas autoridades do Império brasileiro também adeptas ou simpatizantes da maçonaria, incluindo o imperador Pedro II. Seu retrato está pendurado atualmente na Galeria de Mestres Passados, na loja de Montgomery, capital do Alabama, com a data de 1861-1862. O filho, Robert, também era maçom, iniciado no Fulton Lodge do condado de Dallas, também no Alabama. Ao chegar ao Brasil, o coronel convidou outros confederados para formar uma loja na colônia de Santa Bárbara, seguindo o Rito de York. Recebeu o nome de loja *George Washington*, em homenagem ao primeiro presidente americano, também ele maçom e grão-mestre da principal loja da Virginia na época da Independência dos Estados Unidos. O idioma falado nas reuniões era o inglês.

Os descendentes dos colonos confederados, hoje espalhados por todas as regiões do Brasil, somariam aproximadamente 100 mil pessoas. Entre eles estão pessoas famosas, como a cantora Rita Lee Jones, a ministra aposentada do Supremo Tribunal Federal Ellen Gracie Northfleet e o engenheiro, já falecido, José Luiz Whitaker Ribeiro, fundador da Engesa, maior fabricante brasileira de tanques e armamentos militares entre as décadas de 1970 e 1980. O tio de Rita Lee, Leonard Yancy Jones, fundou a primeira estação de rádio pública de São Paulo. O Hospital Pérola Byington, centro de referência em saúde da mulher em São Paulo, deve sua criação à ativista social e filantropa Pérola Ellis Byington, filha de um dos pioneiros de Santa Bárbara d'Oeste. Já falecida, era bisavó da atriz Bianca Byington e da cantora Olívia Byington (mãe do ator, escritor e humorista Gregório Byington Duvivier).

Um caso curioso na história dos colonos confederados é o de Steve Watson, um dos poucos escravos alforriados após a guerra civil que decidiram acompanhar seus antigos donos na mudança para o Brasil. Steve e seu ex-proprietário, o juiz Dyer, do Texas, se instalaram na colônia New Texas, situada na divisa entre Paraná e São Paulo. Inteligente e empreendedor, Steve logo aprendeu a falar português e assumiu o comando de uma serraria no interior paulista que vendia madeira para o Rio de Janeiro. Também adotou o sobrenome de um sobrinho do juiz Dyer, Columbus Watson. Quando o juiz decidiu retornar aos Estados Unidos com a família, Steve herdou suas terras, casou-se com uma brasileira e mudou novamente o sobrenome, dessa vez para "Vassão", pronúncia abrasileirada de Watson. Hoje, a família Vassão está espalhada por todo o Brasil. É especialmente numerosa no Vale do Rio Juquiá, onde o ex-escravo Steve viveu até o fim da vida.[3]

A experiência da viagem confederada ao Brasil foi registrada em diários pessoais de duas mulheres, Julia Louisa Hentz Keyes e Eliza Kerr, hoje documentos preciosos para o estudo dos historiadores. Julia, autora do relato mais detalhado, era filha da escritora e romancista Caroline Lee Hentz. Ela e o marido, o dentista John Washington Keyes, veterano da guerra civil, eram parte do grupo de 350 colonos que, liderado por Charles Grandison Gunter, advogado e fazendeiro, e pelo pastor protestante Ballard Dunn, partiu de Nova Orleans rumo ao Rio de Janeiro no dia 16 de abril de 1867 a bordo do navio *Marmion*, fretado pelo governo brasileiro por 40 mil dólares. A viagem tinha como destino final a colônia agrícola de Linhares, situada às margens do rio Doce, na província do Espírito Santo. Entre os passageiros, segundo o diário de Julia Keys, havia criadores de gado do Texas e agricultores do vale do rio Mississippi. A maioria dos homens havia lutado na guerra. Julia e o marido permaneceram no Brasil apenas três anos. Em 1870, desanimados com as condições de vida na colônia, retornaram aos Estados Unidos.

Ao chegar ao Brasil, o grupo do qual Julia fazia parte recebeu de imediato um subsídio em dinheiro do governo imperial, além de acomodações temporárias gratuitas em um hotel para estrangeiros. Em seu diário, ela registrou a primeira impressão que teve do local onde foi hospedada:

> *Filas de palmeiras imperiais ladeavam o caminho que conduzia desde o portão até as escadarias do prédio. Vimos de cada lado grandes bacias em mármore, onde fontes haviam jorrado um dia, e bancos [também] de mármore sob árvores recobertas por videiras. Flores alegres e lindas cresciam nos canteiros. O coronel Broome [ex-oficial confederado] nos mostrou nossos apartamentos, equipados com móveis limpos, cama de ferro e lavatórios — todos pintados de verde. Havia mesas e cadeiras suficientes para todos. As paredes dos quartos estavam revestidas com muito bom gosto, e [havia] alguns com afrescos e dourados nos tetos. [...] Recebemos muitas visitas de brasileiros e de americanos abrasileirados.*

Outra passageira do *Marmion*, Eliza Kerr, descreveu o primeiro contato dos confederados com a escravidão brasileira. Logo à chegada, um aguaceiro torrencial tinha caído sobre a cidade do Rio de Janeiro, as ruas estavam inundadas e multidões de negros escravizados ajudavam seus senhores brancos a atravessar a enxurrada e as poças de água, carregando-os no colo para que não molhassem os pés:

> *Era por demais engraçado assistir à procissão de imensos negros africanos transportando pelas ruas cavalheiros elegantemente vestidos. Estes, envergando chapéus de seda e carregando guarda-chuvas, ficavam bem eretos, mantendo-se imóveis, e os negros agarravam-nos pelos joelhos e atravessavam as torrentes, deixando-os a salvo e secos do outro lado.*[4]

Dois dias após a chegada ao Rio de Janeiro, os confederados foram surpreendidos pela visita do imperador Pedro II, que vinha lhes dar as boas-vindas. Julia Keyes o descreveu assim no seu diário:

> *O imperador tinha cerca de 46 anos de idade [...], cabelo e barba pesada um pouco cinza, olhos azuis e nariz ligeiramente aquilino. Seu semblante expressava gentileza e dignidade agradáveis, e foi embora antes que a multidão percebesse que estava diante de sua augusta presença. Mais tarde soubemos que ele disse estar muito satisfeito com a aparência dos americanos.*[5]

Ainda segundo o diário de Julia Keyes, logo após o desembarque no Rio de Janeiro, os antigos confederados americanos receberam informações minuciosas a respeito das condições em que eram acolhidos pelo Império do Brasil:

O governo venderia terras em qualquer uma de suas colônias, nas localidades que os imigrantes preferissem. As escrituras de posse seriam lavradas de imediato após o pagamento de um valor entre um e dois réis por braça quadrada (cerca de 4,5 m²), quantia irrisória na época;

Teriam direito a transporte gratuito do Rio de Janeiro até o porto mais próximo do local para onde eles desejassem partir.

Imigrantes que comprassem terras teriam direito à cidadania brasileira após dois anos de residência. Ou até antes disso, caso requeressem dispensa especial ao parlamento. Nesse caso, seriam naturalizados imediatamente, com os mesmos direitos assegurados aos demais brasileiros;

Os novos cidadãos naturalizados estariam isentos do serviço militar, o que na época seria um grande benefício considerando-se que o Brasil estava em guerra com o Paraguai e milhares de outros brasileiros eram obrigados a se juntar às forças de combate em processos de recrutamento forçado e obrigatório;

Por fim, teriam plena liberdade para exercerem seus negócios, a proteção de suas casas, garantia de propriedade material ou intelectual, tolerância religiosa assegurada, inviolabilidade de correspondência postal e educação primária gratuita.[6]

Em resumo, o Brasil oferecia a emigrantes recém-chegados direitos, garantias e privilégios que sempre foram negados a milhões de outras pessoas já residentes no território nacional, incluindo os indígenas e os escravos, que não eram considerados cidadãos perante as leis, e os pobres livres ou libertos, que não tinham acesso à educação gratuita, muito menos à terra, à moradia e outros benefícios assegurados aos brasileiros de ascendência europeia.

***

A Guerra da Secessão é considerada a maior tragédia humanitária e econômica da história dos Estados Unidos. Teve como principal motivo a luta pelo fim da escravidão, e seus reflexos podem ser observados até hoje na sociedade norte-americana, profundamente dividida na questão racial. Começou em 1861, quando os representantes do Sul tentaram constituir um país independente, os Estados Confederados da América, separados da União, como era chamada a aliança constituída pelas unidades federativas do Norte. Nos quatro anos de luta armada que se seguiram, o preço pago em vidas humanas e prejuízos materiais foi altíssimo. Ao todo, morreram 620 mil soldados, sendo 260 mil entre os confederados e 360 mil as tropas da União. Somando-se as perdas civis, o total de vítimas chegaria a 750 mil. O próprio presidente Lincoln perderia a vida, assassinado a tiros pelo ator de teatro John Wilkes Booth, ao fim da guerra, em 1865. Cerca que 200 mil soldados negros foram recrutados ou alistaram-se voluntariamente nas forças do Norte. Um quinto deles pereceu nos campos de batalha. Calcula-se que o estrago econômico produzido pelo conflito tenha sido equivalente a mais de três vezes o valor estimado de todos os cerca de 4 milhões de escravos existentes no país em 1860, às vésperas do início dos combates.[7]

Foi esse o desfecho catastrófico de uma divisão que se arrastava entre os norte-americanos desde o século anterior. Os estados do Norte, mais industrializados e menos dependentes da agricultura, tinham aderido ao abolicionismo desde cedo. O Sul, ao contrário, tinha sua principal fonte de riqueza nas lavouras de algodão, arroz, tabaco e cana-de-açúcar cultivadas por mão de obra cativa. Era escravista até a medula e assim permaneceu até ser esmagado pelas tropas da União. A escravidão garantia aos fazendeiros fortuna, prestígio e poder político sem igual. No início da guerra, o vale do rio Mississippi tinha a maior concentração de milionários per capita entre a população branca dos Estados Unidos. Nos bancos de Nova Orleans, no estado de Louisiana, havia mais capital investido do que na cidade de Nova York.[8] Em 1858, durante uma reunião dos futuros estados confederados na cidade de Montgomery, William L. Yancey, jornalista, político e diplomata que mais tarde seria eleito para o senado, explicou nos seguintes termos as necessidades dos fazendeiros: "Nós queremos negros baratos, e muitos deles, em número suficiente para suprir a demanda de algodão do mundo todo".

Nos anos que antecederam o conflito, a grande divergência estava relacionada à continuidade da escravidão não apenas no Sul, mas também nos territórios recém-conquistados, invadidos ou incorporados pelos americanos à oeste, como Nebraska e Kansas. Os representantes do Norte defendiam que essas regiões de ocupação, para onde se dirigiam os pioneiros do chamado faroeste, fossem consideradas livres. As lideranças do Sul insistiam que queriam explorá-las com o uso de mão de obra escravizada. A eleição, em 1860, do presidente Abraham Lincoln, defensor das posições do Norte, serviu de pretexto para que os sulistas proclamassem a Confederação e pegassem em armas.

Em 1865, quando soou o último tiro de canhão do conflito, com suas fazendas e cidades em ruínas, muitos confederados decidiram deixar tudo para trás e partir — para o Oeste, para o Alasca (comprados dos russos pelos norte-americanos em 1867, pelo preço de 7,2 milhões de dólares) ou para outros países, onde pudessem reconstruir o que haviam perdido. O Brasil aparecia como uma boa alternativa por um motivo óbvio. Era o último grande território escravista da América, ainda mal tocado pelos ventos abolicionistas. O fim do tráfico de cativos africanos era ainda recente no país. Os escravos eram numerosos e, do ponto de vista dos norte-americanos, relativamente baratos e fáceis de comprar. Em que outro ambiente os antigos escravocratas dos Estados Unidos poderiam manter o estilo de vida que haviam desfrutado antes da guerra?

O Império brasileiro, por sua vez, tinha interesse em atrair os colonos norte-americanos, que traziam técnicas modernas de plantio e cultivo até então desconhecidas em território nacional.

Além disso, eram brancos, descendentes de europeus, condição que se encaixava no projeto de "branqueamento" da população defendido por boa parte da elite imperial. "A raça anglo-americana não tem nenhum rival no mundo", dizia um artigo publicano no jornal *Diário de São Paulo*, em 26 de setembro de 1865. E prosseguia:

> *A grande luta pela qual eles passaram estabelece bem o seu destaque. É a raça mais adequada a nós. Eminentemente trabalhadora, empreendedora e perseverante e dará um impulso notável ao nosso país. Não é possível calcular o rápido progresso que este país poderá ter se esta raça vier, aproveitando nossos recursos naturais.*[9]

Em anúncios publicados nos jornais da Confederação, o governo imperial prometia aos rebeldes terras férteis e abundantes, prontas para serem ocupadas em um país favorável à escravidão.

As relações cordiais e amigáveis entre os dois maiores territórios escravistas do Novo Mundo podem ser medidas pelo tom laudatório de um poema publicado em 18 de março de 1866 no jornal *New Orleans Picayune*, da Louisiana:

> *Oh, deem-me um barco com vela e leme,*
> *E deixem-me partir para o feliz Brasil!*
> *Anseio gozar de sua eterna primavera,*
> *E apertar a mão de dom Pedro seu rei,*
> *Ajoelhar-me a seus pés...*
> *Chamá-lo de Meu Patrão Real*
> *E receber de volta, "Bem-vindos Old Hoss.*[10]

Em virtude dessas afinidades, o Império Brasileiro foi, entre todos os governos da América Latina, o que mais deu apoio ao Sul escravista dos Estados Unidos durante a Guerra da Secessão. Contrariando o desejo do presidente Lincoln, para quem os confederados eram rebeldes a serem trazidos de volta ao seio da União pela força das armas, o Brasil concedeu à Confederação o status formal de nação beligerante, reconhecimento que poucos outros países concordaram em adotar. Nessa condição, navios sulistas foram acolhidos em portos brasileiros, onde receberam proteção contra eventuais ataques, além de água, madeira, carvão e outros suprimentos. "Era como se o Brasil fosse apenas mais um dos Estados Confederados da América", observou o historiador Gerald Horne.[11]

Entre os colonos recém-chegados havia médicos, dentistas, pastores evangélicos, comerciantes, agricultores, ferreiros, carpinteiros, entre outras atividades e profissões. Sarah Miller, esposa do confederado James Miller, foi uma das idealizadoras do Colégio Internacional de Campinas, dirigido pela igreja presbiteriana e visitado pelo imperador Pedro II na década que antecedeu a Lei Áurea. Havia também oficiais de alta patente no derrotado exército sulista, incluindo muitos coronéis e capitães e pelo menos dois generais, Wallace W. Wood, do Mississippi, e A. T. Hawthorne, do Texas.

Advogado e editor do jornal *Natchez Free Trader*, o general Wood embarcou no navio *Montana* em agosto de 1865. Mais tarde juntou-se a ele o médico James McFadden Gaston, residente na cidade de Columbia, na Carolina do Sul, e autor do livro *Hunting a Home in Brazil* ("Em busca de uma casa no Brasil"), que servira nas tropas do general Robert Lee. Ao chegarem ao Rio de Janeiro, Wood e Gaston foram recebidos pessoalmente pelo imperador Pedro II acompanhado de uma multidão que, convocada pelo governo, se aglomerava por três quarteirões gritando "Vivas" aos confederados ao som de bandas de música. Wood participou de diversas recepções oficialmente promovidas em sua homenagem. Quando retornou aos Estados Unidos, em janeiro de 1886, o imperador o nomeou adido oficial de emigração do Brasil. Nessa condição, Wood percorreu o sul norte-americano com o objetivo de promover as vantagens da mudança para o Brasil. Dom Pedro II também abriu escritórios de imigração em Washington e Nova York. O de Nova York foi chefiado pelo jornalista Quintino Bocaiúva, que, mais tarde, se tornaria chefe do Partido Republicano, responsável pela queda do Império brasileiro no dia 15 de novembro de 1889.

Em seus relatórios sobre o resultado da viagem ao Brasil, Wood e Gaston recomendavam que os confederados comprassem terras em um triângulo formado pelos municípios de Araraquara, Jaú e Limeira, onde mais tarde brotariam as cidades de Americana e Santa Bárbara d'Oeste. Eram terras roxas e férteis, dominadas pelas ricas plantações de café e cana-de-açúcar, onde o governo imperial pretendia também estimular o cultivo do algodão, a principal especialidade dos confederados. Em seus apontamentos, Gaston observou que, no Brasil, um escravo poderia ser comprado pela metade do valor que se pagaria por ele nos Estados Unidos.

Confirmando as expectativas das autoridades imperiais, os colonos norte-americanos promoveram uma pequena revolução nas técnicas agrícolas até então praticadas no Brasil. Chegavam com sementes de melhor qualidade, arados e outros implementos, carroças e maquinarias, como descaroçadoras de algodão, moinhos de trigo e forjas de metal. Traziam também armas e cachorros de caça, atividade que logo se transformou no passatempo favorito desses imigrantes no interior do Brasil. A famosa melancia da Geórgia (conhecida em inglês como *Georgia Rattlesnake Watermelon*) começou a ser plantada no interior paulista a partir de um punhado de sementes transportadas no bolso do fazendeiro Joseph Whitaker. A melancia já era uma fruta bem conhecida no Brasil, importada, curiosamente, da África a bordo dos navios negreiros. Entretanto, a variedade norte-americana, de casca verde-escura rajada e formato alongado, se revelou muito mais suculenta e produtiva. Hoje, domina o mercado brasileiro.[12]

Junto com sementes e novas técnicas de cultivo agrícola, os confederados trouxeram dos Estados Unidos as práticas cruéis no tratamento de escravos a que estavam habituados. Em 1873, um dos imigrantes norte-americanos, o coronel Oliver, foi morto por um negro cativo a enxadadas enquanto vistoriava suas lavouras. Os homens das famílias vizinhas se reuniram e lincharam o escravo, que foi pendurado no galho de uma frondosa árvore.[13] A chamada Lei de Lynch (origem do vocábulo "linchamento" em português) era uma prática antiga entre os donos de escravos no Sul confederado, como se viu em um dos capítulos anteriores.

Em paralelo ao projeto de imigração dos fazendeiros confederados, na época se discutiu intensamente nos Estados Unidos um plano de colonização da Amazônia com negros libertos americanos.[14] Para muitos brancos nos Estados Unidos, não bastava abolir a escravidão. Era preciso também se livrar dos negros libertos e seus descendentes, de modo a assegurar que o país fosse no futuro dominado por pessoas de ascendência europeia. Parte desse plano resultou na criação da Libéria, hoje um país independente na costa da África colonizado por ex-escravos norte-americanos. Antes da guerra, entre os simpatizantes da ideia estava ninguém menos que o presidente Lincoln.

Foi com esse espírito que Lincoln, ao assumir a presidência, em 1861, nomeara como ministro plenipotenciário dos Estados Unidos no Brasil o diplomata James Watson Webb, um ardoroso defensor de ideias racistas que via a libertação de escravos como potencialmente mais perigosa do que a escravidão em si. Em uma carta ao secretário de Estado de Lincoln, William Henry Seward, Webb escreveu:

> *É do interesse dos Estados Unidos e absolutamente necessário para sua tranquilidade interna que se livre da instituição da escravidão, mas também [...] se torna indispensável que o negro liberto seja exportado para fora de nossas fronteiras, pois conosco ele jamais poderá gozar de igualdade social ou política [...]. A ausência [de negros] seria uma benção para os Estados Unidos, que se livrariam de uma maldição que quase os destruiu.*[15]

Outro eloquente defensor do plano foi Matthew Fontaine Maury.[16] Nascido na Virginia, cientista e oceanógrafo, Maury comandou a Marinha confederada durante a guerra civil. Enxergava a Amazônia como uma "válvula de escape" para os negros libertos norte-americanos:

> *Vamos esperar que os Estados Unidos tenham uma superpopulação da raça negra? Cedo ou tarde, essa hora chegará, não pode deixar de chegar, as duas raças se engalfinharão numa luta mortal para decidir quem manda. Nesse caso, onde iremos encontrar um escoadouro para eles [os negros]? No Vale do Amazonas. [...] O Vale do Amazonas é a saída.*

Mais do que uma colônia para se livrar dos negros, Maury olhava com cobiça para o território brasileiro. Por volta de 1850, uma década antes da guerra civil, traçou um plano de ocupação da Amazônia por colonos norte-americanos, acompanhados de seus escravos obviamente. Seria o primeiro passo para sua anexação definitiva ao território dos Estados Unidos. O documento definia os brasileiros como um "povo imbecil e indolente", incapaz de explorar de forma inteligente os recursos naturais da Amazônia:

Quem deve povoar o grande vale do poderoso Amazonas? Deve ele ser habitado por um povo imbecil e indolente ou por uma raça empreendedora, que tem a energia e a iniciativa capazes de subjugar a floresta e desenvolver e utilizar os vastos recursos que ali jazem ocultos?

Maury não era uma voz excêntrica ou isolada. Em meados do século XIX, o jornal *Southern Standard*, de Charleston, na Carolina do Sul, defendia que Estados Unidos e Brasil se associassem em uma grande confederação americana escravista, capaz de fazer frente às pressões da Inglaterra e do movimento abolicionista contra o tráfico de africanos escravizados: "Haverá um tempo em que todas as ilhas e regiões adequadas para a escravidão africana, entre nós e o Brasil, estarão sob controle dessas duas potências escravistas".

A guerra civil levaria esses planos por água abaixo nos Estados Unidos. Do sonhado império escravista americano, restaria apenas o Brasil, o último pedaço do continente a abolir o cativeiro — mais de duas décadas depois de silenciadas as armas nos campos de batalha dos confederados.

26. MARÉ BRANCA

> *"A vitória na luta pela vida, entre nós, pertencerá ao branco."*
>
> Sílvio Romero, crítico literário,
> juiz e deputado sergipano, em 1880

Enquanto o Brasil, depois de muita relutância, caminhava para a Abolição da Escravatura, uma notável mudança se deu na paisagem das cidades e lavouras nacionais. Foi a chegada de centenas de milhares de imigrantes europeus aos mesmos portos onde, até algumas décadas antes, navios negreiros despejavam outras centenas de milhares de africanos escravizados. A acolhida que o país lhes dava, porém, era muito diferente daquela antes reservada aos cativos. Os colonos europeus recebiam, entre outros incentivos, passagens entre a Europa e o Brasil, hospedagem durante os oito primeiros dias após o desembarque e transporte terrestre para toda a família com seus pertences até o destino final da viagem — tudo por conta do governo. As acomodações nas fazendas de café situadas no interior paulista obviamente não chegavam a ter o padrão de conforto das casas-grandes, mas, ainda assim, eram bem melhores do que as precárias senzalas existentes até então. Para garantir a sobrevivência nos primeiros meses, cada adulto receberia uma subvenção pessoal de 150 mil réis. Crianças teriam direito à metade dessa quantia. Para se ter uma ideia desses valores: na época, um bispo recebia um salário mensal de 300 mil; um almirante da Marinha, 500 mil; um coronel do Exército, 370 mil; um professor catedrático, 400 mil. Em São Paulo, uma dúzia de ovos custava mil réis; uma lata de manteiga, 2.300; um sanduíche, 1.500; uma lata de bolachas inglesas, 1.200; um terno de casimira importada, cortado sob medida, algo entre 50 mil e 60 mil; um par de sapatos também importados, entre 10 mil e 12 mil; a diária de um hotel, entre 4 mil e 6 mil.[1]

A importação de colonos estrangeiros era um projeto antigo, ainda da época da corte de dom João no Rio de Janeiro, em que foram criados pequenos núcleos de colonização com alemães e suíços, mas o plano havia sido adiado devido à abundância de mão de obra cativa. Com a proibição do tráfico, pela Lei Eusébio de Queirós, de 1850, isso começou a mudar, ainda que em ritmo lento. Os preços dos escravos dispararam. Mesmo com o tráfico interprovincial, a escassez da mão de obra cativa era cada vez acentuada. A solução, para os fazendeiros, estava em estimular a imigração. Entre 1886 e 1900, o Brasil receberia cerca de 1,3 milhão de imigrantes europeus, 60% dos quais eram italianos. O número era quase o dobro de toda a população escrava existente no país no ano da Abolição. No final do século, o estado de São Paulo concentrava sozinho a metade dos novos colonos, 529.187 no total.[2] O número anual de recém-chegados da Europa nas lavouras paulistas, especialmente da Itália, aumentou de 6.500 em 1885 para 32 mil em 1887 e 90 mil em 1888.[3]

A imigração estrangeira chegou tarde ao Brasil e em número muito menor do que o desejável porque o país jamais conseguira criar o ambiente propício para atrair colonos livres. Isso vigorou até que a Abolição transformou o projeto em uma questão de sobrevivência nacional. Paraíso do latifúndio, o Brasil tinha, em 1865, 80% de suas áreas cultiváveis nas mãos de um número relativamente pequeno de grandes proprietários. Ser dono de terras e escravos era sinônimo de prestígio social e poder político, mas, em grande parte, as fazendas eram improdutivas e em nada contribuíam para gerar riquezas. "O monopólio da terra para deixá-la estéril e desaproveitada é odioso e causa inúmeros e gravíssimos males sociais", criticou, em 1887, o carioca Alfredo d'Escragnolle Taunay, futuro visconde de Taunay.[4]

Abolicionistas como o pernambucano Joaquim Nabuco e o baiano André Rebouças defendiam a criação de um imposto territorial como forma de acabar com o latifúndio improdutivo, democratizar a propriedade da terra e atrair imigrantes estrangeiros. Acreditavam que essa medida, junto com a Abolição da escravidão, elevaria o país a um novo patamar de desenvolvimento. "Uma é o complemento da outra", escreveu Nabuco. "Ninguém neste país contribui para as despesas do Estado em proporção dos seus haveres. O pobre carregado de filhos paga mais impostos [...] do que o rico sem família. [...] Acabar com a escravidão não basta; é preciso destruir a obra da escravidão."[5]

O manifesto da Confederação Abolicionista, fundada no Rio de Janeiro em 1883, acusava os grandes latifundiários e o sistema escravista de levar o país à ruína ao inviabilizar todo incentivo ao trabalho livre. Rebouças, um dos criadores da Sociedade Central de Imigração (SCI), também em 1883 defendia o que chamava de uma "democracia rural". O objetivo da SCI, segundo seu boletim de lançamento, era estimular a pequena propriedade, sob o argumento de que o desejo fundamental de todo imigrante que chegava da Europa era sempre tornar-se proprietário, por menor que fosse seu pedaço de terra. Afinal, fora desse modo que os Estados Unidos, na mesma época, tinham atraído milhões de colonos estrangeiros e conseguira ocupar suas vastas fronteiras no Oeste distante (o chamado "faroeste"). Rebouças afirmava que esse seria um item essencial das muitas reformas que o Império Brasileiro deveria fazer se quisesse ter alguma chance de sobrevivência no longo prazo:

> *O Império necessita de reformas sociais, econômicas e financeiras importantíssimas que permitam o aproveitamento de milhares e milhares de indivíduos que vegetam em nossos sertões, e ao mesmo tempo atraiam a imigração espontânea da população superabundante na Europa.*

> *Infelizmente, não era esse o pensamento dos fazendeiros. Em vez da distribuição de terras, queriam imigrantes apenas como mão de obra barata em suas fazendas, como se fossem escravos brancos. Opunham-se tenazmente a qualquer proposta de reforma agrária. Também não queriam arcar com os gastos da imigração. Exigiam que o governo custeasse a vinda dos colonos ao Brasil, pagando-lhes passagens, estadias e transporte até as fazendas em que trabalhariam — o que, de fato, veio a acontecer. Monopolizavam as melhores terras, em geral sesmarias recebidas mediante trocas de favores com o governo, e deixavam para os colonos os lugares mais distantes, insalubres e improdutivos.*

O hábito de distribuir sesmarias era praticado pela Coroa portuguesa ao longo de todo o período colonial brasileiro, mas o sistema foi sendo desvirtuado após a Independência do Brasil pelas relações de promiscuidade entre o governo imperial e sua base de apoio agrária. Inicialmente, segundo a tradição portuguesa, a finalidade era a cultura efetiva da terra. A medição e a demarcação das áreas cedidas deveriam ter acompanhamento judicial, que evitasse abusos e invasão de propriedades alheias. Havia também um limite para a área de terra a ser doada, cerca de 12 mil hectares. Depois da Independência, esses parâmetros foram abandonados. Terras começaram a ser distribuídas sem critério algum ou supervisão oficial. Passou a valer a lei do mais forte. Quem pudesse ocupar um território e mantê-lo pela força acabava beneficiado pela cumplicidade e o beneplácito das autoridades locais. Algumas propriedades chegavam a ter mais de 200 mil hectares, área seis vezes maior do que a do atual município de Belo Horizonte e quase vinte vezes o limite estipulado originalmente nas leis portuguesas. Isso transformou o Brasil no paraíso do latifúndio improdutivo.[6] Usando do seu poder político, quando não da própria força armada composta por milícias rurais, os fazendeiros se opuseram a todo custo a todas as tentativas de redistribuir os latifúndios por meio de uma reforma agrária. Resistiram também a todas as tentativas de criação de um imposto territorial rural.

Até as vésperas da Abolição, o governo imperial foi cúmplice na resistência dos fazendeiros. Nada mudava nesse quadro. Enquanto durou a monarquia, o imposto territorial jamais conseguiu aprovação no Congresso. Em vez de buscar a "democracia agrária" sonhada por Nabuco e Rebouças, o Brasil fez, pela Lei de Terras de 1850 (não por coincidência, mesmo ano do fim do tráfico negreiro), uma reforma fundiária às avessas, concentrando ainda mais a terra nas mãos de poucos proprietários. Ao contrário dos Estados Unidos que, por meio do *Homestead Act*, uma lei de 1862, autorizou a doação de terras a todos os que nelas desejassem se instalar, a Lei de Terras brasileira ergueu barreiras à aquisição dela tanto por parte de negros libertos como de imigrantes pobres que chegavam da Europa. As terras públicas seriam vendidas à vista e a preços suficientemente altos para evitar o acesso à propriedade àqueles que já não fossem donos de latifúndios. Havia exceções, como no caso dos confederados norte-americanos descritos no capítulo anterior, mas eram relativamente raras. Além disso, muitos estrangeiros que tivessem passagens financiadas para vir ao Brasil estavam impedidos de comprar terras por um determinado período após sua chegada. Era uma forma de obrigá-los a trabalhar nas fazendas no lugar dos escravos antes de conseguir, a muito custo, juntar a poupança necessária para comprar uma pequena propriedade. No ano da aprovação do *Homestead Act*, os Estados Unidos já haviam atraído mais de 5 milhões de imigrantes, especialmente da Europa. Na mesma época, no Brasil, o número não passava de 50 mil. Com as novas leis de posse da terra, a diferença aumentou ainda mais.[7]

Ao perpetuar por muito tempo a dupla condição brasileira de paraíso do latifúndio e maior território escravista do continente americano, a lei de 1850 seria responsável por boa parte do legado de desigualdade e concentração de privilégios e riqueza que marcaria o futuro do país desde então. As duas medidas — o fim do tráfico de escravos e a dificuldade de acesso à propriedade da terra — estavam intimamente conectados.

Além de tardio, o projeto de imigração foi executado, na maioria das vezes, de forma improvisada, quando não desastrada. Uma das primeiras tentativas aconteceu por iniciativa do senador Nicolau dos Campos Vergueiro, um conhecido traficante clandestino de escravos africanos. No começo do século XIX, Vergueiro havia obtido da Coroa portuguesa doações de vastas porções de terras na região de Piracicaba, Limeira e Rio Claro, no interior de São Paulo. Em 1846, iniciou o assentamento de imigrantes europeus na sua fazenda Ibicaba pelo sistema de parceria. Antes de partir da Europa, os colonos assinavam um contrato pelo qual o fazendeiro se comprometia a lhes pagar as passagens de navio, transporte e alimentação até o local de trabalho. Em troca, assumiam o compromisso de cultivar as lavouras até ressarcir o proprietário inteiramente desses valores, pagando 6% de juros ao ano. Receberiam uma parte da produção de café, mas eram obrigados a vendê-la ao próprio fazendeiro pelo preço que lhe conviesse e do qual seriam abatidos os custos de transporte e beneficiamento dos grãos, entre outros. As primeiras 364 famílias vinham da Baváría e da Prússia, na atual Alemanha.

Ao chegar ao Brasil, os imigrantes logo perceberam que as exigências contratuais de Vergueiro os colocavam na situação de escravos brancos. Os colonos alegavam que o fazendeiro lhes comprava o café por preços inferiores aos do mercado, mas ao mesmo tempo lhes vendia mercadorias a preços extorsivos. Muitos deles, depois de trabalhar vários anos, se encontravam mais endividados do que na época da chegada ao Brasil. O tratamento dispensado pelos feitores era semelhante ao vigente nas antigas senzalas. Como resultado, em fevereiro de 1857 uma revolta de estrangeiros estourou na fazenda Ibicaba.[8]

Alguns desses imigrantes voltaram para a Europa, onde escreveram livros denunciando a fraude da imigração para o Brasil. "Os colonos se acham sujeitos a uma nova espécie de escravidão, mais vantajosa para os patrões do que a verdadeira, pois recebem os europeus por preços bem mais moderados do que os dos africanos", reclamou o suíço Thomas Davatz, no livro *Memórias de um colono no Brasil*, no qual relata sua experiência de dois anos na fazenda Ibicaba. "Não passam de pobres coitados miseravelmente espoliados, de perfeitos escravos, nem mais nem menos."[9]

A culpa por tal situação, no entender de Davatz, cabia aos fazendeiros e ao governo imperial, que permitia propaganda enganosa feita pelo Brasil na Europa com o objetivo de atrair imigrantes pobres, conforme ele escreveu:

> *O tratamento miserável dispensado aos colonos na província de São Paulo tem sua origem e sua base não apenas no modo de agir e pensar próprio aos fazendeiros, donos das colônias, mas também no [...] das altas autoridades públicas do Brasil. O governo deste país sustenta e até pratica, embora indiretamente, semelhantes embustes.*[10]

As denúncias de maus-tratos levaram alguns países, como a Prússia, a proibir a vinda de imigrantes para o Brasil. Em 1885, também o governo italiano publicou uma circular na qual desaconselhava seus cidadãos a migrar para São Paulo, apontada como uma região insalubre e perigosa.[11] Repetia-se, desse modo, o vaticínio anunciado em 1850 pelo liberal pernambucano Holanda Cavalcanti:

> *Estamos em um círculo vicioso. Não podemos ter colonos enquanto o país não se fizer digno de ser habitado por homens livres, enquanto eles não tiverem certeza de achar entre nós a felicidade, mas sem colonos não podemos fazer isso.*[12]

Luís Peixoto de Lacerda Werneck, filho do Barão do Paty do Alferes (já citado neste livro) e grande fazendeiro da parte fluminense do Vale do Paraíba, escrevia em 1865 que a riqueza nacional dependia da capacidade de sua população de produzir bens agrícolas, mas que não seria possível desenvolvê-la, pelo menos em curto e médio prazos, com colonos estrangeiros. A solução naquele momento, segundo acreditava, estava mesmo na escravidão:

> *Tempo virá por certo em que a produção, fazendo crescer a população livre, autorize a abolição da escravidão, mas atualmente, sem pessoal livre no país, os instintos da nossa*

conservação nacional nos aconselham por certo o incremento da população escrava. [...] A grande lavoura só poderá ser sustentada pelos agricultores que possuírem escravos em número suficiente para o custeio de suas fazendas.[13]

Werneck também aconselhava que os fazendeiros promovessem a reprodução dos escravos, como faziam com relativo sucesso os senhores escravocratas na Virginia, sul dos Estados Unidos. Os agricultores, dizia o barão, deveriam se empenhar em expandir a população escrava, usando os meios que estivessem "de acordo com a moral e com a religião" — sem explicar exatamente como isso seria possível em fazendas reprodutoras de gente.

A situação mudou radicalmente às vésperas da Lei Áurea. Pelos cálculos da elite brasileira, uma vez secado o manancial de mão de obra cativa, a economia iria à falência. Onde encontrar braços para cultivar as lavouras de café, principal riqueza nacional naquele período? Havia também grande relutância em doar ou favorecer a compra de terras públicas (chamadas de devolutas) aos ex-escravos para que colonizassem regiões até então escassamente ocupadas pelos descendentes de europeus. Dava-se preferência aos católicos, praticantes da religião oficial do Império, e aos originários do norte da Europa, considerados mais educados e menos desordeiros do que os do sul. Foi assim que o projeto de trazer imigrantes brancos para trabalhar nas lavouras como trabalhadores assalariados em lugar dos escravos ganhou um senso de urgência.

Em outubro de 1870, José Vergueiro, filho do pioneiro da colonização estrangeira Nicolau dos Campos Vergueiro, apresentava, em um artigo publicado no jornal *Correio Paulistano*, contas que, segundo ele, demonstravam as vantagens da imigração europeia sobre a mão de obra negra ou africana então disponível. Com o mesmo valor da compra de cem escravos ao preço total de 200 contos de réis na época, ele dizia, seria possível trazer da Europa 1.666 trabalhadores livres. Como, ainda nos cálculos de Vergueiro, ambos teriam a mesma capacidade produtiva (de 372 mil réis em café por ano), os benefícios para o fazendeiro eram óbvios. E ainda havia a vantagem adicional de que o imigrante poderia ser dispensado a qualquer momento, enquanto o escravo na senzala era passível de ficar doente, envelhecer e, depois de esgotada sua força para o trabalho, merecer cuidados pelo resto da vida.[14]

No ano seguinte foi aprovada uma lei que autorizava o governo a emitir seiscentos contos de réis para custear o pagamento das passagens dos europeus que desejassem imigrar para o Brasil. Além disso, cada recém-chegado receberia uma ajuda de custo equivalente a 20 mil réis, verba que logo em seguida foi aumentada para 100 mil mediante um acordo entre o governo central e o provincial. A quantia chegaria a 150 mil réis no final da década de 1880. Ainda em 1871, foi criada a Associação Auxiliadora de Colonização, na qual se assentavam empresários e representantes dos fazendeiros. A nova entidade receberia cem contos de réis de apoio do governo para financiar as viagens dos imigrantes. Em outra providência, de 1881, o governo de São Paulo consignou mais 150 contos para o pagamento das passagens e determinou a construção de uma hospedaria para abrigá-los na chegada ao Brasil. Novos incentivos foram acrescentados nos anos seguintes. No total, entre 1881 e 1891, a importação de colonos custou 9.244.226$000 aos cofres públicos — cerca de uma vez e meia o total da arrecadação de impostos do estado de São Paulo em 1890.[15]

Nas fazendas, os imigrantes recebiam salários entre 20 mil e 30 mil réis por mês, mais a alimentação, para uma jornada de trabalho que, em geral, se estendia por dez horas. Esses valores correspondiam ao aluguel de um escravo na mesma época. Eram também contratados para tarefas específicas, como derrubar a floresta (a 75 mil réis o alqueire) ou limpar uma área já desmatada, porém coberta de "capoeirão" (entre 35 mil e 50 mil o alqueire). Após algum tempo, começaram a se generalizar novas formas de contrato, como o de parceria, em que o colono recebia casa, uma pequena área de pastagem e um hectare para plantar o necessário ao seu sustento, mais uma subvenção de 50 mil réis por ano em troca do compromisso de cultivar mil pés de café para o fazendeiro. Estavam incluídos os serviços de capina, replantio, limpeza e varredura. Além disso, ganhava mais trezentos réis a cada 50 litros de café colhidos. Em 1888, um imigrante poderia obter, em média, 100 mil réis por ano pela manutenção de 2 mil pés de café, mais 100 mil pela colheita.

Para os fazendeiros, era vantajoso. Na época, estimava-se que a manutenção de um escravo na senzala custaria cerca de 240 mil réis anuais per capita, em média. Para o imigrante, nem tanto. Em 22 de janeiro de 1876, o jornal *A Província de São Paulo* anunciava a venda de quatro bois carreiros, uma junta de novilhos e duas vacas por 338 mil réis. Para comprá-los, portanto, um colono teria de trabalhar um ano e meio. Para adquirir uma casa em São Paulo (que custava um conto e 600 mil réis), seriam necessários seis anos e meio de trabalho. O jornalista francês Max Leclerc, enviado ao Brasil em 1889 para escrever sobre a recém-instalada república, contou que a maioria dos colonos da fazenda Veridiana, do conselheiro Antônio Prado, vivia sobrecarregada de dívidas. Das oitenta famílias ali existentes, só 28 tinham conseguido acumular alguma poupança. Outras, chegadas pouco mais de um ano antes, não conseguiam dinheiro suficiente para sobreviver e arcar com as despesas acumuladas até então. Ainda assim, era uma situação bem mais digna do que aquela até então reservada aos escravos, a maioria deles privada da possibilidade de receber salários, ter moradias decentes e sequer sonhar em adquirir alguma propriedade.

Além de substituir a mão de obra cativa nas fazendas e ajudar a colonizar as regiões mais distantes, a chegada dos colonos estrangeiros cumpria a tarefa de realizar um dos projetos mais acalentados pela elite brasileira escravocrata no século XIX: o de branqueamento da população. Influenciados pelas teorias raciais pretensamente científicas em circulação na Europa e nos Estados Unidos, segundo as quais os negros eram anatomicamente inferiores aos brancos, inúmeros pensadores brasileiros defendiam a substituição física dos ex-escravos por imigrantes estrangeiros. Como se viu em um dos capítulos anteriores deste livro, alguns chegaram até mesmo a propor que fossem devolvidos à África. Como isso, obviamente, se tornara impossível, a alternativa proposta era importar o maior número de emigrantes europeus, de modo a compensar o peso do sangue africano que julgavam desproporcional na população. Por esse raciocínio, a origem de todos os males do Brasil não estaria no regime escravista, mas no próprio negro, pela sua inferioridade racial.

"O Brasil não é, nem deve ser, o Haiti", alertava em 1881 o crítico literário, promotor, juiz e deputado sergipano Sílvio Romero. "A vitória na luta pela vida, entre nós, pertencerá no porvir ao branco", insistia em seu livro *A literatura brasileira e a crítica moderna*, de 1880. Para isso, segundo Romero defendia, seriam necessários, "de um lado a extinção do tráfico africano e o desaparecimento constante dos índios, e de outro a emigração europeia". Em 1877, o médico cearense Domingos José Nogueira Jaguaribe, político e proprietário de terras em São Paulo, autor de *Algumas palavras sobre a emigração*, afirmava ser preciso urgentemente "aperfeiçoar as raças" no Brasil "em ordem a melhorar e a não a retrogradar, pois o africano deve cruzar com o mulato, e este com o branco". Pelos seus cálculos, nesse processo de miscigenação, o Brasil se tornaria branco e, portanto, livre de seus traços africanos, em cinco gerações.[16]

O advogado e deputado alagoano Aureliano Cândido de Tavares Bastos acreditava que, sem os negros, um Brasil habitado só por brancos teria sua riqueza triplicada, uma vez que, nos seus cálculos, as pessoas de ascendência europeia seriam três vezes mais produtivas do que as de origem africana. Dizia que cada africano introduzido no Brasil pelo tráfico negreiro era um elemento de atraso porque, "além de afugentar o imigrante europeu, era, em vez de um obreiro do futuro, um instrumento cego, o embaraço, o elemento de regresso das nossas indústrias". Por essa razão, acrescentava Tavares Bastos, "para mim, o emigrante europeu deveria e deve ser alvo de nossas ambições, como o africano, o objeto de nossas antipatias".

O médico francês Louis Couty, professor da Escola Politécnica e do Museu do Rio de Janeiro na década anterior à Lei Áurea, foi um dos principais teóricos da inferioridade racial do negro, em quem apontava uma tendência inata à ociosidade, ao alcoolismo e à marginalidade. Misógino e racista até a raiz dos cabelos, Couty via na mulher negra um objeto sexual a ser desfrutado sem pudor e sem permissão, pelos senhores brancos. Segundo ele, nenhuma jovem negra deixaria de se sentir feliz em ser escolhida como parceira sexual por seu dono. Afirmava, ainda, que os negros eram naturalmente preguiçosos, sem apego familiar, infantilizados na maneira de agir e pensar:

> *Como as crianças, têm os sentidos inferiores e sobretudo o paladar e a audição relativamente desenvolvidos. O negro gosta do tabaco [...], adora as coisas açucaradas, a rapadura; mas o que ele gosta acima de tudo é da cachaça [...]. Para conseguir cachaça, rouba [...] e, sacrificando tudo a esta paixão, inclusive a própria liberdade, trabalhará até no domingo.*

Acelerada pela urgência em substituir a mão de obra cativa, a imigração resultou em mudanças drásticas no perfil demográfico do Brasil, mais acentuada nas regiões Sul e Sudeste, nas quais o sonhado processo de branqueamento se processou de forma acentuada nas últimas décadas do século XIX. Em 1874, catorze anos antes da Lei Áurea, o Rio Grande do Sul tinha, proporcionalmente ao total de habitantes, a terceira maior concentração de homens e mulheres escravizados do Brasil. Representavam 21,3% da população gaúcha, atrás apenas de Rio de Janeiro, com 39,7%, e Espírito Santo, com 27,6%, e à frente de São Paulo, com 20,8%.[17] Três décadas mais tarde, o cenário havia se alterado por completo com a chegada de imigrantes alemães e italianos ao vale do rio Sinos e à serra Gaúcha. Hoje, o Rio Grande do Sul é um dos estados da federação com maior proporção de moradores brancos. Em Santa Catarina, em 1840, negros escravizados superavam um quinto do total da população, de 66.218 moradores. Em 1881, a proporção havia caído para menos de 7% (10.821 escravos num total de 159.802 habitantes).[18]

No Paraná, os brancos, que representavam 55% dos moradores em 1872, saltaram para 64% menos de duas décadas mais tarde, em 1890. Na capital, Curitiba, que em 1818 tinha quase metade de seus habitantes negros ou descendentes de africanos, a mudança foi ainda mais acelerada. No final do século, os brancos somavam 80% da população, sendo que um entre dez era estrangeiro recém-chegado. Em 1888, ano da Lei Áurea, o presidente da província, José Cezário de Miranda Ribeiro, comemorava os resultados apontando a imigração como um "fator étnico de primeira ordem destinado a tonificar o organismo nacional abastardado por vícios de origem e pelo contato que teve com a escravidão".[19] O manifesto da Confederação Abolicionista Paranaense, fundada em 25 de março de 1888, apenas 49 dias antes da Lei Áurea, afirmava que o reduzido número de negros e escravos facilitava em muito a tarefa da abolição no Paraná:

> *Felizmente os paranaenses não precisam do braço escravo para sustentar aquilo que lhes fornece a sua fonte de vida; é diminuta a escravatura nas fazendas; vamos nos acostumando ao trabalho digno, do homem livre; portanto, com a liberdade dos poucos escravos que há entre nós, não havendo abalo algum a temer, só temos a lucrar nos vendo livres dessa instituição que tem envilecido os nossos costumes e a nossa educação, que nos faz suspeitos e isolados perante os povos, que por tal modo nos embaraça que, sem a sua extinção completa, não poderão os brasileiros cuidar dos sérios interesses que clamam pela sua atenção e pelo seu patriotismo.*

No ano anterior, em discurso no Rio de Janeiro, o advogado, senador e conselheiro paranaense Manoel Francisco Correia, irmão do Barão de Cerro Azul, reafirmara esse ponto de vista ao dizer:

> *Nenhuma fonte de riqueza repousa sobre o trabalho escravo. A imigração forneceu braços para o momento industrial e para o serviço doméstico. O desaparecimento da escravatura nenhum abalo econômico produzirá. Há um escravo para cem pessoas livres.*[20]

A lógica paranaense valeria para todos os brasileiros: chegara mesmo a hora de acabar com a escravidão. O país poderia sobreviver sem ela.

27. PÂNICO

DE PARTIDA DO BRASIL em julho de 1866, uma família pernambucana residente no terceiro andar da Rua do Imperador, número 45, centro do Recife, publicou um anúncio no jornal *Diário de Pernambuco* no qual liquidava seu plantel de escravos. Entre os "itens" oferecidos ao público apareciam:

> *Uma negra com algumas habilidades de 17 anos*
> *Uma mulata idem de 16 anos*
> *Uma moleca fula, bonita figura de 12 anos*
> *Um moleque idem de 9 anos*
> *Um negro da Costa de 37 anos*

A peça de publicidade terminava com um apelo aos eventuais interessados no negócio:

> *É tempo de aproveitar.*[1]

Seria tempo de aproveitar o quê? Obviamente, a iminência do fim do regime escravista, que reduziria a migalhas o valor do investimento dos senhores em pessoas cativas. Era a última oportunidade de vender os escravos enquanto eles ainda tinham algum valor monetário. Desde a proibição de tráfico negreiro, pela Lei Eusébio de Queirós de 1850, a escravidão brasileira iniciara seu curso ladeira abaixo. Pela primeira vez em mais de trezentos anos havia secado a fonte que abastecia a economia brasileira com mão de obra cativa relativamente barata e abundante recém-desembarcada dos navios negreiros. O processo se acelerou com a onda abolicionista que começou a mobilizar os brasileiros com força cada vez maior a partir de 1870. No relativamente curto período entre 1850 até 1887, ano anterior à Lei Áurea, a população escravizada brasileira se reduziu de 1,5 milhão para 780 mil pessoas. Portanto, uma diminuição de 48% em menos de quatro décadas. Nas áreas produtoras de café, que até então concentraram os maiores plantéis de cativos, a queda foi de 25% em relação ao período anterior. Nas regiões Norte, Nordeste e Sul a mudança foi ainda mais acelerada, em grande parte pelo tráfico interno, que permitia a transferência de cativos de uma província para outra. Os preços atingiram o auge por volta de 1860, ano em que um cativo homem em idade produtiva era vendido em Minas Gerais por um conto e 400 mil réis, quase cinco vezes o preço praticado em 1830. Os valores se estabilizaram até meados da década de 1870 e despencaram em seguida. Em 1888, a avaliação do mesmo escravo girava em torno de 500 mil réis.[2]

A partir daí, ficou claro que a escravidão brasileira estava com seus dias contatos. Um exercício muito comum na época, citado em discursos no parlamento e artigos, era calcular por quanto tempo ainda haveria escravos no país. É nesse contexto que deve ser lido o curioso anúncio publicado no Recife. Para os senhores escravocratas, longamente habituados a acumular riqueza mediante a exploração do trabalho cativo, era mesmo "tempo de aproveitar", antes que fosse tarde. Logo, no entanto, enquanto o

Brasil avançava a passos largos rumo à Abolição, o que antes soava como oportunismo (como no pitoresco anúncio reproduzido acima) se transformaria em pânico entre os fazendeiros.

Em janeiro de 1888, o jornal *Novidades*, de Vassouras, Vale do Paraíba, dizia que os cafeicultores aceitavam a "justeza" do processo de abolição em andamento. Só não queriam que a liberdade dos escravos viesse "de uma só vez" e sem indenização alguma para os proprietários:

> *É verdade que não existe divergência essencial entre nós e a aqueles que desejam [...] ardentemente que a escravidão desapareça do Império o mais rapidamente possível. A divergência reside apenas no modus faciendi: acreditamos que abrir imediatamente as comportas e libertar 500 ou 600 mil escravos que ainda existem não é apenas um erro econômico e social, mas também equivale a preparar a ruína da nação através de falências e transtornos.³*

Dois meses depois, em 20 de março, nessa mesma região, os maiores fazendeiros reuniram-se no paço municipal para avaliar a situação. Todos concordaram que a abolição, àquela altura, tinha-se tornado inevitável. Insistiam, no entanto, que as decisões fossem tomadas "mais devagar", como explicava o texto final do encontro, encaminhado ao governo imperial no Rio de Janeiro:

> *Os fazendeiros de Vassouras ainda confiam na solicitude e no patriotismo das autoridades públicas, certos de que a substituição do trabalho escravo, que é sinceramente desejada por todos, virá com a devida cautela e acompanhada por medidas que a prudência mais natural e o exemplo de outras nações cujo trabalho, como o nosso, consiste em escravos, recomendam. [...] Os fazendeiros [...] não são contra a liberta-*

ção da classe escrava, mas desejam que tal libertação venha sem perturbação e conflito, sem abalar a riqueza do povo, sem perigo para os nossos concidadãos, por meios pacíficos e ordeiros, como todos os brasileiros desejam.

No dia 4 de maio, horas depois que a princesa Isabel, em seu discurso anual perante o parlamento brasileiro, anunciou o projeto da Lei Áurea, libertando de imediato todos os cativos brasileiros, o clima mudou de forma drástica em Vassouras. "É quase impossível assinalar todas as consequências desse ato ditatorial de Sua Excelência, a herdeira do trono brasileiro", protestou o jornal *Novidades*. "A hora da razão ainda não chegou. [...] Sentimos profunda e dolorosamente que a proscrição da tranquilidade, o exílio da razão tenham sido decretados. Promessas, palavras, ideias têm sido esquecidas." Quatro dias mais tarde, quando a proposta foi votada na Câmara, os deputados da província do Rio de Janeiro, todos apoiados por fazendeiros como os de Vassouras, se posicionaram contra a esmagadora maioria favorável à Abolição. No Senado, a bancada fluminense também se manteve intransigente na defesa da escravidão. Todos os parlamentares que assim se pronunciaram receberam as congratulações do cafeicultor Nicolau Neto Carneiro Leão, o barão de Santa Maria, em nome da Câmara de Vassouras.

Os meses que antecederam o fim da escravidão foram de ansiedade, medo e preocupações para os donos de cativos. Porta-voz dos fazendeiros mais reacionários do interior fluminense, o jornal *Correio de Cantagalo* esbravejava em seu editorial de 3 de maio de 1888, dez dias antes da Lei Áurea, contra os donos de escravos que davam alforrias aos cativos, antecipando-se à Abolição oficial:

A continuar o desvario dos possuidores de escravos, depois de trinta ou sessenta dias, teremos o desmantelamento das fazendas, a perda quase total da colheita, a cidade ameaçada por hordas de maltrapilhos esfaimados, as estradas frequentadas por numerosas quadrilhas de salteadores.

No mesmo jornal, em 22 de abril de 1888, ou seja, três semanas antes da Lei Áurea, ainda se publicavam anúncios oferecendo recompensas pela recaptura de escravos fugitivos. Entre janeiro e fevereiro, eram frequentes as ofertas de venda de escravos.[4]

O pânico chegou a tal ponto que os fazendeiros começaram a propor alforrias em troca da prestação de serviços por um determinado período. O prazo era, a princípio, de cinco anos. Depois, limitavam-se a exigir que se fizesse apenas a colheita da safra pendente. Na região de Laranjal, interior de São Paulo, os proprietários rurais distribuíram cerca de trezentas cartas de alforria e se comprometeram a pagar salários entre 60 mil e 100 mil réis anuais, mais roupa, abrigo e alimentação aos negros que concordassem em permanecer na fazenda. As mulheres receberiam a metade desse valor. Em Itatiba, as alforrias nessas condições chegavam a quinhentas nos primeiros dias de janeiro de 1888. Em Limeira, o movimento foi tão rápido e intenso que, no início de fevereiro, o município era considerado já livre da escravidão. Em Jacareí, a libertação total foi celebrada no dia 18 de março.

O mesmo ocorreu em Franca, Taubaté, Redenção, Descalvado, Caçapava e muitos outros municípios do interior paulista. Por um levantamento de 30 de março de 1887, o número de cativos em São Paulo era de 107.329. Um ano mais tarde, já se havia reduzido quase pela metade. "A libertação a prazo já não satisfaz; os libertos condicionais deixam a lavoura dos ex-senhores e saem à procura de serviços e salários em outros pontos. Força é reconhecer que a desorganização do trabalho nas fazendas ou é uma realidade ou um receio justificável", observava o jornal *A Província de São Paulo*, em janeiro de 1888.[5]

No Rio Grande do Sul, o processo de alforria em troca de prestação de serviço por tempo determinado foi particularmente acelerado. Mais da metade da população escrava ali existente em 30 de junho de 1884 estava alforriada em meados de 1885. Nesse breve intervalo, dois terços de todas as alforrias (66,5%) foram concedidas a "título oneroso", ou seja, com prazos estipulados de prestação de serviços, que variavam entre um e sete anos. No município de Cruz Alta, cuja economia era baseada na pecuária e na agricultura, 80% das cartas de alforria foram executadas nessas condições. Em fevereiro de 1887, por exemplo, Maria das Dores Fonseca libertou seu escravo Benedito com a condição de que trabalhasse para ela por mais quatro anos — prazo que, obviamente, seria abreviado pela Lei Áurea do ano seguinte.[6]

O problema para os donos de escravos é que medidas como essas já não bastavam para conter o dilúvio que se aproximava. Nas fazendas, os cativos passaram a se rebelar e fugir em ritmo nunca visto. Em Barreiros, no município paulista de Limeira, todos os escravos de uma fazenda abandonaram o trabalho de uma só vez em protesto contra os castigos físicos que o capataz havia imposto a alguns deles. Em seguida, dirigiram-se em caravana até as autoridades locais, levando os companheiros feridos. Queriam que o governo tomasse imediatas providências para punir o senhor cruel. Nenhum deles voltou ao trabalho na propriedade. Em Campos, no Rio de Janeiro, o êxodo foi total. No começo de 1888 não havia mais um único escravo nas fazendas de Antônio Ferreira, Saturnino Braga e Orbilio Bastos, poderosos chefes locais. Todos tinham fugido.[7] No Recife, o chefe de polícia proibiu o embarque de "pessoas de cor sem o competente passaporte", na inútil tentativa de estancar as fugas para o Ceará.[8]

Ainda em 14 de março de 1888, dois meses antes da Lei Áurea, o jornal *Correio Paulistano*, porta-voz dos escravocratas, defendia a intervenção da polícia para recapturar escravos fugitivos. Argumentava que as fugas se tornavam tão frequentes e numerosas que os antigos capitães do mato já não poderiam sozinhos realizar a tarefa. Era preciso a mobilização geral das forças do Estado.

Desde os tempos mais remotos do período colonial, escravos fugiram e formaram quilombos no Brasil. Nada, porém, se comparou ao fenômeno observado entre 1887 e meados de 1888. Fugas em massa de escravos passaram a ocorrer diariamente nas mais diversas regiões. Em janeiro de 1889, meses depois de oficializada a Abolição, o presidente da província de São Paulo, Pedro Vicente de Azevedo, relatava que a mobilização dos cativos tivera o efeito de esfacelar a escravidão de forma tão rápida e incontrolável por parte dos fazendeiros que, a rigor, se poderia dizer que a Lei Áurea havia sido redundante:

> *Se algum defeito pode ser encontrado nessa grande lei, é o de ter chegado um tanto tarde, quando a negra instituição já não passava de mera e desorientada ficção. Pode-se, pois, dizer sem exagero que ela apenas selou um fato consumado.*[9]

A cidade de Santos, no litoral paulista, se tornou um santuário abolicionista, atraindo um número cada vez maior de fugitivos. Quem chegasse à serra de Cubatão seria declarado livre e estaria a partir de então sob a proteção dos moradores locais. Um novo bairro surgiu nas fraldas da serra do Mar. Era organizado por um ex-escravo, Quintino de Lacerda. Com o auxílio de outros dois abolicionistas, Maurício de Wansuit e Santos Garrafão, Lacerda fundou um quilombo numa área de terras altas e férteis até então desabitadas. Seriam refúgio de milhares de fugitivos. Ali nasciam também as primeiras favelas que ainda hoje marcam a paisagem da região, compostas por precárias casas de madeira, choças de palha ou sapê, cobertas com folhas de zinco ou de bananeira.

Os jornais circulavam repletos de anúncios oferecendo recompensas pela recaptura de escravos fugitivos. Havia casais que fugiam juntos, como se lia neste texto publicado no jornal *O Município*, de Vassouras, em julho de 1877:

50$000

O escravo chamado Antônio fugiu em 29 de junho da fazenda Tatuhy, de Paty do Alferes. Ele é carpinteiro, africano de Benguela, com marcas de varíola, alto, pés grandes, lábios grossos, corpulento, barba branca. Com ele fugiu a escrava Damiana, africana de Benguela, sua esposa, muito escura, bem robusta, faltam-lhe três dedos na mão direita, fala bem. [...] Acima a recompensa para quem devolvê-los à sua senhora, dona Luíza Rosa Sampaio, em Tatuhy, ou que possa dar informações sobre seus paradeiros.[10]

As fugas às vezes envolviam episódios dramáticos. Às vésperas da Abolição, as autoridades enviaram um trem lotado de policiais, sob o comando de um delegado, com o objetivo de desmantelar o quilombo. Ao chegar a Santos, foram todos impedidos de desembarcar por grupos de mulheres abolicionistas que cercaram o trem e bloquearam as portas dos vagões. O impasse só se resolveu pela intervenção do superintendente da São Paulo Railway, William Speers, e do chefe do tráfego, Antônio Fidelis. O trem foi despachado de volta para São Paulo, levando a tropa humilhada pelos protestos abolicionistas.

Um relato do chefe de polícia de São Paulo, Barreto de Aragão, em dezembro de 1887, dizia que na região de Itu, Indaiatuba,

Capivari e Piracicaba, no interior de São Paulo, um "grande número de escravos se tinha revoltado e vagava por aqueles municípios, furtando-se ao serviço de seus senhores, aos quais intimavam para conceder-lhes imediatamente carta de liberdade e pagar-lhes salários". Em Piracicaba, 130 escravos tinham tomado a fazenda de Francisco José da Conceição, o barão de Serra Negra, que por pouco escapou de ser assassinado pelos revoltosos. Em seguida, dirigiram-se para a cidade de Itu, que pretendiam tomar à força. Diante dessas notícias, o chefe de polícia determinava o envio de "46 praças de cavalaria e infantaria [...] a fim de pacificar esses escravos, prender os criminosos, e tomar outras deliberações". Segundo outro relato do chefe de polícia, em Santa Rita do Passa Quatro, na noite de 26 de janeiro, "mais de cem pretos vieram ao alto da vila, armaram arcos de bambus e folhagens, hastearam bandeiras encarnadas, acenderam fogueira ao estourar de foguetes e rufos de caixa, gritando "Viva a república!", bem como outras vivas e morras. O fato assustou de tal modo as famílias brancas que, ainda de acordo com Barreto Aragão, algumas decidiram "pernoitar no mato".[11]

Em outubro de 1887, uma comitiva de mais de cem escravos saiu de Capivari em direção a Santos. No caminho, tiveram de atravessar a cidade de Itu, "sem resistência e sem praticar violências", segundo notícia publicada no jornal *Diário Popular*, de São Paulo. Ao chegarem próximos à Vila de Santo Amaro, nas vizinhanças da atual capital do estado, no entanto, foram atacados por uma cavalaria que o governo mandara ao encalço dos fugitivos. Como estava chovendo, os soldados não puderam disparar suas armas de fogo. Em vez disso, de espadas em punho, investiram sobre o grupo com as patas de seus próprios cavalos. No confronto, morreram um soldado e um escravo. Segundo testemunhas, os negros reagiram com gritos e palavras de ordem que ecoavam o brado do Ipiranga, de 1822: "Liberdade ou morte! Viva a liberdade! Aqui ninguém se rende: preferimos morrer!".

Diante da repercussão negativa do episódio, o governo desistiu da perseguição e os fugitivos puderam chegar à serra de Cubatão sem serem novamente molestados. Dali, seguiram para Santos. Situações como essa resultaram na seguinte petição do Exército à princesa Isabel, em outubro de 1887, na qual oficiais e soldados pediam para serem dispensados da tarefa de capitães do mato, encarregados de recapturar escravos fugitivos:

Senhora,

Os oficiais, membros do Clube Militar, pedem à Vossa Alteza Imperial vênia para dirigir ao governo um pedido, que é antes uma súplica. Eles todos, que são e serão os amigos mais dedicados e os mais leais servidores de Sua Majestade o Imperador e de sua dinastia, os mais sinceros defensores das instituições que nos regem, eles, que jamais negarão em bem vosso os mais decididos sacrifícios, esperam que o governo imperial não consinta que nos destacamentos do Exército que seguem para o interior, com o fim, sem dúvida, de manter a ordem, tranquilizar a população e garantir a inviolabilidade das famílias, os soldados sejam encarregados da captura de pobres negros que fogem à escravidão, ou porque já vivam cansados de sofrer-lhe os horrores, ou porque um raio de luz da liberdade tenha aquecido o coração e iluminado a alma. [...]

Os membros do Clube Militar, em nome dos mais santos princípios da humanidade, em nome da solidariedade humana, em nome da civilização, [...] esperam que o governo imperial não consinta que os oficiais e praças do Exército sejam desviados de sua nobre missão. [...]

> *Diante de homens que fogem, calmos, sem ruídos, mais tranquilamente que o gado que se dispersa pelos campos, evitando tanto a escravidão como a luta e dando ao atravessar cidade inermes exemplos de moralidade, [...] o Exército brasileiro espera que o governo imperial conceder-lhe-á o que respeitosamente pede em nome da honra da própria bandeira que defende.*[12]

Além do Exército, outras duas importantes instituições procuraram escapar do edifício escravista brasileiro, àquela altura em rápido processo de demolição. Em 1887, o Partido Republicano Paulista decidiu apoiar publicamente um projeto de lei para libertar os escravos até 14 de junho de 1889, data do primeiro centenário da Tomada da Bastilha, símbolo da Revolução Francesa de 1789. O partido até então evitara a todo custo se comprometer com a abolição, temendo desagradar sua base constituída por fazendeiros e cafeicultores. Também a Igreja católica, que durante 350 anos servira de pilar ao regime escravocrata, finalmente se posicionou ao lado dos abolicionistas. Entre maio e dezembro de 1887, bispos de Minas Gerais, São Paulo, Bahia, Mato Grosso e Pernambuco divulgaram cartas pastorais em apoio à Abolição. O papa Leão XIII só se pronunciaria oficialmente no ano seguinte, pela encíclica *Sobre a Abolição da escravatura — Carta aos bispos do Brasil*, que só chegou ao país depois da sanção da Lei Áurea.

Foi nesse clima de pânico, confronto, ressentimento e violência que o Brasil chegou às vésperas da Lei Áurea de 1888. Estava, portanto, muito longe de ser o país em que a Abolição se tornara uma desejada e unânime aspiração nacional, como faziam crer as palavras da regente princesa Isabel, já citadas no primeiro capítulo deste livro, na Fala do Trono que abriu a sessão legislativa daquele ano. "A extinção do elemento servil, pelo influxo do sentimento nacional e das liberalidades particulares, em honra do Brasil, adiantou-se pacificamente de tal modo que é hoje aspiração aclamada por todas as classes, com admiráveis exemplos de abnegação da parte dos proprietários", havia dito a princesa. Os fatos mostravam o contrário. A aristocracia escravista brasileira, que desde os primórdios da colonização, dependera de mão de obra escravizada, resistiria até o último minuto a todos os esforços do movimento abolicionista de acabar com o regime de cativeiro.

Em um período de apenas dezessete anos, entre a Lei do Ventre Livre, de 1871, e a Lei Áurea, de 1888, o número de cativos no Brasil se reduziu em dois terços.

Fonte: Ricardo Salles, *E o Vale era o escravo*, p. 57

28. ISABEL

A NOITE DE 13 DE MAIO de 1888 já ia avançada quando a princesa Isabel, recostada em sua cama em Petrópolis, começou a escrever uma carta aos pais, Pedro II e Teresa Cristina. Idoso, diabético e cada vez mais debilitado, o imperador estava na Europa para mais uma temporada de tratamento de saúde. Na sua ausência, Isabel ocupava a regência do trono pela terceira vez. Estava às vésperas de fazer 42 anos, em 29 de julho. Já estivera à frente do governo em 1871, por ocasião da assinatura da Lei do Ventre Livre, e novamente entre 1876 e 1878. Aquele dia, porém, tinha sido o mais intenso e emocionante de sua vida.

Pela manhã, o parlamento havia aprovado a Lei Áurea que, finalmente, pusera fim à escravidão no Brasil. O texto fora sancionado naquela mesma tarde, em cerimônia no Paço Imperial, no centro do Rio de Janeiro. O privilégio da assinatura coubera à princesa, com uma pena de ouro incrustada com pequenos diamantes fabricada especialmente para o evento mediante doações arrecadadas nas semanas anteriores. O ato fora comemorado pela multidão aglomerada nas ruas. Nunca, em toda a sua história, o Brasil tinha visto manifestação como aquela. Em seguida, enquanto a grande notícia era transmitida aos rincões mais distante do país pelo telégrafo, Isabel e o marido, o conde D'Eu, tinham subido a serra, de trem, em direção a Petrópolis, aonde chegaram já ao anoitecer sob chuva fina. Foram recebidos com foguetes, bandas de música, lanternas acesas nas varandas e flores atiradas pela população que se aglomerava ao longo do caminho. Da estação, o casal seguiu para a igreja acompanhado por "um bando de ex-escravos", todos "armados de archotes". Ali, rezaram o terço, receberam a comunhão e voltaram para casa. Eram essas as novidades da carta:[1]

13 de maio de 1888 — Petrópolis.

Meus queridos e bons pais,

Não sabendo por qual começar hoje: mamãe por ter tanto sofrido estes dias; papai pelo dia que é, escrevo a ambos juntamente. É de minha cama que o faço, sentindo necessidade de esticar-me depois de muitas noites curtas, dias aziagos e excitações de todos os gêneros. O dia de trás-ante-ontem foi de amargura para mim e direi para todos os brasileiros e outras pessoas que os amam. Graças a Deus desde ontem respiramos um pouco, e hoje de manhã as notícias sobre papai eram muito tranquilizadoras. Também foi com o coração mais aliviado que, perto de uma hora da tarde, partimos para o Rio a fim de eu assinar a grande lei, cuja maior glória cabe a papai, que há tantos anos esforça-se para um tal fim. Eu também fiz alguma coisa e confesso que estou bem contente de também ter trabalhado para a ideia tão humanitária e grandiosa.

A maneira pela qual tudo se passou honra nossa pátria e tanto maior júbilo me causa. Os dois autógrafos da lei e o decreto foram assinados às três e meia, em público, na sala que precede a grade do trono, tornada a arranjar depois de sua partida. O Paço (mesmo as salas) e o largo estavam cheios de gente, e havia grande entusiasmo, foi uma festa grandiosa, mas o coração me apertava, lembrando que papai aí não se achava! Discursos, vivas, flores, nada faltou, só a todos faltava saber, papai bom, e poder tributar-lhe todo o nosso amor e gratidão.

Às 4 e meia embarcávamos de novo e, em Petrópolis, novas demonstrações nos esperavam, todos estando também contentes com as notícias de manhã de papai. Chuvas de flores, senhoras e cavaleiros armados de lanternas chinesas, música, foguetes, vivas. Queriam puxar meu carro, mas eu não quis e propus antes vir a pé, com todos da estação. Assim o fizemos, entramos no paço, para abraçarmos os meninos e continuamos até a igreja, do mesmo feitio que viemos da estação.

Um bando de ex-escravos fazia parte do préstito, armados de archotes. Chuviscava e mesmo choveu, mas nessas ocasiões não se faz caso de nada. Na igreja, tivemos nosso mês de Maria, sempre precedido do terço, dito em intenção de papai e de mamãe. Não são as orações que têm faltado; por toda a parte se reza e se manda rezar, e esta manhã, nas Irmãs, tivemos uma comunhão por intenção de papai. Comungamos nós dois e umas quarenta senhoras.

Boas noites, queridos, queridíssimos!
Saudades e mais saudades!!!

Uma segunda carta, escrita dessa vez no palácio de São Cristóvão, no Rio de Janeiro, seria despachada para a Europa três dias mais tarde.

16 de maio — São Cristóvão

Tudo está em festa pela lei, coincidindo com esta as melhoras de papai. Já estivemos hoje no paço da cidade para receber comissões e uma missa na igreja do Rosário, mandada dizer pela irmandade dos pretinhos por intenção de papai. Reina entusiasmo grande por toda a parte.

Adeus, meus queridos e bons pais, aceitem mil abraços e beijos saudosíssimos e deitem-nos sua bênção.

Sua filhinha que tanto os ama,
Isabel, condessa D'Eu.

As duas cartas de Isabel aos pais são breves — 53 linhas manuscritas no total, incluindo as datas, as saudações e as despedidas. Obviamente, não é uma correspondência de Estado, mas uma troca íntima de mensagens entre filha e pais. A princesa que ali se manifesta parece não ter consciência de que suas palavras, escritas em momentos tão graves dos destinos nacionais, estariam no futuro sob escrutínio da História. Ainda assim, examinadas hoje, à distância de um século e meio, há algo de perturbador e simbólico nessas linhas. Os dois textos transpiram fragilidade. O tom das saudações e despedidas é infantilizado, no diminutivo ("sua filhinha que tanto os ama"), como se Isabel não fosse uma mulher adulta à frente do governo em uma circunstância importante e decisiva, mas uma criança abandonada. Busca o afeto e a aprovação que o imperador Pedro II àquela altura já não poderia lhe dar. O Grande Pai, dela e do Brasil, estava praticamente desenganado pelos médicos. Viveria de forma precária só mais três anos. E, com ele, um Brasil agrário e escravocrata que perdera o sentido de sua existência.

Em maio de 1888, ao receber na França o telegrama com as notícias da aprovação da Lei Áurea, a imperatriz Teresa Cristina inicialmente relutou em mostrá-lo ao marido. Temia que a emoção das mensagens pudesse agravar o já frágil estado de saúde do imperador. Por fim, criou coragem e decidiu que era melhor contar logo as novidades pelas quais o soberano esperava havia muito tempo. Ao ouvi-las, dom Pedro II teria aberto lentamente os olhos e mal tivera forças para perguntar:

"Não há mais escravos no Brasil?"
"Não há", respondeu a imperatriz. "A escravidão está abolida."
"Demos graças a Deus", murmurou D. Pedro. "Grande povo! Grande povo!".

E desatou a chorar copiosamente.[2]

A história do choro do imperador foi divulgada no Brasil por apoiadores do regime monárquico. Queriam, dessa forma, angariar a simpatia da população ao reivindicar para o trono o mérito da Abolição longamente adiada. A julgar por essa narrativa (vale repetir, divulgada pelos seus apoiadores quando a própria monarquia tinha seus dias contados), Pedro II teria sido um abolicionista convicto desde a mais tenra juventude, que só de forma relutante, forçado pelas circunstâncias, governara um país dominado pela escravidão — não um território escravista qualquer, mas o maior e mais renitente em todo o continente americano. Na verdade, se a narrativa for fidedigna, a reação do imperador era o resultado de uma longa e tortuosa jornada em que convicções pessoais haviam se submetido a poderosos interesses de ordem econômica e política. O Império Brasileiro e seu soberano sempre dependeram do apoio de sua base escravista e adiaram a Abolição até onde isso foi possível. Completada a obra, restava pouco a fazer além de tentar reescrever a história do regime e polir a biografia de seu protagonista à luz dos novos tempos.

Diversos mundos desabaram naquele 13 de maio de 1888. O mundo dos escravos. O mundo dos fazendeiros. O mundo dos negros e o mundo dos brancos. Começava a desabar, principalmente, o Império do Brasil. "Eu vejo a monarquia em perigo e quase condenada", escreveu Joaquim Nabuco ao Barão de Penedo doze dias após a assinatura da Lei Áurea. "A Princesa tornou-se muito popular, mas as classes [conservadoras] fogem dela, e a lavoura está republicana."[3] Na mesma ocasião, o baiano João Maurício Wanderley, barão de Cotegipe, feroz defensor dos interesses escravocratas, teria dito à princesa Isabel que ela "redimira uma raça, mas perdera um trono".[4]

Depois do fim da escravidão, perdido o apoio que até então recebia da aristocracia agrária, o Império Brasileiro feneceu no exíguo prazo de alguns meses, como uma árvore antiga e frondosa que murchava e secava ao deixar de receber de suas raízes a água e os nutrientes que a mantinham. Cansado, doente e precocemente envelhecido, o imperador Pedro II era um símbolo disso tudo. Era a árvore que morria. Isabel, carente, insegura, tentando sobreviver na atmosfera opressiva de um país masculino e patriarcal, era o ramo frágil da mesma árvore, privada do sustento que lhe deveria chegar do tronco.

Ao assinar a Lei Áurea, Isabel propiciou um derradeiro e fugaz momento de popularidade da monarquia brasileira, já abalada pelos conflitos da Questão Militar e pelo avanço da propaganda republicana.[5] Recebeu homenagens e celebrações em todo o país, por parte dos abolicionistas e, em especial, dos negros, mestiços e ex-escravos que viam na princesa a protetora que jamais haviam tido. José do Patrocínio lhe deu o título de "A

Redentora", com o qual seria ainda por muito tempo reconhecida nos livros de história. No seu aniversário de 42 anos, em 29 de julho de 1888, a *Revista Ilustrada*, do Rio de Janeiro, trazia uma gravura com uma procissão de homens e mulheres negros, ex-escravos, indo depositar flores num altar emoldurado por um retrato da princesa. Na margem inferior da ilustração, lia-se: "S.A.I.D. [Sua Alteza Imperial Dona] Isabel: a Redentora".[6]

A mesma Lei Áurea, no entanto, tirou do trono seu mais sólido pilar de sustentação. Para os senhores de escravos, a Abolição havia sido um atentado contra o direito de propriedade. Forçados a aceitar o fim da escravidão depois de décadas de resistência, exigiam que o governo concordasse, ao menos, em indenizá-los pelos prejuízos que julgavam sofrer. As autoridades recusaram por uma questão prática: aos preços vigentes na época da Lei Áurea, os 700 mil escravos ainda existentes no país valeriam cerca de 210 milhões de contos de réis, enquanto o orçamento geral do Império não passava de 165 milhões de contos.[7] Indenizar os senhores de escravos seria, portanto, impossível. Ao ver suas reivindicações ignoradas, a aristocracia rural sentiu-se traída pela monarquia. Como resultado, nos meses seguintes à assinatura da lei, aderiu em massa à causa republicana.

Em 1889, o festival de adesões dos nobres e fidalgos, antigos aliados da monarquia, à recém-instalada república seria escandaloso. Quem tinha terras, prestígio e interesses a defender aderiu ao novo regime com a maior naturalidade e sem pensar duas vezes. O Senado do Império, onde se tinham assento as maiores sumidades da monarquia, não formulou qualquer voto de protesto à troca de regime ao se reunir pela última vez, em 16 de novembro daquele ano, dia seguinte ao golpe encenado pelo marechal Deodoro da Fonseca. Até mesmo o preceptor dos filhos da princesa Isabel, Benjamin Franklin de Ramiz Galvão, barão de Ramiz, pulou o muro tão logo pode. Semanas após a Proclamação da República, já tendo renunciado ao título de barão, foi nomeado diretor da Inspetoria Geral de Instrução Pública por indicação do tenente-coronel Benjamin Constant. Em discurso um ano mais tarde, comparou Deodoro a George Washington, primeiro presidente e herói da Independência dos Estados Unidos. "Dom Pedro II viu-se só e abandonado", observou o historiador pernambucano Manuel de Oliveira Lima. "A monarquia no Brasil caiu sem ter tido quem morresse por ela", observou o sociólogo Gilberto Freyre. "Esqueceram-me mais depressa do que eu esperava", queixou-se o próprio imperador ao Visconde de Ouro Preto em Paris.

A Abolição foi apenas parte do problema envolvendo a princesa imperial e a sucessão do trono brasileiro. Profundamente religiosa e conservadora, ela era apontada pelos críticos como mais fiel às orientações do Vaticano do que aos interesses nacionais. "Hoje nós passamos o dia todo na igreja, começando por assistir à missa", escreveu Isabel ao marido em 15 de outubro de 1875. "Estou muito cansada com a lavagem da igreja", relatou em outra ocasião, referindo-se à limpeza semanal da catedral de Petrópolis.[8] Em reconhecimento à assinatura da Lei Áurea, o papa Leão XIII lhe concedeu a Rosa de Ouro, uma das mais altas honrarias a Sé de Roma. Ao recebê-la das mãos do núncio apóstolo na Capela Imperial do Rio de Janeiro, em 28 de setembro de 1888, Isabel prestou um juramento de obediência ao papa. Isso só contribuiu para a erosão de sua imagem entre os republicanos, que na época defendiam a separação entre os poderes da Igreja e do Estado. Para eles, era inaceitável que a eventual futura imperatriz do Brasil se subordinasse ao papa de maneira tão incondicional.

A reação contra Isabel pode ser medida por uma carta que o fazendeiro Cândido Bernardino Teixeira Tostes, um dos homens mais ricos de Minas Gerais, cafeicultor na região de Juiz de Fora, enviou na época ao amigo e futuro genro Saint-Clair de Miranda Carvalho. No texto, Cândido Tostes se refere à Abolição como "celebérrima lei de 13 de maio, obra monumental dessa idiota que só pensa hoje na Rosa de Ouro que lhe foi conferida pelo papa e que espera alcançar do mesmo ser canonizada muito brevemente". Acrescentava em seguida: "Felizmente o que vai acontecer-lhe é ser enxotada pela barra afora. [...] Caminhamos a passos de gigante para riscarmos da América essa instituição que se chama monarquia".[9]

Os republicanos também acusavam a princesa de ser excessivamente submissa ao marido. Na imprensa, dizia-se que, na eventualidade da morte do imperador Pedro II, seria o Conde D'Eu o verdadeiro soberano brasileiro. Nesse caso, o Brasil voltaria a ser governado por um príncipe estrangeiro, como havia acontecido até a abdicação de dom Pedro I ao trono, em 1831. "O reinado de Isabel e Gastão de Orleans [...] será a nossa desonra, governo de agiotagem, de sacristia, da pátria em balcão, do punhal covarde e assassino vibrado nas trevas", afirmava o jornal *A República Federal*, da Bahia.[10] "O terceiro reinado é o governo do terror e do sangue", ecoava Aristides Lobo no *Diário Popular*, de São Paulo. "Ou o partido republicano resolve-se a esmagar a víbora que o pretende sufocar, ou realmente terá de sucumbir."[11] Outro republicano, o advogado e jornalista Antônio da Silva Jardim se referia à princesa como "uma senhora de espírito ignorante, frágil e fútil, educada pelo marido no carolismo de sacristia, não na religião, em saraus burgueses".[12]

Isabel e a maçonaria estavam em rota de colisão desde a chamada Questão Religiosa, série de conflitos envolvendo o governo brasileiro e o Vaticano entre 1872 e 1875. Na época, os poderes da Igreja e do Estado se confundiam e se misturavam. Por uma prerrogativa chamada "padroado", herdada ainda da monarquia portuguesa, o monarca era simultaneamente o chefe do Estado e o representante supremo da Santa Sé no país. Cabia a ele nomear bispos e padres, que recebiam salários do governo e lhe deviam obediência, como todos os demais funcionários. Também por esse privilégio competia ao imperador sancionar bulas e decisões papais antes que entrassem em vigor no país. Tudo isso funcionou relativamente bem até meados do século XIX, quando as cisões começaram a aflorar.

Uma das divergências dizia respeito à maçonaria. Alvo de críticas por parte da Igreja, a maçonaria tinha grande influência na política brasileira. Entre os maçons proeminentes da época estava José Maria Paranhos, o visconde do Rio Branco. Chefe do gabinete de ministros responsável pela promulgação da Lei do Ventre Livre, em 1871, Rio Branco era também o grão-mestre — ou seja, líder supremo — da maçonaria brasileira. O próprio imperador Pedro II, embora nunca tenha se filiado à fraternidade, visitava as lojas maçônicas e acompanhava com interesse as discussões políticas e filosóficas que ali ocorriam. Por essa razão, o imperador deixou de sancionar algumas bulas do papa Pio IX que proibiam os fiéis católicos de frequentar os templos maçônicos. Enquanto o soberano não se manifestasse, as decisões do papa não teriam valor legal no Brasil, o que gerou um problema para os bispos e padres, obrigados a optar entre as orientações do Vaticano e as do governo imperial que pagava seus salários.

O conflito veio à tona em dois episódios quase simultâneos. Em março 1872, o Grande Oriente do Brasil, entidade suprema da maçonaria, promoveu uma festa em homenagem ao visconde de Rio Branco pela promulgação da Lei do Ventre Livre. Entre os presentes estava o imperador. O orador escolhido para homenagear o ministro foi um padre maçom, José Luís de Almeida Martins. Fiel à orientação do papa, o então bispo do Rio de Janeiro, Pedro Maria de Lacerda, qualificou o ato de indisciplina e puniu o sacerdote com a suspensão de suas ordens.[13] Na mesma época, uma loja maçônica do Recife mandou celebrar uma missa em comemoração ao seu aniversário de fundação. O bispo de Olinda, Vital Maria Gonçalves de Oliveira, proibiu a cerimônia e determinou a excomunhão de todo fiel católico que continuasse a frequentar as lojas maçônicas. Posição semelhante foi adotada pelo bispo de Belém, Antônio de Macedo Costa, em solidariedade ao colega pernambucano.

Chamado a opinar, o governo anunciou que, antes de responder ao papa, bispos e padres brasileiros deviam obediência ao imperador. "O bispo é um empregado público", determinava o parecer assinado pelo senador Nabuco de Araújo, pai do abolicionista Joaquim Nabuco. Em 1874, dom Vital e dom Macedo Costa foram julgados e condenados a quatro anos de prisão com trabalho forçado.[14] Católica fervorosa, a princesa Isabel, que estava em viagem à Europa, tomou as dores dos bispos. "O governo quer-se também meter demais em coisas que não deveriam ser de seu alcance", protestou em carta enviada ao pai. A seu ver, o governo imperial deveria zelar pelos direitos dos cidadãos brasileiros e pelo cumprimento da Constituição, mas nada disso faria sentido "se não obedecemos em primeiro lugar à Igreja".[15] Em 1875, os bispos foram anistiados mediante um acordo diplomático previamente negociado com o Vaticano. Os maçons e os republicanos, porém, nunca se conformaram com o desfecho do caso e menos ainda com o papel desempenhado pela herdeira do trono. A concessão da anistia aos bispos foi atribuída à influência da princesa Isabel. A vingança viria duas décadas mais tarde, no golpe republicano.

Isabel foi herdeira do trono brasileiro por 43 anos, entre 1846, ano de seu nascimento, e 1889, data da queda da monarquia. Na condição de princesa regente, durante as viagens de seu pai ao exterior, fora a primeira mulher a governar o Brasil. Além dela, só outras oito em todo o mundo ocuparam o posto de autoridade máxima de seus países durante o século XIX: Maria II, de Portugal (a filha primogênita de dom Pedro I); Vitória, da Grã-Bretanha; Isabella II, da Espanha; Liliuokalani, do Havaí; Guilhermina, da Holanda; Maria Cristina de Bourbon, de Nápoles; Maria Cristina de Habsburgo-Lorena, da Espanha; e Emma de Waldeck e Pyrmont, da Holanda.[16]

Mulher e candidata ao mais alto posto na administração pública do Brasil imperial, Isabel era uma excentricidade de um mundo masculino, conservador e patriarcal. No século XIX, prevalecia no país a noção de que as mulheres deveriam ser educadas para assumir os papéis de esposa e mãe. Por lei, estavam proibidas de votar e serem votadas. A elas estava também proibido o acesso ao ensino superior, o que obrigou a baiana Maria Augusta Generosa Estrela, primeira médica brasileira, a obter o diploma em Nova York, em 1881. Defendido já em 1832 pela potiguar Nísia Floresta (precursora do abolicionismo, da república e da luta pela igualdade de gênero no Brasil), o direito das mulheres à educação e ao voto demoraria um século para virar realidade. O sufrágio feminino foi recusado pela primeira Assembleia Constituinte Republicana, de 1891, e só incorporado ao Código Eleitoral Brasileiro por Getúlio Vargas em 1932, ainda assim com restrições.

Ao assumir a regência pela primeira vez, em junho de 1871, com 25 anos e nenhuma experiência política, Isabel viu-se à frente de um gabinete ministerial composto por sete homens maduros e circunspectos. Caberia a ela, ainda que temporariamente, governar um país de 10 milhões de habitantes e dimensões continentais. Descreveu a situação em uma carta bem-humorada ao pai, que estava na Europa: "Coisa tão esquisita ver-me assim do pé para a mão uma espécie de imperador sem mudar de pele, sem ter uma barba, sem ter uma barriga muito grande". Na mesma carta, brincava dizendo que o eventual colapso do ministério na ausência do pai a deixaria de "calças pardas", expressão equivalente a "borrar a cueca" no ambiente masculino.[17]

Isabel nasceu no final da tarde de 29 de julho de 1846, depois de um prolongado trabalho de parto. Seguindo a tradição, o pai a levou imediatamente à presença de um grupo composto por ministros, conselheiros de Estado e os presidentes da câmara e do senado — todos homens. Como exigia a lei, ali mesmo firmou-se uma declaração oficial em três vias na qual todos a reconheciam como herdeira presuntiva ao trono. A pequena princesa foi alimentada por uma ama de leite branca e católica, selecionada na comunidade de imigrantes suíços de Nova Friburgo, e batizada no dia 15 de novembro daquele ano na Capela Imperial do Rio de Janeiro com água benta trazida do rio Jordão, na Palestina (o mesmo rio em que o profeta João Batista batizara Jesus Cristo, segundo os Evangelhos). Recebeu o nome de Isabel Cristina Leopoldina Augusta Micaela Gabriela Rafaela Gonzaga. Até a adolescência, assinava as cartas como Isabel Cristina, ou apenas com as iniciais "IC".

Na infância, Isabel submeteu-se junto com a irmã, Leopoldina, um ano mais nova, a um formidável programa de educação concebido pelo pai.[18] A rotina diária de estudos prolongava-se por nove horas e meia, seis dias por semana. Incluía aulas de latim, inglês, francês e alemão, história de Portugal, da França e da Inglaterra, literatura portuguesa e francesa, geografia e geologia, astronomia, química, física, geometria e aritmética, desenho, piano e dança. Mais tarde, passaram a incluir também o italiano e o grego, história da filosofia e economia política. No começo, o imperador encarregava-se pessoalmente das aulas de geometria e astronomia. Chegou a escrever um tratado sobre o tema para as princesas.

Ao completar catorze anos, em 1860, foi oficialmente apresentada à corte em cerimônia pública. Um cortejo de seis carruagens escoltadas por funcionários do palácio e dois esquadrões de cavalaria saiu do Paço de São Cristóvão levando a princesa. Ao chegar ao prédio do Senado, no centro do Rio de Janeiro, foi recebida por uma comissão de parlamentares. No plenário, como previa o regimento, jurou "manter a religião católica apostólica romana, observar a Constituição política da nação brasileira e ser obediente às leis e ao imperador".

Isabel estudou muito, mas curiosamente, vivendo numa sociedade conservadora e masculina, cresceu ignorante às peculiaridades do próprio corpo. É o que se depreende da carta que escreveu ao marido, o Conde D'Eu, em agosto de 1865. Referia-se ao próprio ciclo menstrual:

> *Este mês eu tive menos o meu período, já não o tenho hoje. Diga, será que não terei o período no próximo mês se você não voltar? Eu não sei nada dessas coisas, querido, e não me atrevo a perguntar senão a você.*

Nesse mesmo ano, recebeu do marido, em viagem com o imperador Pedro II ao sul do país, rigorosas instruções sobre como se comportar na sua ausência:

> *Nunca recebas homens, a não ser na companhia de outra mulher.*
> *Não relaxes na postura: fica erguida e bem plantada nos dois pés.*
> *Cuida do teu físico.*
> *Todas as noites e na missa, reza pelo Brasil, por mim e por teu pai.*
> *Relê tudo isto algumas vezes.*

Obediente ao marido, Isabel respondeu também por carta:

Li o teu bilhete e vou tentar fazer o que me pedes.[19]

Como era comum nos regimes monárquicos, o casamento com o Conde D'Eu resultou de uma longa e meticulosa discussão entre o Império Brasileiro e algumas das famílias reais mais importantes da Europa. Dom Pedro II pessoalmente cuidou de tudo, conduzindo uma negociação em bloco, que incluiu o destino não só de Isabel, mas também da filha mais nova, Leopoldina. Coube a ele pesquisar, negociar e acertar o casamento de ambas. Em carta ao cunhado, príncipe de Joinville, que o ajudou a encontrar os candidatos na Europa, reafirmou que Isabel "há de casar com quem eu escolher, no que ela concorda por ser muito boa filha". Isabel e Leopoldina só souberam da identidade dos futuros maridos vinte dias antes que chegassem ao Rio de Janeiro. Eram os primos Luís Filipe Maria Fernando Gastão de Orléans, o conde D'Eu, e Augusto de Saxe-Coburgo-Gotha, o duque de Saxe, também conhecido como Gousty. Tinham 22 e 19 anos, respectivamente.

A negociação, que durou seis meses, "muito se assemelhou a uma transação imobiliária moderna", na definição do historiador britânico Roderick Barman, autor de uma biografia da princesa Isabel.[20] Os contratos de casamento previam, entre outras coisas, transferência de propriedade, rendas vitalícias previstas em orçamento público, indenizações em caso de algum imprevisto. "Nós lhe despachamos mercadoria de primeira", comemorou o rei da Bélgica, Leopoldo I, tio dos dois rapazes, ao saber que estavam a caminho do Brasil. Como se, de fato, fossem mercadorias, os noivos eram descritos em detalhes nas cartas trocadas entre as autoridades envolvidas na transação. Um exemplo é a carta que o príncipe de Joinville teve a precaução de enviar a dom Pedro II em fevereiro de 1864, na qual enumerava as qualidades e também um defeito do futuro genro do imperador:

> Ele é alto, forte, bonito, bom, gentil e muito simpático, muito instruído, amante do estudo e, ademais, já tem certo renome militar, 21 anos. É um pouco surdo, é verdade, mas não tanto que chegue a ser uma enfermidade.

O imperador respondeu em seguida dizendo ter repassado todos os detalhes às princesas: "Transmiti-lhes a informação [...] sem omitir, porém, a surdez do Conde D'Eu, a fim de evitar qualquer surpresa".

Curiosamente, enquanto os noivos viajavam para o Brasil, ainda não se sabia exatamente quem se casaria com quem. O acordo previamente negociado por dom Pedro II e o cunhado previa apenas que os dois primos se casariam com as princesas brasileiras, sem especificar a quem estavam destinados. A historiadora Mary Del Priore conta que, durante a viagem a bordo do navio *Paraná*, que os trouxe da Europa, Gastão e Gutsy teriam disputado as noivas em jogos de cartas e dados.[21]

Só em 4 de setembro de 1864, dois dias após o desembarque dos noivos no Rio de Janeiro, o imperador Pedro II teve condições de comunicar oficialmente ao representante francês encarregado de acompanhar os rapazes na condição de conselheiro que Isabel escolhera Gastão, ficando Gutsy para Leopoldina. Uma anotação no diário da princesa Isabel confirma a incerteza da escolha até aquele momento: "Pensava-se no Conde D'Eu para minha irmã e o duque de Saxe para mim. Deus e os nossos corações decidiram diferentemente".

A primeira impressão dos noivos ao ver Isabel e Leopoldina no Rio de Janeiro não foi nada boa. "As princesas são feias", afirmou o Conde D'Eu em carta à irmã, Marguerite d'Orleans, que morava em Londres. "Mas a segunda é decididamente pior do que a outra, mais baixa, mais atarracada e, em suma, menos simpática", completou, referindo-se a Leopoldina. Em outra correspondência, duas semanas mais tarde, alertou a irmã:

> *Para que não te surpreendas ao conhecer minha Isabel, aviso-te que ela nada tem de bonito; tem sobretudo uma característica que me chamou a atenção. É que lhe faltam completamente as sobrancelhas. Mas o conjunto de seu porte e de sua pessoa é gracioso.*

Mesma avaliação faria meses mais tarde o tio de Isabel, príncipe de Joinville, ao conhecê-la durante a viagem de lua de mel na Europa. "A mulher é feia na plena expressão da palavra", relatou à irmã, Clementina. "Ela é uma princesa feia, mas tem um ar bom e evidentemente recebeu uma educação muito acurada."[22]

Isabel e o Conde D'Eu casaram-se em cerimônia realizada na Capela Imperial em 15 de outubro de 1864, dia em que uma tempestade de granizo causou grandes estragos no Rio de Janeiro. Para comemorar o casamento, a princesa pediu ao pai que libertasse dez escravos do palácio de São Cristóvão. O casal passou sua primeira noite e mais duas semanas em Petrópolis, na casa da família de uma amiga de infância da princesa, antes de seguir para a Europa em uma viagem de lua de mel que incluiu Portugal, Inglaterra, Bélgica, Alemanha, Áustria e Espanha.

Sabe-se da iniciação sexual da princesa, nessa primeira noite, pela carta que ela escreveu ao marido um ano mais tarde: "Decerto esta noite eu vou dormir melhor do que há um ano, mas que diferença! Eu estava agitada, é verdade, mas, deves compreender, estava tão contente e feliz!!!".

Em outra carta, no dia seguinte, novas recordações: "Hoje faz um ano que me deste um beijo de manhã, ao te levantares. Como isso me agradou!!!".

Começava ali uma relação apaixonada, que duraria pela vida toda, mas uma sombra haveria de turvar os anos iniciais do casamento: o casal demorou dez anos para ter filhos — o que afinal de contas era a principal obrigação da herdeira do trono brasileiro, segundo observou a historiadora Mary Del Priore. Fofocas maldosas na corte perguntavam se a princesa seria infértil ou se o "reprodutor" francês não funcionava. Enquanto isso, para constrangimento ainda maior do casal imperial, os cunhados Gutsy e Leopoldina tinham um filho por ano.

Em 1869, ainda às voltas com as dificuldades em ter filhos, o conde D'Eu conseguiu convencer o imperador Pedro II a enviá-lo para a Guerra do Paraguai. Era uma reivindicação antiga. Até então, ele sentia-se inútil e pouco prestigiado no Rio de Janeiro. Ir para a guerra seria uma forma de demonstrar seus talentos militares e assumir as altas responsabilidades que julgava merecer na administração do Império. "Fragilizado na cama, é provável que quisesse compensar sua frustração nos campos de batalha", observou Mary Del Priore. "Se não era capaz de insuflar vida, podia semear a morte."[23]

O Conde D'Eu foi nomeado comandante supremo das tropas brasileiras no Paraguai no dia 22 de março de 1869 em razão de uma crise envolvendo o então marquês e futuro duque de Caxias, cuja liderança havia sido, até aquele momento, fundamental para a vitória dos aliados. Em janeiro daquele ano, as forças aliadas haviam entrado finalmente em Assunção, uma cidade abandonada à própria sorte pelo ditador paraguaio Solano López a esta altura refugiado na cordilheira. Idoso e enfermo, Caxias, comandante em chefe da Tríplice Aliança, achava que, com a ocupação da capital inimiga, o conflito, iniciado em 1864, terminara. Caçar Solano López seria prolongá-lo muito além do necessário. "A guerra chegou ao seu termo", proclamou na ordem do dia expedida a 14 de janeiro. "O Exército e a esquadra brasileira podem ufanar-se de haver combatido pela mais justa e santa de todas as causas". Não era esse, porém, o entendimento de dom Pedro II. "Eu não negocio com López! É uma questão de honra e eu não transijo!", escreveu o imperador em carta à amiga condessa de Barral.[24] Contrariado, Caxias pediu demissão e voltou para casa sem dar satisfações ao governo imperial. Caberia ao conde D'Eu terminar a tarefa fazendo a caçada a Solano López. "Seria uma etapa despida de glórias", observou o historiador Vasco Mariz.[25]

Ao chegar a Assunção, o Conde D'Eu tinha 27 anos. Um oficial brasileiro, Alfredo D'Escragnolle Taunay, futuro visconde de Taunay, que o conheceu na ocasião, registrou em suas memórias detalhes curiosos de sua aparência e personalidade:

> *Um narigão temível, [...] desajeitado, deselegante, frequentemente despenteado, vestia-se mal, não dançava bem, instável no trato diário, meio surdo, avarento e propenso ao desânimo e à depressão [...]. Seu sotaque áspero, por vezes demasiado acentuado, desagradava.*[26]

Estranhamente, uma das primeiras decisões tomadas pelo conde ao chegar ao Paraguai foi abolir a escravidão no país vizinho. A notícia causou enorme surpresa entre os brasileiros. Por um lado, confirmava os sinceros sentimentos abolicionistas da família imperial brasileira. Por outro, criava uma dissonância entre a realidade do país vencedor e a do vencido. O Brasil que impunha a abolição no Paraguai era ainda um país escravocrata convicto. O pior, no entanto, ainda estava por vir.

O ditador paraguaio foi morto pelas tropas brasileiras na localidade de Cerro Corá em março de 1870, mais de um ano após a ocupação de Assunção. Acuado e sem meios de se defender, usou como escudos velhos, mulheres, crianças e adolescentes, que foram trucidados sem piedade pelas tropas brasileiras. Os números são imprecisos, mas alguns historiadores falam em mais de 100 mil mortos, entre 10% e 15% da população paraguaia, de 1 milhão de habitantes nessa época. O massacre, considerado desnecessário por muitos estudiosos, manchou de maneira irremediável a biografia do conde D'Eu. Júlio José Chiavenato, autor de uma história do conflito sob a ótica da esquerda da década de 1970, o acusou de "sádico" e "sanguinário", responsável por "uma crônica fantástica pelos crimes que cometeu".[27] Francisco Doratioto, um pesquisador mais equilibrado e criterioso no uso das fontes, ainda assim o descreveu como um criminoso de guerra, capaz de degolar prisioneiros desarmados e executar a sangue-frio mulheres, crianças e adolescentes na caçada final a Solano López.[28]

De regresso ao Rio de Janeiro, em abril de 1870, o conde d'Eu foi recebido com festas nas ruas e homenagens oficiais. Logo chegariam ao fim também suas angústias conjugais. Em 15 de outubro de 1875 Isabel deu à luz o tão aguardado primogênito, batizado com o nome do avô, Pedro de Alcântara. O segundo filho, Luís, viria em 1878. O terceiro, Antônio, em 1881. "Afinal, o reprodutor francês funcionava bem...", cutucou o historiador Vasco Mariz.[29] A felicidade do casal, no entanto, seria rapidamente ofuscada pelas dificuldades políticas enfrentadas pela monarquia brasileira.

Isabel e o conde D'Eu se tornaram o alvo predileto dos ataques da campanha republicana, acusados de serem os responsáveis por virtualmente todas as mazelas nacionais. Entre outras críticas, o conde era apontado como dono de cortiços miseráveis no centro do Rio de Janeiro, onde exploraria de forma desumana os moradores pobres cobrando-lhes aluguéis extorsivos. Diziam até que cobrava pessoalmente esses aluguéis. Um de seus biógrafos, o historiador e sociólogo potiguar Luís da Câmara Cascudo, garante que nada disso era verdade.[30] Nem por isso a imprensa republicana lhe dava trégua.

Em abril de 1889, o jornal a *República* **Federal,** da Bahia, sentenciava:

> *Gastão de Orleans, conde D'Eu, [...] é o futuro imperador do Brasil. É clerical, intolerante, monarquista de direito divino, aristocrata, usurário, avarento. [...]. O que esperar deste rebento corrompido, filho degenerado de uma família que traz no sangue o gérmen de todos os vícios que coram de apresentar-se à luz do sol?*[31]

Em público, o conde suportava tudo em silêncio, mas reclamava da situação nas cartas enviadas à família na Europa. "Estou cansado de ser usado aqui como bode expiatório pela imprensa, ostensivamente responsabilizado por tudo, sem na realidade ter voz nem influência", queixou-se em correspondência ao pai.

Isabel, por sua vez, era atacada pelo conservadorismo e o apego extremado à religião católica. O fanatismo da princesa causava profunda irritação nas lideranças políticas, que a viam mais empenhada em cumprir suas obrigações religiosas do que se preocupar com os destinos do país. "Estou convencido de que o terceiro reinado será uma desgraça", escreveu em dezembro de 1887 o jornalista João Capistrano de Abreu a José Maria da Silva Paranhos Júnior, futuro barão do Rio Branco. "A princesa não tem popularidade e, infelizmente, faltam-lhe muitas outras qualidades para ocupar o lugar do pai", reforçou o *Jornal do Commercio*, o mais importante da época.[32]

Essas críticas eram compartilhadas não apenas pelos republicanos, mas também pelos monarquistas, e continuariam depois da Proclamação da República. Episódio exemplar disso foi o encontro que o chefe liberal gaúcho Gaspar Silveira Martins, um monarquista convicto, relatou ter tido com a princesa em novembro de 1891, já durante o exílio da família imperial em Paris. Ao tomar conhecimento de que o marechal Deodoro havia dissolvido o Congresso Nacional e implantado uma ditadura de fato no Brasil, Silveira Martins procurou Isabel e insistiu inutilmente para que ela retornasse ao país com a missão de liderar os esforços pela restauração da monarquia. A princesa, segundo o político gaúcho, teria recusado a proposta, alegando ser antes de tudo católica. Como tal, não poderia deixar a cargo de professores brasileiros republicanos a educação dos filhos, cuja alma ela julgava na obrigação de salvar. "Então, senhora, seu destino é o convento", teria respondido Silveira Martins, dando por encerradas as esperanças de restauração do trono.[33]

A princesa morreu no exílio, em 14 de novembro de 1921, aos 75 anos. Seus restos mortais, enfim transferidos para o Brasil em 1953, repousam atualmente na Catedral de Petrópolis, ao lado do marido, conde D'Eu, e do pai e da mãe, Pedro II e Teresa Cristina. Entre seus admiradores existe até hoje um movimento destinado a convencer a Igreja católica a canonizá-la, ou seja, declará-la oficialmente santa.

Aos poucos, no entanto, a memória de Isabel como a "Redentora" dos escravos e do próprio Treze de Maio vai se esvanecendo entre os brasileiros à medida que novas reflexões brotam sobre seus significados. Como apontado no primeiro volume desta trilogia, existe hoje no Brasil uma intensa batalha envolvendo o panteão de heróis nacionais e a maneira como são homenageados no calendário cívico, em estátuas e monumentos. De um lado, estão a princesa Isabel, uma mulher branca, e o dia da assinatura da Lei Áurea. De outro, Zumbi do Palmares, um homem negro, e o Vinte de Novembro, data de sua morte em 1695. Na disputa, se expressam diferentes visões a respeito da história da escravidão, seus acontecimentos e personagens e o seu legado para as atuais e futuras gerações.

Os defensores do Treze de Maio reverenciam a Princesa Isabel no papel que lhe foi atribuído por José do Patrocínio: o de "Redentora" da liberdade dos cativos no Brasil. Os aliados de Zumbi e do Vinte de Novembro, ao contrário, acreditam que a Lei Áurea foi apenas um ato de fachada da elite agrária escravocrata brasileira que até então defendera com afinco o regime escravagista. Comemorar o quê, questionam eles, se os cativos libertos e seus descendentes foram abandonados à própria sorte, sem nunca ter tido possibilidades reais de participar da sociedade brasileira na condição de cidadãos de plenos direitos, com iguais oportunidades? Por essa visão, a luta dos escravos brasileiros estaria mais bem representada pelo herói de Palmares e a data de seu sacrifício nas matas de Alagoas.

O Treze de Maio foi feriado nacional por quarenta anos no Brasil. Instituído pelo decreto 155B, de 14 de janeiro de 1890, dois meses após a Proclamação da República, era "consagrado à comemoração da fraternidade dos brasileiros" e refletia o espírito ufanista que se seguiu à Abolição da Escravatura, à queda da monarquia e a instituição de um novo regime de governo. Foi cassado por outro decreto, de número 19.488, assinado por Getúlio Vargas em 15 de dezembro de 1930. Hoje é vagamente lembrado nas escolas, em artigos de jornal e textos nas redes sociais, não mais que isso. Como alternativa, o Vinte de Novembro começou a se firmar na década de 1990 num Brasil que encerrava mais um período de ditadura e começava a discutir sobre seu próprio passado, suas raízes, sua índole e seus mitos. Por força da lei 12.519, de 2011, o Vinte de Novembro se transformou no

Dia Nacional de Zumbi e da Consciência Negra. Não havia porém a obrigação de feriado, que ficava a critério dos estados e municípios. Pegou apenas parcialmente. Em 2018, apenas 1.047 municípios, de um total de 5.568, respeitavam a data. Em alguns estados, como Rio Grande do Norte, Ceará, Pernambuco, Pará e Rondônia, nenhuma cidade se animou a celebrá-la.

29. O DIA SEGUINTE

> *"Liberdade, liberdade!*
> *Abra as asas sobre nós.*
> *E que a voz da igualdade*
> *Seja sempre a nossa voz"*
>
> Samba enredo da Imperatriz Leopoldinense
> para o carnaval de 1989, centenário
> da Proclamação da República

As fazendas de café do Vale do Paraíba, o coração escravista do Brasil no século XIX, testemunharam um grande êxodo nos dias seguintes à Lei Áurea de 1888.[1] Foram cenas de proporções bíblicas. Milhares de homens, mulheres e crianças se puseram em marcha, sem destino algum. Eram os novos "libertos" brasileiros. Muitos deles, depois de receber as notícias do Rio de Janeiro, simplesmente se recusaram a continuar trabalhando para seus antigos senhores. Para eles, a liberdade significava, pela primeira vez na vida, a oportunidade de ir e vir, abandonar as senzalas e buscar trabalho em outro lugar, sem dar satisfações a ninguém.

Calcula-se que apenas um quarto — talvez nem isso — dos escravos permaneceu nos seus antigos locais de trabalho.

Alguns acampavam ao redor de vendas e tabernas, onde passavam as noites dançando e cantando em celebrações de alegria. "Ex-escravos perambulavam em grupos ao longo das estradas, sem destino, dormindo nos ranchos ou ao ar livre", registrou o jornal *Novidades*, da cidade de Vassouras. Uma mulher explicou por que decidira abandonar a fazenda em que havia nascido: "Era uma escrava e, se permanecer aqui, continuarei sendo uma escrava". Em Paraíba do Sul, espalhou-se o boato, obviamente sem fundamento, de que, por um acordo secreto entre os fazendeiros e o governo, a Lei Áurea sofrera uma emenda de última hora: os ex-cativos deveriam servir mais sete anos em regime de escravidão, antes de terem direito à liberdade definitiva. No dia seguinte, não havia mais nenhum deles em pelo menos dezesseis fazendas. Todos tinham partido sem dar explicações aos proprietários.

Aos poucos, porém, a dura realidade foi se impondo. Passadas as noites de festas e danças, os ex-escravos perceberam que não havia para onde ir. Ninguém lhes daria trabalho. Grupos famintos e esfarrapados continuaram a perambular, a esmolar de casa em casa, de fazenda em fazenda, em busca de comida e amparo. Outros se dirigiam aos centros de cidades e vilarejos, tentando encontrar algum amparo das autoridades — o que não aconteceu em lugar algum. "Os negros estavam morrendo de fome ao longo das estradas, não tinham onde se abrigar, ninguém os queria, eram perseguidos", registrou o escritor Coelho Neto, maranhense da cidade de Caxias, que viveu em Vassouras por alguns anos após a Abolição.

Desse modo, ainda que lentamente, todos foram voltando para as fazendas, onde entraram em acordo com os proprietários. Ali continuaram a trabalhar, morando nas mesmas senzalas de antes, sob as mesmas condições, agora apenas em troca de um minguado salário que mal dava para cobrir as despesas relacionadas à própria sobrevivência. Muitas famílias migraram para as periferias de cidades como Rio de Janeiro e São Paulo, dando início ao fenômeno das favelas que hoje marcam a paisagem das metrópoles brasileiras. Outra parte se constituiu em população móvel, flutuante, que se deslocava de uma região para outra de acordo com os períodos de plantio e colheita e as necessidades de trabalho sazonal.

Os novos contratos eram feitos entre partes desiguais. Os fazendeiros precisavam de mão de obra para garantir a colheita da safra seguinte de café. Mas eram os recém-libertos que necessitavam desesperadamente de dinheiro para comer, lugar para dormir, agasalhos e roupas para vestir. A título de salário, os novos libertos recebiam uma diária de 1.200 réis com as refeições fornecidas pelos fazendeiros; ou de 1.800 réis caso a comida ficasse por conta do trabalhador. Esse dinheiro, como se viu em um dos capítulos anteriores, seria insuficiente para comprar um sanduíche (que custava 1.500 réis). Para adquirir uma lata de manteiga (vendida a 2.300 réis), seria necessário trabalhar dois dias. Muitos fazendeiros abriram suas próprias vendas e lojas dentro de suas propriedades para fornecer alimentos, roupas e outras mercadorias aos libertos. Vendiam fiado, a crédito e a prazo, a preços extorsivos, de modo que o trabalhador ficasse sempre endividado e impossibilitado de deixar a fazenda antes de saldar o débito. Se não tivesse dinheiro, era obrigado a cumprir jornadas extras de trabalho. Criava-se, dessa forma, uma relação clássica de dependência ainda hoje muito comum em propriedades do interior do Brasil denunciada como práticas de trabalho análogas à escravidão.

Ilustrativo do pensamento dos fazendeiros era a longa correspondência que, em março de 1888, João Francisco de Paula Sousa, cafeicultor de Itu, interior de São Paulo, enviou ao amigo

César Zama, médico, escritor e político abolicionista baiano. Tratava do assunto do momento, o futuro dos ex-escravos.[2] A seguir, estão reproduzidos alguns trechos da carta.

Sobre o pânico que tomou conta dos fazendeiros da região diante das notícias da iminente lei da Abolição e a fuga em massa dos escravos:

> *Durante o mês de fevereiro passamos na província horas de amargura e terror, vendo a mais completa desorganização do trabalho que se pode imaginar. Todo o corpo de trabalhadores desertou das fazendas, que ficaram quase abandonadas. Não exagero dizendo que, sobre cem, oitenta ficaram desertas, procurando os negros as cidades ou aliciadores malévolos. Que será de todos nós, pensávamos tristemente. Pouco a pouco eles cansaram da vadiação, e a seu turno os aliciadores cansaram de sustentá-los sem proveito, e hoje, março, já estão todos mais ou menos arrumados.*

Sobre como garantir que os ex-escravos continuassem nas fazendas depois da Lei Áurea:

> *Não hesitem, libertem em massa e contratem. [...] Trabalhadores não faltam. Temos os próprios escravos, que não derretem nem desapareçam [com a Abolição], e que precisam de viver e de se alimentar, e, portanto, de trabalhar, coisa que eles compreendem em breve prazo.*

A sugestão de que, em vez de pagar salários, os proprietários passassem a cobrar pelos alimentos e mercadorias que vendessem aos ex-cativos:

Nada lhes dou; tudo lhes vendo, inclusive um vintém de couve ou de leite. Só isso dá quase para o pagamento do trabalhador.

Sobre como transformar os antigos escravos em trabalhadores assalariados:

Desde primeiro de janeiro não possuo um só escravo! Libertei todos, e liguei-os à casa por um contrato social igual ao que tinha com os colonos estrangeiros [...]. Bem vês que o meu escravismo é tolerante e suportável.

Na falta de mudanças estruturais, sobraram nas fazendas alguns curiosos malabarismos semânticos. Os antigos alojamentos e senzalas de escravos passaram a se denominar "dormitórios de empregados ou camaradas". Na ala feminina, destinada a mulheres solteiras, as tarimbas de madeira rústica usadas até então como cama continuaram as mesmas, mas ganharam o nome de "quartos de empregada" e "dormitórios de libertas". No inventário de Manoel Peixoto de Lacerda Werneck, redigido doze anos depois da Lei Áurea, o alojamento dos libertos situado perto da sede era descrito como "uma casa coberta por telha, com cinco seções, que costumava ser uma senzala". Linguagem semelhante aparecia no inventário de Alexandrina de Araújo Padilha, falecida no mesmo ano: "Uma casa dividida em dormitórios para empregados, uma casa coberta por telhas, as antigas senzalas, uma casa coberta por telha, assoalhada, servindo como enfermaria e dormitório para libertas solteiras". Os cruéis e odiados feitores e capatazes, responsáveis pelo manejo do chicote no tempo da escravidão, também mudaram de nome. Passaram a ser chamados de "apontadores", porque tinham a responsabilidade de, quatro vezes por dia, "fazer o ponto" em pequenos livros para verificar a presença dos trabalhadores nas suas respectivas turmas distribuídas no campo. Já não usavam o chicote, mas andavam armados de espingardas e revólveres.

Os acontecimentos do Vale do Paraíba eram um retrato do que acontecia no restante do país. Feita a Abolição, o Brasil não foi à ruína, como temiam e proclamavam muitos escravocratas até a véspera da Lei Áurea.[3] A colheita de café de 1888, ao contrário do que vaticinavam os fazendeiros, não se perdeu. As exportações até aumentaram, cerca de 48% em relação ao ano anterior. A Abolição, dizia um relatório do governo do Rio de Janeiro em agosto de 1888, veio "pacificamente, sem obscurecer a ordem e a tranquilidade que devem reinar numa sociedade bem constituída". Um resumo da situação foi feito de forma irônica pelo jornal *Gazeta de Notícias* de 14 de janeiro de 1890:

> *Os escravos foram libertados, e não foram feitos esforços para se cuidar dos libertos ou dos que dependiam de seu trabalho. Deixados à própria sorte, ambos os grupos resolveram a questão como puderam e — ressurgimento maravilhoso da nossa terra! — os libertos não se transformaram em vagabundos e malfeitores como alguns profetizavam.*

Alguns fazendeiros tiveram, sim, problemas nos primeiros anos. Foram aqueles que não se anteciparam às mudanças ou a elas não conseguiram se adaptar. Um estudo sobre a situação econômica e financeira do estado de São Paulo, publicado em 1896, apontava um grande número de fazendas abandonadas ao longo do Vale do Paraíba. Algumas eram enormes, como a Santa Rita, nas vizinhanças da atual Aparecida, com 1 milhão de pés de café. A contabilidade da lavoura, antes e depois da Abolição, mostra uma razão óbvia para a aparente ruína de alguns proprietários: o plantel de escravos valia mais do que a própria terra em que trabalhavam. Eram eles que davam lastro ao valor das propriedades até a assinatura da Lei Áurea. No dia seguinte, esta porção do patrimônio virou pó.

O historiador norte-americano Stanley J. Stein encontrou dois bons exemplos disso no município de Vassouras.[4] Em 1863, a fazenda Guaribu era avaliada por 635 contos de réis, porém dois terços desse valor eram referentes ao seu plantel de escravos, avaliado em 441 contos de réis. As terras, por sua vez, representavam uma parte ínfima do patrimônio, apenas 41 contos de réis (pouco mais de 6,5% do total). Em 1887, um ano antes da Lei Áurea, o valor somado dos escravos estava reduzido a apenas 45 contos, enquanto o preço total da fazenda tinha despencado para 112 contos. A desvalorização da fazenda Taboões foi ainda mais dramática, de um valor total de 193 contos de réis em 1880 para apenas 27 contos em 1888. "A lei de 13 de maio tirou dos bens da fazenda o valor de meus escravos", queixava-se o proprietário Joaquim Vieira de Castro ao fazer o inventário dos bens de sua esposa, Felisberta Avellar Vieira, três dias depois da Abolição. "Não há praticamente nada para ser distribuído entre os herdeiros".

Além da desvalorização dos imóveis, a Abolição comprometeu parte da capacidade dos fazendeiros de contrair crédito bancário. Durante o período escravista, os cativos funcionavam como uma garantia, podendo ser hipotecados às casas bancárias em operações de empréstimo. Isso não foi mais possível depois de 1888. Francisco de Paula Ferreira de Rezende, produtor de café na Zona da Mata de Minas Gerais, calculava que sua fortuna, avaliada em mais de 100 contos de réis em 1885, estava reduzida a menos de um terço disso, cerca de 30 contos de réis. O valor do alqueire de terra despencara de 400 mil réis para 100 mil réis. O preço médio atribuído a um pé de café se reduzira a um décimo da estimativa anterior. E nem assim havia compradores interessados em adquirir essas propriedades. Os libertos tinham concordado em permanecer na fazenda para colher a safra do café seguinte à promulgação da lei, depois partiram para nunca mais voltar. "Ninguém faz ideia do abalo que tal fato produziu entre os lavradores", escrevia o fazendeiro, referindo-se à Lei Áurea. "A lei de 13 de maio de 1888 veio a ser para mim [...] um golpe terribilíssimo."

Os escravos foram abandonados à própria sorte, mas os proprietários, como sempre, choravam de barriga cheia. Embora nunca tenham sido indenizados pela Lei Áurea, obtiveram generosas linhas de crédito agrícola que lhes foram oferecidas nos anos após a Abolição, tanto pelo governo monárquico como pelo regime republicano que se instalou em 1889. Nos meses que se seguiram à Lei Áurea, os cofres públicos foram abertos numa tentativa de pacificar os proprietários que reclamavam indenização pelo patrimônio que julgavam confiscado na forma de seus plantéis de escravos agora libertos. O governo contratou com vários bancos linhas de empréstimos agrícolas. João Alfredo de Oliveira, chefe do gabinete conservador responsável pela Lei Áurea, assinou acordos com o Banco do Brasil para emprestar 15 mil contos de réis aos fazendeiros do Sul e com o Banco da Bahia para oferecer outros 3 mil aos senhores de engenho e aos plantadores de fumo e algodão. Seu sucessor, o liberal Visconde de Ouro Preto, expandiu ainda mais essas operações fazendo acordos com dezessete bancos diferentes com o objetivo de emprestar aos antigos senhores escravocratas um total de 172 mil contos de réis, estimados na época em cerca de 95 milhões de dólares, a juros baixíssimos, de apenas 6% ao ano. Para financiar essas linhas de crédito, o governo lançou mão de um empréstimo de 100 mil contos, a juros de 4% ao ano. Ou seja, os bancos tomavam dinheiro do governo a 4% e emprestavam aos fazendeiros a 6%, operação que, de saída, lhes assegurava um lucro de dois pontos percentuais. Repetia-se assim prática que já tinha ocorrido, duas décadas antes, por ocasião da aprovação da Lei do Ventre Livre, quando o governo estendeu linhas de crédito agrícola no valor de 25 mil contos de réis na tentativa de sossegar o ânimo dos fazendeiros.[5]

Na verdade, os fazendeiros estavam mal-acostumados pelas relações desumanas que vigoravam na época da escravidão. Esperavam, após a Abolição, que os ex-escravos se submetessem a um regime de trabalho tão extenuante quanto antes. "Ele [o escravo] não deve achar que liberdade significa ausência de horas obrigatórias de trabalho", escrevia André Werneck, cafeicultor de Vassouras. O que exatamente significaria "horas obrigatórias de trabalho"? Esse foi o ponto crucial nos debates que se seguiram à Lei Áurea. Para os escravos, era ter benefícios concretos, como uma recompensa adequada e trabalhar menos horas em relação às jornadas anteriores, no cativeiro, que muitas vezes se prolongavam entre catorze e dezoito horas diárias. Os fazendeiros, ao contrário, não esperavam menos do que isso. Para eles, a diferença entre liberdade e escravidão estava apenas na posse ou não da pessoa cativa e no pagamento de um ínfimo salário. Todo o mais deveria continuar igual.

A partir da Abolição, aumentou a pressão dos senhores escravocratas para que o governo adotasse leis contra o que chamavam "vadiagem" por parte de seus ex-cativos. Na Bahia, três dias depois da Lei Áurea, o comerciante e senhor de engenho Aristides Novis, em carta endereçada ao correligionário barão de Cotegipe, confessava-se assustado com as festas promovidas pelos negros libertos nas ruas de Salvador e pedia providência para que voltassem logo ao trabalho: "Comércio fechado todo o dia de ontem, passeatas nas ruas, [...] todas as noites temos grandes festas", relatava Novis. "Temos aqui mais de 3 mil negros vindos dos engenhos. Ainda ontem, conversando com o presidente e o chefe de polícia, pedi-lhes que, assim que passassem estas festas, providenciassem no sentido destes trabalhadores voltarem às fazendas, se não em breve os roubos e mortes se dariam a cada momento."[6]

Em 1890, Alberto Brandão, diretor do Tesouro do Estado, antigo professor de escolas particulares de Vassouras e defensor do escravismo até 1888, preparou um relatório ao governador do estado do Rio de Janeiro, Francisco Portela, no qual exigia que "um artigo do Código Penal seja aplicado para forçar os libertos a retornar às fazendas que haviam abandonado". Explicava: "Se reprimirmos a vadiagem, o imenso efetivo agora inútil terá que retornar às fazendas abandonadas, e uma vez que a maioria dos homens que vivem no interior é trabalhadora do campo, retomará sua antiga profissão."

Diversos estados e municípios adotaram leis de combate à "vadiagem". Uma postura da cidade de Limeira, interior de São Paulo, proibia que se acolhesse um liberto desempregado por mais de três dias sem avisar a polícia. Feita a denúncia, o negro seria intimado a "tomar uma ocupação", sob pena de passar oito dias na cadeia e pagar multa equivalente a um mês de salário. O comércio ambulante e as moradias populares do centro do Rio de Janeiro (chamados de cortiços), apontados como redutos de "vagabundos" ou "vadios", foram duramente vigiados e reprimidos. Criaram-se instituições destinadas a confinar mendigos, loucos, criminosos e qualquer pessoa acusada de vagabundagem. Quem fosse encontrado vagando pelas ruas em determinados horários, incapaz de provar alguma ocupação, seria imediatamente recolhido.[7]

Ainda por algum tempo, depois da assinatura da Lei Áurea, os principais abolicionistas insistiram na necessidade de reformas que possibilitassem aos ex-cativos o acesso às oportunidades asseguradas aos demais brasileiros. "Os ex-escravos têm direito de exigir que lhes deem instrução e precisam de educação para que possam representar o papel de cidadãos úteis à pátria", discursava em 13 de junho de 1888, o baiano César Zama. "Quem se encarrega de quebrar as cadeias da escravidão tem também o dever de quebrar as da ignorância."[8] No dia 26 de maio, o jornal *Cidade do Rio*, de José do Patrocínio, insistia que o governo adotasse o imposto territorial como forma de estabelecer a "democracia rural" pela desapropriação de terras:

> *Os que salvaram o homem do cativeiro não o devem esquecer agora na miséria. [...] Ao governo cumpre dividir a terra, estabelecer colônias para os que não têm cabana, recolher os que caminham sem destino pelos desvios das matas [...]. A divisão de terras é uma necessidade palpitante.*[9]

Logo, porém, se decepcionaram ao perceber que as reivindicações não teriam qualquer acolhida nem por parte do governo imperial e menos ainda perante o novo regime republicano, instalado em 1889, com o apoio dos fazendeiros paulistas, que até pouco tempo antes eram donos de grandes plantéis de escravos. José do Patrocínio expressaria sua desilusão com a República em artigo publicado em 17 de outubro de 1890:

> *Há uma ilusão de calmaria, porém o que existe é a desilusão do povo. O país está parado [...], submetido a uma oligarquia de ambiciosos [...], reduzido a um feudo de ministros [...], não se respeitam o direito e a liberdade.*

Em 1892, Patrocínio seria preso e extraditado com outros antigos abolicionistas e republicanos desiludidos, para Cucuí, no estado do Amazonas, por fazer oposição à ditadura recém-instalada do marechal Floriano Peixoto. O jornal *Citado do Rio* seria fechado no mesmo ano por seu posicionamento político. Seu então diretor, o poeta Olavo Bilac, foi preso.

Em pouco tempo, recém-convertidos à causa republicana, os mesmos antigos barões do café, senhores de engenho, charqueadores, pecuaristas e outros senhores escravistas — eles próprios ou suas famílias —, que até pouco antes mandavam e desmandavam no Império, passariam a dar as cartas no novo regime, especialmente na chamada "política do café com leite", que teve lugar entre o governo Campos Salles e a Revolução de 1930. A sonhada reforma agrária jamais viria. Os ex-escravos seriam convertidos em "trabalhadores rurais", vivendo em condições muito semelhantes às da época da escravidão. Estariam excluídos de tudo, especialmente da oportunidade de expressar suas opiniões e participar da construção do país. Até 1930, só 5,6% dos brasileiros tinham direito ao voto. O pequeno número de eleitores estava restrito aos homens adultos, em geral brancos, proprietários e alfabetizados. Mulheres estavam excluídas, como também os analfabetos, dos quais a imensa maioria era descendente de escravos. Ainda por muito tempo, o medo de reescravização persistiu entre os negros brasileiros. A liberdade era um direito incerto, tênue, sem garantias definidas, fruto de uma lei que produzira muitas festas e comemorações, mas pouco benefícios concretos ao ex-escravos e seus descendentes. "A Lei Áurea abolia a escravidão, mas não o seu legado", observou a historiadora Emília Viotti da Costa.[10]

Privados do acesso à terra, à moradia, à educação e à própria cidadania, a população negra e afrodescendente seria vítima de outra espécie de abandono, que tentaria privá-la de sua própria identidade. O objetivo, neste caso, era apagar ou reescrever a memória da escravidão e das raízes africanas brasileiras. Durante muito tempo sustentou-se a tese de que a nossa escravidão teria sido mais branda, patriarcal e benévola, quando comparada, por exemplo, ao regime de segregação explícita dos Estados Unidos. O resultado, ainda segundo essa visão, seria um país com menos preconceito e menos barreiras étnicas e culturais — a tão celebrada democracia racial brasileira. É um mito forte, que ainda hoje encontra muitos adeptos em nosso país. Enquanto isso, manifestações da cultura negra, incluindo festas, batuques e celebrações em terreiros de candomblés, continuam sendo combatidas e vistas com preconceito. Herança africana, a capoeira, arte marcial praticada pelos negros, foi catalogada como crime no Código Penal de 1890, duramente reprimida pela polícia. Maior território escravista do hemisfério ocidental por mais de três séculos, o Brasil até hoje não se preocupou em erguer um museu nacional da escravidão e da cultura afro-brasileira.

No esforço de reescrever o passado, parte da elite branca passou a culpar os negros pelas grandes dificuldades e pelo atraso do país. Como citado em um dos capítulos anteriores, o período da Abolição coincidiu com o nascimento de uma pretensa nova ciência, a eugenia. Estaria na raiz do extermínio industrial de judeus, ciganos e outras populações consideradas indesejáveis na Alemanha nazista, algumas décadas mais tarde. No Brasil, os adeptos da eugenia teimavam em atribuir à biologia e aos traços físicos dos negros sinais que os tornavam incompatíveis com o projeto de um Brasil desenvolvido, educado, rico e ilustrado. Henrique Roxo, médico do Hospício Nacional, em pronunciamento no II Congresso Médico Latino-Americano, de 1904, afirmava que negros e pardos eram "tipos que não evoluíram" e "ficaram retardatários" na história humana. Segundo ele, a "tara hereditária" dos negros era "pesadíssima" na constituição do caráter brasileiro, responsável por uma certa propensão, entre os afrodescendentes, à vadiagem, ao álcool e a alguns distúrbios mentais.

Em julho de 1911, João Batista de Lacerda, diretor do Museu Nacional do Rio de Janeiro, defendeu ideias semelhantes como representante brasileiro no I Congresso Internacional das

Raças, em Londres. Usando supostos argumentos médicos e biológicos, ele afirmava de forma categórica que, dentro muito em breve, a herança africana desapareceria do sangue brasileiro, dando lugar a um Brasil branco, ordeiro, pacífico e civilizado. "É lógico supor que na entrada do novo século os mestiços terão desaparecido no Brasil, fato que coincidirá com a extinção paralela da raça negra entre nós", profetizou. Em 1929, durante o I Congresso Brasileiro de Eugenia, o antropólogo Roquette Pinto chegou ao detalhe de prever em que ano exatamente o Brasil deixaria de ser negro. Em 2012, segundo ele, a população seria composta por 80% brancos e 20% mestiços.[11] Ou seja, não haveria nenhum negro, nenhum índio. Era a repetição, dessa vez com suposta roupagem científica, de um velho discurso ideológico, herdado ainda dos primeiros anos da colonização, que insistia em apontar os africanos como seres humanos inferiores, bárbaros, selvagens, preguiçosos e praticantes de religiões demoníacas, para os quais a vida no cativeiro na América seria uma oportunidade de redenção.

Prova eloquente do projeto nacional de esquecimento do Brasil africano iniciado após a Abolição estava no próprio Hino da República, adotado oficialmente por decreto do marechal Deodoro da Fonseca em 20 de janeiro de 1890, cuja letra, de autoria de José Joaquim de Campos da Costa Medeiros e Albuquerque, proclamava orgulhosamente: "Nós nem cremos que escravos outrora / Tenha havido em tão nobre país!". Era um apelo para que o novo Brasil republicano procurasse apagar as dores e sofrimentos do passado e olhasse confiante para o futuro, como se o país pudesse recomeçar do zero, sem lembrar ou refletir a respeito do que ficara para trás. O "outrora" da letra do hino não era algo de um passado tão remoto assim, mas uma realidade da qual, a duras penas, o Brasil havia conseguido se livrar apenas um ano e meio antes. "O sistema escravista mal acabara e já se supunha que era passível de esquecimento!", observou a historiadora Lilia Moritz Schwarcz.[12]

Caberia ao baiano Rui Barbosa, no papel de ministro da Fazenda do primeiro governo republicano, levar ao paroxismo o projeto de esquecimento. Em 14 de dezembro de 1890, ordenou que todos os registros sobre escravidão existentes em arquivos nacionais fossem queimados. Seis dias mais tarde, a medida foi aprovada no Congresso Nacional, com votos de felicitações ao governo provisório.[13] Rui Barbosa, que deixaria o cargo em 20 de janeiro de 1891, justificou a iniciativa como um ato humanitário, em benefício dos ex-escravos. Era necessário apagar e esquecer o "passado negro" do Brasil. Na verdade, segundo argumentam muitos historiadores atualmente, o ministro queria mesmo eliminar provas que pudessem ser usadas pelos ex-proprietários de escravos caso decidissem recorrer à justiça para obter a indenização "dos prejuízos causados pela lei de 13 de maio de 1888". A queima dos documentos, apenas parcialmente bem-sucedida (para sorte dos estudiosos de hoje), se deu aos poucos em todo o país ao longo dos anos seguintes. Ainda no dia 13 de maio de 1893, dois anos e meio após a decisão do governo central, várias autoridades e "cidadãos de todas as classes sociais" reuniram-se no Campo da Pólvora, em Salvador, e receberam dois carroções acompanhados da banda de música da polícia, com papéis que foram destruídos numa fogueira por várias horas, sob os olhares atentos de um grande público.[14]

O Brasil branco dos colonizadores tentou apagar os vestígios da escravidão, mas o passado teimou em assombrar o futuro, como escreveram as historiadoras Lilia Moritz Schwarcz e Heloisa Murgel Starling.[15] Muitos documentos sobreviveram à ordem de Rui Barbosa e hoje servem para comprovar que o escravismo brasileiro foi tão brutal e cruel quanto em qualquer outra parte do mundo. Como uma ferida mal cicatrizada, o legado da escravidão é visível na paisagem, nas estatísticas e no comportamento das pessoas. O resultado é um país segregado, desigual e violento. O racismo se mantém como um traço característico da sociedade brasileira. Um sistema informal de castas garante que pessoas de descendência africana habitem as periferias insalubres e perigosas das metrópoles, dominadas pelo crime organizado e pelo tráfico de drogas, sem qualquer assistência do Estado brasileiro. Enquanto isso, os chamados "bairros nobres", com boa qualidade de vida, segurança, serviços públicos e educação de qualidade, são privilégios de pessoas descendentes de colonizadores europeus, que se servem do trabalho doméstico e de baixa qualificação dos primeiros. Como apontou a historiadora Emília Viotti da Costa, um dos efeitos perversos foi a desmoralização do trabalho: "Para o branco, o trabalho, principalmente o trabalho manual, era visto como obrigação de negro, de escravo". Ainda hoje se usam no Brasil expressões como "trabalhar como um negro" ou "trabalhar é para negro".[16]

Os indicadores sociais mostram um fosso enorme de desigualdade entre negros e brancos. Estatisticamente, pobreza no Brasil permanece como sinônimo de negritude. Com raras exceções, quanto mais negra a cor da pele, maior é a chance de uma pessoa ser pobre. Os descendentes de africanos ganham menos, moram em habitações mais precárias, estão mais expostos aos efeitos da violência e da criminalidade e têm menos oportunidades em todas as áreas, incluindo emprego, saúde, educação, segurança, saneamento, moradia e acesso aos postos da administração pública. Como apontado na introdução do primeiro volume desta trilogia de livros, liberdade nunca significou, para os ex-escravos e seus descendentes, oportunidade de mobilidade social ou melhoria de vida. Nunca tiveram acesso a terras, bons empregos, moradias decentes, educação, assistência de saúde e outras oportunidades disponíveis para os brancos. Nunca foram tratados como cidadãos. Alguns números relacionados à perigosa e profunda desigualdade social, também já citados naquele primeiro volume, precisam ser repetidos e atualizados aqui, no fecho desta obra:

- Negros e pardos — classificação que inclui uma ampla gama de mestiços — representam 54% da população brasileira, mas sua participação entre os 10% mais pobres é muito maior, de 75%. Na faixa de 1% mais rico da população, a proporção inverte-se. Nesse restrito e privilegiado grupo, situado no topo da pirâmide de renda, somente 17,8% são descendentes de africanos.
- Quase 80% das pessoas que em 2019 viviam em condições de extrema pobreza no Brasil, com renda familiar per capita inferior a dois dólares por dia, são descendentes de africanos. O maior grupo de brasileiros situados abaixo da chamada "linha da miséria" é constituído por mulheres negras ou pardas (40% do total).[17]
- Na educação, enquanto 22,2% da população branca têm doze anos de estudos ou mais, a taxa é de 9,4% para a população negra. O índice de analfabetismo entre os negros em 2018 era 9,1%, mais do que o dobro entre os brancos. A brutal diferença se repete na taxa de desemprego, de 13,6% e 9,5%, respectivamente. Em 2019, os negros no Brasil ganhavam em média 1.663 reais por mês, enquanto a renda entre os brancos era de 2.884 reais.[18]
- Nas escolas de curso superior, em 2012, os negros eram apenas 29% dos estudantes de pós-graduação, 0,03% do total de aproximadamente 200 mil doutores nas mais diversas áreas do conhecimento[19] e só 1,8% entre todos os professores da Universidade de São Paulo (USP).[20]

- Para um homem negro, o risco de ser vítima de homicídio no Brasil é três vezes maior do que para um homem branco. Afrodescendentes compõem a maior população carcerária, a mais exposta à criminalidade e a absoluta maioria entre os habitantes de bairros sem infraestrutura básica, como luz, saneamento, segurança, saúde e educação.[21]
- Entre os 1.626 deputados distritais, estaduais, federais e senadores brasileiros eleitos em 2018, apenas 65 (menos de 4% do total) são pretos. No Senado, a mais alta câmara legislativa do país, só três dos 81 senadores (3,7%) se declaram negros. Dos governadores dos estados e do Distrito Federal, nenhum.[22] E nenhum dos ministros do Supremo Tribunal Federal, desde que Joaquim Barbosa se aposentou.
- Nas quinhentas maiores empresas que operam no Brasil, apenas 4,7% dos postos de direção e 6,3% dos cargos de gerência são ocupados por negros.
- Os brancos são também a esmagadora maioria em profissões qualificadas, como engenheiros (90%), pilotos de aeronaves (88%), professores de medicina (89%), veterinários (83%) e advogados (79%).[23]
- Como na época da escravidão, pessoas negras ocupam postos de trabalho mais precários. Elas são maioria em atividades braçais, como cultivo de mandioca (85,9%), serviços domésticos (64,7%) e operários da construção civil (63,9%).[24]
- Só 10% dos livros publicados no Brasil entre 1965 e 2014 eram de autores negros. Entre os diretores de filmes nacionais, apenas 2%.[25]

Era esse o motivo do lamento, quase em forma de oração, do samba-enredo da Imperatriz Leopoldinense, campeã do Carnaval carioca de 1989. Composta por Niltinho Tristeza, Preto

Joia, Vicentinho e Jurandir, a música fazia uma paródia do refrão do Hino da Proclamação da República, apontando a "liberdade" da população negra do Brasil como uma obra inacabada. De pouco adiantaria a "liberdade", formal e jurídica, sem o seu complemento necessário, a "igualdade" — de oportunidades, direitos e benefícios para todos os brasileiros:

> *Liberdade, liberdade!*
> *Abra as asas sobre nós.*
> *E que a voz da igualdade*
> *Seja sempre a nossa voz.*

Criados para o primeiro centenário da República, esses versos continuam atuais e projetam sua sombra nas comemorações do bicentenário da Independência, três décadas mais tarde.

AGRADECIMENTOS

EM NOVEMBRO DE 2021, enquanto estava em Portugal, debruçado sobre a escrita deste terceiro volume de *Escravidão* e limitado em meu trabalho de reportagem pelas restrições impostas pela pandemia de Covid-19, pedi à cantora e escritora Hananza Andrade, mulher negra, autora do livro *Ainda estamos aqui: uma breve parte de nossa história negra* (Editora Telha, 2021), que fosse minha pele, meus olhos e meus ouvidos em uma visita ao túmulo do abolicionista baiano Luiz Gama no Cemitério da Consolação, em São Paulo. Fui atendido de imediato e generosamente. Hananza, que mora no Rio de Janeiro, chegou à capital paulista em uma manhã ensolarada e, durante algumas horas, permaneceu junto ao túmulo todo branco, com uma tampa de mármore retangular, repleto de folhas secas e emoldurado por uma misteriosa escultura na qual se veem os contornos de uma figura humana coberta por um manto, encostada numa cruz. Na lápide, está escrito: "A memória do benemérito cidadão Luiz Gama, falecido na idade de 52 anos a 24 de agosto de 1882". A descrição é parte de um texto comovente que ela me enviou, com os detalhes do ambiente e das pessoas que por ali passavam.

Luiz Gama recebe poucas visitas em sua morada final. Uma exceção é uma mulher anônima que ali deposita flores frescas esporadicamente. Seria alguém de sua família? Talvez, mas os funcionários do cemitério, entrevistados pela minha colaboradora, não sabem dizer com certeza. Naquele dia, porém, por uma coincidência, enquanto ela lá estava, outras quatro pessoas, todas negras — duas mulheres e um homem com sua filha de nove anos — lá foram prestar homenagens ao grande precursor do movimento abolicionista brasileiro no século XIX.

A preciosa contribuição de Hananza, de quem me fiz amigo, leitor e admirador, é parte das alegrias e emoções da jornada de mais de dez anos que me trouxe até a conclusão desta trilogia de livros sobre a história da escravidão no Brasil. Tenho enorme gratidão pelo apoio, a torcida, as contribuições e o carinho que recebi de uma infinidade de pessoas ao longo do caminho. Procurei registrar meus agradecimentos nos dois volumes anteriores e prossigo aqui, no esforço de me lembrar de todas elas. Contudo, foram tantas, em circunstâncias e locais tão diferentes — no Brasil, na África, nos Estados Unidos e na Europa, ao todo doze países e diversos estados brasileiros percorridos nesse período — que me apavora a ideia de, por descuido ou lapso de memória, esquecer-me de uma ou outra.

Devo meus maiores e especiais agradecimentos a dois amigos, companheiros e orientadores de primeira hora. O embaixador, escritor e historiador Alberto da Costa e Silva, nosso maior africanista e ex-presidente da Academia Brasileira de Letras, abriu-me as portas para a imensa bibliografia sobre o tema e contribuiu com as anotações e comentários do primeiro volume de *Escravidão*, que em muito enriqueceram o conteúdo da obra. Depois disso, mesmo com a saúde fragilizada, sempre me enviou sugestões de leituras que me foram de valor inestimável. A professora e diplomata Irene Vida Gala, ex-embaixadora do

Brasil na República de Gana e especialista em assuntos relacionados à África contemporânea, foi uma atenta e rigorosa leitora dos originais de cada volume. Seu olhar alerta e crítico me permitiu corrigir erros e fazer ajustes de foco em muitas informações e comentários que, de outra forma, poderiam ter comprometido parte da obra.

Meus agradecimentos também a duas grandes professoras e historiadoras, que me socorreram em horas de dúvidas durante a pesquisa. Ligia Fonseca Ferreira, autora de *Lições de resistência: artigos de Luiz Gama na imprensa de São Paulo e do Rio de Janeiro* (Edições Sesc São Paulo, 2020), ajudou-me a navegar pelas surpresas e sutilezas da biografia de Luiz Gama. Beatriz Gallotti Mamigonian, autora de *Africanos livres: a abolição do tráfico de escravos no Brasil* (Companhia das Letras, 2017), ofereceu-me pistas preciosas sobre a história e o destino dos africanos libertos depois da proibição, nunca cumprida pelo governo, do tráfico negreiro em 1831 (a também chamada "lei para inglês ver").

A escritora paranaense Etel Frota, minha colega na Academia Paranaense de Letras e autora do excelente romance histórico *O herói provisório* (Travessa dos Editores, 2017) leu, comentou e corrigiu as informações do capítulo "Na mira dos canhões", sobre o episódio *Cormorant*, ocorrido na baía de Paranaguá, em 1850, e decisivo para a aprovação da Lei Eusébio de Queirós, no mesmo ano. Sérgio Barcellos Ximenes franqueou-me inestimáveis fontes sobre escravos fugitivos na segunda metade do século XIX. Luiz Mott teve a grande generosidade de me enviar por correio todos os seus livros autografados, além de uma coleção de documentos que eu jamais teria oportunidade de conhecer por outros meios. O jornalista Elio Gaspari, meu ex-colega de redação na revista *Veja*, indicou-me o caminho de uma história fascinante, a do Comendador Joaquim José de Sousa Breves, o

"Rei do Café", protagonista do segundo capítulo deste livro. Guilherme Marcondes, descendente da família do Comendador e, até 2021, meu vizinho em Itu, ofereceu-me valiosas fontes sobre o tema. Em Salvador, minhas queridas amigas Urânia e Carla Munzanzu deram-me suporte emocional e espiritual de uma forma que me aproximaram da África brasileira como eu nunca tinha experimentado antes.

Levo na lembrança, como dos momentos mais recompensadores, os abraços e sorrisos generosos e acolhedores que recebi de homens e mulheres negros, os leitores afrodescendentes brasileiros, nas sessões de autógrafos, aulas, palestras, entrevistas e outros eventos dos quais participei desde então. Registro aqui alguns nomes pelos quais tenho especial gratidão: José Vicente (professor e reitor da Faculdade Zumbi dos Palmares); Eliana Alves Cruz (escritora); Tom Farias (biógrafo e jornalista), Sidnéia Francisca dos Santos (historiadora e pesquisadora em Ouro Preto); João Jorge Santos Rodrigues (advogado e presidente do Olodum); Flávia Oliveira (jornalista); Thiago Amparo (advogado e professor); Tiago Rogero (jornalista); Michael França (economista); Irapuã Santana (advogado); Flávio Renegado (músico); Andréia de Jesus (advogada e deputada em Minas Gerais); Katia Nunes (conselheira do Projeto Agostinhas); William Reis (coordenador do AfroReggae, colunista da *Veja Rio*); José Amaral Neto (jornalista); Ad Junior (influenciador digital); Davi Pereira Junior (antropólogo); Cyda Moreno (atriz e produtora cultural); todos os moradores do quilombo Caiana dos Crioulos, na Paraíba; a dedicada e simpática equipe de coordenadores e voluntários do Instituto Pretos Novos (IPN), do Rio de Janeiro; inúmeros mestres e dirigentes de centros de umbanda e outras instituições religiosas de matriz africana, em especial meus amigos do *Humpame Ayono Huntoloji*, terreiro de candomblé de tradição jeje-mahi (também conhecido como *Alto da*

Levada), na cidade de Cachoeira, no Recôncavo Baiano; os membros das diversas irmandades religiosas de Diamantina, Minas Gerais, especialmente a de Nossa Senhora do Rosário, que lá me receberam em 2019.

Mauro Palermo, meu editor na Globo Livros, teve a coragem e a grandeza de acreditar no projeto desta trilogia desde o início. Ele e seus colaboradores cercaram-me de todos os cuidados durante as pesquisas, a escrita e os lançamentos dos três volumes. Amanda Orlando se responsabilizou pela edição final dos três volumes com talento e paciência insuperáveis. Simone Costa salvou-me de cometer erros que seriam imperdoáveis ao fazer a meticulosa checagem de datas, nomes e outras informações dos textos originais. Marcelo Weiss e equipe cuidaram do marketing e da comunicação. Luís Antônio de Sousa e seu time foram o elo fundamental que me ligou à imensa cadeia do mercado editorial de livros composta por centenas de livreiros e distribuidores, todos imprescindíveis para que eu mantivesse o ânimo e a alegria por este trabalho que julgo ser o mais importante de minha carreira como jornalista e escritor.

Por fim (mas nunca por último), mais uma vez, meus agradecimentos e meu carinho a Carmen, minha mulher e agente literária, companheira de todas as viagens, a primeira leitora dos originais dos livros. Em Carmen há um registro de alto valor simbólico neste trabalho. Em 2017, enquanto fazíamos pesquisas nos Estados Unidos, por mera curiosidade eu e ela nos submetemos a um teste genético para identificar nossa ancestralidade. Queríamos saber o quanto de África havia em nós. O meu resultado foi previsível: 98,5% de DNA de origem europeia, com preponderância para judeus sefaraditas da Península Ibérica (no Museu Judaico de Belmonte, Portugal, há uma lista de sefaraditas queimados na fogueira pela Inquisição Católica no século XVI, na qual o sobrenome Gomes aparece com destaque). Só tenho

0,5% de genética africana — o outro 1% é indígena brasileiro. No DNA de Carmen há igualmente preponderância ibérica, porém, para nossa surpresa e apesar do tom claro de sua pele, 20% de sua ancestralidade vinha da região Congo/Angola, na África Ocidental, herança do sobrenome materno Severo, adotado por escravos africanos levados para a região de Bagé, no interior gaúcho, onde minha sogra, Marília, nasceu. Mera coincidência? Acho que não. Sem que nos déssemos conta, os passos desta travessia já estavam marcados até mesmo em nosso DNA. A África existente em Carmen velou por mim enquanto eu caminhava.

BIBLIOGRAFIA

Fontes citadas ou utilizadas neste terceiro volume da trilogia:

AGUALUSA, José Eduardo. *Barroco Tropical*. Lisboa: Dom Quixote, 2009.

AGUILAR, Nelson (organizador). *Mostra do redescobrimento: negro de corpo e alma*. São Paulo: Associação Brasil 500 Anos Artes Visuais, 2000.

ALENCASTRO, Luiz Felipe de (organização); NOVAIS, Fernando A. (coordenação geral). *História da Vida Privada no Brasil, vol. 2 — Império: a corte e a modernidade nacional*. São Paulo: Companhia das Letras, 1997.

ALONSO, Angela. *Joaquim Nabuco*. São Paulo: Companhia das Letras, 2007.

ALONSO, Angela. *Flores, votos e balas: o movimento abolicionista brasileiro (1868-88)*. São Paulo: Companhia das Letras, 2015.

ALVES, Uelinton Farias. *Cruz e Sousa: Dante Negro do Brasil*. Rio de Janeiro: Pallas, 2011.

ALVES, Uelinton Farias. *José do Patrocínio: a imorredoura cor do bronze*. Rio de Janeiro: Garamond, 2009.

ANDRADE, Eloy de. *O Vale do Paraíba*. Rio de Janeiro: Real Rio Gráfica e Editora, 1989.

ANDREWS, George Reid. *Slavery and Race Relations in Brazil*. Albuquerque: The University of New Mexico, 1997.

ANTONIL, André João (João Antônio Andreoni). *Cultura e opulência no Brasil por suas drogas e minas*. Brasília: Senado Federal, 2011.

ARAÚJO, Emanoel (curadoria). *Para nunca mais esquecer: negras memórias/memórias de negros*. Museu Histórico Nacional, 2002.

AZEVEDO, Célia Maria Marinho de. *Onda negra, medo branco: o negro no imaginário das elites — século XIX*. Rio de Janeiro: Paz e Terra, 1987.

AZEVEDO, Elciene. *Orfeu da carapinha: a trajetória de Luiz Gama na imperial cidade de São Paulo*. Campinas: Editora da Unicamp, 2005.

BAQUAQUA, Mahommah Gardo. *The biography of Mahommah Gardo Baquaqua: His Passage From Slavery to Freedom in Africa and America* (editada por Robin Law e Paul E Lovejoy). Princeton: Markus Wiener Publishers, 2001.

BARMAN, Roderick J. *Princesa Isabel do Brasil: gênero e poder no século XIX*. São Paulo: Editora Unesp, 2005.

BASBAUM, Leôncio. *História sincera da* República. São Paulo, 1961-1967.

BASTOS, Aureliano Cândido Tavares. *Cartas do solitário: estudos sobre reforma administrativa, ensino religioso, africanos livres, tráfico de escravos, liberdade da cabotagem, abertura do Amazonas, comunicações com os Estados Unidos, etc.* Rio de Janeiro: Livraria Popular de A. A. da Cruz Coutinho, 1863.

BECKERT, Sven. *Empire of cotton: a global history*. Nova York: Alfred A. Knopf, 2014.

BEILER, Aloysio Clemente Maria Infante de Jesus Breves. "Breves Café: história do café no Brasil Imperial". Disponível em http://brevescafe.net.

BERKENBROCK, Volney J., *A experiência dos orixás: um estudo sobre a experiência religiosa no candomblé*. Petrópolis: Editora Vozes, 2007.

BETHELL, Leslie. *A abolição do comércio brasileiro de escravos: a Grã-Bretanha, o Brasil e a questão do comércio de cativos, 1807-1869*. Brasília: Senado Federal, 2002.

BINZER, Ina Von. *Os meus romanos: alegrias e tristezas de uma educadora alemã no Brasil*. Rio de Janeiro: Paz e Terra, 1980.

BLACKBURN, Robin. *A queda do escravismo colonial, 1776-1848*. Rio de Janeiro: Record, 2002.

BONES, Elmar. *A espada de Floriano*. Porto Alegre: Já Editores, 2000.

BOTELHO, André; SCHWARCZ, Lilia Moritz. *Um enigma chamado Brasil: 29 intérpretes e um país*. São Paulo: Companhia das Letras, 2009.

BREVES, Armando de Moraes. *O reino da Marambaia*. Rio de Janeiro: Gráfica Olímpica Editora, 1966.

BUARQUE, Cristóvão. *Dez dias de maio de 1888*. Brasília: edição do autor, 2008.

BURNE, Jerome (editor); LEGRAND, Jacques (idealizador e coordenador). *Chronicle of the World — The Ultimate Record of World History*. Londres: Dorling Kindersley Limited, 1996.

CALDEIRA, Arlindo Manuel. *Escravos e traficantes no Império Português: o comércio negreiro português no Atlântico durante os séculos XV a XIX*. Lisboa: Esfera dos Livros, 2013.

CALDEIRA, Jorge. *História da riqueza no Brasil: cinco séculos de pessoas, costumes e governos*. Rio de Janeiro: Estação Brasil, 2017.

CAMPELLO, André Barreto. *Manual jurídico da escravidão: império do Brasil*. Jundiaí: Paco Editorial, 2018.

CANDIDO, Mariana P. *An African slaving port and the Atlantic World: Benguela and its hinterland*. Nova York: Cambridge University Press, 2013.

CAPELA, José. *Conde de Ferreira & Cia: traficantes de escravos*. Porto: Edições Afrontamento, 2012.

CARDOSO, Fernando Henrique. *Capitalismo e escravidão no Brasil meridional: o negro na sociedade escravocrata do Rio Grande do Sul*. Rio de Janeiro: Paz e Terra, 1997.

CARVALHO, José Murilo de. *A construção da ordem/Teatro de sombras*. Rio de Janeiro: Civilização Brasileira, 2006.

CARVALHO, José Murilo de. *D. Pedro II*. São Paulo: Companhia das Letras, 2007.

CARVALHO, Marcus J. M. de. "O desembarque nas praias: o funcionamento do tráfico de escravos depois de 1831". *Revista de História*, nº 167, julho/dezembro de 2012.

CASTILLO, Lisa Earl. "Bamboxê Obitikô e a expansão do culto aos orixás (século XIX): uma rede religiosa afroatlântica". *Tempo*, vol. 22 n. 39 jan-abr., 2016.

CASTRO, Hebe Maria Mattos de. *Das cores do silêncio: os significados da liberdade no Sudeste escravista, Brasil — século XIX*. Rio de Janeiro: Arquivo Nacional, 1995.

CASTRO, Yeda Pessoa de. *Falares africanos na Bahia: um vocabulário Afro-Brasileiro*. Rio de Janeiro: Topbooks, 2001.

CAVALCANTI, Maria Laura Viveiros de Castro. "A Casa das Minas de São Luís do Maranhão e a saga de Nã Agontimé", *Revista Sociologia e Antropologia*, UFRJ, mai/ago. 2019.

CHALHOUB, Sidney. *A força da escravidão: ilegalidade e costume no Brasil oitocentista*. São Paulo: Companhia das Letras, 2012.

CHALHOUB, Sidney. *Cidade febril: cortiços e epidemias na corte imperial*. São Paulo: Companhia das Letras, 1996.

CHAMBERLAIN, Sir Henry. *Views and Costumes of the City and Neighbourhood of Rio de Janeiro, Brazil from Drawings Taken by Lieutenant Chamberlain, of the Royal Artillery During the Years of 1819 and 1820*. Londres: Columbia Press, 1822.

CONRAD, Robert Edgar. *Children of God's Fire: A Documentary History of Black Slavery in Brazil*. University Park: The Pennsylvania State University Press, 2006.

CONRAD, Robert Edgar. *The Destruction of Brazilian Slavery, 1850-1888*, segunda edição. Malabar: Krieger Publishing Company, 1993.

CONRAD, Robert Edgar. *Tumbeiros: o tráfico de escravos para o Brasil*. São Paulo: Brasiliense, 1985.

COSTA, Emilia Viotti da. *A abolição*, oitava edição revista e ampliada. São Paulo: Editora Unesp, 2008.

COSTA, Emilia Viotti da. *Da monarquia à república: momentos decisivos*. São Paulo: Editora Unesp, 2007.

COSTA, Emilia Viotti da. *Da senzala à colônia*. São Paulo: Editora Unesp, 2010.

COSTA-LIMA NETO, Luiz. "Teatro, tráfico negreiro e política no Rio de Janeiro imperial (1845-1858): os casos de Luiz Carlos Martins Penna e José Bernardino de Sá". *Art-Cultura*, v. 19, n. 34, jan.-jun. 2017.

CURTIN, Philip D. *The Atlantic Slave Trade: A Census*. Madison: The University of Wisconsin Press, 1969.

DAVATZ, Thomas. *Memórias de um colono no Brasil (1850)*. São Paulo: Itatiaia, 1941.

DAVIS, David Brion. *Inhuman Bondage: The Rise and Fall of Slavery in the New World*. Nova York: Oxford University Press, 2006.

DAVIS, David Brion. *The Problem of Slavery in the Age of Revolution, 1770-1823*. Ithaca e Londres: Cornell University Press, 1975.

DEAN, Warren. *Rio Claro: um sistema brasileiro de grande lavoura, 1820-1920*. Rio de Janeiro: Paz e Terra, 1977.

DEGLER, Carl N. *Nem preto nem branco: escravidão e relações raciais no Brasil e nos EUA*. Rio de Janeiro: Editorial Labor do Brasil, 1976.

DIAS, Maria Odila Leite da Silva. *A interiorização da metrópole e outros estudos*. São Paulo: Alameda Casa Editorial, 2005.

DRESCHER, Seymour. *Abolição: uma história da escravidão e do antiescravismo*. São Paulo: Editora Unesp, 2011.

DUNCAN, John. *Travels in Western Africa, in 1845 & 1846, Comprising a Journey From Whydah, Through the Kingdom of Dahomey, to Adofoodia, in the Interior*, vols. 1 e 2. Londres: Richard Bentley, 1847.

EISENBERG, Peter L. *The Sugar Industry in Pernambuco: Modernization Without Change, 1840 — 1910*. Berkeley: University of California Press, 1974.

ELTIS, David. *Economic Growth and the Ending of the Transatlantic Slave Trade*. Nova York: Oxford University Press, 1987.

ELTIS, David. *The Rise of African Slavery in the Americas*. Cambridge: Cambridge University Press, 2000.

ELTIS, David; RICHARDSON, David (editores). *Extending the Frontiers: Essays on the New Transatlantic Slave Trade Database*. New Haven: Yale University Press, 2008.

ELTIS, David; ENGERMAN, Stanley L. (editores). *The Cambridge World History of Slavery*, volume 3 (AD 1420-AD 1804) e volume 4 (AD 1804-AD 2016). Nova York:

Cambridge University Press, 2011.

FAORO, Raymundo. *Os Donos do poder: formação do patronato político brasileiro*. São Paulo: Globo Livros, 2008.

FARIA, Sheila de Castro. "Os barões do Brasil". Rio de Janeiro: *Revista de História da Biblioteca Nacional*, nº. 2, ago. 2005.

FAUSTO, Boris. *História do Brasil*. São Paulo: Edusp/FDE, 1995.

FAUSTO, Boris. *História concisa do Brasil*. São Paulo: Edusp, 2009.

FERREIRA, Roquinaldo. *Cross-Cultural Exchange in the Atlantic World: Angola and Brazil During the Era of the Slave Trade*. Nova York: Cambridge University Press, 2012.

FERRETTI, Sergio. *Querebentã de Zomadônu: etnografia da Casa das Minas do Maranhão*. Rio de Janeiro: Pallas, 2009.

FLORENTINO, Manolo Garcia; GÓES, José Roberto Pinto de. *A paz das senzalas: famílias escravas e tráfico atlântico, Rio de Janeiro, c. 1790-c. 1850*. Rio de Janeiro: Civilização Brasileira, 1997.

FLORENTINO, Manolo Garcia. *Em costas negras: uma história do tráfico atlântico de escravos entre a África e o Rio de Janeiro (séculos XVIII e XIX)*. Rio de Janeiro: Arquivo Nacional, 1995.

FLORENTINO, Manolo Garcia; MACHADO, Cecilia (organizadores). *Ensaios sobre a escravidão*, volume 1. Belo Horizonte: Editora UFMG, 2003.

FRAGOSO, João Luís Ribeiro. *Homens de grossa aventura: acumulação e hierarquia na praça mercantil do Rio de Janeiro (1790-1830)*. Rio de Janeiro: Arquivo Nacional, 1992.

FRANÇA, Jean Marcel Carvalho (org.). *Franceses no Brasil, cartas e relatos (1817-1828): Jacques Arago, Jean-Baptiste Douville e Victor Jacquemont*. São Paulo: Chão Editora, 2021.

FRANCO, Maria Sylvia de Carvalho. *Homens livres na ordem escravocrata*. Fundação Editora Unesp, 1997.

FRANK, Zephyr L. *Dutra's World: wealth and family in Nineteenth-Century Rio de Janeiro*. Albuquerque: University of New Mexico Press, 2004.

FREYRE, Gilberto. *Casa-Grande & Senzala: a formação da família brasileira sob o regime da economia patriarcal*. São Paulo: Global, 2006.

FREYRE, Gilberto. *O escravo nos anúncios de jornais brasileiros do século XIX*. São Paulo: Companhia Editora Nacional, 1979.

FROTA, Etel. *O herói provisório*. Curitiba: Travessa dos Editores, 2017.

GAMA, Luiz. *Lições de resistência: artigos de Luiz Gama na imprensa de São Paulo e do Rio de Janeiro*/ organização, introdução e notas de Ligia Fonseca Ferreira. São Paulo: Edições Sesc São Paulo, 2020.

GOMES, Flávio dos Santos. *Histórias de quilombolas: mocambos e comunidades de senzalas no Rio de Janeiro, século XIX*. São Paulo: Companhia das Letras, 2006.

GOMES, Flávio dos Santos. *Mocambos e quilombos: uma história do campesinato negro no Brasil*. São Paulo: Claro Enigma, 2015.

GORENDER, Jacob. *O escravismo colonial*. São Paulo: Ática, 1978.

GOULART, Maurício. *Escravidão africana no Brasil (das origens à extinção do tráfico)*. São Paulo: Martins Fontes, 1949.

GRAHAM, Maria. *Diário de uma viagem ao Brasil*. São Paulo: Brasiliana, 1956.

GRAHAM, Richard. *Alimentar a cidade: das vendedoras de rua à reforma liberal (Salvador, 1780-1860)*. São Paulo: Companhia das Letras, 2013.

GRAHAM, Sandra Lauderdale. *Caetana diz não: histórias de mulheres da sociedade escravista brasileira*. São Paulo: Companhia das Letras, 2005.

GURAN, Milton. *Agudás: os "brasileiros" do Benim*. Rio de Janeiro: Nova Fronteira, 1999.

HARTER, Eugene C. *A colônia Perdida da Confederação: a imigração norte-americana para o Brasil após a Guerra da Secessão*. Rio de Janeiro: Nórdica, 1985.

HAWTHORNE, Walter. *From Africa to Brazil: culture, identity, and an Atlantic slave trade, 1600-1830*. Cambridge: Cambridge University Press, 2010.

HENDERSON, James. *A History of Brazil Comprising Its Geography, Commerce, Colonization, Aboriginal Inhabitants*. Londres: Longman, 1821.

HOLANDA, Sérgio Buarque de. *Raízes do Brasil*. Rio de Janeiro: José Olympio, 1987.

HOLANDA, Sérgio Buarque de (direção). "O Brasil Monárquico: o Processo de Emancipação", in *História geral da Civilização Brasileira*, vol 2. São Paulo: Difel, 1985.

HORNE, Gerald. *O Sul mais distante: os Estados Unidos, o Brasil e o tráfico de escravos africanos*. São Paulo: Companhia das Letras, 2010.

HORTA, Maria de Lourdes Parreiras (supervisão geral, com coordenação de Maria de Fátima Moraes Argon e Neibe Cristina Machado da Costa). *Pedro I: um brasileiro* (CD-ROM com parte dos manuscritos originais de D. Pedro I). Petrópolis: Museu Imperial, 1998.

IANNI, Octavio. *As metamorfoses do escravo*. São Paulo: Difusão Europeia do Livro, 1962.

KARASCH, Mary C. *A vida dos escravos no Rio de Janeiro, 1808-1850*. São Paulo: Companhia das Letras, 2000.

KLEIN, Herbert S. *A escravidão africana — América Latina e Caribe*. São Paulo: Editora Brasiliense, 1987.

KLEIN, Herbert S. *The Atlantic Slave Trade: New Approaches to the Americas*. Nova York: Cambridge University Press, 2010.

KOUTSOUKOS, Sandra Sofia Machado. "Amas mercenárias: o discurso dos doutores em medicina e os retratos de amas — Brasil, segunda metade do século XIX". *Revista História, Ciências, Saúde — Manguinhos*, vol. 16, nº 2, abr.-jun., 2009.

KRAAY, Hendrik. "Os negros na Independência do Brasil". São Paulo: *Revista Brasileira de História*, vol. 22, nº 43, 2002.

LARA, Silvia Hunold. *Campos da violência: escravos e senhores na capitania do Rio de Janeiro, 1750-1808*. Rio de Janeiro: Paz e Terra, 1988.

LAW, Robin. "A carreira de Francisco Félix de Souza na África Ocidental (1800-1849)". Topoi, mar. 2001.

LAW, Robin. *The Slave Coast of West Africa, 1550-1750: The Impact of the Atlantic Slave Trade on the African Society*. Oxford: Clarendon Press, 1991.

LEMOS, Renato. *Benjamin Constant, vida e história*. Rio de Janeiro: Topbooks, 1999.

LIBBY, Douglas Cole. *Trabalho escravo e capital estrangeiro no Brasil: o caso Morro Velho*. Belo Horizonte: Itatiaia, 1984.

LIMA, Manuel de Oliveira. *O movimento da Independência (1821-1822)*. São Paulo: Melhoramentos/ Conselho Estadual de Cultura, 1972.

LOPES, Diderô Carlos. *Memorial dos negros, região de Torres*. Brasília: edição do autor, 2017.

LOPEZ, Adriana; MOTA, Carlos Guilherme. *História do Brasil: uma interpretação*. São Paulo: Editora Senac, 2008.

LOURENÇO, Thiago Campos Pessoa. *O império dos Souza Breves nos oitocentos: política e escravidão nas trajetórias dos Comendadores José e Joaquim de Souza Breves*. Dissertação de Mestrado — Universidade Federal Fluminense, Instituto de Ciências Humanas e Filosofia, Departamento de História, 2010.

LOVEJOY, Paul E. *Transformations in Slavery: A History of Slavery in Africa*, segunda edição. Nova York: Cambridge University Press, 2000.

LUNA, Francisco Vidal; KLEIN, Herbert S. *Escravismo no Brasil*. São Paulo: Edusp/Imprensa Oficial do Estado de São Paulo, 2010.

LYRA, Heitor. *História da queda do Império*. São Paulo, Editora Brasiliana, 1964.

MACAULAY, Neill. *Dom Pedro: the Struggle for Liberty in Brazil and Portugal, 1798-1834*. Durham: Duke University Press, 1986.

MACHADO, Maria Helena P. T. *Crime e escravidão: trabalho, luta, resistência nas lavouras paulistas, 1830-1888*. São Paulo: Editora Brasiliense, 1987.

MAESTRI, Mário (org.). *Peões, vaqueiros & cativos campeiros: estudos sobre a economia pastoril no Brasil*. Passo Fundo: Editora UPF 2010.

MAGALHÃES JUNIOR, Raimundo de. *Deodoro, a espada contra o Império*. São Paulo: Companhia Editora Nacional, 1957.

MALERBA, Jurandir (organizador). *A Independência brasileira — novas dimensões*. Rio de Janeiro: Editora FGV, 2006.

MALHEIRO, Perdigão. *A escravidão Africana no Brasil*. São Paulo: Obelisco, 1964.

MANCHESTER, Alan K. *British Preeminence in Brazil, Its Rise and Decline*. Nova York: Octagon Books, 1964.

MANNING, Patrick. *Slavery and African Life: Occidental, Oriental, and African Slave Trades*. Nova York: Cambridge University Press, 1990.

MAMIGONIAN, Beatriz Gallotti. *Africanos livres: a abolição do tráfico de escravos no Brasil*. São Paulo: Companhia das Letras, 2017.

MARQUES, João Pedro. *Escravatura — perguntas e respostas*. Lisboa: Guerra & Paz, 2017.

MARQUES, João Pedro. *Portugal e a Escravatura dos Africanos*. Lisboa: Imprensa de Ciências Sociais, 2004.

MARQUES, João Pedro. *Revoltas escravas: mistificações e mal-entendidos*. Lisboa: Guerra & Paz, 2006.

MARQUES, João Pedro. "Tráfico e supressão no século XIX: o caso do brigue Veloz", *Africana Studia*, nº. 5. 2002.

MARQUESE, Rafael de Bivar. *Feitores do corpo, missionários da mente: senhores, letrados e o controle dos escravos nas Américas, 1660-1860*. São Paulo: Companhia das Letras, 2004.

MARTINS, Roberto B. *Crescendo em silêncio: a incrível economia escravista de Minas Gerais no século XIX*. Belo Horizonte: Icam-Abphe, 2018.

MATTOSO, Katia M. de Queirós. *Ser escravo no Brasil*. Rio de Janeiro: Editora Brasiliense, 1988.

MELLO, Evaldo Cabral de. *A outra Independência: o federalismo pernambucano de 1817 a 1824*. São Paulo: Editora 34, 2004.

MELLO, Evaldo Cabral de (organizador). *Frei Joaquim do Amor Divino Caneca*. São Paulo: Editora 34, 2001.

MENNUCCI, Sud. *O precursor do abolicionismo no Brasil (Luiz Gama)*. São Paulo: Companhia Editora Nacional, 1938.

MILLER, Joseph C. *Way of Death: Merchant Capitalism and the Angolan Slave Trade, 1730-1830*. Madison: The University of Wisconsin Press, 1988.

MORAES, Evaristo de. *A campanha abolicionista (1879-1888)*. Brasília: Editora UnB, 1986.

MORAES, Renata Figueiredo. *As festas da Abolição: o 13 de maio e seus significados no Rio de Janeiro (1888-1908)*. Tese de Doutorado em História, PUC — RJ, 2012.

MORAES, Renata Figueiredo. *A abolição no Brasil além do Parlamento — As festas de maio de 1888*. Anais do XXVI Simpósio Nacional de História — Anpuh. São Paulo, julho 2011.

MOURA, Clóvis. *Dicionário da escravidão negra no Brasil*. São Paulo: Editora USP, 2013.

NABUCO, Joaquim. *Joaquim Nabuco essencial*. Organização e introdução de Evaldo Cabral de Melo. São Paulo: Companhia das Letras, 2010.

NASCIMENTO, Abdias. *O genocídio do negro brasileiro: processo de um racismo mascarado*. São Paulo: Perspectivas, 2016.

NEELEMAN, Gary; NEELEMAN, Rose. *A migração confederada ao Brasil: estrelas e barras sob o Cruzeiro do Sul*. Porto Alegre: EDIPUCRS, 2016.

NEVES, Neves, Lúcia Maria Bastos Pereira das; MACHADO, Humberto Fernandes. *O Império do Brasil*. Rio de Janeiro: Nova Fronteira, 1999.

PARÉS, Luis Nicolau. *A formação do candomblé: história e ritual da nação jeje na Bahia*. Campinas: Editora Unicamp, 2007.

PARRON, Tâmis. *A política da escravidão no Império do Brasil, 1826-1865*. Rio de Janeiro: Civilização Brasileira, 2011.

PATTERSON, Orlando. *Slavery and Social Death: A Comparative Study*. Cambridge: Harvard University Press, 1982.

PEREIRA, Júlio César Medeiros da Silva. *À flor da terra: o cemitério dos pretos novos no Rio de Janeiro*. Rio de Janeiro: Garamond, 2014.

PIROLA, Ricardo Figueiredo. *Senzala insurgente*. Campinas: Editora Unicamp, 2011.

PRIORE, Mary Del. *Histórias da gente brasileira*, vols. 1 e 2. São Paulo: Leya, 2016.

PRIORE, Mary Del. *Condessa de Barral: a paixão do Imperador*. Rio de Janeiro: Objetiva, 2008.

QUEIROZ, Suely Robles Reis de. *Escravidão negra em São Paulo: um estudo das tensões provocadas pelo escravismo no século XIX*. Rio de Janeiro: José Olympio, 1977.

QUIRINO, Manuel. *A raça africana e os seus costumes*. Salvador: Livraria Progresso Editora, 1955.

RAMOS, Arthur. *As culturas negras no Novo Mundo*. Maceió: Edufal, 2013.

REIS, João José; GOMES, Flávio dos Santos. *Liberdade por um fio: história dos quilombos no Brasil*. São Paulo: Companhia das Letras, 1996.

REIS, João José. *Ganhadores: a greve negra de 1857 na Bahia*. São Paulo: Companhia das Letras, 2019.

REIS, João José. *Rebelião escrava no Brasil: a história do levante dos malês em 1835*, edição revista e ampliada. São Paulo: Companhia das Letras, 2003.

REIS, João José; GOMES, Flávio dos Santos; CARVALHO, Marcus J. M. de. *O alufá Rufino: tráfico, escravidão e liberdade no Atlântico Negro (c. 1822-c. 1853)*. São Paulo: Companhia das Letras, 2010.

REIS, João José, e SILVA, Eduardo. *Negociação e conflito: a resistência negra no Brasil escravista*. São Paulo: Companhia das Letras, 1989.

FILHO. Adolfo Morales de los Rios. *O Rio de Janeiro Imperial*. Rio de Janeiro: Topbooks, 2000.

ROCHA, Antonio Penalves. *Abolicionistas brasileiros e ingleses — a coligação entre Joaquim Nabuco e a British and Foreign Anti-Slavery Society (1880-1902)*. São Paulo: Editora Unesp; Santana do Parnaíba: BBS Treinamento e Consultoria em Finanças, 2009.

RODRIGUES, Jaime. *De costa a costa: escravos, marinheiros e intermediários do tráfico negreiro de Angola ao Rio de Janeiro (1780-1860)*. São Paulo: Companhia das Letras, 2005.

RODRIGUES, Jaime. "Liberdade, Humanidade e Propriedade: os escravos e a Assembleia Constituinte de 1823", *Revista do Instituto de Estudos Brasileiros*, USP, 1995.

RODRIGUES, Nina. *Os africanos no Brasil*. São Paulo: Madras, 2008.

RUSSEL-WOOD, Anthony John R. *Histórias do Atlântico português*. São Paulo: Editora Unesp, 2014.

SALLES, Ricardo. *E o Vale era o escravo: Vassouras, século XIX. Senhores e escravos no coração do Império*. Rio de Janeiro: Civilização Brasileira, 2008.

SANTOS, José Maria dos. *Os republicanos paulistas e a Abolição*. São Paulo: Livraria Martins, 1942.

SCHAUMLOEFFEL, Marco Aurelio. *Tabom: The Afro-Brazilian Community in Ghana*. Bridgetowen: Schaumloeffel Editor, 2016.

SCHWARCZ, Lilia Moritz. *As barbas do Imperador*. São Paulo: Companhia das Letras, 1998.

SCHWARCZ, Lilia Moritz; STARLING, Heloisa Murgel. *Brasil: uma biografia*. São Paulo: Companhia das Letras, 2015.

SCHWARCZ, Lilia Moritz; GOMES, Flávio dos Santos. *Dicionário da escravidão e liberdade*. São Paulo: Companhia das Letras, 2018.

SCHWARCZ, Lilia Moritz. *Nem preto nem branco, muito pelo contrário: cor e raça na sociabilidade brasileira*. São Paulo: Claro Enigma, 2012.

SCHWARTZ, Stuart B. *Slaves, Peasants, and Rebels: Reconsidering Brazilian Slavery*. Chicago: University of Illinois Press, 1996.

SCHWARTZ, Stuart B. *Sugar Plantations in the Formation of Brazilian Society: Bahia, 1550-1835*. Cambridge: Cambridge University Press, 1985.

SILVA, Alberto da Costa e. *A África e os africanos na história e nos mitos*. Rio de Janeiro: Nova Fronteira, 2021.

SILVA, Alberto da Costa e. *A África explicada aos meus filhos*. Rio de Janeiro: Nova Fronteira, 2013.

SILVA, Alberto da Costa e. *Francisco Félix de Souza, mercador de escravos*. Rio de Janeiro: Nova Fronteira, 2012.

SILVA, Alberto da Costa e. *Um rio chamado Atlântico: a África no Brasil e o Brasil na África*. Rio de Janeiro: Nova Fronteira/ Editora da UFRJ, 2003.

SILVA, Daniel B. Domingues da. *The Atlantic Slave Trade from West Central Africa, 1780-1867*. Nova York: Cambridge University Press, 2017.

SILVA, Eduardo. *Barões e escravidão: três gerações de fazendeiros e a crise da estrutura escravista*. Rio de Janeiro: Nova Fronteira; Brasília: INL, 1984.

SILVA, Ricardo Tadeu Caires. *Caminhos e descaminhos da Abolição. Escravos, senhores e direitos nas últimas décadas da escravidão (Bahia, 1850-1888)*. Curitiba: UFPR/ SCHLA, 2007.

SILVA, Sérgio. *Expansão cafeeira e origens da indústria no Brasil*. São Paulo: Alfa Ômega, 1976.

SLENES, Robert W. *Na senzala uma flor: esperanças e recordações na formação da família escrava*. Campinas: Editora Unicamp, 2011.

SKIDMORE, Thomas E. *Uma história do Brasil*. São Paulo: Paz e Terra, 1998.

SMALLWOOD, Stephanie E. *Saltwater Slavery: A Middle Passage from Africa to American Diaspora*. Londres: Harvard University Press, 2007.

SOARES, Carlos Eugênio Líbano. *A capoeira escrava e outras tradições rebeldes no Rio de Janeiro (1808-1850), segunda edição revista e ampliada*. Campinas: Editora Unicamp, 2004.

SOUSA, Otávio Tarquínio de. *História dos fundadores do Império do Brasil: fatos e personagens em torno de um regime*. Belo Horizonte: Itatiaia; São Paulo: Edusp, 1988.

STEIN, Stanley J. *Vassouras: um município brasileiro do café, 1850-1900*. Rio de Janeiro: Nova Fronteira, 1990.

TANNENBAUM, Frank. *Slave and Citizen: The Negro in the Americas*. Nova York: Vintage Books, 1946.

TAUNAY, Carlos Augusto. *Manual do Agricultor Brasileiro* (organização Rafael de Bivar Marquese). São Paulo: Companhia das Letras, 2001.

TAVARES, Luís Henrique Dias. *Comércio proibido de escravos*. São Paulo: Ática, 1988.

TAVARES, Luís Henrique Dias. *Independência do Brasil na Bahia*. Salvador: Edufba, 2005.

THOMAS, Hugh. *The Slave Trade: The History of the Atlantic Slave Trade 1440-1870*. Londres: Phoenix, 2006.

THOMSON-DEVEAUX, Flora, "Nota sobre o calabouço: Brás Cubas e os castigos aos escravos no Rio", *Revista Piauí*, nº. 140, maio de 2018, disponível em https://piaui.folha.uol.com.br/materia/nota-sobre-o-calabouco/.

TOPLIN, Robert Brent. *Freedom and Prejudice: The Legacy of Slavery in the United States and Brazil*. Westport: Greenwood Press, 1981.

TRESPACH, Rodrigo. *1824: como os alemães vieram parar no Brasil, criaram as primeiras colônias, participaram do surgimento da Igreja protestante e de um plano para assassinar d. Pedro I*. São Paulo: Leya, 2019.

VAINFAS, Ronaldo (organizador). *Dicionário do Brasil Imperial (1822-1889)*. Rio de Janeiro: Objetiva, 2002.

VAINFAS, Ronaldo. *Ideologia e escravidão: os letrados e a sociedade escravista no Brasil colonial*. Petrópolis: Vozes, 1986.

VERGER, Pierre. *Fluxo e Refluxo: do tráfico de escravos entre o golfo do Benim e a Bahia de Todos-os-Santos, dos Séculos XVII a XIX*. São Paulo: Corrupio, 1987.

VERGER, Pierre. "Le culte des vodoun d'Abomey aurait-il été apporté à St.-Louis de Maranhon par la mère du roi Ghezo", *Études Dahoméennes*, nº. 8, 1952.

FILHO, Luiz Viana. *O negro na Bahia: um ensaio clássico sobre a escravidão*, edição comemorativa ao centenário de nascimento do autor. Salvador: Edufba, 2008.

WALVIN, James. *A Short History of Slavery*. Londres: Penguin Books, 2007.

WALVIN, James. *The Trader, the Owner, the Slave: Parallel Lives in the Age of Slavery*. Londres: Vintage Books, 2007.

WILLIAMS, Eric. *Capitalism and Slavery*. Filadélfia: The Great Library Collection by R. P. Pryne, 2015.

XIMENES, Cristiana Ferreira Lyrio. *Joaquim Pereira Marinho: perfil de um contrabandista de escravos na Bahia, 1828-1887*, dissertação de mestrado em História. Salvador: UFBA, 1999.

XIMENES, Sérgio Barcellos. *Volte aqui, escravo fujão: 500 anúncios de fugas de escravos*. Rio de Janeiro: edição do autor, 2019.

XIMENES, Sérgio Barcellos. *Cenas da escravidão: 1849-1888 — o sofrimento dos torturados no império da crueldade*. Rio de Janeiro: edição do autor, 2020.

NOTAS

INTRODUÇÃO

1. Sigo aqui, em parte, as descrições feitas por Flora Thomson-DeVeaux, *Nota sobre o calabouço: Brás Cubas e os castigos aos escravos no Rio*, Revista Piauí, número 140, maio de 2018. Disponível em https://piaui.folha.uol.com.br/materia/nota-sobre-o-calabouco/, consultado em dezembro de 2021.

2. Medidas equivalentes a cerca de 14 metros de comprimento, 4,8 de altura e 8,5 de largura, espaço pouco maior do que a área interna de um vagão do metrô de São Paulo atualmente.

3. Mary C. Karasch, *A vida dos escravos no Rio de Janeiro*, p. 175; André Barreto Campello, *Manual jurídico da escravidão: Império do Brasil*, pp. 190-194.

4. Carlos Eugênio Líbano Soares, *A capoeira escrava*, p. 79 e 87.

5. Jean Baptiste Debret, *Viagem pitoresca e histórica ao Brasil*, citado em Suely Robles Reis de Queiroz, *Escravidão negra em São Paulo*, p. 98.

6. Robert Edgar Conrad, *Children of God's fire*, pp. 301-305.

7. Tâmis Parron, *A política da escravidão no Império do Brasil, 1826-1865*, 2011

8. Gilberto Freyre, *O escravo nos anúncios de jornais brasileiros do século XIX*, p. 83 e 85.

9. Robert Conrad, *Children of God's Fire*, pp. 182-183.

10. Números em slavevoyages.org, consultado em março de 2022.

11. Emília Viotti da Costa, *A Abolição*, pp. 37-38; Francisco Vidal Luna e Herbert S. Klein, *Escravismo no Brasil*, pp. 92-94.

12   Leôncio Basbaum, *História sincera da República*, volume I, p. 121.

13   Emilia Viotti da Costa, *A Abolição*, pp. 19-20.

14   Aureliano Cândido Tavares Bastos, *Carta do solitário*, p. 401.

15   Robert W. Slenes, *Na senzala uma flor*, pp. 78-81.

16   Emilia Viotti da Costa, *Da senzala à colônia*, pp. 51-54.

17   Ibidem, pp. 58

18   Abdias Nascimento, *O genocídio do negro brasileiro: processo de um racismo mascarado*, 2016.

CAPÍTULO 1: FOLGUEDOS DA LIBERTAÇÃO

1   O Brasil teve duas "Leis Áurea", como lembrou a historiadora Angela Alonso em *Flores, votos e balas*, p. 351. A do Ventre Livre, de 1871, também era chamada assim. Teve de ceder o título à outra, mais importante, de 1888.

2   Evaristo de Moraes, *A campanha abolicionista*, p. 269.

3   Números do banco de dados slavevoyages.org, consultado em março de 2022.

4   No Censo de 1872, o primeiro de abrangência nacional, o Brasil tinha 386.955 indígenas, identificados como "caboclos". Representavam 3,9% da população total, de 9.430.978 habitantes.

5   André João Antonil, *Cultura e opulência do Brasil por suas drogas e minas*, p. 83

6   Pronunciamento da princesa Isabel em Cristovam Buarque, *Dez dias de maio em 1888*, sem número de página.

7   Seymour Drescher, *Abolição: uma história da escravidão e do antiescravismo*, pp. 528-529.

8   Emilia Viotti da Costa, *Da Monarquia à República*, pp. 142 e 167.

9   Esse e os dois pronunciamentos seguintes estão em *Anais do Senado do Império do Brasil*, ano de 1888, livro 1, disponível em https://www.senado.leg.br/publicacoes/anais/pdf/Anais_Imperio/1888/1888%20Livro%201.pdf. Consultado em 13 de jan. 2022.

10 Sigo aqui, em partes, as descrições de Renata Figueiredo Moraes em *As festas da Abolição: o Treze de Maio e seus significados no Rio de Janeiro (1888-1908)*. Tese de doutorado, PUC-RJ, 2012; e *A abolição no Brasil além do Parlamento — As festas de maio de 1888*, Anais do XXVI Simpósio Nacional de História — Anpuh, São Paulo, julho 2011.

11 Machado de Assis, *A Semana*, 14 maio 1893.

12 Sigo também aqui a descrição de Renata Figueiredo Moraes nas duas fontes citadas anteriormente.

13 *Jornal do Commercio*, 23 de abril de 1888, disponível em http://memoria.bn.br/DocReader/364568_07/20160. Consultado em 13 de jan. 2022.

14 Volney J. Berkenbrock, *A experiência dos orixás: um estudo sobre a experiência religiosa no candomblé*, pp. 109-110.

15 Angela Alonso, *Flores, votos e balas*, p. 330.

16 Lima Barreto, *Gazeta da Tarde*, 4 de maio de 1911.

17 Alberto da Costa e Silva, *Um rio chamado Atlântico*, p. 38; Pierre Verger, *Fluxo e refluxo*, p. 626; Seymour Drescher, *Abolição: uma história da escravidão e do antiescravismo*, p. 531.

18 Hebe M. Mattos de Castro, "Laços de família e direitos no final da escravidão", em *História da vida privada no Brasil*, vol. 2, p. 369

19 *O País*, 15 de maio de 1888, citado em Renata Figueiredo Moraes em *As festas da Abolição: o Treze de Maio e seus significados no Rio de Janeiro (1888-1908)*. Tese de doutorado, PUC-RJ, 2012.

CAPÍTULO 2: O COMENDADOR

1 Eduardo Silva, *Barões e escravidão*, p. 35.

2 Armando de Moraes Breves, *O reino da Marambaia*, pp.94-95; Aloysio Clemente Maria Infante de Jesus Breves Beiler, *Breves Café: história do café no Brasil Imperial*, blog dedicado à história da família e do cultivo do café no Brasil imperial, disponível em http://brevescafe.net, consultado em 17 de jan. 2022.

3 Emilia Viotti da Costa, *Da Senzala à colônia*, pp. 61-67; Francisco Vidal Luna e Herbert S. Klein, *Escravismo no Brasil*, pp. 105-113; Sérgio Silva, *Expansão cafeeira e origens da indústria no Brasil*, p. 49.

4 Warren Dean, *Rio Claro: um sistema brasileiro de grande lavoura, 1820-1920*, p. 28

5 Arquivo Municipal de Piraí — RJ, documento transcrito do original pelo genealogista José Maria Campos Lemos e reproduzido em http://brevescafe.net/patri_sesma.htm. Consultado em 17 de jan. 2022.

6 Os acompanhantes de dom Pedro eram Francisco Gomes da Silva, o "Chalaça", o alferes Francisco de Castro Canto e Melo, os criados particulares João Carlota e João Carvalho, e Luís Saldanha da Gama, futuro Marquês de Taubaté.

7 Ascendino Dantas, *Esboço biográfico do Dr. Joaquim José de Souza Breves: origem das fazendas São Joaquim da Grama e Santo Antônio da Olaria, subsídios*

para a história do município de São João Marcos, 1931, citado em http://brevescafe.net. Consultado em 17 de jan. 2022.

8   Emilia Viotti da Costa, *Da senzala à colônia*, pp. 98-105.

9   Herbert S. Klein, *Escravidão africana na América Latina e Caribe*, p. 140.

10 Maria Sylvia de Carvalho Franco, *Homens livres na ordem escravocrata*, pp. 210-215.

11 Eduardo Silva, *Barões e escravidão*, pp. 163-164.

12 Citado em Emilia Viotti da Costa, *Da senzala à colônia*, p. 205.

13 Conde d'Ursel, 1873, citado em Maria Sylvia de Carvalho Franco, *Homens livres na ordem escravocrata*, p. 215. Neste relato, há um engano em relação à idade do comendador. Nascido em 1804, o comendador tinha então 69 anos, e não 73 como afirma o diplomata belga.

14 Maurice Ternaux-Compans, *Visita ao Pinheiro e à Grama*. Texto reproduzido em http://brevescafe.net/ternau.htm. Consultado em 17 de jan. 2022.

15 Boris Fausto, *História concisa do Brasil*, p. 95.

16 Thiago Campos Pessoa Lourenço, *O império dos Souza Breves nos oitocentos: política e escravidão nas trajetórias dos Comendadores José e Joaquim Breves*, pp. 104-105.

17 "Annaes do Parlamento Brazileiro. Camara dos Srs. Deputados. Primeiro anno da undécima legislatura. Sessão de 1861. Tomo 5. Apêndice", reproduzido em http://brevescafe.net/eleicao.htm, consultado em 17 de jan. 2022.

18 Armando de Moraes Breves, *O reino da Marambaia*, 135-136; José de Almeida Prado Castro, *Joaquim Breves*, reproduzido em http://brevescafe.net/joaq_orei.htm, consultado em 17 de jan. 2022.

19 Thiago Campos Pessoa Lourenço, *O império dos Souza Breves nos oitocentos* pp. 127-129.

20 Emilia Viotti da Costa, *Da senzala à colônia*, p. 87-89.

21 Maria Sylvia de Carvalho Franco, *Homens livres na ordem escravocrata*, pp. 225-226.

22 Minha gratidão aos meus amigos e seguidores no Twitter, que me ajudaram, ainda que tentativamente, a identificar a raça do cachorro no quadro de Karl Richter. Foram muitas as sugestões, incluindo border collie, deutscher wachtelhund, münsterländer, setter genérico, entre outras, mas landseer me pareceu a mais aproximada. Registro aqui o alerta que me fez na época o historiador Frederico Freitas (@ffreff, no Twitter): "As raças de cães antigas são diferentes

das modernas. Até a criação do Kennel Club do Reino Unido (o mais antigo do mundo, fundado em 1873) e das primeiras exposições de cães no final do século XIX não havia padrões estéticos rígidos e a obsessão pela pureza da raça. Seria, portanto, anacrônico identificar um cão do século XIX como sendo o mesmo de raças modernas".

23 As imagens do casal Haritoff e de Regina Angelorum de Sousa com os dois filhos estão disponíveis em http://brevescafe.net/haritoff.htm. Consultado em 17 de jan. 2022.

24 Minha gratidão ao jornalista Elio Gaspari por ter me alertado para essa história enquanto fazia minhas pesquisas. Em agosto de 2004, Gaspari publicou no jornal *Folha de S.Paulo* um texto sobre o tema, com o título "O Conde Haritoff, a rica Nicota e a negra Regina", cujas informações reproduzo parcialmente aqui. Disponível em https://www1.folha.uol.com.br/fsp/brasil/fc0808200419.htm. Consultado em 17 de jan. 2022.

CAPÍTULO 3: OS ESQUECIDOS

1 A definição é de José Murilo de Carvalho em *A construção da ordem / Teatro de sombras*, p. 65: "A elite era uma ilha de letrados num mar de analfabetos".

2 Domingos Alves Branco Moniz Barreto, *Memória sobre a Abolição do Commercio da Escravatura*, citado em Celia Maria Marinho de Azevedo, *Onda negra, medo branco: o negro no imaginário das elites — século XIX*, p. 48.

3 Evaristo da Veiga, *Aurora Fluminense*, 10 de março de 1834, citado em Leslie Bethell, *A abolição do comércio brasileiro de escravos*, p. 95.

4 Detalhes e análise do projeto de Bonifácio em Emilia Viotti da Costa, *Da senzala à colônia*, pp. 385-387.

5 João Severiano Maciel da Costa, *Memória sobre a necessidade de abolir a introdução dos escravos africanos no Brasil: sobre o modo e condições com que esta abolição se deve fazer; e sobre os meios de remediar a falta de brancos que ela pode ocasionar*, citado em Celia Maria Marinho de Azevedo. *Onda negra, medo branco...*, pp. 40-41; e Emilia Viotti da Costa, *Da senzala à colônia*, pp. 382-385.

6 Tavares Bastos, *Cartas do solitário*, p. 398.

7 Frederico Leopoldo Cezar Burlamaqui, *Memória analítica acerca do comércio de escravos e acerca dos males da escravidão doméstica*, Rio de Janeiro, Comercial Fluminense, 1837, parcialmente transcrito em Robert Edgar Conrad, *Children of God's Fire*, pp. 281-286.

8 José Eloy Pessoa, *Memória sobre a escravatura e projeto de colonização dos europeus e pretos da África no império do Brasil*, citado em Celia Maria Marinho

de Azevedo, *Onda negra, medo branco...*, p. 35; Emilia Viotti da Costa, *Da senzala à colônia*, pp. 388-389.

9   Carlos Oberacker Jr., *A imperatriz Leopoldina*, p. 198.

10   José Antonio de Miranda, *Memória constitucional e política sobre o estado presente de Portugal e do Brasil*, citado em Maria Odila Leite da Silva Dias, *A interiorização da metrópole e outros estudos*, pag. 133 e 134

11   João José Reis, *O jogo duro do Dois de Julho*, citado em Jaime Rodrigues, *Liberdade, Humanidade e Propriedade: os escravos e a Assembléia Constituinte de 1823*, pp. 161-162.

12   Hendrik Kraay. "Muralhas da Independência e liberdade do Brasil: a participação popular nas lutas políticas (Bahia, 1820-1825)", em Jurandir Malerba (org.), *A Independência brasileira – novas dimensões*, p. 305.

13   Maria Odila Leite da Silva Dias, *A interiorização da metrópole e outros estudos*, p. 23.

14   Emília Viotti da Costa, "José Bonifácio, homem e mito", em Carlos Guilherme Mota, *1822: Dimensões*, p. 123.

15   Octávio Tarquínio de Sousa, *História dos fundadores do Império do Brasil: fatos e personagens em torno de um regime*, p. 89; Jorge Caldeira, *História da riqueza no Brasil*, pp. 201-202.

16   *Rascunho de dom Pedro sobre a escravidão*, sem assinatura, 1823, em Maria de Lourdes Parreiras Horta (supervisão geral) *Pedro I: um brasileiro* (CD-ROM com parte dos manuscritos originais do imperador). Acervo do Museu Imperial de Petrópolis.

17   João Luís Ribeiro Fragoso, *Homens de grossa aventura*, p. 181.

18   Evaldo Cabral de Mello, *A outra Independência...*, p. 89.

19   Evaldo Cabral de Mello, *Frei Joaquim do Amor Divino Caneca*, p. 29.

20   A suposta rebelião liderada por Argoim (ou Argoins) é citada por diversos autores, mas ainda carece de estudos mais aprofundados que comprovem sua consistência documental, conforme Paulo de Salles Oliveira, "O processo de Independência em Minas Gerais", em Carlos Guilherme Mota, *1822: Dimensões*, p. 289; Emilia Viotti da Costa, *Da senzala à colônia*, pp.351-352; Clóvis Moura, *Dicionário da escravidão negra no Brasil*, p. 50; João Dornas Filho, *A escravidão no Brasil*, p. 12; Roger Bastide, *The African Religions*, p. 102

21   Jaime Rodrigues, "Liberdade, humanidade e propriedade: os escravos e a Assembléia Constituinte de 1823", *Revista do Instituto de Estudos Brasileiros*, nº 39, pp. 159-167.

22   Thomas Skidmore, *Uma história do Brasil*, p. 55.

23   Mary Del Priore, *Condessa de Barral*, p. 25.

24   Maria Graham, *Diário de uma viagem ao Brasil*, p. 137.

25   Luís Henrique Dias Tavares, *A Independência do Brasil na Bahia*, pp. 29 e 90.

26   Emilia Viotti da Costa, *A Abolição*, p. 16.

CAPÍTULO 4: PARA INGLÊS VER

1   Octávio Tarquínio de Sousa, *História dos fundadores do Império do Brasil: fatos e personagens em torno de um regime*, pp. 84-85.

2   https://slavevoyages.org/assessment/estimates, consultado em 21 de março de 2022.

3   Raymundo Faoro, *Os donos do poder*, p. 376.

4   Oliveira Lima, *O Império brasileiro*, p. 89.

5   Neill Macaulay, *Dom Pedro: the Struggle for Liberty in Brazil and Portugal*, pp. 195-196.

6   Robert Edgar Conrad, *Tumbeiros*, pp. 54-55; 77-79.

7   Leslie Bethell, *A abolição do comércio brasileiro de escravos: a Grã-Bretanha, o Brasil e a questão do comércio de cativos, 1807-1869*, pp. 94-95.

8   João Pedro Marques, "Tráfico e supressão no século XIX: o caso do brigue Veloz" in *Africana Studia*, nº 5,. 2002. pp 155-179; Marcus J. M. de Carvalho, "O desembarque nas praias: o funcionamento do tráfico de escravos depois de 1831", in *Revista de História*, nº 167, julho/dezembro de 2012, pp. 223-260.

9   Os detalhes são de Robert Edgar Conrad, *Tumbeiros*, pp. 130-131.

10   Leslie Bethell, *A abolição do comércio brasileiro de escravos...*, pp. 211-217.

11   Luís Henrique Dias Tavares, *Comércio proibido de escravos*, p. 33.

12   Ibidem, p. 79.

13   Robert Edgar Conrad, *Tumbeiros*, pp. 81-88.

14   Robert Edgar Conrad, *Tumbeiros*, pp. 115-116; Leslie Bethell, *A abolição do comércio brasileiro de escravos...*, p. 173.

15   Robert Edgar Conrad, *Tumbeiros*, p.102; Leslie Bethell, *A abolição do comércio brasileiro de escravos...*, pp. 103 e 163-164.

16 Leslie Bethell, *A abolição do comércio brasileiro de escravos...*, pp.178 e 239-244.

17 Robert Edgar Conrad, *Tumbeiros*, p. 124; Emilia Viotti da Costa, *Da senzala à colônia*, p. 76; Leslie Bethell, *A abolição do comércio brasileiro de escravos...*, p. 102.

18 Robert Edgar Conrad, *Tumbeiros*, pp.127-130.

CAPÍTULO 5: HIPOCRISIA

1 Robert Edgar Conrad, *Tumbeiros*, p. 139.

2 Douglas Cole Libby, *Trabalho escravo e capital estrangeiro no Brasil: o caso Morro Velho*, 1984.

3 Luís Henrique Dias Tavares, *Comércio proibido de escravo*, pp. 129-130.

4 Robert Edgar Conrad, *Tumbeiros*, p. 143.

5 Daniel B. Domingues da Silva, *The Atlantic Slave Trade from West Central Africa, 1780-1867*, edição digital do Kindle, pp. 63-64.

6 Douglas Cole Libby, *Trabalho escravo e capital estrangeiro no Brasil: o caso Morro Velho*, pp. 96-97 e 104.

7 Emilia Viotti da Costa, *Da senzala à colônia*, p. 79.

8 Luís Henrique Dias Tavares, *Comércio proibido de escravo*, pp. 133-134.

9 Luís Henrique Dias Tavares, *Comércio proibido de escravo*, pp. 131-133; Robert Edgar Conrad, *Tumbeiros*, p. 146.

10 Gerald Horne, *O Sul mais distante*, p. 58.

11 Citado em Leslie Bethell, *A abolição do comércio brasileiro de escravos...*, p. 225.

12 Gerald Horne, *O Sul mais distante*, p. 196.

13 Robert Edgar Conrad, *Tumbeiros*, pp. 164-170.

CAPÍTULO 6: HONORÁVEIS BENEMÉRITOS

1 Arlindo Manuel Caldeira, *Escravos e traficantes no Império português*, pp. 274-275.

2 Luiz Costa-Lima Neto, *Teatro, tráfico negreiro e política no Rio de Janeiro imperial (1845-1858): os casos de Luiz Carlos Martins Penna e José Bernardino de Sá*, pp. 107-124.

3 Hugh Thomas, *The Slave Trade*, p. 632; e Pierre Verger, *Fluxo e refluxo*, pp. 456-457.

4 Cristiana Ferreira Lyrio Ximenes, *Joaquim Pereira Marinho: perfil de um contrabandista de escravos na Bahia*, dissertação de mestrado em História, UFBA, 1999.

5 Octávio Tarquínio de Sousa, *História dos fundadores do Império do Brasil: fatos e personagens em torno de um regime*, p. 111.

6 Hugh Thomas, *The Slave Trade*, p. 704.

7 Emilia Viotti da Costa, *Da senzala à colônia*, pp. 77-78.

8 George Gardner, *Travels in the Interior of Brazil*, 1836-1841, citado em Leslie Bethell, *A abolição do comércio brasileiro de escravos*, p. 100.

9 Mariana Cândido, *An African Slaving Port and the Atlantic World: Benguela and its Hinterland*, edição do Kindle, posição 4437.

10 Luís Henrique Dias Tavares, *Comércio proibido de escravos*, pp. 19-20.

11 Cálculos de Pierre Verger em *Fluxo e refluxo*, pp. 432 e 451-453; declarações de Carlos da Silva Jr. e Ana Lúcia Araújo em entrevista à BBC Brasil, 2 de junho de 2020. Disponível em https://www.bbc.com/portuguese/brasil-53013733. Consultado em 24 de janeiro de 2022.

12 Leslie Bethell, *A abolição do comércio brasileiro de escravos*, p. 356.

13 João Pedro Marques, "Tráfico e supressão no século XIX: o caso do brigue *Veloz*". *Africana Studia*, nº 5. 2002, pp 155-179.

14 Arlindo Manuel Caldeira, *Escravos e traficantes no Império português*, pp. 268-269; Robert Edgar Conrad, *Tumbeiros*, pp. 120-121.

15 José Capela, *Conde de Ferreira & Cia: traficantes de escravos*, p. 156.

16 Ibidem, p. 154.

CAPÍTULO 7: BARÕES E FIDALGOS

1 Reproduzo neste e no capítulo seguinte, em partes, informações e trechos de "O império tropical" e "A miragem", textos do meu livro *1889* que trataram da realidade brasileira às vésperas da Proclamação da República.

2 Citado em Lúcia Maria Bastos Pereira das Neves e Humberto Fernandes Machado, *O Império do Brasil*, p. 269.

3 Ricardo Salles, *E o vale era o escravo*, p. 148.

4 Para uma comparação da monarquia europeia com a brasileira ver Lilia Moritz Schwarcz, *As barbas do imperador*, pp. 159-194.

5 Raimundo Magalhães Júnior, *Deodoro — A espada contra o império*, volume 2, p. 8

6   Heitor Lira, *História da queda do Império*, pp. 377-378.

7   Renato Lemos, *Benjamin Constant*, p. 141.

8   José Murilo de Carvalho, *A construção da ordem / Teatro de sombras*, pp. 257-258.

9   Stanley J. Stein, *Vassouras: um município brasileiro do café*, pp. 156-157; Eduardo Silva, *Barões e escravidão*, pp. 59-60.

10 Lúcia Maria Bastos Pereira das Neves e Humberto Fernandes Machado, *O Império do Brasil*, p. 273.

11 Maria Odila Leite da Silva Dias, *Quotidiano e poder em São Paulo do século XIX*, citada em Lilia Moritz Schwarcz, *As barbas do imperador*, p. 572.

12 Stuart B. Schwartz, *Sugar Plantations in the Formation of Brazilian Society*, p. 247.

13 Raimundo Magalhães Júnior, *Deodoro*, volume 2, p. 8.

14 Elmar Bones, *A Espada de Floriano*, p. 25.

15 Informações e fotos da Fazenda Resgate estão disponíveis em https://www.fazendaresgate.com.br/historia.php. Consultado em 24 de jan. de 2021.

16 Sigo aqui as descrições de Sheila de Castro Faria no verbete "Barões do café", em *Dicionário do Brasil imperial*, pp. 78-80; e do artigo "Os barões do Brasil", em *A era da escravidão* (organizado por Luciano Figueiredo).

17 Adolfo Morales de los Rios Filho, *O Rio de Janeiro imperial*, pp. 347-348.

18 Eduardo Silva, *Barões e escravidão*; Sandra Lauderdale Graham, *Caetana diz não: histórias de mulheres da sociedade escravista brasileira*.

19 Eduardo Silva, *Barões e escravidão*, p. 81.

20 Citações em Eduardo Silva, *Barões e escravidão*, pp. 156-159.

21 Eduardo Silva, *Barões e escravidão*, p. 153.

22 Stanley J. Stein, *Vassouras: um município brasileiro do café*, p. 190.

23 Angela Alonso, *Flores, votos e balas: o movimento abolicionista brasileiro (1868-88)*, pp. 52-53.

24 Citado em Angela Alonso, *Flores, votos e balas*, p. 65.

25 Warren Dean, *Rio Claro: um sistema brasileiro de grande lavoura*, pp. 57-58 e 123.

26 Sheila de Castro Faria, "Os barões do Brasil", *Revista de História da Biblioteca Nacional*, nº. 2, agosto de 2005, pp. 58-64.

CAPÍTULO 8: O IMPÉRIO ESCRAVISTA

1   Joaquim Nabuco, "O abolicionismo", em *Nabuco essencial*, p. 70-74.

2   Joaquim Nabuco, "O abolicionismo", em *Nabuco essencial*, p. 98.

3   Joaquim Nabuco, "O erro do imperador", em *Nabuco essencial*, pp. 175-176.

4   Joaquim Nabuco, em "Um estadista do império", em *Nabuco essencial*, p. 500.

5   Jorge Caldeira, *História da riqueza no Brasil*, p. 212.

6   Robert Edgar Conrad, *The Destruction of Brazilian Slavery*, p. 4.

7   João Fragoso, *Barões do café e sistema agrário escravista*, pp. 17, 46 e 66-67.

8   Robert Edgar Conrad, *Tumbeiros*, p. 19.

9   Robert Edgar Conrad, *The Destruction of Brazilian Slavery*, p. 7; e Lilia Moritz Schwarcz, *As barbas do imperador*, p. 227.

10 Rodrigo Trespach, *1824*, pp. 80-82.

11 Diderô Carlos Lopes, *Memorial dos negros*, pp. 67 e 81.

12 Citado em Roberto B. Martins, *Crescendo em silêncio: a incrível economia escravista de Minas Gerais no século XIX*, p. 260.

13 Esta e as duas citações seguintes estão em Tâmis Parron, *A política da escravidão no Império do Brasil*, pp. 141, 203 e 211.

14 Mary C. Karasch, *A vida dos escravos no Rio de Janeiro*, p. 112; Lúcia Maria Bastos Pereira das Neves e Humberto Fernandes Machado, *O império do Brasil*, pp. 301-302.

15 Herbert Klein, Francisco Vidal Luna, *Escravismo no Brasil*, pp. 113-122.

16 Descrição da rotina dos escravos nas fazendas de café baseada em Emilia Viotti da Costa, *Da senzala à colônia*, pp. 287-294, 302, 307-309; Stanley J. Stein, *Vassouras: um município brasileiro do café*, pp. 197-233; e Warren Dean, *Rio Claro: um sistema brasileiro de grande lavoura*, p. 76.

17 Stanley J. Stein, *Vassouras: um município brasileiro do café*, p. 71.

18 Citado em Lúcia Maria Bastos Pereira das Neves, Humberto Fernandes Machado, *O Império do Brasil*, p. 159.

19 Robert Edgar Conrad, *The Destruction of Brazilian Slavery*, p. 93.

20 Descrições dos viajantes em Robert W. Slenes, *Na senzala, uma flor*, p. 157-172.

CAPÍTULO 9: VENDE-SE, COMPRA-SE, ALUGA-SE

1. Uelinton Farias Alves, *Cruz e Sousa, Dante negro do Brasil*, p. 17.
2. *O Volantim*, 4 de outubro de 1822. Disponível em http://memoria.bn.br/DocReader/700410/117. Acesso em 27 de janeiro de 2022.
3. Gilberto Freyre, *O escravo nos anúncios de jornais brasileiros do século XIX*, pp. 82-85.
4. Katia M. de Queirós Mattoso, *Ser escravo no Brasil*, pp. 72-73.
5. Citado em Emilia Viotti da Costa, *Da senzala à colônia*, p. 96.
6. Mary Karasch, *A vida dos escravos no Rio de Janeiro*, pp. 259-260.
7. Emilia Viotti da Costa, *Da senzala à colônia*, p. 14.
8. Citado em Jean Marcel Carvalho França, *Franceses no Brasil*, p. 117.
9. Citado em João José Reis, *Ganhadores: A greve negra de 1857 na Bahia*, edição digital do Kindle, posição 153; Lilia Moritz Schwarcz, *As barbas do imperador*, p. 13; e Richard Graham, *Alimentar a cidade*, p. 39.
10. Herbert Klein, Francisco Vidal Luna, *Escravismo no Brasil*, pp. 150-154.
11. João José Reis, *Ganhadores...*, edição do Kindle, posição 81.
12. Richard Graham, *Alimentar a cidade*, pp. 67-68 e 348.
13. Citado em João José Reis, *Ganhadores...*, edição do Kindle, posição 531.
14. Zephyr L. Frank, *Dutra's World: Wealth and Family in Nineteenth-Century Rio de Janeiro*, pp. 61-62 e 111.
15. Mary Karasch, *A vida dos escravos no Rio de Janeiro*, p. 268.
16. Lilia Moritz Schwarcz, *As barbas do imperador*, pp. 222-230.
17. Herbert Klein, Francisco Vidal Luna, *Escravismo no Brasil*, pp. 120-121.
18. Ibidem, pp. 153-164.
19. Uelinton Farias, *Cruz e Sousa, Dante negro do Brasil*, p. 17.
20. Alguns exemplos de anúncios de jornais envolvendo compra, venda, aluguel ou recompensa pela fuga de escravos estão disponíveis em https://www.propagandashistoricas.com.br/2018/04/anuncio-venda-de-escravo.html. Consultado em 27 de jan. 2022.
21. Gilberto Freyre, *Casa-Grande & Senzala*, p. 443.
22. Citado em Gilberto Freyre, *Casa-Grande & Senzala*, p. 445.

23 Gilberto Freyre, *Casa-grande & Senzala*, p. 449

24 Citado em Sandra Sofia Machado Koutsoukos, *"Amas mercenárias": o discurso dos doutores em medicina e os retratos de amas — Brasil, segunda metade do século XIX*, p. 310.

25 Alguns preços do século XIX fornecidos por Emilia Viotti da Costa em *Da senzala à colônia*, p. 174: alqueire (14,64 kg) de arroz, 5$100 em 1855 e 11$000 em 1875; alqueire de feijão, 4$200 em 1855 e 9$000 em 1875; arroba de açúcar, 3$300 em 1855 e 5$200 em 1875; alqueire de farinha de mandioca 2$500 em 1855 e 4$000 em 1875.

26 Gilberto Freyre, *O escravo nos anúncios de jornais brasileiros do século XIX*, p. 82.

27 Número da mortalidade infantil disponível em Emilia Viotti da Costa, *Da Monarquia à República*, pp. 289-290.

28 Citado em Sandra Sofia Machado Koutsoukos, *Amas mercenárias...*, p. 307.

29 Hebe Maria Mattos de Castro, *Das cores do silêncio: os significados da liberdade no sudeste escravista, Brasil século XIX*, pp. 259 e 268.

30 Gilberto Freyre, *O escravo nos anúncios de jornais brasileiros do século XIX*, pp. 121-125.

31 *Jornal do Commercio*, 8 de abril de 1928. Disponível em http://memoria.bn.br/DocReader/364568_01/748. Consultado em 27 de jan. 2022.

32 Evaristo de Moraes, *A campanha abolicionista*, p. 182.

33 Ibidem, p. 183

34 Ibidem, pp. 181-183

CAPÍTULO 10: O VALONGO

1 A primeira estimativa é de Henry Chamberlain, *Views and Costumes of the City and Neighbourhood of Rio de Janeiro*, capítulo "The Slave Market", sem numeração de página. Mary Karasch, em *A vida dos escravos no Rio de Janeiro: 1808-1850*, catalogou 225.047 desembarcados entre 1800 e 1816, o que daria uma média anual de 14 mil cativos; o auge seria atingido em 1828, ano em que cerca de 45 mil africanos escravizados passaram pelo porto do Rio de Janeiro.

2 https://slavevoyages.org/assessment/estimates. Consultado em 23 de nov. 2021.

3 Robert Edgar Conrad, *Tumbeiros*, pp. 55-56.

4 Thomas Nelson, *Remarks on the Slavery and Slave Trade of the Brazils*, citado em Robert Edgar Conrad, *Tumbeiros*, p. 25.

5   Júlio César Medeiros da Silva Pereira, *À flor da terra: o cemitério dos pretos novos no Rio de Janeiro*, pp. 13-14, 99 e 106.

6   Informações sobre o acervo e as atividades do Instituto de Memória e Pesquisa Pretos Novos estão disponíveis em www.pretosnovos.com.br. Consultado em 31 de jan. 2022.

7   Citado em Manuel Querino, *A raça africana e seus costumes*, p. 35.

8   Júlio César Medeiros da Silva Pereira, À flor da terra..., p. 73; Mary Karasch, *A vida dos escravos no Rio de Janeiro*, pp. 73-81; Robert Edgar Conrad, *Tumbeiros*, pp. 58-61.

9   Emilia Viotti da Costa, *Da senzala à colônia*, pp. 92-94.

10 Henry Chamberlain, *Views and Costumes...*, capítulo "The Slave Market", sem numeração de página.

11 Stanley J. Stein, *Vassouras: um município brasileiro do café*, pp. 100-101.

12 Citado em Mary Karasch, *A vida dos escravos no Rio de Janeiro*, p. 84.

13 Júlio César Medeiros da Silva Pereira, *À flor da terra...*, p. 69.

14 Mary Karasch, *A vida dos escravos no Rio de Janeiro*, pp. 81-98.

15 Maria Graham, *Diário de uma viagem ao Brasil*, p. 254.

16 Citado em Mary Karasch, *A vida dos escravos no Rio de Janeiro*, p. 76.

17 Citado em Júlio César Medeiros da Silva Pereira, À flor da terra..., p. 77.

18 *Aurora Fluminense*, 23 de janeiro de 1829, citado em Júlio César Medeiros da Silva Pereira, À flor da terra..., p. 86.

CAPÍTULO 11: A TESTEMUNHA

1   *The Biography of Mahommah Gardo Babaqua: His Passage From Slavery to Freedom in Africa and America* (editada por Robin Law e Paul E Lovejoy), 2001;

2   Sheila de Castro Faria, em *Dicionário do Brasil Imperial*, pp.76-77.

3   Trechos extraídos de David Eltis e David Richardson, *Atlas of the Transatlantic Slave Trade*, p. 79; e Robert Edgar Conrad, *Children of God's Fire*, pp. 23-28.

CAPÍTULO 12: A O AMIGO DO REI

1   Para uma descrição mais detalhada desse local, ver a introdução do primeiro livro desta trilogia, em que relato meu encontro, na cidade de Ajudá, em 2017, com Mar-

NOTAS

celin Norberto de Souza, o patriarca da nona geração da família de Souza no Benim.

2   Alberto da Costa e Silva, *Francisco Félix de Souza, mercador de escravos*, edição do Kindle, posições 2.363-2.367.

3   Robin Law, *A carreira de Francisco Félix de Souza na África Ocidental (1800-1849)*, pp. 13-15.

4   Alberto da Costa e Silva, *Francisco Félix, mercador de escravos*, edição do Kindle, posições 177-184.

5   Milton Guran, *Agudás: os brasileiros do Benim*, 1999. Fotos e textos de Guran sobre famílias descendentes de brasileiros no Golfo do Benim estão disponíveis em http://acervoaguda.com.br. Consultado em 2 de fevereiro de 2022.

6   Pierre Verger, *Fluxo e Refluxo: do tráfico de escravos entre o Golfo do Benim e a Bahia de Todos os Santos do século XVII ao XIX*, p. 245.

7   Herbert S. Klein, *The Atlantic Slave Trade (New Approaches to the Americas)*, pp. 65 e 68-69.

8   Preços referentes ao final do século XVII em Robin Law, *The Slave Coast of West Africa*, p. 183.

9   Alberto da Costa e Silva, *A África e os africanos na história e nos mitos*, pp. 17; Alberto da Costa e Silva, *Um rio chamado Atlântico*, pp 7 e 13; Pierre Verger, *Fluxo e refluxo*, pp. 283-284.

10 Hugh Thomas, *The Slave Trade*, pp. 700-702.

11 Citado em Luís Henrique Dias Tavares, *Comércio proibido de escravos*, p. 119.

12 Alberto da Costa e Silva, *Francisco Félix de Souza, mercador de escravos*, edição do Kindle, posição 1503.

13 Luís Henrique Dias Tavares, em nota à terceira edição do livro *O negro na Bahia*, de Luiz Viana Filho, p. 15.

14 Em 2017, quando visitei o Templo de Píton em Ajudá, durante meu trabalho de reportagem para esta trilogia, um sacerdote local me colocou no pescoço uma serpente, a vodu Dan, deusa do arco-íris, desejando-me boa sorte na jornada. Em seguida, orientado por ele, permaneci algum tempo dentro de uma pequena cabana, com a porta e as janelas fechadas, na companhia de diversas outras serpentes. Embora católico por tradição de família, foi, para mim, uma experiência de grande transcendência e significado espiritual, pela qual sou grato aos meus anfitriões africanos.

15 Alberto da Costa e Silva, *Francisco Félix de Souza, mercador de escravos*, edição do Kindle, posição 1992.

16 Depoimento de Sir Henry Huntley transcrito em Pierre Verger, *Fluxo e refluxo*, pp. 463-466.

17 John Duncan, *Travels in Western Africa*, pp. 193-194.

18 Algumas referências de valor podem ser encontradas em http://www.genealogiahistoria.com.br/index_historia.asp?categoria=4&categoria2=4&subcategoria=56, consultado em 2 de fevereiro de 2022.

CAPÍTULO 13: NÃ AGOTIMÉ

1 Sérgio Ferretti, *Casa das Minas, Querebentã de Zomadonu*, pp. 15-24.

2 Roger Bastide, *The African Religions of Brazil*, pp. 189-190.

3 Pierre Verger, "Le culte des vodoun d'Abomey aurait-il été apporté à St.-Louis de Maranhon para la mère du roi Ghezo", *Études dahoméennes* 8, 1952, pp. 18-24 e Pierre Verger, *Os libertos: sete caminhos na liberdade de escravos na Bahia do século XIX*, pp. 66-94.

4 Alberto da Costa e Silva, *Francisco Félix de Souza, mercador de escravo*, edição digital do Kindle, posições 1.425-1.471.

5 Sigo aqui a boa explicação de Maria Laura Viveiros de Castro Cavalcanti em "A Casa das Minas de São Luís do Maranhão e a saga de Nã Agontimé", *Revista sociologia & antropologia*, mai./ago., 2019, pp. 387-429.

6 Sérgio Ferretti, *Querebentã de Zomadônu: etnografia da Casa das Minas do Maranhão*, pp. 124-125.

7 David Eltis; David Richardson (editores), *Extending the Frontiers: Essays on the New Transatlantic Slave Trade Database*, p. 19.

8 Sven Beckert. *Empire of Cotton: A Global History*, edição digital do Kindle, posição 1917; Herbert Klein, *The Atlantic Slave Trade (New Approaches to the Americas)*, p. 38.

9 Matthias Röhrig Assunção, "Quilombos maranhenses", in *Liberdade por um fio*, p. 434; e Daniel B. Domingues da Silva, *The Atlantic Slave Trade from West Central Africa*, edição digital do Kindle, p. 62.

10 Alberto da Costa e Silva, *Um rio chamado Atlântico*, p. 120.

11 Agripa de Vasconcelos, *Chico Rei*, 1966.

12 Lisa Earl Castillo, "Bamboxê Obitikô e a expansão do culto aos orixás (século XIX): uma rede religiosa afroatlântica", *Revista Tempo*, vol. 22, nº 39. jan-abr. 2016, pp.126-153.

13 Eduardo Silva, *Dom Obá d'África, o príncipe do povo: vida, tempo e pensamento de um homem de cor*, 1997.

14 Lisa Earl Castillo, *Bamboxê Obitikô e a expansão do culto aos orixás...*, p. 143.

CAPÍTULO 14: ANGOLA, FRENTE E VERSO

1 Antônio de Oliveira Salazar ascendeu ao poder em 1928, ano em que foi nomeado ministro das Finanças pelo então presidente, o general António Óscar de Fragoso Carmona. Em 1932, assumiria o cargo de primeiro-ministro e, no ano seguinte, decretaria o Estado Novo.

2 O Timor Leste, cuja independência foi declarada em 1975, seria invadido em seguida pelas tropas da Indonésia e só conseguiria assegurar sua autonomia em 2002, em um processo de transição mediado pela Organização das Nações Unidas.

3 Hugh Thomas, *The slave trade*, p. 706.

4 Relatório de 2018 do Programa das Nações Unidas para o Desenvolvimento (Pnud), disponível em https://www.ao.undp.org/content/angola/pt/home/publicacoes/IDH2018.html. Consultado em 06 de mar. 2022.

5 José Eduardo Agualusa, *Barroco Tropical*, pp. 92-93.

6 Sigo aqui o perfil que dela traçou Arlindo Manuel Caldeira, em *Escravos e traficantes no Império Português: o comércio negreiro português no Atlântico durante os séculos XV a XIX*, pp. 278-279.

7 Citado por Arlindo Manuel Caldeira, *Escravos e traficantes no Império Português...*, p. 283.

8 Carlos José Caldeira, *Apontamentos d'uma viagem de Lisboa à China e da China a Lisboa*, Volumes 1-2.

9 Joseph Miller, *Way of Death*, p. 467.

10 Números e descrições de Luanda em João José Reis, *O alufá Rufino*, edição do Kindle, posições 1.299-1.394.

11 Manolo Florentino, *Em costas negras*, p. 166.

12 Kátia Mattoso, *Ser escravo no Brasil*, pp. 51-52; Marcus Rediker, *The Slave Ship: A Human History*, edição do Kindle, posição 3288.

13 Alberto da Costa e Silva, em *Um rio chamado Atlântico*, p. 55.

14 Roquinaldo Ferreira, *Cross-Cultural Exchange in the Atlantic World: Angola and Brazil during the Era of the Slave Trade*, edição do Kindle, pp. 203-208 e 227-232.

15 Alberto da Costa e Silva, *Um rio chamado Atlântico*, p. 12.

CAPÍTULO 15: MEDO, MORTE E REPRESSÃO

1. Alberto da Costa e Silva, *Um rio chamado Atlântico*, pp. 59-62, 189-208; João José Reis, "Slavery in Nineteenth-Century Brazil", em *The Cambridge World History of Slavery*, vol. 4, AD 1804 — AD 2016, edição do Kindle, pp. 149-150.

2. Sigo aqui a sequência de acontecimentos relatada por João José Reis, em *Rebelião escrava no Brasil: a história do levante dos malês em 1835*, pp. 125-157; e Pierre Verger, em *Fluxo e refluxo*, pp. 339-353.

3. José Murilo de Carvalho, *Teatro de Sombras*, p. 251.

4. Stuart B. Schwartz, *Cantos e quilombos numa conspiração de escravos Haussás: Bahia, 1814*, em João José Reis e Flávio dos Santos Gomes, *Liberdade por fio*, pp. 373-401.

5. João José Reis, *Rebelião escrava no Brasil...*, pp. 100-103.

6. Citado em Pierre Verger, *Fluxo e refluxo*, p. 14.

7. Paul E. Lovejoy, "A escravidão no Califado de Socoto", em Manolo Garcia Florentino; Cecilia Machado (organizadores), *Ensaios sobre a escravidão*, pp 37-63, e Pierre Verger, *Os libertos*, p. 28.

8. Boris Fausto, *História concisa do Brasil*, p. 88.

9. João José Reis, *Rebelião escrava no Brasil...*, pp. 451-478, e Pierre Verger, *Fluxo e refluxo...*, pp. 349-353.

10. Carlos Eugênio Líbano Soares, *A capoeira escrava*, pp. 364-365 e João José Reis, *O Alufá Rufino*, edição do Kindle, posições 864-1.053.

11. Flávio dos Santos Gomes, *Histórias de quilombolas: mocambos e comunidades de senzalas no Rio de Janeiro, século XIX*, pp. 144-247.

12. Ricardo Salles, *E o vale era o escravo*, p. 189.

13. João José Reis, *Rebelião escrava no Brasil...*, pp. 491.

14. Pierre Verger, *Fluxo e refluxo*, pp. 359-373.

15. Luciana Brito, "Retornados africanos", em Lilia M. Schwarcz e Flávio Gomes (organizadores), *Dicionário da escravidão e liberdade*, pp. 384-391.

CAPÍTULO 16: MANUAL DO CATIVEIRO

1. Ronaldo Vainfas, *Ideologia e escravidão: os letrados e a sociedade escravista no Brasil colonial*".

2. Rafael de Bivar Marquese, *Feitores do corpo, missionários da mente: senhores,*

letrados e o controle dos escravos nas Américas, 2004.

3   Resumo do pensamento de Miguel Calmon du Pin e Almeida em Ricardo Salles, *E o vale era o escravo*, p. 242; Rafael de Bivar Marquese, *Feitores do corpo, missionários da mente*, pp. 268-269.

4   Citado em Ricardo Salles, *E o vale era o escravo*, pp. 187-194.

5   André João Antonil, *Cultura e opulência do Brasil*, pp. 98-110.

6   Francisco Peixoto de Lacerda Werneck, *Memória sobre a fundação de uma fazenda na Província do Rio de Janeiro,* citado e comentado em Emília Viotti da Costa, *Da senzala à colônia*, pp. 331-333.

7   Rafael de Bivar Marquese, "Paternalismo e governo dos escravos nas sociedades escravistas oitocentistas: Brasil, Cuba e Estados Unidos", In *Ensaios sobre a escravidão*, vol. 1 (organização de Manolo Garcia Florentino e Cecilia Machado), pp.121-141.

8   C. A. Taunay, *Manual do agricultor brasileiro*, organização Rafael de Bivar Marquese, 2001.

CAPÍTULO 17: NA MIRA DOS CANHÕES

1   Registro aqui minha gratidão à escritora, letrista e poeta Etel Frota pela paciência e pela gentileza de orientar, ler e corrigir muitas informações deste capítulo. Paranaense de Cornélio Procópio e minha colega na Academia Paranaense de Letras, Etel é autora de *O herói provisório,* um excelente romance histórico sobre o episódio *Cormorant*.

2   População livre e escrava de Paranaguá em Octavio Ianni, *As metamorfoses do escravo*, p. 104.

3   Beatriz Gallotti Mamigonian, *Africanos livres: a abolição do tráfico de escravos no Brasil*, pp. 201-202; Cecília Maria Westphalen, "A introdução de escravos novos no Litoral Paranaense", *Revista de História da Universidade de São Paulo*, vol. 84, nº. 89, pp. 139-154; David Carneiro, *A História do incidente Cormorant*; Leslie Bethell, *A abolição do comércio brasileiro de escravos*, pp. 374-375.

4   José Augusto Leandro, "Em águas turvas: navios negreiros na baía de Paranaguá", *Revista do programa de pós-graduação em história da* UFSC, vol.10, nº.10, pp. 99-11.

5   Leslie Bethell, *A abolição do comércio brasileiro de escravos*, p. 391.

6   Ibidem, p. 387.

7   Ibidem, 390.

8   Jorge Caldeira, *Mauá*, p. 196.

9   Citado em Leslie Bethell, *A abolição do comércio brasileiro de escravos*, p. 108.

10 Robert Edgar Conrad, *Tumbeiros*, pp. 111-113.

11 Citado em Sidney Chalhoub, *A força da escravidão: ilegalidade e costume no Brasil oitocentista*, edição do Kindle, posição 866.

12 Leslie Bethell, *A abolição do comércio brasileiro de escravos*, p. 359.

13 Luís Henrique Dias Tavares, *Comércio proibido de escravos*, pp. 123-125; Thiago Campos Pessoa, *Alcoforado como guia: os negócios negreiros no litoral do Vale do café (c.1831-c.1853)*.

14 Sigo aqui o resumo de Ricardo Salles, *E o Vale era o escravo*, pp. 64-65.

15 Emília Viotti da Costa, *A Abolição*, p. 13.

16 Warren Dean, *Rio Claro*, p. 65.

CAPÍTULO 18: NO LIMBO

1   Beatriz Gallotti Mamigonian, *Africanos livres: a abolição do tráfico de escravos no Brasil*, pp. 45 e 356.

2   Sidney Chalhoub, *A força da escravidão: ilegalidade e costume no Brasil oitocentista*, edição do Kindle, posição 288.

3   Mary Karasch, *A vida dos escravos no Rio de Janeiro*, pp. 441-443; Robert Edgar. Conrad, *Tumbeiros*, pp. 171-186.

4   Beatriz Gallotti Mamigonian, *Africanos livres...*, pp. 120-124.

5   Beatriz Gallotti Mamigonian, *Africanos livres...*, pp. 82-84 e 110-112; Sidney Chalhoub, *A força da escravidão...*, edição do Kindle, posições 2.411-2.419.

6   Renata Ribeiro Francisco, "Pacto de tolerância e cidadania na cidade de São Paulo (1850-1871)", em Maria Helena P. T. Machado; Celso Thomas Castilho (organizadores). *Tornando-se livre: agentes históricos e lutas sociais no processo de abolição*, p. 252.

7   Octávio Ianni, *As metamorfoses do escravo*, pp. 154-155.

8   Geraldo Hasse e Guilherme Kolling, *Lanceiros negros*, 2006.

9   Celia Maria Marinho de Azevedo, *Onda negra, medo branco: o negro no imaginário das elites — século XIX*, p. 189.

10 Silvia Hunold Lara, *Fragmentos setecentistas*, pp. 13-15.

11 Citado em Hebe Maria Mattos de Castro, *Das cores do silêncio: os significados da liberdade no Sudeste escravista — Brasil XIX*, pp. 266 e 267.

12 Octavio Ianni, *As metamorfoses do escravo*, p. 180.

13 *Anais do Senado do Império do Brasil*, ano de 1888, livro 1. Disponível em https://www.senado.leg.br/publicacoes/anais/pdf/Anais_Imprio/1888/1888%20Livro%201.pdf. Consultado em 16 de mar. 2022.

14 Citado em Hebe Maria Mattos de Castro, *Das cores do silêncio...*, pp. 276 e 277.

15 Citado em Warren Dean, *Rio Claro: um sistema brasileiro de grande lavoura*, p. 143.

16 Ibidem, pp. 146 e 147.

CAPÍTULO 19: APOGEU E QUEDA

1 O resumo dos acontecimentos pós-guerra do Paraguai que levariam à queda do Império foi baseado em José Murilo, *Teatro de sombras*, pp. 293-323.

2 Emília Viotti da Costa, *Da senzala à colônia*, p. 475.

3 Robert Edgar Conrad, *The Destruction of Brazilian Slavery*, p. 52.

4 Carta de Luiz Gama a Ferreira de Menezes, 16 de dezembro de 1880, citada em Lígia Fonseca Ferreira, *Lições de resistência: artigos de Luiz Gama na imprensa de São Paulo e do Rio de Janeiro*, p. 36.

5 Mary Karasch, *A vida dos escravos no Rio de Janeiro*, pp. 127-128.

6 Emília Viotti da Costa, *A abolição*, p. 47-48 e *Da senzala à colônia*, p. 449.

7 Citações extraídas de Francisco Doratioto, *Maldita Guerra: nova história da Guerra do Paraguai*, pp. 274-275.

8 Acompanho aqui a sequência de ações governamentais descrita por Ricardo Salles, *E o vale era o escravo*, pp. 89-110.

9 *Atas do Conselho de Estado, sessão de 2 de abril de 1867*, citada em Ricardo Salles, *E o vale era o escravo*, p. 93.

10 José Murilo de Carvalho, *Teatro de sombras*, p. 310.

11 Citações de Alencar Araripe, José de Alencar e Barão do Bom Retiro extraídas de Emília Viotti da Costa, *Da Senzala à colônia*, pp. 408-410.

12 Heitor Lyra, *História de dom Pedro II*, vol 3, p. 9.

13 Joaquim Nabuco, "O abolicionismo", in *Nabuco essencial*, p. 104.

14 José Murilo de Carvalho, *Teatro de sombras*, p. 322.

15 Manuel de Oliveira Lima, *Sept ans de république au Brésil*, p. 14.

CAPÍTULO 20: OS ABOLICIONISTAS

1 Citado em Angela Alonso, *Flores, votos e balas*, p. 312.

2 Ibidem, pp. 306-307.

3 Citado em Emília Viotti da Costa, *Da senzala à colônia*, p. 414.

4 Citado em Lígia Fonseca Ferreira, *Lições de resistência: artigos de Luiz Gama na imprensa de São Paulo e do Rio de Janeiro*, p. 67.

5 Para uma lista de associações abolicionistas brasileiras entre 1850 e 1888, ver Angela Alonso, *Flores, balas e votos*, pp. 435-446.

6 Emília Viotti da Costa, *Da senzala à colônia*, p. 451.

7 Marília Conforto, *O escravo de papel*, pp.107-146.

8 Castro Alves, *O navio negreiro*. Disponível em <http://www.dominiopublico.gov.br/download/texto/bv000068.pdf>. Consultado em 18 de abr. 2022.

9 Angela Alonso, *Flores, votos e balas*, p. 95.

10 Uelinton Farias Alves, *Cruz e Sousa*, pp. 73-74.

11 Para a sequência de primeiras associações e clubes abolicionistas no Brasil ver Angela Alonso, *Flores, votos e balas*, pp. 34-35.

12 Emília Viotti da Costa, *Da senzala à* colônia, pp. 337-341.

13 Joaquim Nabuco, "O eclipse do abolicionismo", in *Nabuco essencial*, p. 185.

14 *Gazeta da Tarde*, 21 de set. 1885, nº. 216, p. 2, última coluna. Disponível em <http://memoria.bn.br/docreader/226688/5296>. Consultado em 18 de mar. 2022.

15 *Gazeta da Tarde*, 10 de maio 1881, nº. 110, p. 1, penúltima coluna. Disponível em http://memoria.bn.br/DocReader/226688/1019. Consultado em 18 de mar. 2022.

CAPÍTULO 21: O PRECURSOR

1 Citado em Lígia Fonseca Ferreira, *Lições de resistência: artigos de Luiz Gama na imprensa de São Paulo e do Rio de Janeiro*, p. 23.

2 Ana Lucia Araújo, "Dandara e Luiza Mahin *são consideradas heroínas do Brasil — o problema é que elas nunca existiram*", The Intercept Brasil, 4 de jun. 2019. Disponível em: < https://theintercept.com/2019/06/03/dandara-luisa-mahin-

panteao-patria/>, consultado em 20 de mar. 2022. E Nei Lopes, "Dandara, a 'noiva' de Zumbi", Portal Geledés, 23 de nov. 2016. Disponível em https://www.geledes.org.br/dandara-ficcao-ou-realidade/. Consultados em 20 de mar. 2022.

3   Carta de Luiz Gama a Lúcio de Mendonça, 25 de julho de 1880, reproduzida em Evaristo de Moraes, *A campanha abolicionista*, pp. 208-209.

4   Ibidem, p. 211.

5   José Murilo de Carvalho, *A construção da ordem*, p. 215.

6   Citado em Angela Alonso, *Flores, votos e balas*, p. 108.

7   Lígia Fonseca Ferreira, *Lições de resistência: artigos de Luiz Gama na imprensa de São Paulo e do Rio de Janeiro*, p. 56.

8   Citado em Evaristo de Moraes, *A campanha abolicionista*, p. 217; e Sud Mennucci, *O precursor do abolicionismo no Brasil*, pp. 153-154.

9   Lígia Fonseca Ferreira, *Lições de resistência: artigos de Luiz Gama na imprensa de São Paulo e do Rio de Janeiro*, p. 256.

10 Ibidem, p. 292.

11 Lígia Fonseca Ferreira, "De escravo a cidadão: Luiz Gama, voz negra no abolicionismo", em Maria Helena P. T. Machado e Celso Thomas Castilho (organizadores), *Tornando-se livre: agentes históricos e lutas sociais no processo de Abolição*, pp. 213-236.

12 Ibidem, p. 236.

13 Citado em Sud Mennucci, *O precursor do abolicionismo no Brasil*, pp. 218-219.

CAPÍTULO 22: A CONVERSÃO

1   Ângela Alonso, *Joaquim Nabuco*, pp. 21-22.

2   Joaquim Nabuco, "Massangana", em *Nabuco essencial*, p. 25.

3   Ibidem, p. 24.

4   Sandra Lauderdale Graham, *Caetana diz não*, pp. 334-335.

5   Joaquim Nabuco, "O abolicionismo", em *Nabuco essencial*, p. 51.

6   Emília Viotti da Costa, *Da senzala à colônia*, p. 415.

7   Citado em Tom Farias, *José do Patrocínio: a pena da abolição*, p. 28.

8   Tom Farias, *José do Patrocínio: a pena da abolição*, p. 30.

9   Citado em Angela Alonso, *Flores, votos e balas*, p. 115.

10   Keila Grinberg, "José do Patrocínio", em *Dicionário do Brasil imperial*, pp. 434-435.

11   Citado em Angela Alonso, *Flores, votos e balas*, p. 130.

12   Lígia Fonseca Ferreira, "De escravo a cidadão: Luiz Gama, voz negra no abolicionismo", em Maria Helena P.T. Machado e Celso Thomas Castilho (organizadores), *Tornando-se livre*, p. 235.

13   Henrique de Beaurepaire Rohan, *"Emancipação do elemento servil considerada em suas relações morais e econômicas"*, citado em Cláudia dos Santos e Márcia Motta, "Um retrato do império. Abolição e propriedade na trajetória de Henrique Beaurepaire Rohan, revista *Ler História*, nº. 58, 2010.

14   Maria Alice Rezende de Carvalho, "A terra prometida", *Revista de História da Biblioteca Nacional*, nº. 68, 2011.

CAPÍTULO 23: TERRA DA LUZ

1   Citado em Angela Alonso, *Flores, votos e balas*, p. 218.

2   Evaristo de Moraes, *A campanha abolicionista*, p. 187.

3   Carta de Joaquim Nabuco a José Correia do Amaral, em 7 de março de 1883, citada em Angela Alonso, *Flores, votos e balas*, p. 212,

4   Citado em Tom Farias, *José do Patrocínio: a pena da abolição*, p. 169.

5   Oliveira Lima, *Sept ans de République au Brésil*, p. 7.

6   Angela Alonso, *Flores, votos e balas*, p. 249; e Evaristo de Moraes, *A campanha abolicionista*, pp. 185-187.

7   Angela Alonso, *Flores, votos e balas*, pp. 194-195.

8   Edson Holanda Lima Barboza, "Ela diz ser cearense: escravos e retirantes contra as correntes do tráfico interprovincial entre fronteiras do Norte (1877-1880)", em Maria Helena P. T. Machado; Celso Thomas Castilho (organizadores). *Tornando-se livre: agentes históricos e lutas sociais no processo de abolição*, pp. 107-109.

9   Peter L. Eisenberg, *The Sugar Industry in Pernambuco*, pp. 153 e 219.

10   Robert E. Conrad, *Children of God's fire*, p. 356.

11   Ricardo Tadeu Caires Silva, *Caminhos e descaminhos da abolição. Escravos, senhores e direitos nas últimas décadas da escravidão (Bahia, 1850-1888)*, tese apresentada ao programa de Pós-Graduação em História Social da Universidade Federal do Paraná, pp. 111-112.

12   Citado em Robert Edgar Conrad, *The Destruction of Brazilian Slavery, 1850-1888*, pp. 36-37.

13   Evaristo de Moraes, *A campanha abolicionista*, pp. 191-192.

14   Citado em Angela Alonso, *Flores, votos e balas*, p. 309.

15   Angela Alonso, *Flores, votos e balas*, pp. 226-228; Evaristo de Moraes, *A campanha abolicionista*, pp. 186-187.

CAPÍTULO 24: REAÇÃO

1   Angela Alonso, *Flores, votos e balas*, pp. 252-253.

2   Emília Viotti da Costa, *Da senzala à colônia*, pp. 462-470.

3   Citado em Emília Viotti da Costa, *A Abolição*, p. 82.

4   Robert Edgar Conrad, *The Destruction of Brazilian Slavery*, p. 117.

5   Emília Viotti da Costa, *Da senzala à colônia*, pp. 354-376.

6   Warren Dean, *Rio Claro*, p. 125.

7   Citado em Lúcia Maria Bastos Pereira das Neves e Humberto Fernandes Machado, *O Império do Brasil*, p. 360.

8   Emília Viotti da Costa, *Da senzala à colônia*, pp. 354-357.

9   *O País*, 30 de maio 1887. Disponível em http://memoria.bn.br/DocReader/178691_01/4011. Consultado em 21 de mar. 2022.

10   Angela Alonso, Flores, votos e balas, pp. 233-234.

11   Ibidem, pp. 288 e 303.

12   Citado em Angela Alonso, *Flores, votos e balas*, pp. 234-235.

13   Ibidem, pp. 223

14   Emília Viotti da Costa, *A Abolição*, p. 83.

15   História e etimologia da "Lei de Lynch" disponível em inglês no site https://www.merriam-webster.com/dictionary/lynch%20law. Consultado em 21 de mar. 2022.

16   Citado em Angela Alonso, *Flores, votos e balas*, pp. 328-329.

CAPÍTULO 25: ALIANÇA ESCRAVOCRATA

1   Eugene C. Harter, *A colônia perdida da Confederação: a imigração norte-americana para o Brasil após a Guerra da Secessão*, pp. 43-44.

2   Gerald Horne, *O Sul mais distante — Os Estados Unidos, o Brasil e o tráfico de escravos africanos*, p. 285.

3   Eugene C. Harter, *A colônia perdida da Confederação...*, pp. 76-77.

4   Ibidem, pp. 62-63.

5   Gary Neeleman; Rose Neeleman. *A migração confederada ao Brasil...*, edição do Kindle, posição 2538.

6   Eugene C. Harter, *A colônia perdida da Confederação*, pp. 51-57.

7   Seymour Drescher, *Abolição*, pp. 468-472.

8   "The 1619 Project", *The New York Times Magazine*, 18 de agosto. 2019.

9   Gary Neeleman; Rose Neeleman. *A migração confederada ao Brasil: estrela e barras sob o Cruzeiro do Sul*, edição do Kindle, posições 638-658.

10 Eugene C. Harter, *A colônia perdida da Confederação...*, p. 58.

11 Gerald Horne, *O Sul mais distante...*, p. 279.

12 Gary Neeleman; Rose Neeleman. *A migração confederada ao Brasil...*, edição do Kindle, posição 4223.

13 Ibidem, posição 4050.

14 Carlos Haag, "O dia em que o Brasil disse não aos Estados Unidos", *Revista Fapesp*, ed. 156, fev. 2019. Disponível em https://revistapesquisa.fapesp.br/o--dia-em-que-o-brasil-disse-nao-aos-estados-unidos/. Consultado em 07 de abr. 2021.

15 Gerald Horne, *O Sul mais distante...*, p. 254.

16 Ibidem, pp. 155-183.

CAPÍTULO 26: MARÉ BRANCA

1   Alguns preços e valores no século xix podem ser encontrados em Emília Viotti da Costa, *Da senzala à colônia*, p. 174; Stanley J. Stein, *Vassouras: um município brasileiro do café*, p. 77; Zephyr L Frank, *Dutra's World: Wealth and Family in Nineteenth-Century Rio de Janeiro*, p. 119; Douglas Cole Libby, *Trabalho escravo e capital estrangeiro no Brasil: o caso Morro Velho*, pp. 99-104; José Murilo de Carvalho, *Construção da Ordem/Teatro de sombra*, p. 147; e o site São Paulo Minha Cidade, disponível em http://www.saopaulominhacidade.com.br/historia/ver/257/Precos%2Bde%2BAntigamente%2Bem%2BSao%2BPaulo. Consultado em 27 de abr. 2022.

NOTAS

2   Emília Viotti da Costa, *Da monarquia à república*, p. 255.

3   Seymour Drescher, *Abolição: uma história da escravidão e do antiescravismo*, p. 528.

4   Citado em Emília Viotti da Costa, *Da monarquia à república*, p. 281.

5   Joaquim Nabuco, "Campanha abolicionista no Recife, 1884", in *Nabuco Essencial*, pp. 116 e 117.

6   José Murilo de Carvalho, *A construção da ordem/Teatro de sombras*, p. 331.

7   Para uma análise detalhada da política de terras no Império ver José Murilo de Carvalho, *A construção da ordem/Teatro de sombras*, pp. 329-354. Para a comparação entre a política de terras nos Estados Unidos e no Brasil ver Emília Viotti da Costa, *Da monarquia à república*, pp. 184, 186.

8   Warren Dean, *Rio Claro: um sistema brasileiro de grande lavoura*, pp. 97-102.

9   Thomas Davatz, *Memórias de um colono no Brasil*, pp. 87 e 88.

10 Ibidem, p. 182.

11 Boris Fausto, *História concisa do Brasil*, p. 114.

12 Jorge Caldeira, *Mauá*, p. 222.

13 Luís Peixoto de Lacerda Werneck, *Ideias sobre a colonização precedidas de uma sucinta exposição dos princípios gerais que regem a população*, pp. 22 e 64.

14 Emília Viotti da Costa, *Da senzala à colônia*, pp. 229-243.

15 A arrecadação de São Paulo por volta de 1890 era de cerca de 6 mil contos de réis, conforme o site São Paulo Minha Cidade, disponível em http://www.saopaulominhacidade.com.br/historia/ver/257/Precos%2Bde%2BAntigamente%2Bem%2BSao%2BPaulo. Consultado em 27 de abr. 2022.

16 Citações deste e dos três parágrafos seguintes em Celia Maria Marinho de Azevedo, *Onda negra, medo branco: o negro no imaginário das elites - século XIX*, pp. 54-68; e Warren Dean, *Rio Claro: um sistema brasileiro de grande lavoura*, p. 149.

17 Mário Maestri (organizador), *Peões, vaqueiros & cativos campeiros: estudos sobre a economia pastoril no Brasil*, pp. 216-217.

18 Uelinton Faria, *Cruz e Souza*, p. 20.

19 Octavio Ianni, *As metamorfoses do escravo*, pp. 94-123.

20 Manifesto da Confederação Abolicionista Paranaense e discurso do conselheiro Manoel Francisco Correia em Valfrido Piloto, citados em Octavio Ianni, *As metamorfoses do escravo*, p. 208.

CAPÍTULO 27: PÂNICO

1   *Diário de Pernambuco*, julho de 1866, anúncio reproduzido na Vice. Disponível em https://www.vice.com/pt/article/8x53y3/revisitando-anuncios-de-escravos-do-seculo-19. Consultado em 23 de mar. 2022.

2   Francisco Vidal Luna; Herbert S. Klein, *Escravismo no Brasil.*, pp. 319-322.

3   *Novidades*, 31 de jan. de 1888, citado em Stanley J. Stein, *Vassouras: um município brasileiro do café*, pp. 296-300.

4   Hebe Maria Mattos de Castro, *Das cores do silêncio: os significados da liberdade no Sudeste escravista (Brasil, século XIX)*, pp. 259 e 268.

5   Citado em Emília Viotti da Costa, *Da senzala à colônia*, p. 371.

6   Thiago Leitão de Araújo, "Nem escravos, nem libertos: os contratos de prestações de serviços nos últimos anos da escravidão na província de São Paulo", em Maria Helena P. T. Machado; Celso Thomas Castilho (organizadores). *Tornando-se livre: agentes históricos e lutas sociais no processo de abolição*, pp. 85 e 95-96.

7   Evaristo de Moraes, *A campanha abolicionista*, p. 249.

8   Angela Alonso, *Flores, votos e balas*, p. 321.

9   Citado em Emília Viotti da Costa, *Da senzala à colônia*, p. 376.

10 *O Município*, 5 de jul. de 1877, citado em Stanley J. Stein, *Vassouras: um município brasileiro do café, 1850 — 1900*, pp. 179-180.

11 Citado em Celia Maria Marinho de Azevedo, *Onda negra, medo branco: o negro no imaginário das elites*, pp. 206-212.

12 *O País*, 26 de out. 1887, citado em Evaristo de Moraes, *A campanha abolicionista*, pp. 253-254.

CAPÍTULO 28: ISABEL

1   João Camilo de Oliveira Torres, *Os construtores do Império: ideais e lutas do Partido Conservador Brasileiro*, pp. 109-119.

2   Heitor Lyra, *História de dom Pedro II*, vol 3, pp. 61-62.

3   Citado em Heitor Lyra, *História de dom Pedro II*, vol 3, pp 23-31.

4   Citado em José Murilo de Carvalho, *A construção da ordem/Teatro de sombras*, p. 328.

5   A partir deste parágrafo, reproduzo, em partes, o perfil da princesa Isabel que escrevi para meu livro *1889*, sobre a Proclamação da República.

NOTAS

6   *Revista Ilustrada*, ano 13, nº. 507, p. 1, 29 de julho de 1889, citada em Ana Lucia Araújo, "Memória pública comparada da emancipação e da abolição da escravidão: Abraham Lincoln e Princesa Isabel", em Maria Helena P. T. Machado; Celso Thomas Castilho (organizadores). *Tornando-se livre: agentes históricos e lutas sociais no processo de Abolição*, p. 468.

7   Mary Del Priore e Renato Venancio, *Uma breve história do Brasil*, p. 210.

8   Roderick Barman, *Princesa Isabel do Brasil*, p. 181.

9   Carta de Cândido Bernardino Teixeira Tostes (1842-1927) a Saint-Clair de Miranda Carvalho, 7 de julho de 1888, arquivo pessoal de Douglas Fasolato, Juiz de Fora — MG.

10 *A República Federal*, 11 de novembro de 1888, em *The Manuel Cardoso Files — Republican Movement*, Oliveira Lima Library, Washington.

11 *Diário Popular* de 9 de fevereiro de 1889, em *The Manuel Cardoso Files — Republican Movement*, Oliveira Lima Library, Washington.

12 Heitor Lyra, *História da queda do Império*, vol 1, p. 175.

13 Lídia Besouchet, *José Maria Paranhos, visconde do Rio Branco*, p. 229.

14 Leôncio Basbaum, *História sincera da República*, vol. 1, p. 262.

15 Roderick Barman, *Princesa Isabel do Brasil*, p. 184.

16 Ibidem, p. 16.

17 Ibidem, pp. 158, 159.

18 A expressão é de Roderick Barman, *Princesa Isabel do Brasil*, p. 67.

19 Roderick Barman, *Princesa Isabel do Brasil*, pp. 71 e 111.

20 Roderick Barman, *Princesa Isabel do Brasil*, p. 87.

21 Mary Del Priore, "Consortes nos trópicos: dois príncipes da casa de França no Brasil", *Revista do IHGB*, nº 444, p. 278.

22 Dom Carlos Tasso de Saxe-Coburgo Bragança, *A intriga*, p. 159.

23 Mary Del Priore, "Consortes nos trópicos", *Revista do IHGB*, nº 444, p. 283.

24 Lidia Besouchet, *Exílio e morte do imperador*, p. 90.

25 Vasco Mariz, *Depois da glória*, p. 309.

26 Alfredo d'Escragnolle Taunay, *Memórias do Visconde de Taunay*, pp 452-454.

27 Júlio José Chiavenato, *Genocídio americano: a guerra do Paraguai*, pp. 141-142.

28 Francisco Doratioto, *Maldita guerra*, p. 396 em diante.

29 Vasco Mariz, *Depois da glória*, p. 315.

30 Luís da Câmara Cascudo, *O Conde D'Eu*, pp. 110-112.

31 *A República Federal*, 28 de abril de 1889, em The Manuel Cardoso Files — Republican Movement, Oliveira Lima Library, Washington.

32 Roderick Barman, *Princesa Isabel do Brasil*, p. 255.

33 José Murilo de Carvalho, *D. Pedro II*, p. 236.

CAPÍTULO 29: O DIA SEGUINTE

1 Stanley J. Stein, *Vassouras: um município brasileiro do café*, pp. 306-319.

2 *A Província de São Paulo*, 8 de abr. 1888, transcrita por Robert Edgar Conrad em *Children of God's Fire*, pp. 476-480.

3 Emília Viotti da Costa, *Da senzala à colônia*, pp. 494-502.

4 Stanley J. Stein, *Vassouras...*, pp. 289-293.

5 José Murilo de Carvalho, *A construção da ordem/Teatro de Sombras*, pp. 284-285.

6 Walter Fraga, "Pós-Abolição — o dia seguinte", in Lilia Moritz Schwarcz; Flávio Gomes (org.), *Dicionário da escravidão e liberdade*, p. 353.

7 Emília Viotti da Costa, *A Abolição*, pp. 135-138.

8 Citado em Clóvis Moura, *Dicionário da escravidão negra no Brasil*, p. 423.

9 Esta e as próximas citações de José do Patrocínio estão presentes em Cláudia Regina Andrade dos Santos, "Na rua, nos jornais e na tribuna: a Confederação Abolicionista do Rio de Janeiro, antes e depois da Abolição", in Maria Helena P. T. Machado; Celso Thomas Castilho (organizadores). *Tornando-se livre: agentes históricos e lutas sociais no processo de abolição*, p. 335.

10 Emília Viotti da Costa, *A abolição*, p. 12.

11 Lilia M. Schwarcz, *Nem preto nem branco, muito pelo contrário: raça e sociabilidade brasileira*, edição do Kindle, posições 260-274.

12 Ibidem, posições 209-215.

13 Pierre Verger, *Fluxo e refluxo*, pp. 16-17.

14 Beatriz Mamigonian, *Africanos livres*, edição do Kindle, posição 387.

15 Lilia M. Schwarcz e Heloisa Murgel Starling, *Brasil: uma biografia*, p. 343-346.

16   Emília Viotti da Costa, *Da senzala à colônia*, pp. 15-16.

17 Instituto Brasileiro de Geografia e Estatística (IBGE), síntese dos indicadores sociais, 2020.

18 IBGE, Diretoria de Pesquisas, Coordenação de População e Indicadores Sociais, *Desigualdades Sociais por Cor ou Raça no* Brasil, 2019.

19 Sarah Fernandes, "Apesar de aumento expressivo, negros ainda são minoria entre os graduados no Brasil", Rede Brasil Atual, 28 de jun. 2012.

20 USP — Departamento de Recursos Humanos, 2015.

21 Instituto de Pesquisa Econômica Aplicada (Ipea).

22 Resultados eleitorais de 2018 divulgados pelo Tribunal Superior Eleitoral (TSE), segundo classificação de raças adotadas pelo IBGE.

23 Ministério do Trabalho, Relação Anual de Informações Sociais (Rais) 2016.

24 IBGE, síntese dos indicadores sociais, 2015.

25 Levantamentos da Universidade de Brasília (UnB) e da Universidade Estadual do Rio de Janeiro (Uerj).

ÍNDICE ONOMÁSTICO

Aberdeen, lorde, 13, 324
Abiodun, 268
Abreu, Antônio Paulino Limpo de, visconde de Abaeté, 358
Abreu, Henrique Limpo de, 353
Abreu, João Capistrano de, 511
Adandozan, 245-247, 258-259, 261-262, 266
Affonso, Almino, 430
Agonglô, rei, 245-246, 257-258, 260, 266
Agostinho, escravizado, 288
Agostini, Ângelo, 373
Agotimé, Nã, rainha, 246-247, 258-263, 265, 266
Agualusa, José Eduardo, 274
Aguiar, Manoel de, 157
Ahossi, princesa do reino Guin, 252
Ahuna, líder religioso, 284
Albuquerque, José Joaquim de Campos da Costa Medeiros e, 528
Alcântara, Antônio, 510
Alcântara, Luís de, 510
Alcântara, Pedro de, 138, 510
Alencar, José de, 167, 363,
Alexandre II, tzar, 14-15
Alexandre, grão-duque, 79
Allen, Richard, 126,
Allende, Salvador, 269
Almeida, Antônio, Olufadé, 266
Almeida, Antonio Luis de, 157
Almeida, Laurindo José de, visconde de São Laurindo, 170,
Almeida, Luciano José de, comendador, 76
Almeida, Miguel Calmon du Pin, marquês de Abranches, 301
Almeida, Pedro Cândido de, 443
Alonso, Angela, historiadora, 166, 375, 377, 402, 414
Alves, Castro, 14, 138-139, 288, 367, 370, 373-375, 377-378, 404
Alves, Antônio José, 139
Alves, Francisco de Paula Rodrigues, 404, 443
Américo, Pedro, 19-20,
Andrade, Iraildes, 149,
Andrade, Rodolfo Manoel Martins, 267
Antonil, André João, 42, 303
Antônio José Leite de Guimarães, barão da Glória, 147

Antony, João Carlos, 424
Aragão, Barreto de, 486
Araripe, Tristão de Alencar, 362
Araújo Filho, José Thomaz Nabuco de, 222, 360, 402
Araújo, Ana Lúcia, historiadora, 145
Araújo, José Ferreira de, jornalista, 410
Araújo, José Ferreira de, tenente, 246
Araújo, José Thomaz Nabuco de, 104, 501
Argoim, escravizado, 93-94, 558
Armuwanu, príncipe do Daomé, 252
Assis, Machado de, 15, 39, 52, 58, 174, 404, 411
Associação Central Emancipadora (ACE), 415
Associação Missionária Norte-Americana em Serra Leoa, 231
Avé-Lallemant, Robert, 197
Avelar, Paulo Gomes Ribeiro de, 295
Avellar, Maria Isabel Gomes Ribeiro de, 165
Azevedo, Aluísio de, 373
Azevedo, Celia Maria Marinho de, historiadora, 340
Azevedo, Pedro Vicente de, 485
Baquaqua, Mahommah Gardo, 228-231
barão de Cerro Azul, 477
barão de Cotegipe, vide João Maurício Wanderley, 47, 49, 343, 427, 440, 496, 523
barão de Itambé, 404
barão de Vassouras, 404
barão de Penedo, 496
Barbosa, Joaquim Ferreira, 314
Barbosa, Rui, 17, 153, 378, 398, 404, 529
Barman, Roderick, 505
Barreto, Domingos Alves Moniz, 82
Barreto, Lima, 56,
Barreto, Narcisa Teresa de Jesus, 358
Barreto, Tobias, 155
Barros Sobrinho, 430
Barros, José Júlio de Albuquerque, 383
Bastos, Aureliano Cândido de Tavares, 19, 31, 86, 475
Bastos, Lemos, 424
Beecher-Stowe, Harriet Elizabeth, 14
Bell, Alexander Graham, 15, 356
Benevides, Salvador Correia de Sá e, 270
Benjamin, João Antunes C., 54
Benz, Karl, 16
Bezamat, Alberto, 46

Bilac, Olavo, 408, 410, 525
Birckhead & Pierce, 133
Blanco, Pedro, 124, 126
Bocaiúva, Quintino, 353, 458
Bonaparte, Napoleão, 11, 75, 304, 315,
Booth, John Wilkes, 454
Borges, Abílio César, barão de Macaúbas, 377, 415, 425
Bourbon, Maria Cristina de, 502
Braga, Francisco Manoel de Souza, ,379
Braille, Luís, 12
Brand, Charles, 224
Brandão, Alberto, 524
Brandão, Manuel Gomes, 358
Breves, Antônio de Sousa, 64
Breves, Cecília Pimenta de Almeida Frazão de Sousa, 73
Breves, Joaquim José de Sousa, 61, 66-67, 72, 74-75, 157, 165, 538
Breves, Maria Isabel de Moraes, 73
Breves, Rita Maria de Sousa, 74
British and Foreign Anti-Slavery Society, 126
Brito, Paulino de, 424
Brown, John, 137
Bryant & Foster, 133
Bueno, Francisco da Silveira, 36
Bueno, José Antônio Pimenta, visconde de São Vicente, 356
Burlamarqui, Frederico, 86, 335
Burmeister, Carl Hermann Conrad, 188
Burton, Richard, 128, 324
Byington, Bianca, 450
Byington, Olívia, 450
Byington, Pérola Ellis, 449-450
Cabral, Pedro Álvares, 41
Caetana, Águeda, 94
Caetano, João, 71
Calafate, Manoel, 287
Caldeira, Carlos José, 276
Caldeira, Jorge, historiador, 176, 321
Queirós, Eusébio de, 45, 295, 318-320, 326, 359
Câmara, José Antônio Corrêa da, 351
Camões, Luís de, 270
Campos, Bento da Rocha, 443
Campos, Joaquim Pinto de Menezes, 129
Campos, Martinho, 433, 435
Canabarro, David, general, 339-340
Candiani, Augusta, 152
Canning, George, 102, 140
Cão, Diogo, 270
Cardoso, Antônio Pereira, 391-392
Carlo x, 12
Caro, Cosme Damião de, 23
Carpo, Arsénio Pompílio Pompeu de, 279
Carruthers and Co., 130-131
Carter, Jimmy, 448
Carter, Rosalynn, 448
Carvalho, Ana Rosa Falcão de, 402
Carvalho, Bernardo Ribeiro de, 164
Carvalho, Bulhões de, 46
Carvalho, Jacintho Ribeiro de, 144
Carvalho, José Murilo de, historiador, 154, 364
Carvalho, Luís José Pereira de, barão de São Sepé, 155
Carvalho, Maria Alice Rezende de, historiadora, 418
Carvalho, Mariana António de, 143
Carvalho, Saint-Clair de Miranda, 499

Carybé, 262
Cascudo, Luís da Câmara, historiador, 511
Castelo Branco, Camilo, 356
Castelo Branco, Nicolau de Abreu, 281
Castillo, Lisa Earl, 267
Castrioto, Carlos Frederico, 46
Castro, André de Melo e, conde de Galveias, 7
Castro, Antônio Bento de Sousa e, 367-371, 380, 395
Castro, Apulcro de, 439-440
Castro, Fernando José de Portugal e, marquês de Aguiar, 161
Castro, Francisca da Silva, 380
Castro, Joaquim Vieira de, 521
Castro, José Luís de, conde de Resende, 340, 342
Cavalcanti, Holanda, 470
Centro Abolicionista de Porto Alegre, 383
Centro Abolicionista de São Paulo, 15
Cerqueira, Nicolau, 203
César, Antônio Moreira, 439
Chachá, vide Francisco Félix de Souza, 126, 237-241, 245-253, 259-260, 298
Chamberlain, Henry, cônsul, 102, 140, 218
Chaplin, Charles, 16
Charles Horsfall, empresa, 126
Chaves, Alfredo, 46
Christie, William Dougal, 328-329
Clapp, João, 373
Clapp, Joshua M., 133
Clegg, John Arden, 251
Clube Abolicionista da Vila de Gurupá, 372
Clube Abolicionista Militar, 421
Clube Abolicionista Vinte de Setembro, 383
Clube Abolicionista, 441
Cochrane, Josephine, 16
Cochrane, Thomas Alexander, lorde, 281
Coelho Neto, 50, 516
Coelho, José Mendes da Costa, 284
Coelho, Thomaz, 53
Collier, F.A., 112
Colston, Edward, 137
Companhia Baiana de Navegação, 148
Companhia da Ponta D'Arêa, 200
Companhia de Navegação do Amazonas, 337
Companhia União Africana, 145
Conceição, Francisco José da, barão de Serra Negra, 487
conde D'Eu, vide Luís Filipe Maria Fernando Gastão de Orleans, 14, 53, 413, 417, 492, 499, 504-512
conde D'Ursel, 72, 556
conde de Montholon-Sémonville, 74
conde de Resende, vide José Luís de Castro, 340, 342
condessa de Barral, 509
Confederação Abolicionista (CA), 16, 372, 378, 380, 382, 424, 440
Confederação Abolicionista Paranaense, 476
Congo, Manuel, 162, 295-296, 302
Conrad, Robert Edgar, historiador, 112, 114, 120, 124, 187-188
Constant, Benjamin, 154, 498
Correia, Manoel Francisco, 477
Costa & Ottani, 222
Costa e Silva, Alberto da, historiador, 240, 247, 249, 254, 259-260, 265-266, 280, 536
Costa, Ana Clara Breves de Moraes, condessa de

ÍNDICE ONOMÁSTICO

Haritoff, 79
Costa, Antônio de Macedo, 501
Costa, Clemente José da, 229
Costa, Emilia Viotti da, historiadora, 32, 35, 47, 90, 171, 196, 349, 526, 530
Costa, João Severiano Maciel da, marquês de Queluz, 85
Costa, Maria da, escravizada, 230
Costa, Vasco Vieira da, 273
Coutinho, Aureliano de Sousa e Oliveira, 107, 336
Couty, Louis, 184, 187, 475
Cruickshank, Brodie, 244
Cruz e Sousa, 375
Cunha, Joaquim Firmino de Araújo, 442-443
Cunha, José Mariano Carneiro da, 431, 440
Cunha, Simplício Luiz da, 51
D'Almeida, Joaquim, 266
D'Eça, Manuel de Almeida da Gama Lobo, barão de Batovi, 155
d'Orleans, Marguerite, 507
d'Ostiani, Alessandro Fè, 74
Damásio, Virgílio, 376
Dantas, Manoel Pinto de Souza, 378
Davatz, Thomas, 469
De, Jeferson, diretor de cinema, 386
Debret, Jean Baptiste, 24, 123
Dias, Manoel José, 198
Dias, Maria Odila Leite da Silva, historiadora, 90
Djidjiabu, princesa do reino Guin, 252
dom João VI, 11, 23, 67, 82, 101, 138, 161, 171, 179, 216, 243, 246, 261, 275, 291, 304, 370, 415, 465
dom Pedro I, 12, 27, 45, 62, 66, 91, 94, 96-97, 99-100, 102, 142, 169, 199, 223, 243, 279, 280-281, 292, 332, 431, 499, 502
dom Pedro II, 13-14, 27, 42, 48, 62, 71, 77, 97, 109, 135, 141, 147-148, 157, 162, 168, 170, 173, 175, 180, 206, 267-268, 279, 292, 317-318, 339, 347, 350, 352-356, 376-378, 406, 416-417, 422-424, 432, 449, 452, 457-458, 491, 494-496, 498-500, 504-506, 508-509, 512
dona Maria I, rainha de Portugal, 66, 246
dona Maria II, rainha de Portugal 147, 502
Doratioto, Francisco, 510
Dosso-Yovo, 260
Drago, Luiz Pedro, 50
Dring, Henry, 251
Duas Sicílias, Maria Amélia das, 166, 249
Dubo, Dako, príncipe do Daomé, 252
Dumont, Alberto dos Santos, 413
Duncan, John, 250-252, 260
Dunn, Ballard, 450,
duque de Caxias, vide Luís Alves de Lima e Silva, 293, 336, 351, 353, 508
duque de Wellington, 11
Duque-Estrada, Osório, 50
Dussen, Van der, 84
Dutra, Antônio José, 199
Duvivier, Gregório Byington, 450
Dyer, juiz, 450
E. Foste & Foster Co., 133
Earle, Augustus, 20
Eastman, George, 16
Edison, Thomas, 15
Ellis, Alfredo, 344
Eschwege, Wilhelm Ludwig von, 179

Espírito Santo, Emerenciana Ribeiro do, 408
Espírito Santo, Maria Rosa do, 381
Espiuca, Tomaz, 430
Estrela, Jorge de, 23
Estrela, Maria Augusta Generosa, 502
Faraday, Michael, 11
Feijó, Diogo Antônio, 102, 107, 333
Félix, Isidoro, 252
Fernandes, Florestan, 37-38
Ferraz, Cândido José de Campos, barão de Porto Feliz, 190
Ferraz, Luís Pedreira do Couto, visconde do Bom Retiro, 363
Ferreira Filho, João Lopes, 424
Ferreira, Miguel Vieira, 353,
Ferretti, Sérgio, antropólogo, 261
Fidelis, Antônio, 486
Figaniere, C.H.S., 132
Figaniere, Reis & Co., 132
Figaniere, William, 133
Figueira, Domingos de Andrade, 46
Figueira, Maria Henriqueta de Sena, 410
Floresta, Nísia, 502
Fodio, Usuman Dan, xeque, 291
Fofie, Opoku, rei dos axante, 241
Fonseca, Antônio Caetano da, 187, 304
Fonseca, Antônio Pinto da, 147, 320
Fonseca, Deodoro da, 17, 153, 412, 417, 497, 528
Fonseca, Manoel Pinto da, 130, 133, 140-141, 147, 320
Forbes, Frederick, 252, 260
Fortunato, Domingos, 284
Fragoso e Co., 428
Fragoso, João, historiador, 176
Franco, Maria Sylvia de Carvalho, historiadora, 69
Frank, Zephyr L., historiador, 199
Fraternidade de Descendência Americana, 448
Freireyss, G.W., 224
Freyre, Gilberto, 202-203, 498
Fruku, príncipe, 265
Galvão, Benjamin Franklin de Ramiz, barão de Ramiz, 498
Galvão, Candido da Fonseca, vide Obá II, 267-268
Gama, Luiz, 15, 34, 368, 350, 370, 385-388, 390-391, 394, 399, 401-402, 413, 442, 535-537
Gama, Miguel do Sacramento Lopes, 151-152
Gama, Vasco da, 270
Gantois & Martins, 124
Gardner, George, 143, 290
Garfield, James, 15
Garrafão, Santos, 485
Garrett, Almeida, 356
Garrido, Antônio Guedes Coutinho, 277
Garrido, Elísio Guedes Coutinho, 277
Gaston, James McFadden, 457
Geine, Francisco Cailhé de, 88
Gleason, Judith, 262
Goés Júnior, Araújo, 46
Goethe, Johann Wolfgang von, 12
Gomes Filho, Miguel F., 212
Gomes, Carlos, 14, 370, 413, 432
Gomes, Francisco Ferreira, 280
Gomes, Miguel Ferreira, 280
Gonçalves, Ana Maria, 388
Gordon, George, 116
Graça, José Joaquim Marques da, 246

Graham, Maria, 95, 142, 223
Graham, Sandra Lauderdale, historiadora, 159
Gregório XVI, papa, 13
Grigg, Frederick, 119
Guedes, Joaquim de Paula, o Alcoforado, 326
Guerra, Agostinho Moreira, 120
Guevara, Che, 269
Guezo, rei do Daomé,
Guilhermina, da Holanda, 502
Guimarães, Augusto, 378
Guimarães, Bernardo, 373
Guimarães, Domingos Custódio, visconde do Rio Preto, 158
Guimarães, Francisco Lopes, 138
Guimarães, José Joaquim Leite, barão de Nova Sintra, 147
Guimarães, Manuel Antônio, 317
Guimarães, Maria Ramos, 139
Guimarães, Miguel Antônio Pinto, barão de Santarém, 447
Gunter, Charles Grandison, 450
Guran, Milton, antropólogo, 240
Gusty, vide Augusto de Saxe-Coburgo-Gotha, duque de Saxe, 505-506, 508
Habsburgo-Lorena, Maria Cristina de, 502
Hamilton, Hamilton, 118
Haritoff, Iwann, 79
Haritoff, Maurício, conde Haritoff, 79
Hasse, Geraldo, 340
Hastings, Warren Lansford, 446
Hawthorne, A. T., 457
Henderson, James, 24
Henriques, Afonso, 270
Hentz, Caroline Lee, 450
Herculano, Alexandre, 356
Hesketh, Robert, 113, 125, 130, 146
Hoare, comandante, 119
Homem, João Vicente Torres, 336
Horne, Gerald, historiador, 457
Hornell, Robert, 124
Howden, lorde, 137
Hudson, James, 141, 313, 319, 325
Hugo, Victor, 356
Huntley, Henry, 237, 250, 568
Hutton, Thomas, 240
Imbert, Jean-Baptiste Alban, 202, 218-219
Inácio, Francisco, 66
Instituto do Patrimônio Histórico e Artístico Nacional (Iphan), 156, 262
Instituto Histórico e Geográfico Brasileiro, 377
Instituto Pretos Novos (IPN), 213, 538
Isabel, princesa, 16, 43-44, 48, 50, 53, 56, 411, 413, 441-442, 482, 488-489, 491-492, 494, 496-499, 501-507, 510-513
Isabella II, da Espanha, 502
J. Jackson & Tobin, 126
Jackson, George, 119
Jacquemont, Victor, 191, 197
Jaguaribe, Domingos José Nogueira, 474
Jardim, Antônio da Silva, 499
Jardim, Deni Prata, 263
Jenkins & Co., 133
Jesuína, Maria, 256, 261
João Paulo II, papa, 214
Joia, Preto, compositor, 532
Jones, Leonard Yancy, 449
Jones, Rita Lee, 449
Junqueira, Gabriel Francisco, 293
Jurandir, compositor, 532
Karasch, Mary, historiadora, 194, 199
Kerr, Eliza, 450-451
Keyes, John Washington, 450
Keyes, Julia Louisa Hentz, 450, 452
Klingelhöffer, Friedrich Christian, 178
Klink, John Jackson, 443-444
Koch, Robert, 15
Kolling, Guilherme, 340
Koseritz, Carlos, 156
Kpengla, rei, 265
Lacerda, João Batista de, 527
Lacerda, Luís Carlos de, 409, 441
Lacerda, Paulino de, 441
Lacerda, Pedro Maria de, bispo do Rio de Janeiro, 501
Lacerda, Quintino de, 485
Lamartine, 356
Langsdorff, Georg Heinrich von, 178
Leão XIII, papa, 55, 489, 498
Leão, Honório Hermeto Carneiro, marquês do Paraná, 180, 335
Leão, Manuel Carneiro, 343
Leclerc, Marx, 473
Lee, Robert E., 448, 457
Lefhaar, Catharina, 179
Leitão, Antônio Cândido da Cunha, 46
Leite, Eufrásia Teixeira, 404-405
Lênin, Vladimir, 269
Leopoldina, imperatriz, 142, 199, 223
Leopoldina, princesa, 503, 505-508
Leopoldo I, 505
Licutan, Pacífico, 288, 294
Liliuokalani, do Havaí, 502
Lima, Manoel Alves de, 243
Lima, Manuel de Oliveira, historiador, 103, 365, 498
Lima, Pedro de Araújo, visconde e marquês de Olinda, 114, 359
Lincoln, Abraham, 14, 454-455, 457, 459
Lins, Francisco de Caldas, barão de Araçagi, 46
Lisboa, Ângelo Francisco Carneiro, visconde de Loures, 138, 147
Lisboa, Bento da Silva, barão de Cairu, 141
Lisboa, José da Silva, visconde de Cairu, 141
Lloyd's Register of Shipping, 126
Lobo, Aristides da Silveira, 353, 499
Lopes, Diderô Carlos, 179
Lopes, Elias Antônio, 138
Lopes, Manoel Francisco, 129, 139
López, Solano, 154, 351, 508-510
los Rios Filho, Adolfo Morales de, 159
Lourença, escravizada, 54
Lourenço, Thiago Campos Pessoa, historiador, 75
Lucena, Henrique Pereira de, 46
Luís Alves de Lima, duque de Caxias,
Luís Filipe I, rei da França, 12, 249
Lynch, William, 443
Macedo, Luís Tavares, 287
Machado, Antônio Cândido da Cruz, visconde de Serro Frio, 47
Machado, Brasílio, 444
Machado, João da Silva, barão de Antonina, 337

ÍNDICE ONOMÁSTICO

Macqueen, James, 126
Mahin, Luiza, 386-390
Maia, Emílio Joaquim da Silva, 336
Mamigonian, Beatriz Gallotti,
Mansfeldt, Julius, 220
Marchionni, Bartolomeu, 41
Marianna, Maria Thereza, madre, 198
Marinho, Antônio Pereira, barão e visconde de Marinho, 147
Marinho, Joaquim Elísio Pereira, barão e visconde de Guaí, 147
Marinho, Joaquim Pereira, conde de Pereira, 136, 139-142, 145, 147
Marinho, Joaquim Saldanha, 354
Marinho, Pedro Aires, 424
Mariz, Vasco, historiador, 509-510
marquês de Pombal, 200
marquês de Aracati, 146
marquês de Sá da Bandeira, 146, 277
marquês do Lavradio, vide Luís de Almeida Soares Portugal, 214, 225
Marques, Joaquim Roberto de Azevedo, 398
Marquese, Rafael de Bivar, historiador, 304
Marrocos, Luís Joaquim dos Santos, 290-291
Martinho, ex-escravizado, 58
Martins, Domingos José, 129, 142, 145, 252-253
Martins, Francisco de Souza, 285, 290
Martins, Francisco Gonçalves, 286
Martins, Gaspar Silveira, 61, 68, 512
Martins, José Luís de Almeida, 501
Martins, Manuel Antônio, barão da Ilha do Sal, 147
Martius, Karl Friedrich Philipp von, 199
Marx, Karl, 16
Matos, Artur de, 430
Matos, Gomes de, 430
Matos, Raimundo José da Cunha, 103-104
Matthew Forster, empresa, 126
Mattos, Manuel de Azevedo, 160
Maury, Matthew Fontaine, 460
Maxim, Hiram, 16
Maxwell Wright & Co., 133
McQueen, Steve, diretor de cinema, 126
Melo, Manuel Marcondes de Oliveira, 66
Melo, Maria Martins de, 194
Mendes, Joana, 143
Mendonça, Francisco Maria de Sousa Furtado de, 393
Mendonça, Lúcio, 388-392
Mendonça, Salvador de, 353
Menezes, José Ferreira de, 397-398
Meyen, F.T.J., 216
Miller, James, 457
Miller, Joseph, historiador, 211
Miller, Sarah, 457
Miranda, José Antônio, 81, 89
Monteiro, Antônio Maciel, barão de Itamaracá, 116
Monteiro, Aureliano de Souza, 194
Monteiro, João Carlos, 334, 408
Monteiro, José Rezende, barão de Leopoldina, 49
Montello, Josué, 262
Montezuma, Francisco Jê Acaiaba de, visconde de Jequitinhonha, 358
Moraes, Evaristo de, historiador, 40, 206-207, 425
Moraes, José Gonçalves de, barão de Piraí, 73
Moreira, João Baptista, barão de Moreira, 146-147
Morro Velho, companhia de mineração, 127-128

Mota, Silveira da, 415
Mota, Vicente Pires da, 317
Moura, Antônio Bonifácio de, 76
Moura, Francisco de, 76
Moura, Honorato de, 76
Moura, João Bonifácio de, 76
Moura, Joaquim Francisco de, 77
Moura, Marcolino de, 429
Nabuco, Joaquim, 15-16, 22, 34, 45, 52, 55, 104, 174, 198, 222, 360, 364, 370-371, 373, 378-380, 387, 395, 398, 401-404, 411, 421, 425, 431, 440, 465, 496, 501
Nardy Filho, Francisco, historiador, 344
Nascimento, Abdias, 36-38
Nascimento, Francisco José do, Chico da Matilde, 421, 431
Nascimento, Guilherme José do, 444
Nelson, Thomas, 137, 211
Neves, Antônio Martins das, 439
Nicholson, Charles, 133
Nicolas, Antoine Taunay,
Niemeyer, Oscar, 387
Nogueira, Antônio José, 76
Nogueira, Cassiano Ramos, 67
Nogueira, Hilário Gomes, 67
Nogueira, Luiz Ramos, 67
Noronha, Fernando de, 41
Norris, Robert, 449
Norris, William Hutchinson, 449
Northfleet, Ellen Gracie, 449
Northup, Solomon, 386
Novais, Elias Dias de, 153
Novais, Paulo Dias de, 270-271
Novis, Aristides, 523
Obá I, 268
Obá II, vide Candido da Fonseca Galvão, 267-268
Obitikô, Bambòxê, vide Rodolfo Manoel Martins Andrade, 267
Oeynhausen, João Carlos, 66
Oliveira, Belchior Pinheiro de, 19, 66
Oliveira, Hosana de, 424
Oliveira, João Alfredo de, 53, 59, 522
Oliveira, José Estanislau de, barão de Araraquara e visconde de Rio Claro, 168
Oliveira, Sátiro de, 425
Oliveira, Vital Maria Gonçalves de, bispo de Olinda, 501
Olukokum, rei de Iseyin, 266
Omboni, Tito Antônio, 276
Organização das Nações Unidas, 213, 272
Orleans, Luís Filipe Maria Fernando Gastão de, conde D'Eu, 499, 505, 511
Osemwede, obá do Benim, 243
Osinlokun, rei de Onim, 243
Ottoni, Cristiano Benedito, 353
Ouseley, William, 109
Padilha, Alexandrina de Araújo, 519
Palheta, Francisco de Melo, 30
Palmares, Dandara do, 388
Palmares, Zumbi do, 388, 513
Palmerston, lorde, 320
Paranhos Júnior, José Maria da Silva, 511
Park, Mungo, 241
Parron, Tâmis, historiador, 26
Patrocínio, José do, 34, 50, 52, 334, 370, 373, 387, 395-396, 401-402, 407-408, 412, 415, 419, 421,

424, 440-443, 496, 513, 525
Paula, Francisco Manoel de, 225
Pederneiras; Inocêncio Veloso, barão de Bojuru, 155
Pedreiro, Sebastião, 164
Pedroso, Pedro da Silva, 93
Pedroso, Saturnino, 206
Peixoto, Floriano, 63, 412, 525
Pemberton, John, 16
Pena, Afonso, 404
Pepple, Dappa, rei de Bonny, 244
Pereira, Antônio da Rocha, 229
Pereira, Francisco da Costa, 120
Pereira, Jerônimo Sodré, 376
Pereira, Júlio César Medeiros da Silva, 221
Pessoa, José Eloy, 87
Pestana, Francisco Rangel, 353, 398
Pimenta, Estevão, 296
Pimentel, Sancho de Barros, 425-426
Pinto Filho, Antônio Clemente, conde de São Clemente, 159
Pinto Sobrinho, Bernardo Clemente, conde de Nova Friburgo, 159
Pinto, Adrião Acácio da Silveira, 244
Pinto, Antônio Clemente, barão de Nova Friburgo, 158
Pinto, Maria Bárbara Garcez, 89
Pinto, Roquette, antropólogo, 528
Pires, Filastro Nunes, 317
Pompeia, Raul, 368-369, 386, 399
Pompílio, Numa, 430
Pontes, Felisberto Caldeira Brant, marquês de Barbacena, 89, 322
Porchat, Henrique, 368
Portela, Francisco, 524
Porto, Leonor, 430
Portugal, Luís de Almeida Soares, marquês do Lavradio, 214, 225
Prado Júnior, Antônio Rodrigues do, 392
Prado, Antônio, 396, 473
Prado, Lucas Ribeiro do, 344
príncipe de Joinville, 249, 505, 507
Priore, Mary Del, historiadora, 506, 508
Proffit, George H., 132
Proudhon, 411
Proust, Marcel, 404
Pyrmont, Emma de Waldeck e, 502
Queirós, Eusébio de, vide Eusébio de Queirós Coutinho Matoso Câmara
Queirós, Luís Antônio de Souza, 169
Quincas, o Belo, vide Joaquim Nabuco
Quintela, Luiz Cândido, 390
Rabelo, Pedro, 56
Ramos, João, 430-431
Ramos, Manoel de Azevedo, 165
Ramos, Thomas da Costa, 134
Raupp, José Luís, 179
Rebouças, André, 17, 34, 52, 284, 338, 365, 370, 378, 387, 395, 401-402, 410-411, 413, 416, 432, 465
Rebouças, Antônio Pereira, 284, 338, 413
Reis, João José, historiador, 288, 293, 297, 388
Reis, Justiniano José dos, 380
Reynolds, Barrington, 319, 325
Rezende, Francisco de Paula Ferreira de, 521
Ribeira, Antônia da, 160
Ribeiro, José Cezário de Miranda, 476

Ribeiro, José Luiz Whitaker, 449
Richter, Gustav Karl Ludwig, 78-79
Rocha, José da, escravizado, 230
Rochadell, Antonio, 124
Rodrigues, Amador Lacerda, 327
Rodrigues, Inácio, 94
Rodrigues, José Carlos, 417
Rodrigues, Nina, 35
Rohan, Henrique Beaurepaire, 415-416
Romero, Sylvio, 463, 474
Roosevelt, Theodore, 404
Rugendas, Johann Moritz, 123
Sá, José Bernardino de, barão e visconde de Vila Nova do Minho, 138, 147
Sacramento, Bernardino de Sena do, 287
Saint John del Rey Gold Mining Co., 128-129
Salazar, Antônio de Oliveira, 271, 569
Salles, Campos, 526
Salles, Ricardo, historiador, 302, 328
Sampaio, Claudina Fortunata, 395
Sampaio, Luíza Rosa, 486
Sampaio, Theodoro, 427
Santos, João Cardozo dos, 111-112
Santos, João Felício dos, 388
Santos, Joaquim Ferreira dos, conde de Ferreira, 138, 147
Sarmento, José Vieira, 200
Saxe-Coburgo-Gotha, Augusto de, duque de Saxe, 505-506, 508
Schomberg, Herbert, 314-316
Schwarcz, Lilia Mortiz, historiadora, 529,
Schwartz, Stuart B., historiador, 155,
Seixas, Romualdo Antônio de, arcebispo da Bahia, 104, 148
Senna, Ernesto, 50
Serra, Polucena d'Oliveira, 185
Seward, William Henry, 459
Sidney, Chalhoub, historiador, 332
Silva Jr., Carlos da, 145
Silva, Alberto da Costa e, historiador, 240, 247, 249, 254, 259-260, 265, 280, 536
Silva, Ana Joaquina dos Santos e, 142, 273, 275-277
Silva, Eduardo, historiador, 159, 267
Silva, José Bonifácio de Andrada e, 12, 26, 66, 83, 87, 91-92, 102, 336, 376, 405
Silva, José Bonifácio de Gouveia e, 77
Silva, Luís Alves de Lima e, vide duque de Caxias, 293, 336, 351, 353, 508
Silva, Pompeu da, 287
Silva, Rodrigo Augusto da, 45, 53
Silveira, André Pinto da, 284
Silveira, Pedro Ivo Veloso da, 74
Simad, Antonio Rola de, 139
Simonsen, Roberto, 187
Siqueira, Alexandre Joaquim de, 296
Soares, Carlos Eugênio Líbano, historiador, 23
Soares, Evelina, 405
Sociedade Abolicionista de Carrapatinho, 372
Sociedade Abolicionista Luso-Brasileira, 440-441, 465
Sociedade Abolicionista Sul-Rio-Grandense, 383
Sociedade Auxiliadora da Indústria Nacional (Sain), 301
Sociedade Brasileira contra a Escravidão (SBCE), 15, 379, 411, 425

ÍNDICE ONOMÁSTICO

Sociedade Britânica e Estrangeira Antiescravagista, 411
Sociedade Cearense Libertadora (SCL), 372, 420-421, 424
Sociedade Central de Imigração (SCI), 465
Sociedade contra o Tráfico de Africanos e Promotora da Colonização e da Civilização dos Índios (SCT), 13, 376
Sociedade da Lavoura de São José de Além Paraíba, 434
Sociedade Francesa pela Abolição da Escravidão, 13, 377
Sociedade Libertadora 28 de Julho, 372
Sociedade Libertadora Dois de Julho, 13, 376
Sociedade Libertadora Sete de Setembro, 15, 378
Sociedade Redentora de Crianças, 372
Societê Anonyme du Gaz, 51
Sousa, Antônio Cardoso de Menezes e, 431
Sousa, Irineu Evangelista de, barão e visconde de Mauá, 130-131, 337
Sousa, João Cardoso de Menezes e, barão de Paranapiacaba, 431
Sousa, João Francisco de Paula, 517
Sousa, Regina Angelorum de, ex-escravizada, 79
Souto, Teodureto Carlos de Faria, 419, 424-425
Souza, Francisco Félix de, vide Chachá, 126, 237-241, 245-253, 259-260, 298
Souza, Guilhermina Rosa de, 284
Souza, Isidore de, arcebispo, 239
Souza, Jacinto José de, 240
Souza, Luís de Vasconcelos e, 21, 214
Souza, Paulino José Soares de, visconde do Uruguai, 48-49, 114, 166, 318-319, 324, 424
Speers, William, 486,
Spix, Johann Baptist von, 199
Starling, Heloisa Murgel, historiadora, 529
Stein, Stanley J., historiador, 165, 521
Stendhal, 12
Stuart, John McDouall, 223
Tams, George, 278-279
Taunay, Afonso d'Escragnolle, 187
Taunay, Alfredo d'Escragnolle, visconde de Taunay, 465, 509
Taunay, Carlos Augusto, 304-305
Tavares, Luís Henrique Dias, historiador, 96, 248
Tegbesu, rei, 265
Teixeira, Antônio, 23
Teresa Cristina, imperatriz, 491, 495, 512
Teresa, Juliana, madre, 198
Ternaux-Compans, Maurice, 72
The Singer Manufacturing Company, 55
Tinto, Vicente Gonçalves Rio, barão do Rio Tinto,
Tobin & Horsfall, 251
Torres, Joaquim José Rodrigues, visconde de Itaboraí, 107, 166, 359
Torres, José Carlos Pereira de Almeida, visconde de Macaé, 141
Tostes, Cândido Bernardino Teixeira, 498-499
Trespach, Rodrigo, historiador, 178
Tristeza, Niltinho, compositor, 532
Trovão, José Lopes da Silva, 353
Tschudi, Johann Jakob von, 189-190
Ualála, Dembo, vide Ana Joaquina dos Santos Silva, 275
Vale, Domingos Ferreira do, 424
Vale, Valeriano José do, 442
Vallim, Manoel de Aguiar, barão do Bananal, 156-157
Vandelli, Narcisa Emília de Andrada, 336
Varela, Manoel Bastos, 246
Vargas, Getúlio, 158, 502, 513
Vasconcelos, Agripa, 266
Vasconcelos, Bernardo Pereira de, 180
Vasconcelos, Zacarias de Góis e, barão e visconde de Nacar, 153, 317, 355, 357, 361
Veiga, Evaristo da, 83, 225
Velho Cachoeira, vide Antônio de Sousa Breves, 65
Verger, Pierre, 145, 240, 243, 248, 258-259, 261
Vergueiro, José, 471
Vergueiro, Nicolau Pereira de Campos, 169, 468, 471
Verne, Júlio, 14
Viana, Antônio Ferreira, 173, 176, 353
Viana, Paulo Fernandes, 88
Vicentinho, compositor, 532
Vidal, Manuel Bernardo, 146
Vieira, Felisberta Avellar, 521
Vieira, Francisco Sabino Álvares da Rocha, 292
Vilaça, Antônio Jacome, 439
Villaronga, José Maria, 157
visconde de Maracaju, 153
visconde de Ouro Preto, 153, 498, 522
visconde de Queirós, 47
visconde do Rio Branco, vide José Maria Paranhos, 362, 364, 369, 500
Vitória, da Grã-Bretanha, 502
Voges, Carl Leopold, 178
Wagner, Richard, 356
Walsh, Robert, 105-106, 189
Wanderley, Francisca Antônia, 377
Wanderley, João Maurício, 47, 427-428, 440, 496
Wansuit, Maurício de, 485
Warne, James Ox, o Boi, 443
Watson, Columbus, 450
Watson, Steve, 450
Watts, Edward,
Webb, James Watson, 459
Werneck Júnior, Francisco das Chagas,
Werneck, André, 523
Werneck, Anna Maria, 165
Werneck, Francisco das Chagas, 165-166
Werneck, Francisco Peixoto de Lacerda, barão de Paty do Alferes, 46, 70, 165, 188, 296, 303
Werneck, Inácio de Souza, 159, 161, 165
Werneck, Isabel Augusta, 165
Werneck, João, 159
Werneck, José de Souza, 165
Werneck, José Ignácio de Souza, 166
Werneck, José Pinheiro de Sousa, 296
Werneck, Luiz Peixoto de Lacerda, 162, 165, 303, 470-471
Werneck, Manoel Peixoto de Lacerda, 519
Whitaker, Joseph, 458
Wilde, Oscar, 404
Wise, Henry, 139
Wood, Wallace W., 457-458
Xavier, Manuel Francisco, 295
Yancey, William L., 445, 454
Zaluar, Augusto Emílio, 71
Zama, César, 376, 518, 525
Zeferina, 286

Este livro, composto na fonte Mercury Text, foi impresso em papel Pólen natural 70 g/m², na Leograf. São Paulo, agosto de 2022.